中国交通教育研究会组织编写

高速公路管理从业人员岗位培训教材

Gaosu Gonglu Jingying Guanli

高速公路经营管理

周国光　主　编
祁洪祥　副主编
吴群琪　主　审

人民交通出版社

内 容 提 要

本书分上、下两篇，上篇为高速公路经营管理，共八章，论述了高速公路经营企业的组织结构、政企关系、发展策略、投融资、资本运营、成本管理等内容；下篇为高速公路经营开发和服务区管理，共六章，讨论了经营开发和服务区管理中的具体问题。

图书在版编目(CIP)数据

高速公路经营管理/周国光主编. —北京：人民交通出版社，2004.10
ISBN 7-114-05309-6

Ⅰ.高… Ⅱ.周… Ⅲ.高速公路-经济管理 Ⅳ.F542

中国版本图书馆 CIP 数据核字(2004)第106928号

高速公路管理从业人员岗位培训教材

书　　名：高速公路经营管理
著 作 者：周国光
责任编辑：毛宝兴
出版发行：人民交通出版社
地　　址：(100011)北京市朝阳区安定门外外馆斜街3号
网　　址：http://www.ccpress.com.cn
销售电话：(010)59757973，59757969
总 经 销：人民交通出版社发行部
经　　销：各地新华书店
印　　刷：北京市密东印刷有限公司
开　　本：787×960　1/16
印　　张：26
字　　数：421千
版　　次：2005年1月　第1版
印　　次：2010年8月　第1版　第2次印刷
书　　号：ISBN 7-114-05309-6
印　　数：5001~7000册
定　　价：39.00元

高速公路管理从业人员岗位
培训教材编审委员会

序

X_U

改革开放以来,我国公路建设以高等级公路为标志进入了快速发展的新阶段,取得了巨大成就。截止到2003年底,全国公路通车里程达到181万公里,高速公路达到3万公里,全国已有一半以上的省份高速公路超过了1000公里。现代化的高速公路设施,促进了公路快速运输系统的发展,改变着传统交通运输格局,对建立现代综合运输体系发挥着基础性的作用。

实现现代公路运输,完成客货位移,完善的公路网是基础,现代汽车装备是工具,科学管理是手段,这三大要素共同组成了公路运输必备的条件。但在现代公路运输中,科学管理处于首位,而且是充分发挥公路设施和运输装备效率的根本性保障。

高速公路管理总体上可以划分为两大领域,即高速公路的建设管理领域和高速公路的运营管理领域。我国高速公路建设始于20世纪80年代中期,经过20多年来的探索、实践和总结,此间我们也积极引进和吸收发达国家高速公路建设的管理经验,在高速公路建设前期管理、建设项目业主管理、项目建设招投标管理、项目工程监理管理、项目合同管理以及竣工验收管理等方面,逐步制定和完善了相关的法律法规及各项管理制度,形成了具有中国特色的高速公路建设较为完善的管理体系。相比之下,我国高速公路的运营管理,虽在实践的基础上,经过总结,积累了不少经验,制定了许多管理制度,人员素质和管理水平都有很大提高,成绩显著。但随着高速公路快速发展和投入运营规模的不断扩大,如何进一步的提高管理效率和水平,充分发挥高速公路作为现代化的交通基础设施的作用和效益,越来越成为迫切给予重视的问题。实践证明,高速公路运营管理比建设管理复杂得多,管理任务也重的多。目前有这样的反映,高速公路是现代化设施,是先进生产力的标志,但管理是传统和粗放式的管理,行驶车辆的技术是落后的技术,这样的不匹配就很难发挥巨额投资建设的高速公路设施的效益。尽管这些反映可能有过,但笔者认为,提高对高速公路运营管理水平确实是摆在我们面前的重要课题。总体来看,我国高速公路运营管理法规准备不足、理论滞后、水平低下,尤其是管理体制改革跟不上和管理人才的严重缺乏,导致了我国当前高速公路运营管理不能适应高速公路事业发展需要的局面。

改变高速公路运营管理不适应的局面,需要做的事情很多。是个系统工程,是一篇大文章。但根本的问题是管理人才问题。人才资源是第一资源,实现“人才强交”战略才是根本的出路。交通大业,以人为本。人才出思路,人才出精品,人才出管理,人才出效益,有了人才,才能创造奇迹,推动人类社会向前发展。当然,培养和建设人才也是一个系统工程,是全社会全面努力的问题。但搞好培训和继续教育,特别是对在职人员来说是提高行业队伍科学文化素质的有效方法,也是建设学习型社会的重要内容。

为适应全国数十万高速公路管理人员开展培训工作,中国交通教育研究会在主管部门的指导下,组织编写了高速公路管理从业人员岗位培训教材。现予以出版并与大家见面。

参与教材的编写者,既有从事公路经济管理教学、科研的专家、教授,也有实践经验丰富的高速公路运营管理一线的领导干部和实际工作者。他们坚持理论与实践相结合的原则,本着科学规范、务实创新的精神,结合我国国情,既充分反映了最新科研成果,又充分考虑了教材的实用性和系统性,是一套很好的系列教材。对管理人员的培训和提高必将起到重要作用。

还有更重要的是:我期待更多更好的培训教材问世,更期待更多更多的管理者刻苦学习,得到真实的提高。为提高队伍素质和管理水平而共同努力。

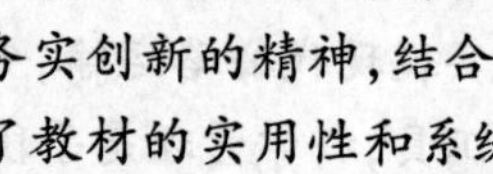

2004.10.29

前言

QIANYAN

高速公路是20世纪最伟大的发明之一。在当今世界上,各国政府和人民都认识到:经济发达的社会必须有现代化的公路交通,现代化的公路交通必须有完善的高质量的公路网络,高速公路是公路网络中最主要的骨架运输通道,在现代化社会与经济活动中发挥着关键的作用。

经过20多年的努力,我国高速公路从无到有,并进入了迅猛发展阶段。用10年左右的时间,走过了发达国家一般需要40年完成的发展历程!目前,我国已拥有3万多公里的高速公路,这是我国人民拥有的一笔庞大而宝贵的财富,在我国社会经济发展中正发挥着巨大的作用。交通部根据党的十六大决议勾画的21世纪前20年的发展蓝图,拟定了新的公路交通发展目标:到2010年,全国公路总里程达到230万公里,其中高速公路达到5.5万公里,全国高速公路网骨架基本形成;到2020年,全国公路总里程达到300万公里,其中高速公路达到8.5万公里,建成全国以高速公路为主体的骨架公路网。任务是光荣而艰巨的,要实现预定的发展目标,还需要付出加倍的努力。

高速公路作为现代化交通基础设施,只有科学管理,才能体现高速公路的整体性、系统性和科学性,才能发挥其快速、高效、安全、畅通的功能和优势。科学的管理需要大量高素质的管理人才。对全国数十万高速公路管理人员进行培训,提高他们的素质和工作能力就显得尤其必要。

中国交通教育研究会受交通部科教司委托,为适应我国经济与交通行业发展,满足高速公路管理对从业人员岗位培训的需要,经过一段时间的反复酝酿和论证,决定组织编写出版一套高质量的高速公路管理从业人员岗位培训教材,组建了以山东省交通厅晋兰欣副厅长为主任委员、郗恩崇教授等为副主任委员,由一批从事公路交通经济管理教学科研的专家、教授和实践经验丰富、理论修养高的高速公路管理一线的领导干部和实际工作者共32位同志为委员的教材编审委员会,并于2003年8月拟定了《高速公路概论》、《高速公路路政管理》、《高速公路通行费管理》、《高速公路交通安全管理》、《高速公路养护管理》、《高速公路监控通信管理》、《高速公路经营管理》7本教材的编写任务。经过一年多的认真、紧张的工作，7本高速公路管理从业人员岗位培训教材终于与大家见面了。对此，我们感到十分欣慰。在此，对山东省交通干部学校积极参加本套书的策划和前期开发工作、云南省交通厅及云南交通教育研究会积极支持教材编审委员会的工作、人民交通出版社给予编写指导和资金投入表示感谢，对教材编审委员会成员所在单位给予的大力支持表示感谢，对教材编审委员会认真负责和卓有成效的工作表示感谢，对参加大纲审定会、书稿审定会提出很多宝贵意见的领导和专家表示感谢，他们对教材的编写都给予了很大的支持和帮助。

这次教材编写是中国交通教育研究会接受政府主管部门委托，充分发挥了中国交通教育研究会各会员单位的积极性，实行专家教授与一线管理专家相结合的办法，是中国交通教育研究会采用新模式组织编审培训教材的一次成功尝试，本次教材编写质量好、时间短、效率高，为今后培训教材的建设提供了有益的经验。

《高速公路经营管理》由上篇"高速公路经营管理"和下篇"高速公路经营开发和服务区管理"构成。上篇主要论述高速公路经营管理中所涉及的宏观管理问题和微观管理问题。在讨论高速公路经营与车辆通行费制度的关系、现行体制下高速公路经营企业性质和任务的界定、市场经济条件下公路经营中政企关系的界定等的基础上，进一步涉及高速公路经营发展策划、高速公路投融资、高速公路经营企业资本运营、高速公路权益转让、高速公路成本管理等高速公路经营管理中的特定内容。在高速公路经营管理中，本还应当讨论有关高速公路收费车型分类、收费标准确定、收费标准调整等内容，由于在该套教材中专门设置了《高速公路通行费管理》来进行论述，所以在本教材中将该部分内容省略。

下篇主要讨论高速公路经营开发和服务区管理中的具体管理问题，包括有关高速公路经营开发的管理和高速公路服务区的管理。本书在参考有关文献的基础上，对高速公路经营开发和服务区的具体管理要求进行了较全面、深入的讨论，以利于公路交通行业的实际工作者学习和在工作中借鉴。

吴群琪教授在评审本书时，对明确高速公路经营管理的内涵和构成等问题提出了要求。这是非常正确和必要的。就目前现状来看，在已出版的各类有关高速公路经营管理的著作中，其内容构成各有所侧重，并不完全一致。狭义的经营管理，仅涉及公路经营企业的经营活动；而广义上的经营管理，还包括收费还贷公路甚至不收费公路的管理活动。所以有必要对此问题作进一步的探讨，并在此基础上形成较为科学和完整的高速公路经营管理框架体系。本书主要探讨狭义上的高速公路经营管理问题。本书所撰写的内容，也可以被认为是对构建高速公路经营管理体系的一种有益探索。

《高速公路经营管理》是这套培训教材中的第七本。本教材按照周国光教授负责拟订、中国交通教育研究会审定的编写大纲编写。

本书上篇参编人员有：李颜娟负责编写第一、四、七章；梁锋负责编写第二、六章；郑延智负责编写第三、五章；周国光负责编写第八章。本书上篇由周国光教授负责修改、润色和定稿。

本书下篇由祁洪祥副教授负责编写初稿、修改和定稿。

在此基础上，全书由周国光教授负责总纂定稿。长安大学经济与管理学院博士生导师吴群琪教授担任本书主审。吴教授在对本书初稿进行认真评审基础上，提出了非常宝贵的修改意见，对保证本教材的质量发挥了重要的作用。

《高速公路经营管理》作为全国交通职工的培训教材之一，是在充分吸收目前已取得的研究成果的基础上编著的。从这一意义上来说，本书所初步体现的高速公路经营管理理论体系应当是公路行业广大理论工作者共同智慧和研究成果的结晶。

由于理论水平有限，加之《高速公路经营管理》又属于新的研究领域，本书成稿仓促，书中出现一些不足或者错误在所难免。因此，敬请广大读者赐教，以臻完善。

编　者

2004年8月于西安

目录

MULU

上　篇　高速公路经营管理 …… 1
第一章　高速公路经营管理概论 …… 3
第一节　收费公路的发展历史 …… 3
第二节　车辆通行费制度与高速公路经营管理 …… 13
第三节　高速公路经营管理的基本内容 …… 24
小结 …… 32
思考题 …… 32
第二章　高速公路经营企业 …… 33
第一节　高速公路经营企业概述 …… 33
第二节　高速公路经营企业的组织形式 …… 43
第三节　高速公路经营企业的法人治理结构 …… 50
小结 …… 52
思考题 …… 53
第三章　高速公路经营中的政企关系 …… 54
第一节　市场经济条件下的政企关系 …… 54
第二节　市场经济条件下公路经营企业政企关系的科学定位 …… 63
第三节　目前我国公路经营政企关系的现实定位 …… 73
小结 …… 79
思考题 …… 79
第四章　高速公路经营发展策划 …… 81
第一节　高速公路经营发展的基本原则 …… 81
第二节　高速公路经营发展策划的基本内容 …… 86
小结 …… 93
思考题 …… 94

第五章　高速公路投融资管理 …………………………… 95
第一节　高速公路投融资管理概述 ……………………… 95
第二节　高速公路筹资管理……………………………… 104
第三节　高速公路投资管理……………………………… 114
小结……………………………………………………… 126
思考题…………………………………………………… 127
第六章　高速公路经营企业资本运营…………………… 128
第一节　高速公路经营企业资本运营概述……………… 128
第二节　高速公路经营企业资本运营的基本内容和方法…… 138
第三节　高速公路经营企业的设立和重组……………… 143
小结……………………………………………………… 153
思考题…………………………………………………… 154
第七章　高速公路权益转让管理………………………… 155
第一节　高速公路权益转让概述………………………… 155
第二节　高速公路权益转让的基本内容………………… 158
第三节　高速公路权益转让价值评估…………………… 161
第四节　高速公路权益转让管理………………………… 170
小结……………………………………………………… 176
思考题…………………………………………………… 177
第八章　高速公路成本管理……………………………… 178
第一节　高速公路建设成本管理………………………… 178
第二节　高速公路经营成本管理………………………… 192
第三节　高速公路养护成本管理………………………… 197
小结……………………………………………………… 205
思考题…………………………………………………… 205
下　篇　高速公路经营开发和服务区管理……………… 207
第一章　高速公路经营开发概述………………………… 209
第一节　高速公路经营开发的概念和作用……………… 209
第二节　高速公路经营开发的基本内容………………… 214
小结……………………………………………………… 224
思考题…………………………………………………… 224
第二章　高速公路经营开发……………………………… 225
第一节　高速公路广告开发……………………………… 225
第二节　高速公路旅游开发……………………………… 228
第三节　高速公路土地开发……………………………… 231

第四节　高速公路仓储开发…………………………………… 236
第五节　高速公路经营品牌开发……………………………… 238
小结……………………………………………………………… 247
思考题…………………………………………………………… 248
第三章　高速公路经营开发管理……………………………… 249
第一节　高速公路经营开发方式……………………………… 249
第二节　高速公路经营开发的前景…………………………… 255
小结……………………………………………………………… 272
思考题…………………………………………………………… 272
第四章　高速公路服务区管理概述…………………………… 273
第一节　高速公路服务区……………………………………… 273
第二节　高速公路服务区管理的原则和作用………………… 279
第三节　高速公路服务区设施………………………………… 282
第四节　国内外高速公路服务区发展概况…………………… 298
小结……………………………………………………………… 314
思考题…………………………………………………………… 315
第五章　高速公路服务区经营管理…………………………… 316
第一节　高速公路服务区经营管理的原则…………………… 316
第二节　高速公路服务区管理的基本内容…………………… 319
第三节　高速公路服务区管理体制…………………………… 342
小结……………………………………………………………… 354
思考题…………………………………………………………… 354
第六章　高速公路服务区经营活动的管理…………………… 355
第一节　餐饮和百货经营业务的管理………………………… 355
第二节　加油和汽车维修业务的管理………………………… 366
第三节　新项目开发业务的管理……………………………… 386
小结……………………………………………………………… 396
思考题…………………………………………………………… 397
参考文献………………………………………………………… 398

上　篇

高速公路经营管理

第一章

高速公路经营管理概论

学习目标

我国高速公路虽然起步较晚，但近年来取得了令世人瞩目的成绩，初步形成了贯通全国各地的公路网主骨架。高速公路经营和车辆通行费制度是我国深化公路投融资体制改革的必然结果。

通过本章的学习，重点掌握收费公路、收费经营公路、收费还贷公路、车辆通行费制度的概念和高速公路经营企业筹资管理、投资管理的特点和基本内容；掌握车辆通行费制度形成的理论基础，目前我国有关车辆通行费制度的相关规范，并对此形成自己的见解；了解高速公路经营企业日常经营管理和财务管理的特点及基本内容。

第一节　收费公路的发展历史

一、收费公路的出现与演变

(一)收费公路的概念

收费公路(包括桥梁、隧道等，下同)是指经有权部门批准、向过往车辆收取车辆通行费的公路。

早期的收费公路是与公路私人投资经营机制紧密联系在一起的。私人投资建造公路，必然会要求通过向过往车辆收取通行费来收回投资并获得合理回报。私人投资者对利润的追求在一定条件下发展了收费公路，在客观上也促进了高质量公路网的快速建设与发展。

随着历史的发展演变,今天的收费公路则主要是作为公路建设融资的产物。

(二)收费公路的分类

由于收费目的的不同,可以将收费公路划分为收费控制公路、收费还贷公路和收费经营公路三种类别。

1.收费控制公路

实行公路车辆通行费制度的一个重要目的,是试图通过收费来有效地控制公路的交通量,以求最大限度地提高现有道路的使用效益。以控制交通量为目的的收费公路,应当是超负荷使用的公路。支持控制收费行为的经济理论,应当是现代经济学中的边际效益理论。根据现代经济学的基本原理,当生产某种物品所产生的边际效益大于其边际成本时,应增加产品数量;反之,应减少产品的数量;当其边际效益等于边际成本时,可产生最高的资源利用效率和最大的社会经济效益,这时的资源达到了最优配置。根据这一理论,当某条路处于饱和状态时,增加交通量将导致交通拥挤,时间延误,经济成本增加。这时需对过往的车辆征收通行费,所确定的收费标准应当使得边际车辆包括通行费在内的总付费等于其边际成本,这有利于获得最大的道路使用效益。英国伦敦、爱丁堡等交通十分拥挤的城市考虑采取道路收费制的主要目的就是为了控制交通量,减缓拥挤状态。荷兰计划在其主要城市阿姆斯特丹、海牙、鹿特丹和乌得勒支四周设立总共110个自动收费站,也是为了"通过向进城的机动车收取一定费用的方式,'劝阻'驾车者尽量减少不必要的进城交通,以减少在荷兰城市四周道路上时有发生的堵车现象,以及因车辆过多而造成的城市空气污染"。①

英国伦敦市长利文斯通在2002年2月26日宣布,从2003年2月17日起,开车进入伦敦市区的车辆需缴纳车辆通行费,以缓解市内交通拥挤的现象。实施收费政策后,伦敦市中心的交通拥挤现象下降了30%;2003年进入伦敦市中心的车辆数减少了18%,进入市中心的小汽车减少了30%。2003年,伦敦交通公司收取拥堵费6 800万英镑,将用于改善市政交通设施。

理论研究结果表明,对于交通量未达到饱和的公路,不应当实行以控制

① 资料来源:中国交通报1998年11月11日。

交通量为主要目的的收费制度。显然,控制收费与公路筹资无关,属于典型的政府行为。

2.收费还贷公路

收费还贷公路,又叫做政府还贷公路。如果某公路是靠贷款修建的,则收费的目的是为了在规定的期限内(贷款偿还期)筹措足够的资金以用于偿还贷款本息。贷款本金、贷款利息、还贷期限以及预期该公路未来的交通量对收费标准的确定都具有重要的影响。为了维护公路使用者的合法权益,贷款修建的一般应为高等级公路并具有明显的级差效益。级差效益越大,公路用户对收费的敏感性就越小,因而收费对交通量的影响也就越小。由于修建公路所需的贷款一般由政府出面筹措或政府担保并指定某事业单位进行,因而贷款收费实质上是政府行为。在实施收费制度时需注意以下问题:①非贷款修建的公路(即使是高等级公路)不应实行收费制;②贷款修建的、但不具有明显级差效益的公路也不应实行收费制;③所收取的通行费收入补偿收费公路所需的养护与收费管理开支后的余额只能用于偿还贷款本息,一般不应当用于其他公路的建设与改造,更不应用于非公路项目。这是实行公平负担原则的需要,因此贷款收费的时间应严格局限于贷款偿还期以内,一旦还清全部贷款本息,应立即停止收费。

3.收费经营公路

收费经营公路,又叫做经营性收费公路,是指由国家特许某法人组织负责建造和经营的、以获利为目的的收费公路,也指经国家特许将某已建成收费公路一定时期内的经营权益有偿转让给某法人组织负责经营的、以获利为目的的收费公路。在西方国家,早在20世纪30~40年代就曾经进行过实行公路特许经营制度的尝试(例如于1940年在美国宾夕法尼亚州建成并投入使用的收费公路)。近年来由于受货币主义学派和供给学派经济思想的影响,主张企业经营私有化,另一方面由于经济不景气,财政资金供求矛盾突出,使利用私人财团资金组建私营公路股份公司来设计、建造、维护与管理公路成为公路事业发展的重要走向之一。由于公路具有公益性资产的性质,西方经济学家一般不主张公路由私人经营或实行收费制,因为私营企业以获利为目的,在存在着市场缺陷的情况下,不适当地收费将影响公路网作用的充分发挥。这意味着,在西方国家公路由私人经营并实行收费制仅是权宜之计,而不是长远的发展方向。为了维护公路使用者的合法权益,提高公路网的使用效益,政府有义务通过制定有关的法规来有效地规范公路经营企业的收费经营行为。中国公路收费经营实践是从20世纪90年代初开始进行的。1992年8月江苏宁沪高速公路股份有限公司的成立,标志着中国在收费经营方面已开始进行积极的尝试和探索。到2004年6月底为止,已有广东省高速公路发展股份有限公司、安徽皖通高速公路股份有限公司、江苏宁沪高速公路股份有限公司、海南高速公路股份有限公司等十九家公司成功地在深圳、上海和香港上市,募股筹资约273.44亿元人民币,其中宁沪高速的筹资总额达40.69亿元人民币,是我国募股筹资最多的公路上市公司。西临高速公路、武黄高速公路分别以3亿元人民币和5.8亿元人民币的价格成功地进行了收费权转让,标志着中国的公路收费制度已开始与国际惯例接轨,并正在逐渐走向成熟。

二、国外公路收费发展概况

(一)国外收费公路的产生与发展

在西方国家公路发展史上,收费制发挥着重要的作用。根据历史记载,在大约公元前就曾经出现过一条由叙利亚人建造的、从叙利亚通往巴比伦的收费公路。中世纪收费制逐渐在欧洲流行起来,并被广泛地用于为桥梁建设筹措资金。在英国,从1281年开始对通过伦敦桥的车辆和行人、船只收费;500年后不列颠国会通过了一项法律允许各郡建收费亭征收费用用于公路养护。1706年收费栅信托机构开始建立,负责收费公路的筹资、建设、维护与经营。英国的工业革命使得收费制度得到较快的发展。到1820年为止,英国已拥有32 000km的收费公路,年收入超过125万英镑。然而由于铁路运输的较快发展以及对长途货物运输量强有力地竞争,使得经营收费公路无利可图。到19世纪中叶,地方政府逐渐替代了信托机构来行驶公路建设与养护的职能。在美国,第一条由私人建造的收费公路于1794年在宾夕法尼亚建成并投入使用,公路全长100km,建造成本465 000美元。19世纪的澳大利亚具有与英国相类似的公路收费制度。在澳大利亚新南威尔士州、维多利亚州、塔斯马尼亚州等地区陆续建造了一些收费公路和收费桥梁。与英国不同的是,澳大利亚私人经营收费公路并不成功,于是各级政府逐步替代了私人企业来建造与维护公路和桥梁。由于铁路运输对长途交通量的吸引以及收费成本上升等诸多原因,收费制在澳大利亚从1860年至1890年缓慢地衰退;塔斯马尼亚洲甚至于1880年宣告废除了公路收费制,唯独在维多利亚州是个例外,到1870年为止,维多利亚州共建成收费亭123座,年收入90 680英镑。

公路建设资金的相对短缺是导致公路(桥梁)收费制度在20世纪又得以重新发展的根本原因。在欧洲大陆,到2001年年底,已有19 425.7km收费公路投入运营。据有关资料记载,1924年通车的米兰至莱克斯高速公路长48km,是世界上第一条高速公路,也是世界上第一条收费高速公路。拥有奥地利、法国、意大利、西班牙、葡萄牙等十三国成员的欧洲特许收费公路、桥梁与隧道协会(AESCAP),在有效促进成员国收费公路发展以及公路标准提高方面发挥了重要的作用。英国从20世纪90年代初期开始重新认识到收费制在筹措公路建设资金方面的重要性,收费公路和桥梁开始发展。目前,英国已开始拥有数条由私人建造并经营的收费公路。到1980年初,美国拥有私人建造的收费公路超过3 700km,此外还拥有一些收费桥梁和隧道。1995年9月美国弗吉尼亚州政府采取BOT方式建成了杜勒斯国际机场至里斯堡收费高速公路,全长25.4km,总投资3.24亿美元,经营期42.5年。经营期间不得提高收费标准,经营期满后,高速公路无偿移交州政府。2002年年底,美国拥有收费公路8 096.98km,其中国道收费公路7 731.50km。到1998年4月,日本拥有收费公路约9 200km,包括国家高速公路、城市高速公路、本州四国高速公路和一般收费公路。据国际路联(IRF)统计,到1995年年底,全世界高速公路共有19.3万公里;其中收费高速公路约占25%。据了解,目前对所有高速公路均收取车辆通行费的国家和地区有中国、新加坡、泰国、马来西亚等;部分高速公路收取车辆通行费的国家和地区有美国、加拿大、法国、意大利、英国、澳大利亚、日本、韩国、台湾等;所有高速公路均不收取车辆通行费的国家和地区有德国、比利时、丹麦、卢森堡、荷兰、香港等。

台湾省是我国最早建设高速公路的地区。我国第一条收费高速公路——台湾省基隆至高雄高速公路全长373.4km,每公里平均造价为300万美元;1968年动工建设,1978年10月建成通车。该路全线设10个收费站,采取人工收费、计算机辅助计算的半自动化收费管理系统。

1984年由土耳其总理奥扎乐倡导的BOT融资方式对发展中国家利用外资修建收费公路产生了重要的影响。马来西亚以BOT方式修建的全长772km、贯穿马来西亚半岛的南北高速公路就是一个成功的范例。事实上,由于高等级公路投资巨大,所以采用BOT方式的不仅仅是发展中国家,不少发达国家如美国、英国、澳大利亚、法国、意大利等也不同程度地利用BOT方式修建高等级公路。法国的高速公路由1960年的120km发展到2002年的10 000km以上,特许经营制度发挥了重要的作用。在意大利,2001年年底收费高速公路在全国高速公路总里程(6 487.3km)中占86.22%。这充分说明了收费制已成为国际上公路建设、特别是高等级公路建设的重要走向。

(二)美国的收费公路

美国最早的收费公路建于1926年,服务对象为往来于纽约和康州的小汽车,其设计标准与后来修建的州际公路相比要低得多。1940年,美国第一条较完善的服务于车辆的城市间收费公路——宾夕法尼亚州收费公路建成通车。为建这条收费公路,该州于1937年还专门成立了“收费公路委员会”以负责资金筹措、建设和营运管理。建成营运后,经济效益显著,收入的绝大部分又进行了再投资。另外,两条比较有代表意义的公路是新汉布切州收费公路和新泽西州收费公路。前者是靠发行一般责任债券进行筹资,通过该州公路委员会直接发行债券而不是通过其他金融机构。后者长230km,1951年开始营运,仅在第一路段营运的头2年,其交通量就超过了1975年的预测值。目前该路已有12条车道(双向),但由于交通量的持续增长,其进一步拓宽计划仍在进行中。1956年美国开始实施“联邦州际公路计划”,以政府税收支持的州际公路建设为重点,这一计划实施期间,先后共建了68 800km的州际公路,美国州际公路网初步形成。20世纪60年代,收费公路的建设重点转移到城市。与此同时,虽说桥梁、隧道的造价昂贵,但是却能大幅度的缩短行车里程,给其收费事业带来了极大的可能性,因而美国收费桥梁、隧道的建设势头仍很高涨。在美国,联邦的资金政策一直限制国家收费道路的发展。直到20世纪80年代后期,美国收费公路的建设均是依靠传统的向社会发行债券的方式筹集资金,并以收费收入偿还,政府资金不允许用于修建收费公路。然而原有公路系统难以满足日益上升的交通需求,大量州际道路失修,使得交通拥挤,交通事故等问题越来越严重,政府用于公路建设的资金投入却十分短缺。在这种情况下,政府对收费道路政策逐渐放开,并采取越来越积极的措施支持收费公路的发展。1987年美国通过“地面运输补助法”设立了一项“联邦资助收费公路试验计划”,打破了美国历史上不允许联邦公路建设资金用于修建收费公路的限制,从5个州挑选了8条收费公路作为试验项目,这些项目的建设利用联邦政府资金比例最高达到总投资的35%。1991年的“多种陆上运输效率法案”进一步将联邦政府资金占收费公路的比例提高了80%,并第一次明确表示,其收入用于收费公路再发展,在完成偿还债务后,仍然可以继续收费。截至2002

年年底，美国拥有收费公路 8 096.98km，其中国道收费公路 7 731.50km。

从 20 世纪 80 年代以来，收费公路在美国得以飞速发展，但有的州只有收费桥梁和隧道，有的州只有收费公路；从地域分布来看，美国收费公路在 90 年代以前主要集中在美国东部地区，但是在近几年，美国南部、西部和中部地区的收费公路发展也较快。近年来，随着收费公路的发展，一些新的筹措资金的方式不断出现，大体上可以分两大类，一类是政府部分资助形式的，包括一般责任债券、租赁、部分汽油税担保等；另一类则完全为私人投资。美国收费公路在近年来的发展中出现了私有化的趋势，已开始在立法方面对收费公路的私有化作出尝试。弗吉尼亚州曾颁布有关的法令，规范了私有收费设计项目的拟议、选择、资金筹措及营运管理，对收费费率及收费收入分配等也给予了明确的规定。美国收费公路与我国收费公路比较有如下区别：

(1)美国收费公路投资全部为贷款，而我国绝大部分收费公路的投资来源于贷款。

(2)虽然美国收费公路的投资偿还期与我国相似(20～30 年)，但是几乎所有的收费公路均按期偿还，而我国的收费公路无法保证这一点。

(3)美国收费公路的规定是，在收费公路的附近必须向公众提供至少一条免费通行的道路；而在我国大部分地区，为了减少交通量转移，对平行的老路也进行收费。

(三)意大利的收费公路

意大利、法国、西班牙、日本四国的收费公路基本上属于实施特许经营制度的高速公路，收费公路融资比重较大。因此这四国由于收费公路等级高、里程短、服务管理水平高，形成了整套有关建设、经营管理的法规和制度，而成为收费道路发展最具代表性国家。

意大利早在 1924 年就已开始高速公路的建设，其标志是米兰到莱克斯之间高速公路的开工。这项工程在当年被认为是一项杰出的公路工程。意大利政府仅在 1924 年一年就建成了 80km 的高等级收费公路，此后几年，意大利的高速公路建设有了很大的发展。在第一条高速公路建成通车后的几年时间，意大利的高速公路就已经达到了 500km。虽然所有这些高速公路在当时均是双向双车道的，但是已经足够适应国家经济现代化的需求了。意大利于 1955 年制定了建设高速公路和普通公路的法律，对高速公路建设提出了规划方案。除了比较落后、核算较为困难的南部地区外，高速公路全部采用收费制度。从1955年至1975年的20年间,意大利共建成高速公路5 500km。截至2001年年底,延伸到半岛每个角落的公路有将近53 000km,其中高速公路有6 487.3km。这些高速公路基本上授权高速公路特许AIS-CAT公司经营。目前在所有的高速公路中,双向六车道的高速公路有1 400km。意大利政府计划未来几年将所有的高速公路都将改建成双向六车道的高速公路。例如从Salerno到Reggio的高速公路在1974年就已经建成通车,但是在1986年又花费了大约5亿欧元用于其六车道的建设。此外,从Bologna到Florence高速公路的圆满完成被看作是意大利高速公路建设史上的一道绿光。这项耗时6年的工程,长达33km,花费了大约30亿欧元,消除了意大利高速公路建设历史上最大的一段瓶颈,它一天能承受的最大交通流达到了80 000辆。现在意大利政府基本不再在预算中拨款修建高速公路,而只是引导特许经营公司通过自身经营机制,滚动发展新建联网公路,使路网进一步完善。至2001年年底,意大利拥有5 593.3km收费高速公路。

(四)法国的收费公路

法国于1955年4月颁布了旨在建立收费公路新体制的"高速公路法"。1969年国家又对"高速公路法"进行了修订,目的是吸引更多的资金,特别是私人资金投资收费高速公路。它带来的一个重大变化是通过吸引私人资本和发行非国家担保债券,开辟了高速公路建设资金的新来源。1982年,法国政府决定,对特许经营高速公路的融资和管理制度进行改革。这表现出政府对高速公路管理观念的转变,即从重视个别地段的高速公路建设转变到重视某一家特许公司的所有高速公路项目,并最终转变到重视整个高速公路特许经营事业。法国高速公路特许经营公司的资金来源发展到现在,主要由公司自有资金、发行公司债券取得的资金、中央政府给予的预付款和地方政府给予的无偿补助金构成。尽管法国开始高速公路建设的时间相对欧洲其他国家晚,特别是意大利,但是法国高速公路发展取得的成绩是有目共睹的。到2000年年底为止,法国已经建成和拥有了欧洲最宽泛的公路网络:800 000km,其中有9 200km是高速公路,此外还有5 650km的高速公路已经计划在不久的将来建成通车。这又将创造另一项第一(相对于欧洲其他国家来说,交通密度最小):欧洲国家每公里交通密度为44辆,而法国每公里交通密度仅为34辆。2001年年底,法国拥有7 602.9km收费高速公路。

(五)西班牙的收费公路

西班牙同样采取了收费筹资方式建设高速公路。1967年西班牙政府提出了“西班牙国家高速公路计划”,并向第一批高速公路公司授予特许经营权。1972年正式通过了以特许经营方式进行高速公路收费、养护和运营的法律。西班牙高速公路特许经营公司的资金主要来源于国家投入的公有资本、国际国内贷款和特许经营公司的自有资金。1973年的经济危机使西班牙政府对特许经营公司的管理发生了一些转变,成立了国家高速公路公司。该公司除接收私营特许公司外,还为政府直接参与收费高速公路提供了一些新机制。通过新机制,国家和私营企业可以以共同参股的形式建立公私混合型的特许经营公司,使收费高速公路能够有效的获得国家预算资助。另外西班牙的收费公路非常重视发行债券的融资方式,其整个收费高速公路网10 000亿比塞塔的总投资额中,债券资金约占41.2%。2001年年底,西班牙拥有2 320km收费高速公路。

(六)日本的收费公路

在日本收费公路事业的历史上没有和西欧相同的车马交通时代,再加上明治维新后的铁路优先主义政策,道路改良事业在二战后的复兴期间开展得很晚。

1954年日本制定了第一个道路改良五年计划,真正的道路改良工作才开始进行。但是,公共事业费仅靠有限的一般资金拨付,无法满足激增的道路交通需要。

在这种情况下,为了尽快进行道路改良,日本于1956年制定了《道路改良特别措施法》,明确了把收费公路作为补充资金来源不足的方法,即用借入资金建路,向完工道路收取通行费,以此偿还借入的建路资金。

到1998年4月,日本的收费公路大约为9 200km,包括高速公路国道、城市高速公路、本州四国联络公路以及一般收费公路。

因此日本认为,收费公路事业仅用少量的国家资金就使急需的公路事业得到了迅速发展。在财政状况日益严峻的情况下,要想迅速发展公路事业,灵活运用收费公路制度是不可缺少的。

日本真正采用收费公路制度是在1952年旧路改良特别措施法制定的时候。这一制度的主要内容是:从投资部特别会计处借入高速公路建设所需资金,再向完工道路的使用者征收通行费,用以偿还借入资金。事业的主体是国家以及都、道、府、县、市的道路管理机构。之后，1956年在收费公路各项工作高效展开的同时，为了广泛吸收、灵活运用民间资金，设立了日本道路公团。同时，旧的道路改良特别措施法被废除，制定了新的现行道路改良特别措施法。由于日本道路公团的设立，从前在国家直接管辖下对一般国道实行的收费公路建设方式被废除，开始采用公团规定的新方式。接着，1959年首都高速公路公团、1962年阪神高速公路公团、1970年本州四国联络桥公团相继成立，分别负责首都圈、近畿圈以及本州四国之间的收费公路建设。另外，1970年颁布了地方道路公营公司法，规定地方干线收费公路建设要设立地方道路公营公司。

日本公路法规定的收费公路主要有以下几种：高速公路国道、城市高速公路、一般收费公路、收费大桥、收费渡船设施，以及道路法中未涉及的、但在道路运输法中有所规定的一般汽车专用公路。

其中，由日本道路公团、阪神高速公路公团，以及指定的城市高速公路公营公司，分别负责各自相应区域内高速汽车专用公路的建设和管理。

作为一般收费公路的事业主体，一般国道以及与国家利益关系密切的都道府县道和指定城市的市道是日本道路公团；一般国道中与地方利益密切相关的都道府县道、市乡村道是地方道路公营公司。道路管理者就各自管理的道路处理收费事宜。

高速公路国道、城市高速公路的收费标准由以下条件决定：①能够偿还建设费、通行管理费、利息及其他经费等通行费征收期间的总费用；②收费数额必须公平合理；③收费数额不能超过同类道路在通常情况下收取的通行费最高限额。

在日本，收费公路建设所需资金几乎全部依赖于借款，并通过向完工后的通行车辆征收通行费，用于偿还借款。日本道路公团、首都高速公路公团、阪神高速公路公团以及本州四国联络桥公团四大道路公团把这类借款视为财政投资和关联债务。

财政投资资金全部是公团债务，由政府债和政府担保债组成。其中政府债是指由投资部资金和简易生命保险以及邮政年基金承担的债务；政府担保债是指由民间金融机构承担、由政府担保的债务。

关联债务的定义是：在公团或公营公司为建设公路发行的债券中，作为国家或地方公共团体承担的或无担保的纯私人债务而发行的那部分。其他的保证只取决于公团的信用。

与此相反，地方公共团体以及地方道路公营公司有若干不同点，资金借入方式包括公营公司债、关联债务等。公营公司债是指在都道府县把自身看作企业，在开展收费公路事业的情况下发行的债务，可以从国家得到无息贷款，公共团体以外的资金也由此调拨。特别转债是地方债的一种，是指定的城市高速公路公营公司在建设城市高速公路时确认的、财政投资承担的特殊资金调拨方式。

地方道路公营公司的特点是全部资金来源占关联债的比例相当高。这是地方道路公营公司以运用民间余富资金为主要目的设立的。这些民间资金是以关联债务的形式调拨的。

收费公路今后的发展方向是：①推进高规格干线道路的改良，支撑抵御交通基础的高规格干线道路、大城市圈的环路、湾岸道路、东京湾横跨路、明石海峡大桥等大规模改良设计的重点推进。②促进使用者服务质量的提高。为了缓和交通堵塞，在推进环路路网改良的同时，还要针对堵塞区间的扩大，改良出入匝道。另外，为了准确提供塞车信息，还要再增加所需时间显示。

第二节　车辆通行费制度与高速公路经营管理

一、我国收费公路的产生与发展

(一)我国收费公路的产生与发展

我国的公路(桥梁)通行收费制度是在不断深化公路管理体制改革的新形势下产生与发展起来的。为了解决公路交通设施严重滞后于交通需求的问题，广东省顺德市容奇镇公路桥等一批基础设施建设，突破了公路建设靠国家投资的传统体制，率先进行贷款建桥、收费还贷的改革尝试，并于1984年开始对过往车辆实行收费制度。据了解，1984年1月1日建成通车并开始收费的广东广深公路中堂大桥，是我国第一个实行公路车辆通行费制度的路桥基础设施。国家充分肯定了这一改革尝试，并于1984年12月在国务院第54次常务会议上将“贷款修路、收费还贷”作为促进公路事业发展的四项优惠政策之一。1987年10月13日国务院发布的《中华人民共和国公路管理条例》第一次明确规定，公路主管部门对利用集资、贷款修建的高速公路、一级公路、二级公路和大型的公路桥梁、隧道、轮渡码头，可以向过往车辆收取通行费，用于偿还集资和贷款。1988年1月5日，交通部、财政部、国家物价局联合发布了《贷款修建高等级公路和大型桥梁、隧道收取车辆通行费规定》,使我国高等级公路的建设和使用有了法规依据。这部法规明确了公路收费的目的,收费公路的范围和条件,收费项目的审批,费率制定原则和收费标准、收费的期限等内容。根据上述《规定》,利用贷款新建、改建的高速公路,里程在10km以上的一级公路及里程,在20km以上的二级公路;300m以上的大型独立桥梁和500m以上的大型独立隧道,报经省级人民政府批准,可对过往的车辆收取通行费。1994年7月18日,交通部、财政部、国家计委联合颁布的《关于在公路上设置通行收费站(点)的规定》又把收费条件进一步规范为封闭(包括部分封闭)型的汽车专用公路;平原微丘区时速超过40km和山岭重丘区时速超过20km的一般二级公路;长度超过300m的公路桥梁和长度超过500m的公路隧道。1997年7月3日发布的《中华人民共和国公路法》又进一步规定:由县级以上地方人民政府交通主管部门利用贷款或者向企业、个人集资建成的公路;由国内外经济组织依法受让收费还贷公路收费权的公路;由国内外经济组织依法投资建成的公路,符合国务院交通主管部门规定的技术等级和规模,可以依法收取车辆通行费。实行公路收费制度,扩大了公路建设资金的来源,调动了全国各地建路筑桥的积极性,加快了公路设施建设的步伐。到2003年年底为止,我国所建成的29 745km的高速公路全部实行了收费制;2002年年底我国收费公路总里程达到12.46万公里,其中收费还贷公路9.79万公里。

(二)我国收费公路政策需求的产生

收费公路是指利用贷款、集资款或由国内外经济组织投资建成的具有一定技术等级和规模,并依法收取车辆通行费的高等级公路。根据《中华人民共和国公路法》第六条规定,收费公路分为经营性收费公路和非经营性收费公路。经营性收费公路除具有公路资产的一般属性外,更具有要求合理内部收益率和投资回收期等以盈利为目的的经营收益性;非经营性公路则带有鲜明的政府投资特色,是为了满足或解决当地交通问题,带动沿线经济发展,收费以偿还贷款、集资为目的,只要贷款本息偿还完毕,该公路就停止收费,无偿归还国家交通主管部门。

党的十一届三中全会以后的20年是建国历史上经济发展最快、社会面貌发生变化最大的时期。改革开放初期,我国经济虽然经过30年的探索性建设,取得了伟大的成就,但是由于长期实行计划经济以及“左”的影响,整个国民经济暴露出许多问题,其中公路基础设施的滞后更为突出。到1980年,我国公路通车里程仅为87.59万公里,公路技术标准很低,基本上没有汽车专用公路,更没有高速公路。改革开放使我国社会经济发展呈现出前所未有的繁荣和活力,人们的思想观念也在解放,同时商品经济和市场经济在我国的进一步发展都需要人和物的充分流通。我国作为一个内陆国家,公路作为现代重要的交通基础设施,其充分发展是经济社会发展的内在要求。

区域经济学家赫尔希曼认为,基础设施与经济互动发展有两种途径:一是国家和社会重点投资包括公路基础设施在内的社会固定资本,从而产生有利于厂商发展的外部经济效益,有利于降低厂商的生产成本,以刺激经济发展,即通过过剩的基础设施和外部条件刺激社会生产;另一途径是政府带头扩张生产部门,导致基础设施等紧张,形成瓶颈制约,生产成本上升必然导致社会对基础产业和设施投资的动机增强,促进基础设施的发展。反观我国经济社会发展历程,经济与社会发展在取得巨大成绩的同时,由于体制、观念、市场落后等原因,公路基础设施与经济发展互动的途径在中国均未出现。1983 年,为了加快能源交通建设,解决能源交通发展滞后严重制约国民经济快速发展的问题,国家开征了能源交通重点建设基金,但这对于公路基础设施建设可谓杯水车薪。从 1980 年 8 月全国五届人大十五次常务委员会批准颁布的《广东省经济特区条例》以后,广东省已经成为全国改革开放的前沿,在经济发展和公路短缺矛盾格外突出,思想的解放,观念的更新,加上有宽松的政策和国外成功的收费经验的情况下,公路收费政策的探索和出台成为历史的必然选择。

(三)我国有关车辆通行费的制度规范

1.国务院办公厅《关于治理向机动车辆乱收费和整顿道路站点有关问题的通知》

国务院办公厅发布国办发[2002]31 号文件中规定:①坚决取消向机动车辆收取不符合规定的行政事业性收费、政府性基金、政府性集资、罚款和各种摊派项目……凡不符合国家法律法规、国务院及财政部、国家纪委和省自治区、直辖市人民政府及其所属财政、物价部门明文规定的涉及机动车辆行政事业性收费项目,不符合国家法律法规、国务院及财政部明文规定的涉及机动车辆的政府性基金项目,不符合国家法律法规、国务院明文规定的涉及机动车辆的政府性集资项目,不符合国家法律法规、规章规定的罚款项目,以及各种摊派项目,均一律取消。②全面清理公路和城市道路收费站(点)。各地区要对目前在公路和城市道路、桥梁、隧道上设置的所有收费站(收费点)进行全面清理整顿。③严格对涉及机动车辆收费权限的审批和管理。④进一步加强对道路收费站、检查站的审批和管理。……收费权转让后,应严格执行原批准的收费年限和收费标准,收费年限应连续计算,不得以经营权转让和上市融资为由,延长收费年限或提高收费标准。⑤严格执行各项财务制度。……收费还贷公路不得与其他产业类公司捆绑上市。收费期限已超过2/3的一级或一级以上收费还贷公路或城市道路,或长度在1 000m以下的独立桥梁和隧道,一级技术等级为二级的收费还贷公路均不得转让收费权……。

2.《中华人民共和国公路法》

1997年7月3日,第八届全国人民代表大会常务委员会第二十六次会议通过了《中华人民共和国公路法》。该法第四条规定:各级人民政府应该采取有力措施,扶持、促进公路建设。公路建设应该纳入国民经济和社会发展规划。国家鼓励、引导国内外经济组织依法投资建设、经营公路。第二十一条规定:筹集公路建设资金,除各级人民政府的财政拨款,包括依法征税筹集的公路建设专项资金转为财政拨款外,还包括依法向国内外金融机构或外国政府的贷款。国家鼓励国内外经济组织对公路建设进行投资,开发、经营公路的公司可以依照法律、行政法规的规定发行股票、公司债券筹集资金。依照本法规定出让公路收费权的收入必须用于公路建设。向企业和个人筹资建设公路,必须依据需要和可能,坚持自愿原则,不得强行摊派,并符合国务院的有关规定。公路建设资金还可以采取符合法律或国务院规定的其他方式筹集。

3.《中华人民共和国公路管理条例》

1987年10月13日国务院颁布的《中华人民共和国公路管理条例》第九条规定:公路建设资金可以采取以下方式筹集:国家和地方投资、专用单位投资、中外合资、社会集资、贷款、车辆购置附加费和部分养路费。公路建设还可以采用民工建勤、民办公助和以工代赈的方法。第十条规定:公路主管部门对利用集资、贷款修建的高速公路、一级公路、二级公路和大型的公路桥梁、隧道、轮渡码头,可以向过往车辆收取通行费,用于偿还集资和贷款。通行费的征收办法由交通部会同国家物价局制定。

4.《关于在公路上设置通行收费站(点)的规定》

1994年7月18日交通部、国家计委、财政部交公路发[1994]686号文件发布《关于在公路上设置通行费站(点)的规定》第二条规定:凡是利用贷款(包括需偿还的集资和实行股份制经营)建设的公路(包括桥梁、隧道),并符合下列条件之一的工程项目,按照交通部、财政部、国家物价局(88)交公路字28号文件规定的程序报批后,可设置(站)点收取车辆通行费。①封闭(包括部分封闭)型的汽车专用公路。平原微丘区时速超过40km和山岭重丘区时速超过20km的一般二级公路。②长度超过300m的公路桥梁,改渡为桥的可适当放宽到桥长超过200m;长度超过500m的公路隧道。上述公路的收费标准由省级物价部门会同财政部门制定。第三条规定:公路收费站(点)的设置,由省级交通部门统一布局,为车辆创造良好的运行条件。实行"开放式"收费的公路,在同一条公路主线上,相邻收费站(点)的间距,平原微丘区不得小于40km,山岭重丘区不得小于20km。对采用"封闭式"收费的汽车专用公路,除两端出入口外,禁止在主线上设置收费站(点)。省际间交界处收费站(点)的设置,须由相邻两省的省级交通部门相互协调,联合设置,对通过车辆一次完成通行费的收缴和标证发放工作。不准设立旨在实行内部票据监督的停车验票站(点)。在国道上设置收费站(点),须报交通部备案,并向社会公布。第四条规定:公路收费站(点)的设施应与该路的交通量大小相适应。交通量大的,提倡设置自动收费和检票系统,以减少停车交费时间,保证车辆顺利通行。

5.《贷款修建高等级公路和大型桥梁、隧道收取车辆通行费规定》

交通部、财政部、国家物价局于1988年1月5日发布(88)交公路字28号《贷款修建高等级公路和大型桥梁、隧道收取车辆通行费规定》。其中第二条规定:凡利用贷款(包括需归还的集资)新建、改建(不包括局部改造)的高等级公路(即二级和二级以上的高等级公路)或大型的公路桥梁、隧道,需要偿还贷款并符合下列条件之一的工程项目,建成后由省级公路主管部门归口,报经省级人民政府批准,可对过往车辆收取通行费。①桥梁300m以上,隧道500m以上。改渡为桥的,其收费条件可适当放宽到桥长200m。②高速公路和里程在10km以上的一级公路及里程在20km以上的二级公路。第三条规定:收费公路建设项目应按基本建设程序实施管理,并事先报经批准。工程应符合《公路工程技术标准》,并增建相应的封闭设施和站卡,通过正式竣工验收后,方准收取通行费。第五条规定:应按桥梁、隧道、公路长度、还款额度、收费期限、交通量大小、车辆负担能力和便利通行等因素综合考虑,定出合适的收费标准。具体标准由省级交通主管部门会同省级财政部门、物价部门,按上述原则提出方案,报省级人民政府批准。第八条规定:凡由国家投资、养路费投资、民工建勤、民办公助、以工代赈办法及个人和社会捐资修建的公路、桥梁、隧道,一律不得征收车辆通行费。第九条规定:通行费由公路管理部门在银行按收费公路或公路构造物名称设立专户存储,其收支计划应报上级公路管理部门批准。第十条规定:收取的通行费只许用于偿还贷款和收费公路、公路构造物的养护及收费机构、设施等正常开支,绝不允许挪作他用。贷款还清后即停止收费。个别项目有特殊情况须继续收费的,须报交通部、财政部核定。

6.《交通和车辆税费改革实施方案》

国务院国发[2000]34号文件于2000年9月4日发布《交通和车辆税费改革实施方案》,规定改革的指导思想是:根据发展社会主义市场经济的要求,进一步规范政府行为,继续深化和完善财税体制改革,正确处理税费关系,遏制各种乱收费行为。改革的基本原则是:第一,规范收费管理,从根本上减轻企事业单位和人民群众负担。第二,规范收入分配秩序,合理调整分配关系。第三,多用路者多负担,少用路者少负担,鼓励节约能源和保护环境。第四,合理开征新税制,进一步完善现行财税体制,增加国家的宏观调控能力。

改革的主要内容是:①取消不合法和不合理的收费项目。②将具有税收特征的收费实行"费改税"。③将不体现政府行为的收费转为经营性收费,严格按照经营性收费的规定进行管理。④保留少量必要的规费,降低不合理的收费标准,实行规范化管理。

7.《收费公路管理条例》

2004年8月18日国务院61次常务会议通过《收费公路管理条例》。该条例第二条规定:本条例所称收费公路,是指符合公路法和本条例规定,经批准依法收取车辆通行费的公路(含桥梁和隧道)。第四条规定:全部由政府投资或由社会组织、个人捐资建设的公路,不得收取车辆通行费。第五条规定:任何单位或者个人不得违反公路法和本条例的规定,在公路上非法设站(卡)收取车辆通行费。第七条规定:收费公路的经营管理者,经依法批准有权向通行收费公路的车辆收取车辆通行费。第十条规定,县级以上地方人民政府交通主管部门利用贷款或者向企业、个人有偿集资建设的公路(以下简称政府还贷公路),国内外经济组织投资建设或者依照公路法的规定受让政府还贷公路收费权的公路(简称经营性公路),经依法批准后,方可收取车辆通行费。

二、道路车辆通行费制度原因分析

(一)实施道路车辆通行费制度的经济理论依据

世界上许多国家,无论是发达国家还是发展中国家,都把发行债券、贷款或其他方式筹措资金全用于建设公路、桥梁或者隧道,投入运营后收取一定的车辆通行费作为偿还投资并获利的一种手段。那么,道路是否应该收费、在什么条件下收费、如何收费成为收费公路亟待解决的问题。

收费可以获得收入,这是世界各国在探讨收费公路上关注的一个因素,但是收费也包括许多成本,最显著的是收费成本,不太显著的是那些最终导致道路资源利用减少,又很难量化的成本。从经济学的角度看,收费主要是定价和资源分配问题。价格如果只是收入分配的工具,不影响资源配置,那么定价高低只会造成收入分配的不公平。从经济学角度来说,为了使社会获得最大的经济效益,一项产品的定价原理是边际成本等于边际收益,在市场经济条件下就是工序均衡定价。就道路而言,什么是边际成本?每个车辆营运人都知道他该次营运付出的是油耗、轮胎磨损、车辆折旧和维修以及时间损失,但是他们不知道他们的营运还增加了一项成本。假设在某一道路上行驶的车辆较多,互有干扰,那么每增加一车辆,就会导致其他车辆营运成本的增加,以及对道路路面损害程度的加大,从而导致养护维修费用的增加,同时也包括环境污染,如噪声和废气的增加,这些增加的成本即道路的边际费用。反过来讲,如果某车辆不使用该道路会使其他道路使用者和道路经营者能够避免的成本即为边际成本。边际成本定价是资源最优配置要求的,但同时为了使经营者不亏损,不得不按平均成本定价,从而排斥了一大部分顾客,使公共服务设施未能发挥出最大的作用。但是经营者如果可以容忍亏损和经营者已经没有还本付息的责任的话,则应该按边际成本定价。

对道路、桥梁、隧道收取通行费实际上有潜在的经济优势,即在使用者(需求者)和道路(供给者)之间建立了一种直接的联系。使用者对比其获得的效益和付出的价格,供给者对比其收入和成本,收费可以基于道路使用成本定价,也可以基于提供的质量和服务定价。按照公路运输经济学的一个普通理论"效益原则",道路使用者使用道路获得收益就应该付费,使用者如果认为使用道路取得的收益小于其付出的通行费支出,那么他就不会使用收费公路;而作为收费道路的提供者,通过收取通行费来收回建设成本和营运成本。这样,通过收取通行费,使资源得到更为合理的利用。因此,从经济学的角度看,通行费主要是一种价格,是出售使用有限的道路空间的价格。收费公路经济理论对于科学的制定高速公路、收费公路通行费价格、合理配置公路资源提供了理论依据,这对于我国收费公路的建设和发展具有重要的意义。

(二)实行道路车辆通行费制度的原因分析

1.实行道路车辆通行费制度的前提条件

(1)公路建设资金短缺。公路建设资金供需矛盾的极度突出是实行车辆通行费制度的最根本前提。

(2)收费公路能够为公路用户提供级差效益。公路级差效益是指同一公路使用者使用相同的交通工具,完成同样的出行,因使用收费公路和不使用收费公路产生不同效益的差额,这是收费公路存在的前提。公路的级差效益是公路收费的理论基础,一般认为级差效益主要包括以下几种:减少交通拥挤的费用、行驶时间缩短节约的费用、减少交通事故节约的费用,以及收费公路带给乘客和驾驶员的舒适感和满足感等。

(3)具有一条平行的不收费的公路供公路用户选择。这个前提在我国还无法充分做到,但是西方国家对此有明文规定,如加拿大安大略省运输协会宣布,在具有可供使用者选择的不收费公路的前提下,安大略省运输协会支持修建收费公路。在坚持这一政策的前提下,美国政府中的一部人反对修建收费公路,因为“收费公路是公路投资的重复浪费”。意大利、澳大利亚、法国和西班牙等国政府也均主张将一条不收费的平行公路供车主选择作为建设收费公路的前提条件。

2.收取道路通行费的原因分析

(1)便于利用民间资金,加速高速公路的发展。从意大利、法国的经验看,收费制度在高速公路建设初期发挥了巨大的作用。特别是在中央财政不足时,更显示出其优越性。二战后,许多国家经济和社会迅速发展,对道路交通的需求也日益增加,但是他们又普遍面临着资金供需短缺矛盾的严重问题。于是,这些国家采取积极措施,充分利用民间资金,实行特许经营制度发展高速公路。由于收费道路主要依靠贷款集资而不是靠国家投资进行建设,因此,可以不受国家预算自由量裁的约束,并可实施由国家预算难以承担的计划,从而大大加速高速公路的发展。

(2)能发挥市场机制配置资源的基础性作用,提高高速公路建设和管理水平。在市场经济条件下,市场机制是配置资源的有效形式。国家财政的职责范围是以“市场失灵”为标准,从而纠正和克服“市场失灵”现象出发来界定的。也就是说,国家财政只能在社会资源配置中起补充和引导作用,政府所要解决的只能是通过市场不能解决、或者通过市场不能令人满意解决的事。一般县乡公路由于较大体现公益性特征,属于公共产品的范畴,难以通过市场来提供资金,应将他们纳入各级财政的职责范围。而等级较高的收费公路由于具有比较高的级差效益,属于准公共产品或准私人产品,因此,市场机制能够在相当大的程度上对其进行有效配置,从而实行企业化管理,采用收费制度。此外,由于收费公路的一部分收入被用于日常运营、养护、管理,而不收费公路则常常因为费用短缺而不能保持路况良好,因此收费公路能够提高高速公路的经营和管理水平。

(3)可提高安全系数,减少交通事故。收费公路因为收取费用,为了保持有相对于普通公路的优势,就必须努力贯彻服务于道路使用者的宗旨,在运营管理上也会采取一些更加积极的措施,如增加巡逻警车出巡,加强养护以保护优良路况,提供就餐休息及车辆维修服务等,这不仅能保证提高运行速度,而且能保证有较高的行驶安全系数和较低的交通事故率。美国收费公路每公里人身伤亡事故率仅为不收费公路的6.5%。

(4)体现出公平合理性。收费公路通过向过往行驶的车辆收取通行费,使用者在享受收费公路带来的各种级差效益的同时,必须付出一定的费用,对道路使用者来说较好地体现出“使用者负担”的原则;而对于不收费公路则不同,使用者不论使用的道路种类如何及使用频率的大小,均需要一定的汽油税,不可避免的造成“不公平”现象。

(5)能起到控制交通量的目的。收费公路可调整城市附近繁忙的交通流,对交通量起到较好地分流作用。一些地区在高峰时段,以提高通行费的手段控制或减少交通量。这一措施已普遍得到认可,收到良好的效果。同时,电子收费和交通管理技术手段的完善也使得收费公路交通管理水平的提高成为现实。

三、公路经营与高速公路投融资管理体制改革

(一)高速公路投融资管理体制现状

改革开放以来,我国利用收费还贷、中外合资合作、股份制、BOT等方式修建了大量的公路、桥梁等交通基础设施。由于引入了市场机制,成功地将原本属于公共物品范畴的公共交通消费转换为具有一定程度私人性质的消费,加快交通基础设施建设步伐,公路交通基础设施建设无论在质量上还是在数量上都发生了巨大的变化。“十五”期间,全国公路建设投资需求约为10 000亿元。根据近几年公路建设资金投入情况及对今后政策趋向的乐观估计,各种政府投入资金接近需求的50%,资金缺口5 000亿元。2001年至

2010年，预计公路行业的资金缺口约为13 000亿元。因此，从公路网发展目标来看，资金缺口问题十分严峻。公路建设资金缺口问题将长期困扰公路行业的发展，成为我国实现公路网发展目标的首要因素。解决资金不足问题的重要措施就是贯彻贷款修路、收费还贷政策，并进一步深化公路投融资体制，实行公路投资多元化，大力开展社会投、融资和引进外资。面向社会的融资，实行公路建设投资主体多元化的根本前提是投资回收并获得一定的投资回报，筹资、融资渠道的持续要有资金回收渠道作为保证。在这个意义上讲，将部分纯粹公共物品性质的公路转为准公共物品性质的公路，并进而作出制度安排，实行收费制度是公路投融资体制改革的基础和关键，否则，公路投融资体制改革将失去很大一部分作用和意义，中国公路建设也将会受到效率和速度的损失。既然目前西方一些发达国家在市场经济高度成熟和公路网较为完善的情况下仍然实行公路收费制度和发展公路收费制度，而对于现在仍处于社会主义初级阶段的我们国家来说，目前还没有理由取消这一行之有效的公路建设投资回报制度。

(二)高速公路投融资管理体制改革

高速公路经营制度是高速公路投融资管理体制改革发展到一定阶段的产物，经过具体的分析和测算，在目前我国公路交通量水平、建设成本及社会资金成本条件下，我国收费公路的总体融资能力见表1-1-1。

不同地区项目融资能力测算结果 表1-1-1

地区	项目初始交通量(pcu/d)	投资回报率(%)	最小资本金比例(%)
东部	>8 000	>5.4	<58
	8 000~6 000	2.9~5.4	58~70
	6 000~4 000	0~2.9	70~82
中西部	>8 000	>5.4	<53
	8 000~6 000	2.9~5.4	53~66
	6 000~4 000	0~2.9	66~80

注：①交通量年平均以5%~7%计，收费年限为20年。

②收费标准以每10年上涨50%计。

③平均造价估算值以双向四车道收费高速公路计。

表中数据表明：按照现行的项目单独进行融资的分散经营、管理方式，我国收费公路的平均市场融资能力约为38%，即收费公路的建设资金构成中政府投资占62%，市场融资占38%，这样才能基本满足银行贷款条件。

而在经济欠发达的中西部地区，多数拟建项目的现状交通量在 4 000 ~ 6 000pcu/d之间，因此需要政府资金支持的超过 66%。因此，为实现我国公路网发展目标，除了加大政府资金投入外，必须继续坚持收费公路政策，通过发展收费公路解决巨额资金需求，完成未来公路基础设施建设目标的投资需求。没有收费公路政策，我国公路建设的可持续性面临严峻的挑战，公路现代化发展目标难以顺利实现。

在收费公路发展的基础上，收费权转让是深化公路投融资管理体制改革的产物。1996 年 10 月交通部颁布了 39 号令《公路经营权有偿转让管理办法》，使我国的公路经营权转让有了规范其行为的法规依据。1997 年 7 月发布的《中华人民共和国公路法》，进一步将公路经营权转让规范为“公路收费权转让”。公路收费权转让被认为是交通基础设施进行产权制度改革，实行商品化和市场化管理的一种积极探索。同时为了有利于多渠道筹措公路建设资金，在公路收费还贷向收费经营延伸的背景下，交通部门开始将收费权转让作为公路建设筹资的新渠道。

高速公路经营制度是高速公路投融资管理体制改革发展到一定阶段的产物。收费公路分为收费经营公路和收费还贷公路两大形式。根据《收费公路管理条例》规定：县级以上地方人民政府交通主管部门利用贷款或向企业、个人有偿集资建设的公路称为政府还贷公路。国内外经济组织投资建设或者依照公路法的规定受让政府还贷公路收费权的公路，称为经营性公路。经营性公路由依法成立的公路企业法人建设、经营和管理，即由公路经营企业建设、经营和管理。根据我国现行规定，公路经营企业应该注册为有限责任公司或股份有限公司，因此，可以认为公路经营企业是按照《中华人民共和国公路法》的要求组建的规范的公司制企业。此外，必须明确公路经营企业是经国家特许、在规定期限内实行以公路收费经营为主营业务的公司制企业，则持续经营假设不适用于公路经营企业，公路经营企业的寿命取决于所经营的公路的特许期。如果公路经营企业只经营单一的收费公路，按照《收费公路管理条例》等现行规定，公路经营企业的寿命只有 25 年，经营西部地区收费公路的公路经营企业，寿命允许达到 30 年。

在政府特许下，高速公路的建设和运营管理完全实行企业化，按照经济规律办事。由于承建者要对筹资、建设乃至经营、回收投资、还债并获得回报的全过程承担责任，因此，即使是国有企业，他们都需要按照经济规律办事，采用企业化行为组织建设和运营。在意大利，除了交通安全部分（主要是事故处理）由警方负责外，一切带有政府行为的事务均由政府特许给公司,由公司执行之,以保证公司有合理回报。特需经营期最长的为30年,政府只负责建设规划和收费标准审批。公司在完成规定缴税任务后,收益使用权由公司自行掌握。

第三节 高速公路经营管理的基本内容

一、高速公路融资管理

资金是企业得以设立并开展收费经营活动必不可少的物质条件。因此,筹措经营所需资金就成为企业财务活动的首要任务。在社会主义市场经济条件下,公路经营企业的筹资渠道有各级财政资金、银行等金融机构的信贷资金、企事业单位的资金、个人资金和外商资金,为企业筹资提供了多种选择的余地。

公路经营企业可采取直接吸收投资者的股权资金、发行股票和债券、向银行等金融机构和其他企事业单位借款、融资租赁、商业信用贷款,特许经营权转让等多种方式筹措资金。企业内部积累也属于企业资金来源的重要组成部分。

通过不同渠道和方式筹措的资金具有不同的筹资成本,也具有不同的筹资风险。融资决策所需考虑的一个重要因素,就是如何选择合理的融资结构,有效降低融资成本,分散融资风险,努力提高融资效益。

站在国家角度,高速公路融资管理的基本内容一般有以下两点。

(一)加大筹资力度,从资金上保证高速公路建设计划的完成

"十五"期间,全国公路建设投资需求约为10 000亿元。根据近几年公路建设资金投入情况及对今后政策取向的乐观估计,各种政府投入资金接近需求的50%左右,资金缺口5 000亿元,2001年至2010年,预计公路行业的资金缺口达到13 000亿元,2011年至2020年期间资金缺口约为11 000亿元。因此,今后公路建设中,资金问题十分严峻,公路建设资金缺口问题将长期困扰公路行业发展的需要,成为制约公路可持续发展的首要因素。

(二)努力提高高速公路的筹资效益,加强政府监管

对筹集到的资金如何使用才能避免债务危机,提高高速公路再筹资能力是摆在各级政府面前的一件大事。此外,公路是国家公共基础设施,不具

备完全的市场竞争条件，不能完全推向市场。收费经营的高速公路只是在项目投资、建设和管理运营中引入了市场机制，只是运作方法和形式上的改变，而这并不改变公路固有的公共基础设施的基本属性。因此，对于收费高速公路，不能等同于一般市场经济活动，不能简单套用一般市场规则和法律，政府在许多方面有更直接的责任和不可推卸的义务。

二、高速公路投资管理

企业投资包括对内投资和对外投资两部分。对内投资是当前公路经营企业投资活动的主要方面。公路经营企业的对内投资，实质上就是通过购买公路收费权、新建与扩建公路、购买公路建设与养护所需的材料、结构件、周转材料等，为企业从事公路收费经营活动提供物质准备。在社会主义市场经济条件下，公路经营企业对内投资的前提条件是企业可以通过从事公路收费经营活动获得理想的投资效益和经营效益。

对外投资包括股权投资和债权投资。股权投资可进一步划分为股票投资和其他股权投资；债权投资主要是指债券投资。股票投资和债券投资之和又叫做有价证券投资。公路经营企业对外投资的主要作用是：①增强企业资产的流动性；②增加企业获利的机会；③有效控制其他企业的经营活动和财务政策或者试图对其他企业的经营政策和财务政策施加重大影响。

(一)高速公路投资的概念和基本内容

高速公路投资一般包括对新建高速公路的投资，以及对原有高速公路进行扩建和技术改造的投资。广义上的高速公路投资，还包括对高速公路改建项目的投资、对高速公路大修理的投资、对高速公路水毁抢修和专项治理的投资等。

(二)高速公路投资管理的基本要求

在市场经济条件下，高速公路投资管理的基本要求是努力提高投资效益；采取的主要做法是对高速公路进行投资效益评价。

按照现行对投资管理的基本要求，高速公路投资效益评价包括财务评价和国民经济评价。

财务评价是根据国家现行财税制度和价格体系，分析、计算项目直接发生的财务收益和费用，编制财务报表，计算评价指标，考察项目的盈利能力、清偿能力等财务状况，据以判断投资项目的财务可行性。财务评价所需的基本报表有现金流量表、资产负债表、损益表、资金来源和运用表。公路项目财务评价是通过项目的财务支出和财务收益的比较，遵循收益与费用计算口径对应一致的原则；财务评价基准折现率应采用加权平均资金成本率。

建设项目的国民经济评价是在合理配置国家资源的前提下，从国家整体的角度研究项目对国民经济的净贡献，以判断项目的经济合理性。公路建设项目国民经济评价采用“有项目情况”与“无项目情况”作为基准情况对比的方法（简称“有”、“无”对比法）。“有项目情况”是指实施拟建项目后，相关路网要发生的变化；“无项目情况”是指不实施拟建项目，相关路网要发生的变化。国民经济评价所采用的社会折现率、影子汇率、影子工资、贸易费用等通用参数应以国家最新发布值为准。

国民经济评价与财务评价结论均可行的项目，从经济角度看应予通过；反之，予以否定。对某种具有重大政治、经济、国家、交通意义的公路项目，若国民经济评价结论可行，但是财务评价不可行，可重新考虑方案或者提出相应优惠措施的建议，使项目在财务上具有生存能力，必要时进一步说明建设的必要性，不再考虑财务评价结果。

三、高速公路日常经营管理

（一）高速公路日常经营管理的概念和基本内容

高速公路是现代公路运输和科学技术相结合的产物，因此，其内容也是比较丰富的。随着它的不断发展，人们也从成功和挫折中逐步积累了许多有益的管理经验。可以说，现代高速公路的管理在已建成高速公路的国家已有比较成熟的管理体系。高速公路管理的内容有技术管理、日常经营管理、管理体制及资金来源的关系三大部分。

高速公路的日常经营管理是高速公路管理内容的重要组成部分。一般来看，在日常的经营管理过程中，一条高速公路可分为若干管理段，每段管理30～50km，承担高速公路的养护、收费和交通控制三大块内容。主要为提高运输效率、预防和及时排除交通事故，全面掌握交通事故、气候、维修情况，统一调度，迅速转移车流，撤出阻滞结集的车辆，确保安全，快速地为运输服务。因此，高速公路的日常经营管理具体内容包括三部分：

（1）养护方面的各项日常工作。

（2）公路收费制度，是根据使用者承担公路建设所需的经费来制定。

（3）交通控制，是由自动监测系统、无线电系统和管理人员相结合的交通控制和服务中心组成。

随着我国高速公路里程的迅速增加，已经形成高速公路安全设施、监控设施和收费管理等成套日常经营管理技术。如广佛和沈大高速公路采用的高速公路监控系统，包括通信结构、混合型数据信息网、中心控制台、有源环与超声波车辆监测器、车辆分类器、可变情报板等设备，实现了高速公路高科技信息化管理。

（二）高速公路日常经营管理的基本要求

1.克服垄断性的弊端

高速公路经营企业一般实行"一路一公司"的体制，每一家公路经营企业对该条收费公路实行垄断经营，因此，不可避免的在服务态度、服务质量上存在一定的不足，为了保证高速公路经营企业交通量能够持续增长，就必须克服垄断性的弊端，真正做到顾客就是上帝，不断提高服务质量。

2.加强对票据的管理

收费点对票据的领取、发出、缴销、结存情况进行总结、清理、核查，可以使上级主管部门及时了解收费站票据管理情况并进行监督，有利于上级票证管理人员对票证按期总结，为了保证账簿、报表、票证管理的正确性和完整性，必须做到账证、账账、账实核对相符。

3.加强对收费站硬件的管理

为了有效的征收通行费，做到"应征不漏，应免不征"，必须建设好收费站的各项硬件设施，这些设施必须满足长期使用的需要，一般使用年限在30年以上，但是令人遗憾的是，目前收费公路硬件建设非常不理想，很多硬件设施不能满足实际需要，给维护管理和使用者带来诸多不便，因此，应加强交通信号灯，收费岛，收费场的安全亭、收费管理房的建设，此外应采用微机收费与监控，加强对收费公路收费站的管理。

4.精简机构和削减人员

机制不活，人浮于事，多头管理，重复建立相似的机构，分灶吃饭，形成了公路经营企业机构臃肿、人员庞杂，真正能干、实干的人员缺少。因此，提高日常经营管理效率，首先从精简机构和削减人员开始。

5.建立公路养管市场准入制度，使公路养管工作社会化、市场化

对公路养管实行企业化管理，一是把养管工作推向社会，实行养护管理工作市场化，以适应市场经济发展的要求；二是打破以往"捧铁饭碗，吃大锅饭"的思想，转变以往吃皇粮时的等米下锅为找米下锅；三是由于健全了公

司管理体制,对于具有公路养护职能的机构实行养护市场准入制度,由管理机构对进入养护市场的公司进行资质把关,养护技术、质量把关,实行优胜劣汰,为公路养护高质量、高标准提供保证;四是打破了以往地域、行业界限,避免了多头管理、相互推诿的工作弊病;五是通过市场竞争,促进养管企业自身的发展壮大,使有限的公路资源得到合理优化配置。

6.强化高速公路路政管理和安全管理

高速公路路政管理和安全管理是指高速公路管理机构,根据国家或地方法律及规章的规定,为保护高速公路及其用地和高速公路附属交通设施使用安全,维护高速公路合法权益和安全所进行的管理。高速公路路政管理和安全管理的目的在于:

(1)保护、管理高速公路路产。

(2)维护高速公路使用者的合法权益。

(3)保障高速公路的行车安全与畅通。

(4)保证高速公路的汽车专用性质。

(5)协助高速公路交通管理,进行高速公路交通的综合治理。

四、高速公路财务管理

高速公路的经营主体是公路经营企业,所以高速公路财务管理实际上就是高速公路经营企业的财务管理。

(一)高速公路经营企业财务管理的概念

企业财务管理是企业管理的重要组成部分。在社会主义市场经济条件下,企业管理的核心是财务管理;财务管理的核心是资金管理。这一认识充分体现了财务管理在企业管理中的重要地位。公路经营企业是以公路收费经营为主营业务的法人实体和市场竞争主体,要有效地提高公路经营企业的经营效益,必须注重加强企业的财务管理工作。

我国的公路经营企业是深化公路融、投资管理体制改革的产物。自20世纪80年代末期广东省率先进行公路收费经营的有效尝试以来,我国已建立了数百家公路经营企业,其中公路上市公司19家,通过在市场上发行股票筹措公路建设资金约273.44亿元人民币(2004年3月底);共经营着26 748km的收费公路(2002年底)。公路经营企业的兴起与快速发展,以及公路经营企业显著的行业特色,使得公路经营企业的财务管理成为我国企业财务管理的一个重要方面。

财务管理是企业组织财务活动、协调和处理与各方面财务关系的一项经济管理工作。公路经营企业为从事道路运输生产经营活动就必须要拥有一定数量的资金。企业的筹措资金、运用资金和分配资金等各项价值活动的总和形成了企业的财务活动。具体地说,企业财务活动由筹资、投资、资金使用、资金耗费、资金补偿、资金增值和资金分配等各项价值活动构成。

企业在从事财务活动中,为了注重于提高经济效益,需认真研究如何科学地筹措资金,合理地使用资金,降低成本费用,提高获利水平以及合理分配资金等问题,认真处理好企业同各方面的财务关系。财务管理区别于其他管理的特点在于它是一种价值管理,是对企业再生产过程中的价值运动进行的管理,是一项综合性的管理工作。

(二)高速公路经营企业财务管理的特点

与一般工商企业和运输企业相比,公路经营企业的财务活动至少具有以下管理上的特点:

1.公路经营企业的收费经营属于特许经营

公路作为重要的公益性基础设施,其产权永远归属国家。但国家允许具有法人资格的国内外经济组织经省级人民政府交通主管部门特许以投资修建公路的方式或者以投资购买的方式取得公路有期限的收费经营权。收费经营期限届满,公路由国家无偿收回。因此,公路经营企业的收费经营属于特许经营的范畴。

2.公路经营企业以盈利为目的

从企业的财务目标来看,公路经营企业以盈利为目的,这就决定了其经营目标应当是经营收益最大化。作为公司制企业,其财务目标可具体表现为股权收益率(ROE)最大化或每股收益(EPS)最大化。如果不考虑资本结构对股权收益率或每股收益的影响,财务目标也可以与经营目标一致,近似地表现为利润最大化或投资收益率(ROI)最大化。与一般工商企业与运输企业不同,公路经营企业是通过对其经营的公路上的车辆征收通行费来取得经营收入,并依法缴纳营业税及附加税,补偿经营成本后获取利润的。公路经营企业的经营成本一般包括公路的养护与维修成本、收费成本、利息费用、投资额摊销费用以及企业管理费用等,一般与交通量之间不存在直接的变动关系,即一般表现为固定成本,那么企业主要是通过增加经营收入来获利的。从这一意义上来看,收入越多,利润越大,因此企业的利润最大化目标从某种意义上又可以具体表现为收入最大化目标。这样,合理确定车辆通行费费率或标准,促使交通量与经营收入的稳定增长,就成为企业收费经营管理的主要任务。

3.企业投资者追求的是股东资金投资收益最大化

股权收益率不仅受投资收益率的影响,也受企业资本结构的制约。与一般企业的资本结构不同,如果企业只经营一条公路,公路经营企业的资产负债率在投资建造时期随贷款金额的增加而上升;建成投入使用后随企业逐年还本付息而下降,直至为零。

4.公路企业的投资效益具有滞后性

我国《公路工程技术标准》(JTG B01—2003)规定,高速公路和一级公路的远景设计年限为20年。这意味着收费经营公路在设计上满足的是该地区未来20年的交通量需求,因而高速公路和一级公路在建成初期几年内一般表现为通行能力的相对闲置,经营效益也相对较低。随着交通量的增长,企业的经营效益将逐步提高。为了保证企业在期初也具有较理想的投资效益以利于上市募股筹资,公路经营企业普遍采用递减折旧的方法。

5.公路资产是企业资产的主要组成部分

按照财政部、交通部颁布的《高速公路公司财务管理办法》(以下简称“财务管理办法”),公路及构筑物等公路资产属于企业的固定资产。但由于公路在特许经营期末必须无偿地归还国家,所以公路及构筑物不应当构成清偿资产。在进行公路经营企业财务分析时需注意这一特点对偿债能力分析的影响。

6.车辆通行费收入是公路经营企业的主营业务收入

车辆通行费收入一般为现金收入。因此,公路经营企业一般不存在坏账损失,不需要计提坏账准备,同时公路经营企业一般也不存在应收账款,因此,对营业收入的管理(实际上是现金管理)也提出了更高的要求。

7.实行资本经营,是滚动、持续发展的需要

如果公路经营企业只经营单一公路,那么受公路收费经营期最长为30年的影响,公路经营企业实行有期限的经营活动。那么企业的资金分配不仅是净利润的分配,而且有可能包括投资回收额(固定资产折旧或者无形资产摊销)的分配。但是,公路经营企业也可能通过经营多条公路(桥梁、隧道)或将投资转向其他行业而得以滚动发展,实行持续的资本经营活动。

8.保护路产、路权和公路良好状态,是经营企业的责任

公路经营企业需要承担保护路产路权、保障交通安全、实施通行监控、维护良好通行秩序等行政管理工作,并应当对收费公路完好、平整、畅通、整

洁、美观等承担责任。公路收费经营期限届满,公路经营企业有义务将处于良好状态的公路交还给国家。

(三)高速公路经营企业财务管理的基本内容

企业财务管理的内容包括资金筹集管理、投资管理、流动资产管理、固定资产及其他长期资产管理、成本费用管理、销售收入管理、利润及其分配管理、企业设立与终止、企业财务分析等。由于前面已对筹融资管理、投资管理的内容进行了较为详细的论述,这里不再赘述。

1. 资产管理

企业对内投资活动的结果,形成经营活动所需的各类资产,包括流动资产、固定资产、无形资产和其他资产;对外投资所形成的各类股权和债权,也属于企业资产的重要组成部分。所以,企业资产管理涉及到流动资产管理、固定资产管理、无形资产管理和其他资产管理等具体内容。

2. 成本费用管理

企业在从事收费经营以及其他经营活动中,必然会发生材料消耗、各类设施和设备的磨损,以及支付员工工资和其他费用等资金耗费。这些资金耗费形成了公路经营企业的营业成本与费用。在公路经营企业的各类营业成本中,公路经营成本是主要的组成部分。如何加强对公路经营成本的科学管理,有效控制并努力降低公路经营成本,是公路经营企业成本费用管理的重要任务。

3. 营业收入管理

营业收入是企业补偿资金耗费的唯一来源。公路经营企业的营业收入,主要表现为向通过公路的过往车辆收取的通行费收入。公路经营企业的营业收入管理涉及到通行费收入的确认、通行费价格管理、通行费票据管理、通行费收入日常管理、通行费收入分析等内容。

4. 利润管理

公路经营企业的营业收入补偿营业成本和费用并依法缴纳各种税金后的余额,形成企业的营业利润。企业的营业利润、投资净收益和营业外收支净额之和,构成利润总额,利润总额依法缴纳所得税后,形成企业的净利润。如何最大限度地增加净利润,是公路经营企业利润管理的主要任务。

5. 资金分配管理

资金分配的主要内容是利润分配。企业的净利润弥补经营亏损后的余额,构成可供分配的利润。企业利润分配包括提取盈余公积金、公益金和向投资者分配利润的财务事项。向投资者分配利润意味着一部分资金将从企业的资金运动过程中退出。企业利润分配管理所需考虑的两个重要问题是:如何依据国家有关法律、法规和企业财务制度来规范利润分配行为;采取怎样的利润分配决策或者股利政策有利于促使企业价值最大化。

除此以外,企业设立与清算中也涉及大量的财务问题,企业财务分析也属于企业财务管理基本内容的重要组成部分。

小　结

收费公路是指经有权部门批准,利用贷款、集资款或由国内外经济组织投资建设的具有一定技术和规模,并依法收取车辆通行费的高等级公路。

收费还贷(即政府还贷)公路是县级以上地方人民政府交通主管部门利用贷款或者向企业、个人有偿集资建设的公路;经营性公路是由国内外经济组织投资建设或者按《公路法》规定授予政府还贷公路收费权的公路,它由依法成立的公路企业法人建设、经营和管理。

高速公路经营管理包括高速公路融资管理、投资管理、日常经营管理和财务管理等基本内容。

思考题

1.什么是车辆通行费制度?什么是高速公路经营管理?高速公路经营管理有何特点?

2.什么是收费还贷公路?什么是收费经营公路?两者有何区别和联系?

3.目前我国有关车辆通行费制度的制度规范有哪些?你认为现行制度规范还需要在哪些方面进行发展和完善?

4.与西方国家的收费公路相比,中国收费公路有何特点?

5.实施车辆通行费制度的理论依据有哪些?收取车辆通行费是否增加了公路用户的经济负担?为什么?

6.高速公路经营企业筹资管理有何特点?涉及哪些基本内容?

7.什么是BOT融资?与其他融资方式相比,BOT融资有何特点?

8.高速公路经营企业投资管理有何特点?涉及哪些基本内容?

9.高速公路经营企业日常经营管理有何特点?涉及哪些基本内容?

10.高速公路经营企业财务管理有何特点?涉及哪些基本内容?

第二章

高速公路经营企业

学习目标

高速公路经营企业是深化公路投融资管理体制改革的产物。学习本章主要掌握:①了解高速公路经营企业的基本概念,掌握其与一般企业相比具有的主要特征;②了解我国高速公路经营企业分类的基本方式和原则,能熟练地区分各种不同类型的高速公路经营企业;③掌握高速公路特许经营制度的内涵,理解其必要性和重要意义;④了解高速公路经营企业的各种组织形式,能够区分各种不同组织形式的高速公路经营企业;⑤掌握在不同的组织形式下,高速公路经营企业的法人治理结构。

高速公路经营企业的出现在一定程度适应了我国加快公路基础设施,特别是高速公路建设与发展的需要。自20世纪80年代广东省率先通过组建公路经营企业进行公路运营管理的有益尝试以来,为了加强高等级公路的运营和管理,提高路段建设的经济效益以及为高速公路建设筹集更多的资金,早日完成干线公路网络,高速公路经营企业应得到迅速发展。

第一节　高速公路经营企业概述

高速公路经营企业是经国家特许的从事高速公路建设,并实行收费经营,以获利为目的的公司制企业。高速公路经营企业除了满足一般的企业特征,还在经营对象、经营期限、经营目的、经营责任等方面有其特殊性。目前我国高速公路经营企业类型多样,迫切需要高速公路特许经营制度的建立和完善。

一、高速公路企业的概念

(一)企业的相关基本概念

1.企业的概念

在我国当代的经济研究和经济活动中,企业一词出现的频率最高,而企业的定义至今还没有一个统一的概念,对于企业的定义不尽相同。

企业管理出版社于1984年出版的《中国企业管理百科全书》把企业定义为:企业(Enterprise)是从事生产、流通等经济活动,为满足社会需要并获取盈利,进行自主经营,实行独立经济核算,有法人资格的基本经济单位。

《中华人民共和国全民所有制工业企业法》第二条则规定,企业是依法自主经营、自负盈亏、独立核算的社会主义商品生产和经营单位。

综合当前经济学界的研究,我们将企业的概念作如下描述:企业是从事生产、流通或提供劳务等经济活动,为满足社会需要,依法成立并自主经营、独立核算,以盈利为目的的经济组织。

2.企业的特征

在市场经济条件下,企业具有如下特征:

(1)企业必须依法设立。所谓依法设立,就是要符合国家法律的规定。一是要符合国家法律法规规定的设立企业的条件;二是要依照国家法律法规规定的程序设立。

(2)企业是以盈利为目的的经济组织。所谓以盈利为目的,就是企业的一切生产经营活动是为了赚取利润,这是它与非企业单位的最大差别。比如学校,虽然在教育活动中也要收费,但它不是以盈利为目的,就不算作企业。

(3)企业应独立核算。所谓独立核算即单独计算成本费用,单独计算盈亏,全面反映企业的经营活动。

(4)企业是从事生产、流通和提供劳务等经营活动的经济单位。企业必须从事生产经营活动,不从事生产经营活动的经济单位,不能称为企业;企业必须是一个经济单位,即应是一个具有独立法人资格的经济实体。

(5)企业要有自己独立的资产,要有科学的产权制度。企业是社会分工的一部分,企业通过参与市场交易获得利润谋求发展,市场交易的实质是产权的让渡,企业没有自己的资产,则无法参与自由选择的交易,无法获得利润和发展。产权约束是企业约束机制的重要方面,企业资产是企业以本求利,自主决策,独立承担盈亏责任的物质基础。产权制度是决定企业效率高低的重要因素,既能使企业经营者拥有必要的产权,又能使出资者有效地行使所有权的产权制度,是现代企业得以生存和发展的必要条件。

(6)企业是在一个大规模经济条件下发挥单细胞作用的组织。企业之间、生产者与消费者之间既是相互竞争、利益对立的关系,又存在着相互依存、互为市场的联系。因而企业既要保证出资者和经营者的经济利益,实现资产的保值和增值,同时又要发挥其单细胞的作用,促进整个社会的经济增长。这就要求企业以尽可能有效的方式使用社会资源,减少花费,使自身经济效益与社会经济效益保持一致。注重长远发展,对社会承担相应的责任,接受法律约束与政府的行政管制,与其他交易者之间保持平等互利关系。

(二)高速公路经营企业的概念

高速公路经营企业应当符合企业的基本特征,即应当属于依法设立的、以获利为目的的经济组织。虽然企业经营的高速公路具有社会公益的基本属性,但决不能因此而忽视其追求利润的基本要求,否则高速公路经营企业就不可能称其为企业。

根据国际惯例和我国的实践,可以将高速公路经营企业定义为"依法设立在中华人民共和国境内的、经国家特许从事高速公路建设并实行收费经营的、以获利为目的的公司制企业"。

高速公路经营企业的涵义可以从以下三个方面理解:首先,高速公路经营企业应是市场经济条件下以盈利为目的的法人实体和市场竞争主体;其次,高速公路经营企业应是按照《中华人民共和国公司法》、《中华人民共和国公路法》等法律、法规的要求组建的公司制企业,包括股份有限公司和有限责任公司两种组织形式(国有独资公司属于有限责任公司的一种特殊形式),具有法人资格;第三,高速公路经营企业实行特许经营制度,经国家特别行政许可,在规定期限内从事公路建设与收费经营活动。

(三)高速公路经营企业的特点

与一般工商企业相比,高速公路经营企业主要有以下特征:

1.经营对象的特殊性

高速公路经营企业通过投资建路或者有偿收购取得的只是公路有期限的收费经营权利,其经营对象是收费权依托的公路实物资产。经营对象的特殊性包括公路资产的特殊性、经营公路的特定性和公路收费权的特殊性。

高速公路经营企业运营依托的公路实物资产,除了具有不可移动、不可分割、耐久性等自然属性外,还具有基础性、网络性和社会公益性。公路具有服务功能的基础性、服务对象的公共性和服务效益的社会性。公路是国家的基础设施,是国家经济运行的保障。它不仅服务于国民经济系统中所有的物质生产、流通和消费部门,而且还服务于社会政治、军事、教育等各个领域,存在经济学意义上的"利益外部性",因而公路属于社会公益性基础设施。公路只有连接成网才能更好的发挥其规模递增效应,因而具有网络性。根据《中华人民共和国公路法》及其有关法律、法规、规章的规定,国内外经济组织可以通过投资建路,取得规定期限内公路的收费经营权利;或者通过受让已建成收费公路权益取得收费经营的资格。获得收费经营权的国内外经济组织,应当依法组建公路经营企业,通过收取车辆通行费来回收投资,并获得合理回报。但在约定的收费经营期限届满时,需要将处于良好技术状态的公路交还给国家,由交通部门管理,向社会开放通行。

2. 经营期限的限定性

依法成立的高速公路经营企业,虽然通过投资公路取得了特许经营权,但并不意味着他们拥有该公路的所有权。公路的所有权永远属于国家,国家是公路的唯一所有者。国家依据收回投资并有合理回报的原则确定公路的特许经营年限。根据我国现行规定,收费公路的经营期限最长不得超过30年。

3. 经营目的的双重性

作为企业,高速公路经营企业以盈利为目的,以企业价值最大化为目标。公路经营企业要想取得民间资本和国外资本的投资,就必须以较高的投资回报和理想的预期收益为吸引投资的根本条件。但是,由于所经营的公路具有社会公益性的基本特点,政府和社会公众要求高速公路经营企业在追求自身利益的同时,不应当忽视公路的社会效益。如何协调好经济效益和社会效益的关系,是政府宏观调控和交通主管部门行业管理需解决好的主要问题之一。

4. 经营责任上的特定性

高速公路经营企业必须一年四季、年复一年地确保公路畅通无阻,否则会极大地影响公路所在地区的社会经济发展和城乡居民的正常生活。在对外开放地区和与外国接壤地区,还会影响对外交往。此外,高速公路经营企业还承担一种法定义务,即在经营期满时,必须确保无偿移交给国家的公路处于良好的技术状态。这种法定责任也是其他企业所不具有的。高速公路经营企业的这种特定责任也直接影响着其收费经营的效益。

二、我国高速公路经营企业的分类

我国公路经营企业大体上可以划分为三种类型:省级公路有限责任公司,路段公路有限责任公司,公路股份有限公司和公路上市公司。

(一)省级公路有限责任公司

省级公路有限责任公司是在深化公路投融资体制改革中发展起来的,也是在收费还贷筹资模式基础上向公路经营化管理的延伸。目前除了辽宁、新疆、青海、宁夏、内蒙等少数地区以外,大多数省份均成立了省级公路有限责任公司,试图利用经营机制发展高速公路事业,这在一定程度上反映了我国高速公路发展的趋向。据分析,我国实行收费经营制度的高速公路中,至少有50%的高速公路是由省级公路有限责任公司直接进行运营管理,或通过控股和参股间接进行运营管理的。部分省级公路有限责任公司资料见表1-2-1。

部分省级公路有限责任公司资料 表1-2-1

省、市	公 司 名 称	被控股公司名称	占被控股公司股权比例
深圳市	深圳市高速公路开发有限公司	深圳高速公路股份有限公司	32.49%
四川省	四川高速公路建设开发总公司	四川成渝高速公路股份有限公司	39.30%
湖北省	湖北高速公路集团有限公司	湖北楚天高速公路股份有限公司	63.58%
福建省	福建省高速公路有限责任公司	福建发展高速公路股份有限公司	47.48%
江苏省	江苏交通控股有限公司	宁沪高速公路股份有限公司	55.22%
广东省	广东省交通集团有限公司	广东省高速公路发展股份有限公司	37.77%
北京市	京津塘高速公路北京市公司	华北高速公路股份有限公司	13.42%
重庆市	重庆高速公路发展有限公司	重庆渝东高速公路有限公司	100.00%
		重庆北方高速公路股份有限公司	100.00%
		重庆南方高速公路股份有限公司	100.00%
		重庆交通建设投资公司	100.00%
		重庆成渝高速公路经营公司	51.00%
		重庆上界高速公路有限公司	51.00%
		重庆机场高速公路有限公司	49.00%
		重庆大邮高等级公路有限公司	45.00%

续上表

省、市	公 司 名 称	被控股公司名称	占被控股公司股权比例
安徽省	安徽交通投资有限责任公司	皖通高速公路股份有限公司	65.00%
山东省	山东高速公路有限责任公司	山东基建股份有限公司	84.99%
陕西省	陕西省高速公路建设集团公司	陕西西铜高速公路有限公司	30.00%
湖南省	湖南省高速公路建设开发总公司	现代投资股份有限公司	36.50%
吉林省	吉林省交通投资开发公司	东北高速公路股份有限公司	25.00%
黑龙江	黑龙江高速公路经营企业	东北高速公路股份有限公司	30.18%
厦门市	厦门市路桥建设投资总公司	厦门路桥股份有限公司	67.80%
江西省	江西高速公路投资发展(控股)	江西赣粤高速公路股份有限公司	65.66%
浙江省	浙江交通投资集团有限公司	浙江沪杭甬高速公路股份有限公司	56.00%
河南省	河南高速公路发展有限责任公司	河南中原高速公路股份有限公司	50.964%
海南省	海南省交通服务公司	海南高速公路股份有限公司	23.62%

(二)路段有限责任公司

路段有限责任公司主要承担某些特定高速公路的建设、收费经营与管理。路段有限责任公司大致可分为三类:

第一类是因受让收费还贷公路收费权而组建的路段有限责任公司,例如陕西西铜高速公路有限公司、重庆成渝高速公路有限公司等。这类公司的基本特征是:①通过与政府签署收费权转让协议来明确转让与受让双方各自的权利、责任和义务,受政府行政干预的影响较小,市场化意识较强;②公司以盈利为目的,以利润最大化为经营目标,属于较为规范的公司制企业;③公司一般是盈利的,并且经营效益呈一定程度的上升趋势;④政企关系较为明确,经营行为较为规范。

第二类属于由公路上市公司、其他上市公司或者民营企业为主投资组建的建设与经营收费公路的有限责任公司,例如陕西华通高速公路有限公司、广东省佛开高速公路有限公司等。这类公司的基本特征是:①控股方属于较为规范的公司制企业,公司经营意识和盈利意识较强;②公司一般是盈利的;③一般具有明确的特许经营年限。

第三类是因公路发展需要由省级公路经营企业投资设立或者分立的建设与经营某条高速公路的全资子公司或者控股公司，以及交通主管部门独立投资设立的路段有限公司，例如重庆高速公路发展有限公司全资拥有的重庆北方高速公路有限公司，湖北高速公路集团有限公司控股的湖北武黄高速公路经营有限公司，山西省交通厅独资设立的山西大新高速公路建设有限责任公司等。由于受其控股公司的影响，这类公司具有较明显的行政色彩，市场意识不够强，还很难说是真正自主经营、自负盈亏的公司制企业。部分路段有限责任公司资料见表1-2-2。

部分路段有限责任公司资料 表1-2-2

公司名称	主营业务	主要大股东及持股比例
陕西西铜高速公路有限公司	西安至铜川一级公路和西安至咸阳机场二级公路	陕西省高速公路建设(集团)公司,30%;江苏悦达集团,70%
重庆成渝高速公路有限公司	成渝高速公路重庆段	重庆高速公路发展有限公司,51%;上海中信基建投资有限公司,49%
陕西交通资产经营有限公司	陕西韩城市境内56km二级公路	陕西省交通厅,100%
陕西华通高速公路有限公司	西安至蓝田高速公路	西安市交通局,30%;西安华安企业集团,70%
陕西金秀交通发展有限公司	西安至临潼高速公路	香港越秀集团公司,100%
西安西沣公路发展有限公司	西安至沣峪口一级公路	西安市交通局,50%;陕西交通资产经营有限公司,50%
江苏京沪高速公路有限公司	京沪高速公路江苏沂淮江段	江苏悦达集团,21%;江苏高速公路集团公司,55.82%
广佛高速公路有限公司	广州市郊区至佛山高速公路	广东省高速公路发展股份有限公司,75%;珠江基建投资有限公司,25%
广东省佛开高速公路有限公司	佛山谢边至开平址山高速公路	广东省高速公路发展股份有限公司,51%;广东省高速公路经营企业,49%
江苏广靖锡澄高速公路有限责任公司	江苏广靖锡澄高速公路	江苏宁沪高速公路股份有限公司,85%

(三)公路上市公司

公路经营企业中影响最大的当属公路上市公司。这里所指的公路上市公司是指以路桥收费经营为主营业务的上市公司,包括A股、B股和H股上市公司,不包括以路桥施工为主营业务的上市公司(例如路桥建设、西藏天路、四川路桥等)和一般参与路桥收费经营业务的上市公司(例如江苏悦达、湖南投资等)。截止到2003年年底全国共有18家公路上市公司,其中以经营收费桥梁为主的有厦门路桥和重庆路桥;以经营非高速公路为主的有延边公路;其他15家均为以经营高速公路为主营业务的上市公司。

公路上市公司是公路经营企业建立现代企业制度中的突出代表。由于公路上市公司一般是用优质的路产评估后重组设立的,所以一般体现较好的经营效益。虽然从发展趋势来看,有些上市公司的经营效益呈逐年上升趋势(例如深圳高速),但也有些上市公司的效益有一定程度的滑坡。比如延边公路2002年和2003年连续两年出现经营亏损,该公司于2004年3月10日被中国证监会ST处理,成为公路经营行业中第一家被ST处理的上市公司;海南高速也于2003年首次出现经营性亏损。

目前我国公路上市公司的控股公司一般属于所在地区省级公路有限责任公司或者尚未进行公司制改造的投资总公司。“一股独大”、行政干预过多等问题尚未得到有效的解决。国有股和国有法人股占了绝大比例,截至2003年年底,18家公路上市公司的平均国有股和国有法人股占到了总股份的66.52%,其股本结构分析见表1-2-3。

公路上市公司股本结构分析表　　表1-2-3

公司名称	国家股	国有法人股	其他股	外资股	流通股	总股本
粤高速	37.77	16.23	—	24.16	21.84	100
皖通高速	65.00	—	—	35.00	—	100
深圳高速	30.03	28.12	—	34.28	7.57	100
沪杭甬高速	56.00	11.00	—	33.00	—	100
延边公路	26.57	22.82	0.02	—	50.59	100
宁沪高速	55.16	17.60	—	24.26	2.98	100
重庆路桥	70.97	—	—	—	29.03	100
成渝高速	65.00	—	—	35.00	—	100
海南高速	23.62	51.32	—	—	25.06	100

续上表

公司名称	国家股	国有法人股	其他股	外资股	流通股	总股本
现代投资	46.30	—	—	—	53.70	100
厦门路桥	67.80	—	—	—	32.20	100
华北高速	68.81	—	—	—	31.19	100
东北高速	75.27	—	—	—	24.73	100
赣粤高速	62.59	0.12	—	—	37.29	100
五洲交通	76.92	—	4.98	—	18.10	100
福建高速	70.56	0.24	—	—	29.20	100
山东基建	84.99	—	—	—	15.01	100
中原高速	73.33	—	—	—	26.67	100
平均股本结构	57.84	8.67	0.29	10.92	22.26	100.00

三、高速公路特许经营制度

(一)特许经营的概念和类型

特许经营制度是国际上通用的收费公路经营管理制度。据了解,目前美国、意大利、法国、西班牙、英国等西方国家,以及匈牙利、菲律宾、马来西亚、新加坡等发展中国家,在收费公路管理上广泛推行了特许经营制度。

特许经营包括商业特许(Franchising)和政府特许(Concession)。政府特许是行政许可的一部分。公路特许经营属于政府特许的范畴。

政府特许经营(Concession)主要是指采用特许经营的方法开采国家所有的矿产资源,或建设政府监管的公共基础设施项目,例如石油天然气的勘探和开采、电力项目、高速公路、铁路、港口建设等。这类项目的建设和运营并不完全向市场开放,一般情况下由政府投资,国有企业经营,或由政府授权的公司在政府的严格监管下经营。但是单靠政府投资、经营和管理这些基础设施项目或开发利用国家资源,资金常常不足,经营管理也缺乏效率。因此可以认为,政府特许经营是指政府为吸引社会、企业、私人资金和外国资本投资本国公共设施建设,并通过引进竞争机制提高经营管理效率的一种组织形式和特殊的经营方式。

政府特许经营的主要目的是为了通过引进民间资金和市场机制,有效解决在国有矿产资源开发、公共基础设施建设中出现的资金短缺或运营效率低下等问题，以促使公众利益最大化。

（二）高速公路特许经营的必要性及重要意义

1. 高速公路经营特许制度的涵义

高速公路特许经营是指由政府或省级交通主管部门授予高速公路经营企业在一定时间内对某高速公路项目进行经营的权利，即特许经营权。在规定的特许期内，企业按照国家批准的公路网规划、标准、路线走向（控制点）承担高速公路项目的融资、建设、运营管理和养护的任务（或者仅承担已建成高速公路的运营管理和养护任务），同时企业依法取得收费权和公路相关设施经营权，通过综合开发经营，用来偿还项目的债务，并获得预期的投资回报。政府通过合同协议或者其他方式明确政府与获得特许经营权的企业之间的权利与义务。在特许期结束后，企业有义务将状态良好的高速公路无偿移交给政府。

高速公路特许经营的基本特征是根据国家特许经营的法律、法规和规范，通过特许经营协议来规范国家与高速公路经营企业之间的经济关系，明确各自在公路建设与运营中的权利、责任和义务。

2. 高速公路特许经营的必要性及重要意义

(1)高速公路特许经营符合高速公路的属性和特点。高速公路具有基础性、公益性、商品性和运营的垄断性等特点。这些特性是一般竞争性产品所无法比拟的。高速公路建设的市场化，要求对高速公路进行企业化运营管理。但由于高速公路的基础性、公益性和运营的垄断性特征，政府必须对高速公路的修建与运营进行指导监督。发展特许经营企业，既符合高速公路运营发展规律，又适应政府宏观指导监督的要求。

(2)我国推行特许经营已具备必要的条件。随着公路管理体制改革的深入，有关高速公路特许经营管理办法的法律、法规正在逐步建立和健全，高速公路经营已有多年的实践经验，加上我国经济实力的增强，金融秩序稳定，从而为我国高速公路实行特许经营提供了良好的环境。

(3)推行特许经营制度有利于规范高速公路运营中的政企关系。通过签订特许经营协议，明确政府的监督指导和提供服务职责，以及企业运营高速公路的权利、责任与义务，建立政府与企业的良性互动机制。特许经营协议和特许法规一样，是处理政府和特许经营公司关系的法律依据，对政府与企业都会产生法律约束力，并促进政府提高管理水平，促使企业提高运营水平和质量。

(4)推行特许经营制度有利于协调企业追求经济效益与公路社会效益目标的统一。公路经营企业获得高速公路经营权,其经营的优劣直接影响着公路资产的安全完整和交通服务质量。通过特许经营协议可以规范与协调公路经营企业的经营行为和政府的行业管理行为,既使企业的合法权益得到维护,又使政府的行业管理职责得到落实,从而使企业经济效益与公路的社会效益统一起来。

(5)有利于缓解高速公路建设资金不足的矛盾。建设资金匮乏是制约我国经济发展的关键环节,高速公路建设也不例外。高速公路特许经营后作为一个经济实体的经营单位能更有效地运用市场机制筹措资金,增加对高速公路建设的投入,促进高速公路快速发展。

(6)高速公路实行特许经营符合国际惯例。高速公路特许经营是发达国家如美国、意大利、西班牙、法国、日本等发展高速公路的重要经验。日本的道路公团、意大利截至2001年年底的24家高速公路特许公司、法国截至2001年年底的11家特许经营企业等,都是利用特许经营制度对高速公路进行建设、运营与管理。我国高速公路收费经营应当吸取国际上公路特许经营的经验,结合我国的国情,走一条具有中国特色的公路特许经营的发展之路。

(7)推行特许经营制度,符合党的十六大精神和《中共中央关于完善社会主义市场经济体制若干问题的决定》中关于"除关系国计民生和必须国家垄断的领域外都允许民间资本进入的原则"。

(8)推行特许经营制度是依法行政的要求,符合2004年7月1日实行的《中华人民共和国行政许可法》调整规范。

第二节 高速公路经营企业的组织形式

按照《中华人民共和国公司法》规定的企业组织形式划分,我国的高速公路经营企业包括:高速公路国有独资公司、高速公路多元持股的有限责任公司和高速公路股份有限公司。高速公路上市公司是股份有限公司的典型代表。

一、高速公路国有独资公司

国有独资公司是有限责任公司的一种特殊的组织形式,它是由国家授权投资的机构或者国家授权的部门单独投资设立的有限责任公司。国有独资公司具有以下特征:国有独资公司的投资人为1人,投资人以其出资额承担有限责任;国有独资公司的投资人只能是国家授权投资的机构或国家授权的部门,而不能是其他的机构或部门。由于国有独资公司的特殊性质,《中华人民共和国公司法》对其组织结构和监督管理也有特殊规定:公司不设股东会,公司股东权利由国家授权投资的机构或国家授权的部门行使,并授权董事会行使一部分股东权利;董事会成员由国家授权投资的机构或者国家授权的部门委派或更换,董事长、副董事长由国家授权投资的机构或国家授权的部门从董事会成员中指定;经理由董事会聘任和解聘;监事会主要由国务院或国务院授权的机构、部门委派的人员组成,并有职工代表参加。

高速公路国有独资公司具有国有独资公司的一般特性,其组织形式应当符合《中华人民共和国公司法》对国有独资公司组织形式的要求。高速公路国有独资公司主要是省级设立的大型或较大型的以全省高速公路运营为主要任务的企业,一般运营规模较大,省内几乎全部高速公路或大部分高速公路由其运营;与政府部门联系紧密。在特许经营制度下,更能体现政府的社会公益性目的。

案例一　江苏交通产业集团有限公司

江苏省2003年年底高速公路突破2 000km,在全国各省市区中位居第二。江苏交通产业集团有限公司的前身是江苏省高速公路集团有限公司。该公司是经江苏省人民政府批准、由省人民政府出资设立的国有独资公司,经省政府授权为具有投资性质的国有资产经营单位和投资主体。公司由江苏省高速公路建设指挥部所拥有的全部高速公路资产出资,于1998年12月31日设立,注册资金20亿元人民币。公司通过投资拥有江苏京沪高速公路有限公司等子公司,承担着京沪高速公路江苏沂淮江段、宁宿徐高速公路、宁杭高速公路、连徐高速公路、盐通高速公路等高速公路的建设与收费经营工作。随着全长129km的宁宿徐高速公路、全长75km的连徐高速公路一期工程于2001年年底投入运营,公司投资经营的高速公路已达到580km。

经江苏省人民政府批准,江苏高速公路集团有限公司于2002年年初更名为"江苏交通产业集团有限公司",注册资金增加到58亿元人民币。2003年年底公司董事长由江苏省交通厅厅长兼任。

案例二　湖北高速公路集团有限公司

湖北省截至2002年年底拥有高速公路943km,在全国各省市区中居第十一位。湖北省高速公路集团有限公司的前身是湖北金路高速公路建设开发有限公司。该公司成立于1999年6月8日,是经湖北省国有企业改革领导小组鄂企改字[1999]1号文件批准成立的国有独资企业。1999年11月3日,湖北省人民政府以鄂政办函[1999]80号授权该公司经营武黄公路、汉宜公路、黄黄公路、黄石长江大桥、九江长江大桥、京珠公路湖北段、军山长江公路大桥、宜昌长江公路大桥、荆沙长江公路大桥、鄂黄长江大桥等公路项目中由省交通厅投资部分形成的资产。2000年3月29日,湖北省交通厅以鄂交财[2000]154号文件将武黄公路、汉宜公路的所有资产划拨给金路公司。2002年11月8日,该公司更名为"湖北省高速公路集团有限公司"。

2003年年底湖北省交通厅暂时代理行使公司国有资产出资人的职能,公司董事长由湖北省交通厅厅长兼任。公司董事会成员由交通厅各有关职能处室负责人兼任,公司董事长、总经理由交通厅推荐,省政府任命。公司的其他副处级以上管理人员由交通厅党组推荐,公司聘任。

二、高速公路多元持股的有限责任公司

多元持股的有限责任公司是有限责任公司的主要组织形式,多元持股的有限责任公司由两个以上五十个以下股东共同出资发起设立,股东以其出资额为限对公司承担责任,公司以其全部资产对公司的债务承担责任。多元持股的有限责任公司具有以下特征:多元持股的有限责任公司的投资人为2~50人,投资人以其出资额承担有限责任;多元持股的有限责任公司的投资人可以是两个或者两个以上国家授权投资的机构或国家授权的部门,也可以接受民间资本以及个人投资;多元持股的有限责任公司股东会由全体股东组成,股东会是公司权力机构。有限责任公司可以设立董事会;董事会设董事长;董事长为公司法定代表人;董事长的产生办法由公司章程规定。公司经理由董事会聘任。国有有限责任公司聘任总经理无需征求投资部门的意见或者报投资部门批准。有限责任公司也可以只设执行董事,不设立董事会,执行董事为公司法定代表人,可以兼任公司经理。

高速公路多元持股的有限责任公司具有多元持股的有限责任公司的一般特性,其组织形式应当符合《中华人民共和国公司法》对有限责任公司组织形式的要求。公路发展需要由省级公路经营企业投资设立或者分立建设与经营某条高速公路的控股公司,这也是按照党的十六大精神逐步开放基础设施建设领域,吸纳民营资本的一种有益途径。

案例一　陕西西铜高速公路有限公司

陕西西铜高速公路有限公司,由陕西省高速公路建设(集团)公司

(30%)和江苏悦达集团(70%)共同组建,于2001年6月27日开业。公司主营西安至铜川一级公路和西安咸阳机场二级公路,经营期限自2000年7月1日起共20年。

案例二　重庆成渝高速公路有限公司

重庆成渝高速公路有限公司,由重庆高速公路发展有限公司(51%)和上海中信基建投资有限公司(49%)共同组建,于1999年12月25日开业。公司主营全长114km的成渝高速公路重庆段,经营期限自2000年1月1日起共25年。

案例三　湖北黄黄高速公路经营有限公司

湖北黄黄高速公路经营有限公司,由湖北省交通厅和香港新华集团分别出资51%和49%于2003年组建,负责全长141km的湖北黄黄高速公路的收费经营工作。黄石至黄梅高速公路主线110km,联络线31km,总投资24.20亿元。其中银行借款11.7亿元,地方国债借款2.45亿元,交通部拨款6.01亿元,中央国债拨款0.5亿元,省交通厅自筹3.54亿元。

三、高速公路股份有限公司

股份有限公司是企业法人,公司股东以其所持股份为限对公司承担责任,公司以其全部资产对公司的债务承担责任。股份有限公司的设立应当有五人以上为发起人,采取发起设立或者募集设立的方式。股份有限公司的法定资本金为人民币1 000万元;上市公司的法定资本金为人民币5 000万元。发起人认购的股份不得低于公司总股本的35%。股东大会是公司的权力机构,选举董事会成员和由股东代表出任监事;董事会选举产生董事长;董事会聘任公司经理。所以,政府部门无权对董事长和总经理的聘任和解聘施加行政干预。公司监事会由股东代表和职工代表组成。

高速公路股份有限公司具有股份有限公司的一般特性,其组织形式应当符合《中华人民共和国公司法》对股份有限公司组织形式的要求。目前我国的高速公路股份有限公司有广东高速公路发展股份有限公司、江苏宁沪高速公路股份有限公司、河南中原高速公路股份有限公司、湖北省楚天高速公路股份有限公司等19家公路上市公司,以及泉州市名流路桥投资开发股份有限公司、江苏扬子大桥股份有限公司等尚未上市或者非上市公路股份有限公司。

案例　泉州市名流路桥投资开发股份有限公司

泉州市名流路桥投资开发股份有限公司的前身——名流路桥投资开发

有限公司，由泉州市名流实业股份有限公司(60%)、福建省交通建设投资有限公司(15%)、福建省公路开发总公司(15%)、泉州市路桥开发总公司(10%)共同出资于1994年5月28日设立。1994年9月24日，“名流路桥投资开发有限公司”更名为“泉州刺桐大桥投资开发有限公司”，负责泉州市刺桐大桥的建设与经营，建设经营期限为从1995年初开始的30年。泉州刺桐大桥1995年5月18日全面动工建设，1996年12月28日建成通车。大桥全长1 530m，连接线长2 285m，匝道长2 400m，总投资2.5亿元人民币。大桥建成后，公司又投资4 500万元建设了连接324国道全长6.3km的连接公路。“泉州刺桐大桥投资开发有限公司”1998年改制为“泉州市名流路桥投资开发股份有限公司”，希望利用市场运作，上市募股筹资，实行规模化经营。目前该公司正在积极准备上市申报的各项工作。

四、高速公路上市公司

上市公司是指其股票在证券交易所挂牌交易的股份有限公司。上市公司是股份有限公司一种特殊的组织形式，其与非上市股份有限公司的最大不同就是可以利用自身的优势通过向社会公开发行股票筹集投资与经营所需的资金。公司上市需要具备以下条件：股票经国务院证券管理部门批准已向社会公开发行；公司股本总额不低于5 000万元人民币；公司开业时间在3年以上，最近3年连续盈利；持有股票面值达到1 000元以上的股东人数不少于1 000人；向社会公开发行的股份达公司股份总数的25%以上；公司在最近3年内无重大违法行为，财务会计无虚假记载；国务院规定的其他条件。

高速公路上市公司是指以高速公路收费经营为主营业务的上市公司。其基本特征是：在主营业务收入中，通行费收入所占比重达到50%以上。高速公路上市公司不应当包括以路桥施工建设为主营业务的上市公司(例如路桥建设、四川路桥等)，一般参与公路收费经营业务的上市公司(例如江苏悦达、湖南投资等)，以及以经营收费路桥为主营业务的上市公司(例如厦门路桥和重庆路桥)和经营非高速公路为主营业务的上市公司(例如延边公路)。2003年9月19日中国证监会以证监发行字[2003]116号印发了《关于进一步规范股票首次发行上市有关工作的通知》。按照此规定，从2004年1月1日起，公路运输企业只有在设立股份有限公司3年之后，才能够公开发行股票筹资并上市。这无疑抬高了企业上市融资的门槛，成为高速公路上市公司设立的附加条件。

高速公路上市公司伴随着我国公路收费经营事业的产生与发展而不断壮大,20世纪80年代末期,伴随着广佛高速公路有限公司的成立,标志着我国开始迈出了公路收费经营实践探索的步伐。1992年8月1日,我国第一家公路股份有限公司——江苏宁沪高速公路股份有限公司宣告成立。1996年8月,我国第一家公路上市公司(Road Listed Company)——广东省高速公路发展股份有限公司的股票开始在深圳证券交易所上市。1996年11月,安徽皖通高速公路股份有限公司的股票率先在香港联合交易所挂牌交易。1997年6月江苏宁沪高速公路股份有限公司成功发行12.22亿H股,筹资净额39亿元人民币,成为至今为止募股筹资最多的公路上市公司。2000年5月5日,沪杭甬高速公路股份有限公司的H股在英国伦敦证券交易所上市交易,使得该公司成为我国第一家在国外上市的公路股份有限公司。

到2004年3月底,粤高速、深圳高速、皖通高速、沪杭甬高速、宁沪高速、成渝高速、海南高速、东北高速、华北高速、现代投资、赣粤高速、五洲交通、福建高速、山东基建、中原高速、楚天高速等19家高速公路上市公司通过发行股票市场融资净额达到273.44亿元人民币,为我国高速公路建设事业的快速发展做出了重要的贡献,并且通过公司上市强化所有权约束机制,有效地解决了"机构臃肿、人员超编、人浮于事、工作效率低下"等国有企业的通病,促使高速公路经营企业的社会效益和经营效益不断提高。

案例一　广东高速公路发展股份有限公司

广东高速公路发展股份有限公司前身为1993年2月成立的广东佛开高速公路股份有限公司。1993年6月30日,广东省交通部门把与该项目有关的具有3年经营业绩的广佛高速公路有限公司和九江大桥公司进行股份制改造,与佛开高速公路股份有限公司一起重组为广东省高速公路发展股份有限公司。重组后该公司总股本为27 190万股,总资产10.15亿元;净资产7.92亿元。该公司1996年7月向境外投资者发售13 500万股B股,发行价为每股人民币3.80元,以每股港币3.54元发售,筹资净额为人民币4.84亿元。1997年年底实施10股送5股的股本扩张。1998年1月发行1亿股A股,每股发行价为人民币5.41元,募资净额5.28亿元。2000年8月实施30%配股,配股价格为每股人民币11元,筹资净额为人民币7.97亿元。2001年年底粤高速总股本为12.57亿股,其中国有股47 478万股,占总股本的37.77%。

2002年年底,粤高速通过其子公司(拥有75%股权的广佛高速公路有限公司、拥有51%股权的广东省佛开高速公路有限公司)和联营公司(拥有

33.33%股权的深圳惠盐高速公路有限公司、拥有20%股权的广东茂湛高速公路有限公司等)经营着全长15.7km的广佛高速公路、全长79.8km的佛开高速公路、全长82.3km的茂湛高速公路和全长1.68km的九江大桥等公路基础设施。

案例二　江苏宁沪高速公路股份有限公司

江苏宁沪高速公路股份有限公司于1992年8月1日由江苏省交通厅、江苏省交通工程公司、江苏公路桥梁建设公司、江苏省汽车运输公司等4家单位共同发起设立,总股本65 300万股,每股发行价为1元。其中江苏省交通厅持股65 000万股,占总股数的99.54%。1997年6月中旬,公司在香港发行H股12.22亿股,每股发行价3.11港元(3.33元人民币),筹资总额40.69亿元人民币;扣除发行成本,筹资净额39.26亿元人民币。1997年6月27日12.22亿H股在香港联合交易所挂牌上市。上市前公司股本为36.65亿股,公司负债为20.13亿元。1999年年底总股本488 775万股,其中国家股337 613万股,占69.07%;国有法人股300万股,占0.06%;其他法人股28 661万股,占5.87%;H股122 000万股,占25.00%。

2000年12月22日至23日,公司在上海证券交易所采用上网定价发行方式发行A股15 000万股,发行价格为每股4.20元,筹资总额约6.3亿元人民币;扣除发行成本1 550万元以后,筹资净额为6.145亿元人民币。发行A股后,公司总股本50.38亿股,其中流通股13.72亿股,占总股本的27.23%。

到2003年年底,江苏宁沪高速公路股份有限公司经营的公路有:全长248.2km的沪宁高速公路江苏段、全长29.8km的南京至连云港高速公路南京段和全长275km的宁沪二级公路江苏段,并通过所控股的子公司——江苏锡澄高速公路有限责任公司和江苏广靖高速公路有限责任公司经营着全长34.988km的锡澄高速公路和全长18.568km的广靖高速公路。

案例三　沪杭甬高速公路股份有限公司

沪杭甬高速公路股份有限公司成立于1997年3月1日。控股公司为浙江省高等级公路投资有限公司,持股29.0926亿股,占总股本的66.98%。该公司发行H股143 385万股,筹资36.85亿元人民币。该公司的H股于1997年5月15日在香港上市交易。发行H股后,公司总股本为434 179万股。2000年5月5日该公司成功地将H股在英国伦敦证券交易所挂牌上市,实现了我国公路上市公司在国外证券市场上市交易的重大突破。

截止到2003年年底,公司直接经营着全长145km的杭甬高速公路和全长为3.4km的沪杭高速公路杭州段,并通过所控股的子公司——浙江嘉兴高速公路有限责任公司、浙江余杭高速公路股份有限公司和浙江上三高速公路有限公司经营着全长88.1km的沪杭高速公路嘉兴段、全长11.1km的沪杭高速公路余杭段和全长142km的上三高速公路。

第三节　高速公路经营企业的法人治理结构

建立现代企业制度是党的十四大所确立的我国国有企业深化改革与发展的目标。党的十五届四中全会通过的《中共中央关于国有企业改革与发展若干重大问题的决定》进一步明确指出，建立现代企业制度是发展社会化大生产和市场经济的必然要求，是公有制与市场经济结合的有效途径，是国有企业改革的方向。十六大报告强调，要实行投资主体多元化，按照现代企业制度的要求，继续实行规范的公司制改革，完善法人治理结构，大力推进企业的体制、技术和管理创新，切实解决国有资本出资人缺位的问题，同时建立和完善企业法人财产制度，使企业真正成为自主经营、自负盈亏的法人实体和市场主体。

一、企业法人治理结构的基本概念

现代企业制度要求建立规范的科学组织管理制度，使企业的权力机构、监督机构、决策机构和执行机构之间职责明确，形成既相互独立、相互制衡又相互协调的法人治理结构。在现代企业制度下，企业的领导制度实行的是纵向授权制度，以股东大会给董事会和监事会授权，董事会给经理授权。企业法人治理结构是企业正常行使企业法人财产权的组织保障，是为实现资源配置的有效性，所有者(股东)对公司的经营管理和绩效进行监督、激励、控制和协调的一整套制度安排，它反映了决定公司发展方向和业绩的各参与方之间的关系。典型的企业法人治理结构是由所有者、董事会和执行经理层等形成的一定的相互关系的框架。

高速公路经营企业作为现代企业的重要组成部分，需要按照现代企业制度的要求，成为“产权清晰、权责明确、政企分开、管理科学”的公司制企业。高速公路经营企业的法人治理结构问题理应按照《中华人民共和国公司法》的规范要求实施。要按照现代企业制度对企业进行公司化改革的要求，改革现有的企业管理制度，实行董事会、经理领导体制，建立股东会、董事会、监事会和经理领导班子等分层次组织机构和权力机构。不同机构各司其职，各负其责，相互制衡。应当注重深化企业内部各项制度的改革，适应市场经济对企业成为法人实体和竞争主体的要求。现代企业制度下的高速公路经营企业具有国有独资公司、多元持股的有限责任公司和股份有限公司三种法人治理结构。

二、高速公路国有独资公司的法人治理结构

(一)建立和完善公司董事会制度,充分发挥董事会的功能

按照《中华人民共和国公司法》的规范要求,高速公路国有独资公司可以不设股东大会,但应当设置董事会。公司出资人授权董事会行使股东会的部分职权,决定公司的重大事项。董事会成员由出资人委派,并从董事会成员中指定董事长。对于高速公路国有独资公司而言,健全治理结构的关键是设立董事会,而且董事会应由外部非执行董事、内部执行董事、独立董事等多种类别的董事构成。内部执行董事原则上不宜超过三分之一。董事长和董事在公司任职后,不得再在政府部门兼职。鼓励在董事会中增加外部非执行董事和独立董事比例,提高董事会决策的独立性和客观性。

为了增加对公司高级管理人员的监督审核力度,在董事会规模扩大的情况下,可以成立常务董事会,经常性地听取总经理的汇报,监督董事会的决议和重大业务活动计划的执行情况。各专业委员会要定期举行会议,研究讨论各自职权范围内的事项,并就会议讨论情况向董事长、公司经理汇报,以便及时改进工作。公司的经营业绩、重大活动和人事变动等都要由董事会秘书处定期向董事会和股东披露,使董事能经常性地掌握公司的动态,有利于提高董事会的工作效率。

(二)设立监事会,完善企业监督机制

监事会是公司的内部监督机构。董事、经理与主要财务人员不得兼任监事,监事应该由股东大会选举产生,并有适当的职工代表参加。国有独资公司监事会成员除由国家授权的机构、部门委派外,还应当吸收社会独立机构的人员以及适当的职工代表参加。监事会对董事会的决策和经理的行为进行客观公正的监督。

(三)建立和完善企业经营者选聘机制,推进企业经营者市场化进程

公路经营企业建立对企业经营者培养、选拔、管理、考核、监督的办法,并逐步制度化、规范化。企业经营者的收入要依据企业经营的业绩、难度和风

险合理确定。强化企业经营者的激励约束,探索建立科学的激励约束机制。

高速公路国有独资公司要严格按照《中华人民共和国公司法》的规定,以及中共十六届三中全会的要求,建立决策、经营、监督机构,并发挥各自的作用。要充分重视和发挥监事会的作用,不能做摆设。董事长和总经理要分设,不能一人兼任。同时要正确处理好“新三会”和“老三会”的关系,明确各自的职责。

三、高速公路多元持股的有限责任公司的法人治理结构

高速公路多元持股的有限责任公司的股东会由全体股东组成,股东会是公司的权力机构。对于高速公路多元持股的有限责任公司,董事会成员应该按照《中华人民共和国公司法》规定的程序、方法由股东会选举产生。高速公路多元持股的有限责任公司可以设立董事会;董事会设董事长;董事长为公司法定代表人;董事长的产生办法由公司章程规定。公司经理由董事会聘任。国有有限责任公司聘任总经理无需征求投资部门的意见或者报投资部门批准。高速公路多元持股的有限责任公司也可以只设执行董事,不设立董事会;执行董事为公司法定代表人,可以兼任公司经理。

根据《中华人民共和国公司法》的规定,高速公路多元持股的有限责任公司应设立监事会,完善企业监督机制,监事会是公司的内部监督机构。董事、经理与主要财务人员不得兼任监事,监事应该由股东大会选举产生,并有适当的职工代表参加。

四、高速公路股份有限公司的法人治理结构

股东大会是公司的权力机构,选举董事会成员和由股东代表出任监事;董事会选举产生董事长;董事会聘任公司经理。所以,政府部门无权对董事长和总经理的聘任和解聘施加行政干预。

根据《中华人民共和国公司法》的规定,高速公路股份有限公司应设立监事会,完善企业监督机制,监事会是公司的内部监督机构。董事、经理与主要财务人员不得兼任监事,公司监事会由股东代表和职工代表组成,对董事和经理的行为进行监督。

小　　结

本章从高速公路经营企业的概念入手,着重分析其与一般工商企业相

比所具有的特征。主要包括:经营对象的特殊性、经营期限的限定性、经营目的的双重性和经营责任的特定性。

我国现有的高速公路经营企业大体上可以划分为三种类型:1.省级公路有限责任公司;2.路段公路有限责任公司;3.公路股份有限公司和公路上市公司。

按照《中华人民共和国公司法》的规定,我国高速公路经营企业的组织形式有:高速公路国有独资公司、多元持股的高速公路有限责任公司和高速公路股份有限公司(高速公路上市公司是高速公路股份有限公司的特殊组织形式)。本章最后介绍了与各种组织形式相应的公司法人治理结构。

思考题

1.什么是企业?与事业单位和政府机构相比,企业有何基本特征?

2.什么是高速公路?什么是高速公路经营企业?与一般工商企业相比,高速公路经营企业有何基本特征?

3.省级公路经营企业和路段经营企业在其职能和作用等方面有何不同?

4.什么是特许经营?商业特许经营和政府特许经营有何区别?高速公路特许经营属于商业特许经营还是政府特许经营?为什么?

5.为什么要推行高速公路特许经营制度?

6.什么是高速公路国有独资公司?为什么要组建高速公路国有独资公司?

7.什么是多元持股的高速公路有限责任公司?为什么要组建多元持股的高速公路有限责任公司?

8.什么是公路上市公司?与其他上市公司相比,公路上市公司有何特点?高速公路经营企业上市的主要目的是什么?

9.什么是公司法人治理结构?按照《中华人民共和国公司法》的规范要求,不同类型高速公路经营企业的法人治理结构有何差异?

10.你认为目前我国高速公路经营企业的法人治理结构存在哪些问题?如何按照《中华人民共和国公司法》的规范要求完善高速公路经营企业的法人治理结构?

第三章

高速公路经营中的政企关系

学习目标

在市场经济条件下,从事高速公路经营活动需要正确处理好政府、政府交通主管部门和公路经营企业之间的关系。学习本章主要掌握:①了解市场经济条件下政企关系的内涵;②了解当前我国政府对公路经营企业的优惠政策;③了解我国高速公路特许经营制度的内容;④掌握市场经济条件下高速公路经营企业关系的科学定位;⑤了解我国高速公路现行管理体制及其对政企关系的影响;⑥掌握我国高速公路政企关系现实定位的关键点。

第一节　市场经济条件下的政企关系

政府、市场、企业是现代市场经济赖以运行的三大支柱,三者具有不同的功能,但紧密联系在一起,相互依存。市场经济是相对于计划经济而言的,它改变了传统计划经济体制下政府对企业的生产、经营、管理等各个方面进行直接干预的做法,转变为以需求为核心,通过市场供求变动,以价格为杠杆,使稀缺资源得到合理流动与配置,从而最大限度地满足社会需求并实现厂商利润最大化的经济运行机制。市场经济条件下,一切经济活动应该以市场为导向,企业为微观经济决策的主体,政府对经济实行宏观调控。

一、政府与企业的概念及其特征

(一)政府的概念及其职能

政府是指国家进行阶级统治和社会管理的机关,是国家表示意志、发布命令和处理事务的机关,实际上是国家代理组织和官吏的总称。政府的概念一般有广义和狭义之分,广义的政府是指行使国家权力的所有机关,包括立法、行政和司法机关;狭义的政府是指国家权力的执行机关,即国家行政机关。我国目前使用的政府的概念,在理论和实践上一般都是从狭义角度理解的。

政府具有阶级和社会双重属性,政府的阶级性决定了政府具有政治职能,政府的社会性决定了政府具有管理社会公共事务的职能。由于经济发展在社会发展中的极端重要性,经济职能已从一般的社会职能中分化出来,因此在现代社会中,政府应履行政治职能、一般的社会职能和经济职能。一般而言,人们对政府政治职能的看法与要求比较一致,分歧主要在于如何界定政府的社会经济管理职能。

在市场经济条件下,可以将政府的社会经济职能概括为:塑造和维护市场经济制度下的一般职能;对微观经济的控制职能;对宏观经济的调控职能三大类。

政府塑造和维护市场经济制度下的一般职能是指通过政权建立市场经济要求的产权制度,以法律来保障各利益体的财产权利不受侵犯,制定市场正常运行所需要的各种法令、条例和规则,并凭借其强制力使市场形式和市场行为规范化。

政府对微观经济控制的职能主要表现在:政府对公共物品(包括准公共物品)、企业的外部性和经济垄断进行干预,或者对市场机制可以充分调节,对不符合社会需要的竞争领域进行干预,以促进资源流动和配置的效率。

对宏观经济的调控是市场非均衡引起的政府经济职能。为了减少市场非均衡引起的失业、通货膨胀和收支失调等经济波动,使资源得到充分利用,政府必须运用财政政策和货币政策等宏观经济政策对宏观经济总量进行调控,为优化资源配置创造外部条件,以实现持续稳定的经济增长和经济发展的目标。

综上可见,现代市场经济的发展不可能离开政府的作用。政府的经济职能体现在建立和维护市场秩序,矫正市场失灵,调节再分配,调控经济总量,以实现资源的优化配置和经济持续稳定的增长。

(二)企业的概念及其特征

企业是从事生产、流通或提供劳务等经济活动,为满足社会需要,依法成立并自主经营、独立核算,以盈利为目的的经济组织。根据本书第二章中

有关企业的讨论,市场经济条件下企业的特征可概括如下:

(1)企业必须依法设立。

(2)企业是以盈利为目的的经济组织。

(3)企业应独立核算。

(4)企业是从事生产、流通和提供劳务等经营活动的经济单位。

(5)企业要有自己独立的资产,要有科学的产权制度。

(6)企业是在一个大规模经济条件下发挥单细胞作用的组织。

公路经营企业应当符合企业的基本特征,即应当属于依法设立的、以获利为目的的经济组织。虽然企业经营的公路具有社会公益的基本属性,但决不能因此而忽视其追求利润的基本要求,否则公路经营企业就不可能称其为"企业"。

二、市场经济条件下政企关系分析

(一)企业是市场经济中的微观决策主体

企业是市场经济体系中的微观基础,市场经济的基本特性要求企业是一个自主经营、自负盈亏的经济实体,通过市场竞争求得生存与发展。

市场经济要求资源能够自由转移,按市场经济规律灵活地往经济效益高的地方流动。这就要求资源及其产权能自由转让,要求资源所有者具有独立财产权利和义务责任能力,即成为独立的产权主体和投资主体。在现代经济社会中,企业聚集着一个国家的主要生产力,投入经济运行的资源大量地存在于企业之中。这些投入运营的资源都是属于经营性资产,企业是这些资产的实际控制者和使用者。资源通过企业进出市场,要使这些资源能够通过市场调节达到优化配置,这就需要企业能够作为市场的主体,对市场的供求信息作出正确判断和适当反应,以决定它所控制和使用的资源如何通过市场进行交换。

市场经济以供求规律为内在依据,以价格变动为外在指标,因此,市场经济在某种意义上也是价格机制。只有企业作为微观经济决策的主体,价格机制才能发挥正常功能,市场经济才能正常运行。这是因为,只有当企业成为微观经济决策的主体时,价格机制才能使资源得到优化配置,才能为企业提供有效的激励和约束模式;只有当企业成为微观经济决策的主体时,市场信息才能得到准确和迅速的传递,价格机制才具有有效性。因此,市场对资源的配置作用要通过企业这个市场主体的市场取向这种行为方式来实现。

政府不能充当微观经济决策的主体。这是因为:第一,从政府的性质看,政府属于上层建筑,是政治公务性的组织机构,不是公民自然人。如果政府代替企业成为市场经济的产权主体和投资主体的话,政府机构的"非人格化"性质使其无法行使这种产权。其次,从政府的职能看,政府性质决定了政府的职能应着重于从事非盈利性的社会公共事务活动,为整个社会和人民服务。如果把盈利性的投资办企业经商活动列入政府的职责范围,势必混淆政府和企业的性质,导致"企业政府化"和"政府商业化"。

因此,市场要支配资源,首先就要能够支配企业,支配这个控制、使用资源的主体。只有实现彻底的政企分开,明确企业的财产关系,确立企业对财产的支配权利,企业才可以从自身的利益出发,根据市场的需求状况,决定其资源的运用,从而实现资源进入市场并接受市场调节的目的。

(二)政府对企业的适度调控必不可少

政府虽然不是市场经济微观决策的主体,但政府对市场经济的适度调控是必不可少的。古典经济学家亚当斯密论述的市场"看不见的手"的作用,是许多国家选择市场经济制度的一个至关重要的缘由。但是在现实生活中,人们却找不到实行纯而又纯的市场制度的国家,因为亚当斯密所描述的市场是个完全竞争的市场,是个理想的市场。现实中市场经济难以完全实现资源的最佳配置,而且市场本身就存在许多"天生"的缺陷,在"缺陷"的市场环境中,企业作为理性的经济主体,出于追求利润最大化的目的,往往会自觉或不自觉的导致资源配置的扭曲或效率低下。市场"缺陷"主要表现在:①现实市场不是完全竞争市场;②现实市场具有外部性,企业没有为其负外部性支付相应的成本费用,企业缺乏足够的动机供给具有正外部性的产品尤其是公共产品;③现实中的经济主体不具有完全的理性,而只是有限知识和理性,而且由于市场不断扩大,所以市场交易费用昂贵;④市场行为短期化所带来的诸如收入分配的悬殊等问题。由于市场"缺陷"导致现实中的市场失灵现象,单靠市场机制是难以消除的,因而有必要存在一个超越于微观经济主体的"社会中心",对企业的行为进行干预和协调。

宏观经济是由微观经济构成的,微观经济是宏观经济的基础,但微观经济毕竟只是代表经济个体的利益,微观经济主体在追求自身利益的过程中与宏观经济利益并不完全吻合。政府作为国家权力的执行机构,代表着社会公众利益和国家利益,谋求的是关系整个社会和国家的宏观经济利益,因而协调企业行为的职责理所当然就落在政府的肩上。政府之所以能起到宏观调控的作用,是因为政府这个特殊的组织具有公共性、普遍性和强制性特征。这些特征使政府在纠正市场“缺陷”上具有某些明显优势:如政府拥有征税权,通过征税对生产进行监督;具有一定的减少交易费用的优势,通过政府的公共供给避免搭便车问题;等等。

健全完善的市场经济体制要求有现代企业制度、健全的市场经济体系和完善的宏观调控系统。这三者相互联系、相互制约。没有完善的市场经济体系和宏观调控系统,就不可能有真正的企业;同样,没有真正的企业和完善的市场体系,政府的宏观调控也难以真正实现。

(三)我国政府与企业关系的改革方向就是实现政企分开。

政企分开有两层涵义:首先是政资职能分开。所谓“政”指政府的行政职能,“资”指资产管理的职能。政府行政职能是政府作为国家行政机关的一种职能,这种职能覆盖政府管理的全范围。而国有资产管理权职能仅是针对国有资产的,并不是针对所有社会资产。行政职能属于政府行政权力,而资产管理职能是一种财产权力,行政职能和资产管理职能的范围不一样,性质也不同,遵循的法律也不一样。政府行政职能是由行政法来调整,而资产管理职能由民法来调整。建立现代企业制度就是把政府的两种职能分开,其次是政企职责分开。实行政企职责分开,政府不直接参与企业的生产经营活动,不按行政机构来管理企业。要明确企业是经济组织,不应承担政府的行政管理职能,企业不定行政级别,企业管理人员不纳入国家干部序列来进行管理,取消企业与政府之间的行政隶属关系,企业摆脱对行政机关的附属地位,不再依赖政府。同时企业要将承担的社会职能逐步移交给政府和社会,只有这样,企业才能轻装上阵。政企分开不能简单化:一方面不能把所有国有企业按一种方式、一种尺度与政府分开,政企分开必须考虑企业的性质和地位;另一方面,政企分开不能是政府撒手不管,政府必须出台新的行之有效的管理措施,保证国有资产出资人到位,使国有资产出资人按市场经济规则行使其所有人的权力,确保国有资产的完整性和增值性。

改革开放前,我国实行的是高度集中的计划经济体制,也就决定了企业只能采用缺乏自主权的传统国有企业制度。在改革开放初期,我国提出了计划经济和市场调节相结合,以计划为主的经济体制模式,与此相适应,提出企业应该是相对独立的商品生产者和经营者,并采取了一系列措施来扩大企业自主权。党的“十四大”明确了我国经济体制改革的目标是建立社会主义市场经济体制,它要求有现代企业制度、健全的市场体系和完善的宏观调控。党的十六届三中全会提出建立“归属清晰、权责明确、保护严格、流转顺畅”的现代产权制度,进一步明确了政企分开的改革方向。

三、当前我国政府对公路经营企业的优惠政策

(一)政府财政投资倾向

1.国家政策

《中华人民共和国“十五”规划》指出:“加强基础设施建设是今后5~10年一项十分重要的任务”。“交通建设要统筹规划,合理安排,加强公路、铁路、港口、机场、管道系统建设,健全畅通、安全、便捷的现代化综合运输体系。加强公路国道主干线建设,完善公路网络,逐步提高路网通达深度。”

《当前国家重点鼓励发展的产业、产品和技术目录(2000年修订)》中公路部分包括:“①国道主干线系统建设;②智能公路运输系统技术开发;③公路快速客货运输系统开发;④公路管理信息系统开发;⑤公路工程新材料开发及生产;⑥公路新型机械设备设计、制造;⑦公路集装箱运输;⑧特大跨径桥梁修筑技术开发;⑨长大隧道修筑技术开发”。

2.交通部行业政策

交通部2001年5月颁布了《2001~2010年公路水运交通行业政策》,其中第3条提出:“巩固和加强公路交通在综合运输体系中的基础地位,发挥高等级公路大通道作用”;第8条:“落实西部大开发战略部署,加快西部交通发展”;第29条:“确保资金优化使用,满足公路养护需要”;第36条:“多渠道筹集公路建设资金,加快公路建设”。第39条:“加大对西部地区公路建设的扶持,促进西部公路交通发展”;第40条:“增加公路建设的政府财政预算,加大财政投资力度”。

《2001~2010年公路水路交通产业发展序列目录》中包括:“基本建设重点鼓励公路:国道主干线、区域干线公路,省干线公路;西部地区与中、东部地区,西南与西北地区,西部与周边国家的运输通道;农村、扶贫、少数民族地区公路;国防、边防、口岸公路和陆岛码头接线公路;旅游专线公路;公路主枢纽站场;地市级客、货运输站场,县级客运站,旅游景区客运站。”“技术进步重点鼓励公路:国道主干线设计集成系统技术;特大跨径桥梁和长大隧道建设、养护、管理关键技术;公路建设和养护新材料、新工艺及新结构;高等级公路建设、维修养护成套技术装备及无损检测技术;高等级公路防灾、

减灾成套技术;智能交通系统技术;收费公路联网收费技术;快速客货运输组织管理技术;客车、专用车成套技术;汽车综合性能检测诊断设备;现代物流技术与装备。""技术改造重点鼓励公路、桥梁:提高国省干线公路路网等级;提高国省道干线公路高级、次高级路面的铺装率;提高西部地区路网等级和通达深度;提高公路主枢纽站场的能力;国、省道干线公路混合交通严重路段、与铁路干线平道口的改造;国、省道干线公路危桥和不适应大吨位车辆行驶的桥梁承载能力的加固和改造;国、省道干线公路日交通量大于500 辆的渡口改渡为桥;断头路及通行能力不足路段的改造。"

(二)财政补贴政策

国家在加大对高速公路建设投资的同时,也积极运用了财政补贴政策,尤其是地方政府对公路上市公司的财政补贴。从 2000 年~2002 年近 3 年公路上市公司享受地方政府财政补贴的具体情况如表 1-3-1。

公路上市公司近 3 年财政补贴收入情况一览表 表 1-3-1

公司名称	2000 年		2001 年		2002 年	
	补贴收入(万元)	占净利润份额(%)	补贴收入(万元)	占净利润份额(%)	补贴收入(万元)	占净利润份额(%)
重庆路桥	0	0	0	0	0	0
现代投资	0	0	0	0	0	0
厦门路桥	117.18	3.73	0	0	0	0
延边高速	92.37	3.15	120.37	0.04	21.00	—
海南高速	0	0	0	0	0	0
粤高速	0	0	0	0	0	0
深高速	—	—	2 670.55	6.64	3 298.26	—
宁沪高速	0	0	0	0	0	0
华北高速	0	0	0	0	2 575.88	14.85
东北高速	3 543.41	16.53	0	0	9 360.56	76.90
赣粤高速	5 984.69	33.99	5 708.94	31.85	5 819	—
五洲交通	0	0	0	0	0	0
福建高速	15 000	110.97	15 000	68.10	10 000	38.44
山东基建	—	—	1 960	5.01	0	0

注:数据来源:上市公司年度报告(和讯网)原始资料及其计算。

根据以上资料进行的财政补贴状况分析如表1-3-2。

财政补贴状况分析表 表1-3-2

财政补贴年		2000年	2001年	2002年
公司数量分析	公路上市公司总数(家)	12	14	14
	享受补贴公司数(家)	5	5	6
	所占比例(%)	42	35.7	42.9
补贴数额分析	补贴总额(万元)	24 737.65	25 459.86	20 894.77
	平均补贴额(万元)	2 061.47	1 818.56	1 492.48
	净利润总额(万元)	206 777.9	298 777.02	
	补贴总额占净利润总额的比例(%)	11.96	8.52	

2000年12家(深高速、山东基建当年还未上市)A股公路上市公司中享受补贴的公司有5家,占公路上市公司总数的42%;2001年14家A股上市公司中享受补贴的公司有5家,占公路上市公司总数的35.7%;2002年14家A股上市公司中享受补贴的公司有7家,占公路上市公司总数的50%,比上年增长40%。从补贴数额看,2000年补贴数额共24 737.65万元,平均补贴数额2 061.47万元;2001年补贴数额共25 459.86万元,平均补贴数额1 818.56万元;2002年补贴数额共20 894.77万元,平均补贴数额1 492.48万元,出现大幅下降的主要原因是福建高速补贴数额从1.5亿元减为1亿元,减幅较大。从近几年公路上市公司补贴数额总体平均状况看,公路上市公司地方性财政补贴数额呈现逐年下降的趋势。

(三)税收优惠政策

1994年税制改革以前,税收优惠存在着许多弊端:一是政出多门,随意性大;二是造成名义税率与实际赋税相差过大,税法的严肃性受到削弱,税收流失严重;三是造成相互攀比,不利于公平赋税,促进竞争。为此,1993年12月国务院批准的《工商税制改革实施方案》明确指出:"除税法规定的减免税项目外,各级政府及各级部门不能再开减免税的口子。"

新的企业税法对公路企业的税收优惠主要包括:

(1)"对新办的独立核算的从事交通运输业、邮电通讯业的企业或经营单位,自开业之日起,第一年免征所得税,第二减半征收所得税。"

(2)对纳入财政预算管理的12项政府性基金(收费)免征企业所得税。12项政府性基金(收费)包括了养路费、公路建设基金。

(3)对于设在西部地区鼓励类产业的企业(包括内资企业和外商投资企业),从2001年到2010年期间,减按15%的税率征收企业所得税。国家鼓励类产业的内资企业是指以《当前国家重点鼓励发展的产业、产品和技术目录(2000年修订)》中规定的产业项目为主营业务,其主营业务收入占企业总收入70%以上的企业。

(4)"对在西部地区新办的交通、电力、水利、邮政、广播电视企业,上述项目业务收入占总收入70%以上的,可以享受企业所得税如下优惠政策:内资企业自开始生产经营之日起,第一年至第二年免征企业所得税,第三年至第五年减半征收企业所得税;外商投资企业经营期在10年以上的,自获利年度起,第一年至第二年免征企业所得税,第三年至第五年减半征收企业所得税。新办的交通企业是指投资新办从事公路、铁路、航空、港口、码头运营和管道运输的企业。"

(5)"对西部地区公路国道和省道建设用地比照铁路、民航用地免征耕地占用税,其他公路建设用地是否免征耕地占用税,由省、自治区和直辖市人民政府决定。"

(6)对于生产性外商投资企业(包括交通运输业),经营期在10年以上的,从开始获利年度起,第一年和第二年免征企业所得税,第三年至第五年减半征收企业所得税。

(7)自1999年1月1日起,对从事交通基础设施项目的生产性外商投资企业,在报经国家税务总局批准后,可按减15%的税率征收企业所得税,不受投资区域的限制。

(8)对西部地区外商投资鼓励类产业及优势产业的项目在投资总额内进口的自用设备,除《外商投资项目不予免税的进口商品目录》所列的商品外,免征关税和进口环节增值税。

(四)其他优惠政策

(1)《关于西部大开发若干政策措施的实施意见》(国务院西部开发办2001年8月28日)规定:"国家开发银行对(西部地区)高速公路项目,在项目资本金比例达到40%和统借统还的条件下,贷款期限可放宽至18年(含宽限期,下同)";"对外商投资西部地区商业项目,经营年限可放宽至40年,比东部地区延长10年;注册资本可放宽至3 000万元人民币,比东部地区降低2 000万元。在华外资企业和中外合资合作企业向西部地区投资,被投资企业注册资本中外资比例不低于25%的,享受外商投资企业待遇"。"对外商投资西部地区基础设施和优势产业项目，适当放宽国内银行提供固定资产投资人民币贷款的比例，中外合资合作项目一般放宽到中方出资比例的120%，外商独资项目扩大到外方注册资本的100%。”“扩大以基础设施项目收益权或收费权为质押发放贷款的范围”。

(2)对公路养路费和客货附加费等公路交通规费实行“先收后支，以收定支，自求平衡，结余结转下年继续使用”的优惠政策。

(3)除中央制定的优惠政策外，各省(自治区、直辖市)政府为了发展本地区的公路事业，也相应的制定各自的优惠政策，如征地拆迁优惠政策、税费减免政策、财政贴息政策等。

第二节　市场经济条件下公路经营企业政企关系的科学定位

目前我国正处在社会主义市场经济体制建立并向逐步完善过渡的时期，而且由于高速公路经营企业业务的特殊性，使得高速公路经营企业在组建初期难以形成规范的政企关系，出现政企职责不清，国有资产出资人不到位，法人治理结构不健全，制约、监督、激励机制不完备等问题。在市场经济和现代企业制度下，如何明确和有效规范政府部门和公路经营企业的关系，使政府和企业能够最大程度地发挥他们在市场经济中的作用是当前迫切需要解决的问题。

一、高速公路经营企业的业务特点对政企关系的影响

(一)高速公路经营企业的业务特点

与一般公司制企业相比，公路经营企业主要有以下特征：

1.经营对象的特殊性

(1)公路资产的特殊性。公路经营企业运营依托的公路实物资产，除了具有不可移动、不可分割、耐久性等自然属性外，还具有基础性、网络性和社会公益性。

(2)经营公路的特定性。高速公路经营企业对高速公路实行收费经营。收费公路划分为经营性收费公路和收费还贷公路。经营性收费公路除具有公路资产的一般属性外，还应当具有理想的财务效益，投资取得公路收费权的经济组织能够在规定的经营期限内通过收取车辆通行费收回投资并获得合理回报。

(3)公路收费权的特殊性。根据《中华人民共和国公路法》及其有关法律、法规、规章的规定,国内外经济组织可以通过投资建路,取得规定期限内公路的收费经营权利;或者通过受让已建成收费公路权益取得收费经营的资格。获得收费经营权的国内外经济组织,应当依法组建公路经营企业,通过收取车辆通行费来回收投资,并获得合理回报,但在约定的收费经营期限届满时,需要将处于良好技术状态的公路交还给国家,由交通部门管理,向社会开放通行。高速公路经营企业通过投资建路或者有偿收购取得的只是公路有期限的收费经营权利,其经营对象是收费权依托的公路实物资产。

2. 经营期限的限定性

依法成立的高速公路经营企业,虽然通过投资公路取得了特许经营权,但并不意味着公路经营企业对公路资产具有所有权和处置权。《中华人民共和国公路法》规定,公路所有权属于国家,国家是公路的唯一所有者,国家依据收回投资并有合理回报的原则确定公路的特许经营年限,根据我国现行规定,收费公路的经营期限最长不得超过30年。高速公路经营企业只能在特许经营期内行使经营权,经营期限届满后应无偿交回国家,因而公路资产的特殊性还表现为经营期限的有限性。

3. 经营目的的双重性

作为市场经济微观决策的主体,高速公路经营企业具有企业的一般特征,即以盈利为目的,以企业价值最大化为目标。高速公路要想取得民间资本和国外资本的投资,就必须以较高的投资回报和理想的预期收益作为吸引投资的根本条件。但是,由于所经营的高速公路具有社会公益性的基本特点,政府和社会公众要求高速公路经营企业在追求自身利益的同时,不应当忽略高速公路的社会效益。

4. 经营责任上的特定性

高速公路经营企业必须一年四季、年复一年地确保公路畅通无阻,否则会极大地影响公路所在地区的社会经济发展和城乡居民的正常生活。在对外开放地区和与外国接壤地区,还会影响对外交往。此外,高速公路经营企业还承担一种法定义务,即在经营期满时,必须确保无偿移交给国家的公路处于良好的技术状态。这种法定责任也是其他企业所不具有的。高速公路经营企业的这种特定责任也直接影响着其收费经营的效益。

5. 投融资的多渠道、多方式

目前我国开发、经营高速公路的企业主要是国有和国有控股的公路经营企业。但随着公路事业的高速发展,单靠政府投入远远满足不了发展要求。因此，需要通过高速公路经营企业运用市场机制投融资的灵活性，多渠道筹措资金，发挥市场对公路建设要素配置的基础性作用，建立起以国家政策性投资为基础，以市场投融资为主导，多层次、多渠道、多形式的投融资体制。目前已有越来越多的民营资本和民营企业进入高速公路建设与经营领域。高速公路经营企业目前投融资的主要渠道有：中央和地方各级财政拨款、国债专项资金以及财政专项资金（车辆购置税）；公路养路费等交通规费；国外政府贷款、国内外金融机构贷款和发行债券融资；公路股份有限公司上市募股融资；项目融资（包括 BOT 融资）；等等。

（二）高速公路经营企业的业务特点对政企关系的影响

高速公路经营企业的以上特征使其政企关系不同于一般企业，高速公路经营中的政企关系比一般企业更为紧密。高速公路作为基础设施，其社会公益性和外部性决定了它在某种程度上是国家政府行为的产物。政府通过交通部门的规划、建设、管理，体现政府对高速公路统辖的意志。高速公路经营企业从筹建、成立到工程实施的过程中都离不开政府及交通主管部门的参与，如对高速公路征地、拆迁、安置、补偿等给予协调与支持，从而使高速公路经营企业以较为优惠的价格完成工程建设的各项预算，保证高速公路建设的顺利进行。离开了政府的干预和政策支持，仅仅依靠高速公路经营企业自身来协调公路建设中方方面面的问题是极其困难的，也是不现实的。然而，高速公路经营企业发行股票、债券，与外商合资、合作，进行产权交易等一切行为均受《中华人民共和国公司法》的约束，同其他企业一样都体现了行为主体的企业性，都追求经济利益最大化。在管理上，政府与企业具有管理上的交叉性，公路建成后，高速公路经营企业实施车辆收费、综合服务及沿线的综合开发等方面的管理，政府部门在公路路政、交通安全、公路运政等方面对公路实施管理。

二、高速公路经营企业实行特许经营制度

高速公路特许经营制度的涵义及其可行性与意义在第二章已经进行了论述。可以认为，高速公路实施特许经营是我国发展高速公路的必然趋势，是发展社会主义市场经济的必然要求。推行和采用特许经营制度，关键在于制定和完善国家关于公路特许经营的政策和法律，形成具有中国特色的公路特许经营制度框架。

随着高速公路逐步连接成网，由众多单一的、分散的公司运营模式已不

适应网络化、高效化运营的要求，运营规模化是必然的发展趋势。而目前的"一路一公司"制将不利于高速公路规模化经营，在这种情况下，有必要变革现状，实行规模化经营。

规模化经营是指根据国民经济发展的远景目标以及公路网建设的总体规划，将若干经营单一公路或单一业务的公路有限责任公司联合起来，组成高速公路集团公司。这样做的优势在于：

(1)可以集中有限的人力、物力和财力，发挥集团经营的优势，争取规模经营的理想效益。

(2)由于母公司通过资本运营将多家路段公司联合起来，只以其出资额对子公司承担有限责任，这有利于减少因交通量和运营因素而承担的风险，有利于分散建造与经营公路中存在的风险，促使经营稳定和投资效益的稳定增长。

(3)有利于形成"以路养路、滚动发展"的良性循环机制。通过组成集团公司规模化经营，在公司经营的某条公路收费权到期时，可以通过其他公路的收费权弥补公司收费主营业务的骤然减少，同时通过收费所得继续建设发展公路，形成以路养路、滚动经营的良性循环。

公路经营规模化发展是未来的发展方向，应通过资本运营促进特许经营规模化。但在鼓励公路经营企业规模化经营的过程中应注意以下几个问题：

(1)运营规模化的实现，单靠政府或市场都是不行的，必须政府与市场共同作用，但主要通过市场整合来实现。政府只是根据市场要求进行统筹规划，指导与服务于经营的规模化发展。

(2)高速公路特许经营企业规模化发展要讲究合理规模，并非公司越大越好，经营的路线越长越强，而应根据公司实力、路网布局等因素合理选择规模。

(3)在鼓励特许经营规模化的同时，要注意防止经营垄断。由于高速公路属于社会公益性基础设施，应服务于全体公民。但如果经营规模过大且形成垄断，企业就容易利用其垄断地位来摄取超额利润，减少社会福利。因此必须对特许经营企业进行规范，防止垄断的产生。

三、市场经济条件下高速公路经营政企关系的科学定位

科学定位高速公路经营政企关系，应当是按照中共十六大和十六届三中全会有关完善社会主义市场经济体制、完善国有资产管理体制和深化国

有企业改革的思路,结合高速公路经营的特点,按照“最大限度地发挥市场在资源配置中的基础性作用”和“建立健全现代产权制度”的基本要求,有效规范政府和公路经营企业的经济关系。

(一)健全现代企业制度,形成科学的公司法人治理结构

现代企业制度是指在现代市场经济下,以规范和完善的法人制度为主体,以有限责任为核心,以有限责任公司和股份有限公司为重点的产权清晰、权责明确、政企分开、管理科学的一种新型的企业制度。

产权清晰指要以法律形式明确企业的出资者与企业的基本财产之间的关系。党的十六大报告中提出,要建立中央政府和地方政府分别代表国家履行出资人职责,享有所有者权益,权利、义务和责任相统一,管资产和管人、管事相结合的国有资产管理体制。按照产权清晰的要求,交通厅作为交通主管部门,经省级政府授权负责公路资产管理,依法组建交通控股公司(或集团公司)。由交通控股公司负责公路项目的设计、修建、收费经营管理,并代表政府对国有独资或控股的公路经营企业行使国有资产所有者职责,对所管辖的国有资产进行资本运作,行使重大决策权、投资收益权和经营管理者选择权,承担国有资产的保值增值责任。由于公路所有权属国家所有,公路经营企业只是取得公路的收费经营权,而并不拥有经营性公路资产的所有权。因此规范的高速公路经营企业产权关系是:各投资主体(包括国家)以各种出资形式(直接投资、旧路折价、土地作价等)取得公司的股权,成为公司的股东;公司以投资形式(建路或购买)取得公路的收费经营权。

权责明确是指在产权明晰,理顺产权关系、完善企业法人制度的基础上,通过法律、法规确定出资人和企业法人对企业财产分别拥有的权利、承担的责任和各自履行的义务。按照权责分明的要求,国家作为公众利益和公路所有者的代表,在特许公路经营企业建造或经营公路的同时,应当保持对一些重要事项审批与监督的权利,例如公路建设项目的规划、立项权;项目设计方案的审批权;招投标的监督权;工程施工的监督权;工程验收及最终确认权;车辆通行费收费期限、收费站点、收费标准及其调整的最终审批权;收费经营公路养护质量、服务质量的监督权;等等。政府有义务为建设用征地、拆迁、水电供应等提供方便,对汇率、贷款等提供必要的担保,以利于降低公路经营者的风险。与此同时,政府还应当为公路建设和经营创造良好的外部环境:创造良好的法制环境,包括健全的特许经营法律,严格依法办事等;创造良好的政策环境,建立完善的公路经营政策体系;协调好公

路企业投资建设、收费经营与有关土地、税收、银行等方面的关系，帮助企业排忧解难；及时、高效地办理企业申请许可、核准事项；提供行业服务和技术指导；等等。公路经营者经国家政府部门批准获得特许经营权在经营期内依法建造与经营公路，合法获取风险利润；经国家批准组建公路经营企业集团，对区域公路网进行综合开发，实行多元化投资与多元化经营。公路经营企业应自主经营，按规定养护与管理好公路，在经营期限届满时将处于良好状态的公路设施无偿交还给国家。

政企分开是指企业职能与政府职能分开，各级政府或政府业务主管部门不干预企业的正常筹资、投资与经营活动，不以政代企和以企代政。按照政企分开的要求，公路经营企业应当是按《中华人民共和国公司法》规范要求组建的、实行现代企业制度的法人实体和市场竞争主体。非国有独资公司，公司董事长、总经理以及公司的其他主要负责人应当按公司章程规定的办法产生，而不是由政府部门任命、委派或由政府官员兼任。国有独资公司的董事和董事长及总经理和公司的其他主要负责人应按《中华人民共和国公司法》的规定产生；公司以获利为主要目的，收费经营以利润最大化为主要目标，但在追求经济效益的同时应兼顾社会效益，政府应协调两者之间的均衡关系，这是由公路经营企业的特性决定的。在社会主义市场经济条件下，政府应主要通过抓市场培育、市场规范和市场监督保障体系的建立，并利用财政、货币、价格等经济手段来间接调控而不是直接干预企业的经营活动。凡是市场机制可以解决的问题，如公路勘察设计、公路施工、公路资金的筹措以及公路的建设与经营和贷款本息偿还等，都应由企业来承担。公路经营企业应根据市场需求组织经营活动，在市场竞争中发展与壮大。

管理科学是指要把改革与企业管理有机地结合起来，在明确产权、政企分工、责权明确的基础上，加强企业内部管理，形成企业内部的一系列科学管理制度，尤其要形成企业内部涉及生产关系属性的科学管理制度。高速公路企业应当树立“企业管理以财务管理为中心”、“经营决策以提高经济效益为中心”的观念，通过建立一套科学、合理的财务评价指标体系来加强对高速公路企业收费经营活动的科学管理。财务评价指标包括融资效益评价指标、投资效益评价指标和经营效益评价指标，其核心指标应当是反映最终财务效益的指标——股权收益率。1999 年财政部制订的《国有资本金效绩评价规则》对全面衡量公路经营企业的财务效益状况、资产运营状况、偿债能力状况和发展能力状况发挥了重要的作用。

现代企业制度在公司层面的核心就是公司法人治理结构。即通过健全的公司法人治理结构，建立规范的科学组织管理制度，使企业的权力机构、监督机构、决策机构和执行机构之间职责明确，形成既相互独立、相互制衡，又相互协调的关系。公司法人治理结构是公司组织内的权利与制衡关系，是企业正常行使企业法人财产权的组织保障。其外表特征是指股东、董事会、监事会和经理人员之间的相互制衡而共同实施的对公司的治理。其本质是确保股东和相关利益者的利益，保证董事会的合理构成，对公司进行战略指导和对管理人员进行监督、激励及考评。公司法人治理结构的设置应遵循以下原则：

1.权力配置原则

公司治理结构的本质是一种合约关系，合约要能有效，关键是要明确在出现合同预期的情况时谁有权做出决策。按照产权经济学的观点，这种权利叫剩余控制权，即对法律或合约没有规定的资产使用方式做出决策的权利。公司治理结构的首要功能就是配置这种控制权。公司内部的传统治理结构，就是在股东、董事和经理之间配置剩余控制权，而经理则拥有实际剩余控制权，这是众多配置方式中的一种。

2.制衡原则

公司治理结构的根本点在于明确划分股东大会、董事和经理各自的权利、责任和利益，形成三者之间的权力制衡关系，最终保证公司制度的有效和运行。股东作为所有者掌握着公司的最终控制权，他们有推选或罢免董事会人选的权利。但是，一旦授权董事会负责后，股东就不能随意干预董事会的决定了。董事会作为公司的法人代表全权负责公司的经营，对股东大会负责；董事会拥有支配公司法人财产的权利，并有任命和指挥公司经理的职责。经理受聘于董事会，作为公司的代理人统管企业日常经营事务，在董事会授权的范围内，经理有权决策，其他人不能随意干涉。但是，经理的管理权限和代理权不能超越董事会决定的授权范围，经理经营业绩的优劣也要受到董事会的监督和评判。

3.激励原则

激励是行为的推动力，没有有效的激励，人们就缺乏动力或积极性。公司治理结构的作用，就是使公司的代理人除了接受代理契约并且按照契约的要求去完成基本的应该完成的任务之外，还能够给代理人产生强大的激励，促使他不只是例行公事，而且必须表现出创造性的革新精神。激励机制包括货币激励和非货币激励，货币激励主要是物质利益和物质报酬，如基本工资、奖金、津贴、福利、股票期权、购买社会保险等；非货币激励是通过名誉激励和职位消费对代理人的工作努力给予激励。从某种意义上来说,非货币激励比货币激励更激励人,对经理来说更是如此。

4.约束原则

约束是反向的激励。如果只有激励没有约束,就如同只有奖励没有惩罚一样,起不到奖勤罚懒的作用。公司治理结构提供的监督与惩罚机制,给公司经理产生了一种强有力的约束。比如,通过监督机制的有效监督,可以防止代理人的偷懒和道德风险问题;通过代理契约规则的执行,可以对那些渎职者实行严厉的、有效的惩罚。只有通过公司治理结构提供合理的、有效的监督与惩罚机制,方能尽可能地防止代理人的机会主义行为,使其自我约束,以委托人的利益和公司的长远发展作为自己的目标而加倍努力地工作。

我国公司治理结构在《中华人民共和国公司法》中已得到明确反映。《中华人民共和国公司法》规定,公司法人治理结构由股东大会、董事会、监事会和总经理四部分组成,股东大会选举董事会和监事会,然后由董事会招聘总经理。股东大会是公司的最高权力机构,董事会是股东大会闭幕期间行使职权的常设权力机构,总经理是负责公司日常经营管理具体工作的行政负责人,监事会是公司的监督机构。所有股东把公司作为一个财产法人,通过股东大会的同意,以一种信托关系交给董事会治理,董事会再通过委托代理聘用经理人员经营管理,而监事会则对股东大会负责,对董事会和经理层行使监督职能。

高速公路经营企业治理结构模式的选择不能一刀切,要根据国有独资公司、多元持股的有限责任公司和股份有限公司的不同特点优化公路经营企业的法人治理结构。多元持股的有限责任公司和股份有限公司的特点决定了其股权结构优化需要一个较长的过程和必要的政策指导,大股东行为在很大程度上决定了公司治理结构的成效。在努力优化股权结构和国有股管理体制的同时,要把规范大股东、董事会、监事会和经理的行为作为当前完善公路经营企业治理结构的重点,并根据行业特点创新董事会和监事会内部的结构和功能。国有独资的公路有限责任公司法人治理结构完善的重点是明确产权关系,明确政府层与公司决策层之间的关系。改革原有公路建设模式是公路经营企业治理结构的基础,把优化治理结构与完善内部控制框架组合进行。

高速公路经营企业治理结构依赖于我国社会主义制度环境、金融市场监控体系、文化背景、交通行业特点和股权结构特征。高速公路经营企业治理结构的设计,应重点集中在以下三点:①在公有制为主体的市场经济体制下,解决“出资者缺位”问题的根本出路不是产权私有化,而是将出资者代表塑造成实实在在的经济实体负责人,并使其真正关心企业的绩效;②在强化企业外部监控机制的同时,重点关注权利制衡机制;③关注外部投资者的利益,构建吸引外部投资者的良好控制机制。

国有独资的公路有限责任公司作为经营国有公路资产的公司,应按照中共十五届四中全会的要求,“董事长和总经理原则上分设”。对国有控股的公路股份有限公司(非上市)和有限责任公司,控股的母公司或交通主管部门除按相应的股份派遣董事、监事来维护国有股权益外,还应考虑引进利益相关者的监督制度,经理人员采用市场选聘和行业内部选聘相结合的方式;对公路上市公司,控股母公司或交通主管部门按相应的股份派遣董事、监事来维护国有股权益,对公路建设管理和通行费收入管理采取专门委员会管理的方式来规范公司特色业务,严格遵循监管部门的政策、法律体系框架。

(二)明确政府职责,实行宏观调控与行业管理

科学定位高速公路经营政企关系,必须明确政府职责,将政府职责定位在宏观调控与行业管理上。具体地说,政府在高速公路经营中的职责主要有:

1.出资人职责

政府投资高速公路的弊端主要表现为投资主体不明确,投资活动的利益关系不清晰,收益和风险不对称,产权对投资活动不能形成根本性约束,投资主体虚位、越位、代为现象普遍存在,因而无人对投资项目的筹资、建设、经营、偿债和取得资本回报全面负责。因此,必须明确政府投资的出资人职责。

按照中共十六大提出的“建立中央政府和地方政府分别代表国家履行出资人职责,享有所有者受益、权利、义务和责任相统一,管资产和管人、管事相结合”的要求,各级政府设立的国有资产管理机构是国有资产出资人的代表,履行对国有及国有控股的公路经营企业股权管理的职责。按政府社会经济管理职能与国有资产所有者职能分开,即“政资分开”和“政企分开”的原则设立的国有资产管理机构,是政府与企业之间的“隔离带”,对于政府,它是资本经营者,对于企业,是“老板”,即出资人代表,履行股东的三项事权,这样既解决了政企不分的难题,避免了投资主体虚位、越位、代为现象,又可以保证出资人代表按市场规律进行资本运营。因此,由国有资产管

理机构作为国有资产出资人的代表,履行对国有及国有控股的公路经营企业股权管理的职责,是规范的市场经济条件下政企关系的科学定位。

2.行业管理职责

作为政府行业主管部门,交通主管部门代表政府履行行业管理和监督职责。现代市场经济是"一只看不见的手"和"一只看得见的手"共同发挥作用的。在现代市场经济条件下,按照权责明确的要求,交通主管部门应当履行的职责包括:

(1)公路网的规划。

(2)签署公路特许经营协议。交通主管部门代表政府与公路经营企业签订特许经营协议,在规范高速公路经营活动方面发挥行业管理的作用。

(3)审批公路建设项目设计。

(4)监督公路工程招投标及施工。

(5)对公路工程进行验收及最终确认。

(6)审核与审批车辆通行费标准及收费经营期限。

(7)监督公路经营管理。

(8)监督公路养护质量。

(9)法律、法规规定的其他职责。

与此同时,交通主管部门有义务在正常范围内为高速公路经营的正常建设与收费经营管理提供便利,如建设用征地、拆迁、水电供应等。除此以外,还应当进一步完善公路法规体系,为高速公路经营提供制度保障。

3.宏观调控职责

政府应当为高速公路经营创造一个良好的外部环境,通过制定公共政策和宏观调控达到维护市场秩序、促进公平竞争、创造良好的市场环境与提供高品质的服务的目的。

市场经济的法律体系应当是一个系统配套的法律体系。政府应加强与高速公路经营有关的法律法规的建设,使高速公路经营能在法律法规的框架下进行。

由于高速公路的社会公益性,政府应当通过管制加强对高速公路经营的监督。对高速公路经营的管制是政府运用强制权通过行政机构和行政法规对市场,尤其是公路市场进行干预,以求达到纠正市场失灵,增进社会经济效益的目的。

政府的宏观调控主要表现在政府运用政策、计划、税收、信息等宏观手段来引导市场,从而影响企业的行为。政府对高速公路经营常用以下一些手段进行引导：一是产业政策；二是经济计划；三是财税调节；四是信息引导。

（三）推行特许经营制度，采用合同形式科学规范政企关系

公路行业的特点决定了公路经营企业属于经国家特许、从事公路建设并收费经营、以获利为目的的公司制企业，因而应当通过公路特许经营合同来明确政府与公路经营企业之间的关系，规范双方各自的权利、义务和责任。

按照这一要求，交通主管部门根据公路发展的要求特许公路经营企业投资建设与经营公路；公路经营企业通过收费经营收回投资并获得合理回报。公路经营企业没有理由以损害经济效益为代价来代替政府履行社会公益职能；如果政府或交通主管部门要求公路经营企业投资建设财务效益不理想或没有财务效益的公路建设项目，就应当通过实施必要的税收优惠政策、贷款优惠政策或收费优惠政策（如延长收费期限、给予补贴等）等对公路经营企业予以补偿。政府交通主管部门与公路经营企业在公路投资建设与收费经营中各自的权利、责任和义务，都应当通过双方共同签署的特许经营协议来予以明确。签约双方都没有权利单方面修改或取消特许经营协议。

按照公路特许经营协议的规范要求，公路经营企业理应独立承担公路建设筹资、公路建设投资以及公路建成后的收费经营工作，并按照合同的规定养护和管理好公路。在规定的特许经营期限届满后，公路经营企业有义务、有责任将处于良好技术状态的公路基础设施交还政府部门。

按照权责分明、政企分开的要求，交通主管部门和公路经营企业应当按照特许经营合同的规范履行好各自的权利和义务。交通主管部门固然不应当干预公路经营企业的投资经营活动；公路经营企业应当承担的筹资任务也不应当推给交通主管部门。不摆正这些关系，将导致市场经济条件下规范的政企关系的错位。

第三节　目前我国公路经营政企关系的现实定位

由于目前我国市场经济体制还处于逐步完善的过渡时期，法制还不够健全，还未真正做到高速公路经营政企关系的科学定位，而且现行高度公路管理体制不一，不同的管理体制对政企关系的影响不尽相同，因此有必要按照加快公路发展的要求对政府与高速公路经营企业关系的现实定位进行研究。

一、现行体制对塑造高速公路经营政企关系的影响

现行高速公路管理体制的模式分为“两类五种”，即事业制和公司制两类；第一种是组建省政府直接授权并领导的国有资产投资主体性质的公路集团公司，基本脱离了与省交通厅的行政隶属关系；第二种是组建由省交通厅领导兼任董事长的投资实体；第三种是成立事业性质的高速公路管理局或公路局；第四种是由非国有独资或控股的民营、外资股份公司管理；第五种是由经股份制改造并在资本市场上市的公众公司管理。

具体来说，现行高速公路管理体制按照不同的标准有不同的分类，而不同的管理方式对高速公路经营政企关系的影响也不尽相同。

（一）按核算方式的比较

按照核算方式分类，高速公路经营可以划分为经营型和事业运营型。

经营型的高速公路企业，一般按照《中华人民共和国公司法》的规范要求，执行《高速公路经营企业财务管理办法》和《公路经营企业会计制度》，在经济上实行独立核算、自负盈亏，实行董事会领导下的总经理负责制。虽然行政上受上级单位或董事会、监事会领导和监督，但本身是较完善的企业经济实体。

事业运营型的公路经营单位一般采取事业单位的管理模式，由政府下达人员编制，省政府或交通厅任命单位主要管理人员，人员工资按事业单位的要求核定，通行费收支由交通厅下达计划任务，实行收支两条线管理；通行费收入不缴纳各种税费，收入按照预算外资金管理的要求上缴财政专户。

事业运营型公路经营单位只不过是新旧体制变革进程中的一种过渡性产物，而不应当作为公路经营企业规范管理模式的一种选择。两种运营管理模式比较见表1-3-3。

两种运营管理模式利弊比较 表1-3-3

管理模式	企业经营型	事业运营型
利	运行机制较灵活，融资手段多；建设、管理中成本控制严；企业具有较强的自主权，有利于增加公路建设投资主体和融资，促进公路发展	按事业的办法运行；便于贯彻政府意图，管理较规范，无税费负担，便于集中收费还贷和滚动发展
弊	在特许经营法律尚未建立、监督机制还未健全的情况下，企业行为规范性差，追求经济效益与公路的社会公益性之间的矛盾协调困难	一般机制不活，机构庞大，人员过多；政企职责不分，责权不明确，管理水平较低，经济管理意识不够强

目前,我国高速公路建设资金约有三分之二要依靠贷款、债券和发行股票等方式筹措。为了有效地利用市场机制筹集和积累资金,促进公路事业的发展,应强调在继续运用收费还贷政策发展公路的同时,对适宜由企业经营的公路,可按照"产权清晰、权责明确、政企分开、管理科学"的现代企业制度要求,组建公路特许经营企业,进行建设运营。

特许经营企业模式,有利于政府交通主管部门切实转变职能,政府交通主管部门可按照"规划、指导、协调、监督、服务"的要求,主要通过立法,制定政策,规范地对公路经营管理实施行业管理,通过出资人代表对国家出资兴办和拥有股份的企业行使所有者职能,不干预企业的日常经营活动,并努力为企业创造良好的外部环境。经营管理者可以在特许范围内依法自主经营、照章纳税、自负盈亏,以其全部法人财产独立承担民事责任。

(二)按运营规模分类

按照运营规模分类,高速公路经营可划分为集中统一经营、分片经营和专线经营三种类型。

实行集中统一经营的公路经营企业,一般为省级设立的大型或较大型的以全省高速公路运营为主要任务的企业。这类企业一般运营规模较大,省内几乎全部高速公路或大部分高速公路由其运营;组织形式几乎都是国有独资或控股企业,与政府部门联系紧密(如人事管理、资本金注入及其他特许权获取等);这类企业政企分开的要求与其他经济成分的公路经营企业有所不同。

实行分片运营管理的公路经营企业,一般在省级交通主管部门统一领导下,根据本省、市行政区域和高速公路布局分片区设立公路经营企业,各片区的公路经营企业相互独立,主要由省级交通主管部门协调其相互间关系及与其他部门的关系。四川等省采用的就是这种模式。

实行专线管理的公路经营企业,一般在省级交通主管部门领导下,按高速公路的不同项目分别成立公路经营企业。每个项目的公路经营企业相互独立。目前,江苏、广东、河北、北京、上海、天津等省、市采用这种模式。例如,首都机场高速公路由首都高速公路发展公司负责经营管理。这种分散经营管理的模式,便于发挥各项目公司的经营管理积极性,尤其在高速公路密度处于初级水平时比较适宜,但当高速公路达到一定规模或连线成网之后,这种管理模式不便于规模化经营。

(三)按建设管理与营运管理关系比较

按照建设管理与经营管理的关系分类,公路经营企业可划分为建营一体和建营分离两种类型。

实行公路建设与经营一体化的公路经营企业，一般是按照项目法人责任制的要求，负责从公路的设计、筹资、修建到建成后的收费经营、养护和运营。

实行公路建设与经营分离的公路经营企业，一种是公路设计、筹资、建设管理由专门机构负责，建成后交给有关公路经营企业负责收费、养护、运营；另一种是受让已建成收费还贷公路收费权，对该公路进行收费、养护和运营。

两种模式各有其合理性(见表1-3-4)。从上表的比较可以看出对适合由企业经营的，应实行建营一体化，这种模式利多弊少。效益原理是现代管理原理之一，该原理要求综合考虑高速公路管理系统中建设管理和运营管理的内在联系，努力从建设开始以较低的消耗，获得最佳的社会经济效益。高速公路资产经营管理模式要符合责权利相结合原则，高速公路项目法人应当从项目建设开始就进行管理。建设阶段是整个高速公路运营的有机组成部分，项目建设质量的好坏，造价的高低，工期的长短，以及维护设施的布局等，都对建成后公路的运营具有直接的影响，项目法人应实行全过程管理。

两种模式的比较 表1-3-4

管理模式	建营一体型	建营分离型
有利方面	建设和运营管理有机结合，有利于降低工程造价、经营成本、提高工程质量和运营效益	有利于提高高速公路建设与运营的专业化水平
不利方面	不利于建设、运营两阶段的专业化管理	建设和运营由不同主体承担，不利于对项目全过程负责和控制工程造价、经营成本

(四)按公路经营企业与政府交通主管部门关系比较

按照政府交通主管部门与公路经营企业的关系分类，可划分为隶属型、控制型和非隶属控制型三种类型。

属于隶属型的公路经营企业，交通主管部门与公路经营企业的关系属于上下级之间的关系，交通主管部门直接领导公司的投融资和收费经营管理并决定着公司的经营决策和财务决策。公司的主要负责人任命等均须经交通主管部门。为便于协调，有的省还采取交通主管部门主要负责人兼任公司的董事长或者总经理的办法。

属于控制型的公路经营企业，一般享有自主经营的权利。但公司主要负责人的任命还需要经过交通主管部门批准。交通主管部门一般直接、或者通过其他机构间接地对公司履行股权出资人职能。

属于非隶属控制型的公路经营企业，一般靠自身的实力在市场竞争中求生存、求发展。政府交通主管部门只对这些企业履行行业管理职能。

二、我国高速公路经营中政企关系的现实定位

高速公路经营中政企关系的现实定位关键在于明确政府与高速公路经营企业之间的产权关系、合同关系和行业管理关系。

（一）政府与高速公路经营企业之间的产权关系

在市场经济条件下，明确国有资产的出资人，理顺国有及国有控股公路经营企业的产权关系，有利于规范公路经营企业的经营行为，提高企业的经营效益。但目前高速公路经营企业还具有明显的社会公益性职能，还不可能仅仅作为以追求利润最大化为唯一目标的法人实体和市场竞争主体；对此，政府目标与企业目标的协调，就显得至关重要。

在现行体制下，由交通主管部门作为高速公路经营企业国有资产出资人具有重要的现实意义。由交通主管部门管理公路国有资产，有利于满足具有社会公益职能的公路经营企业目标多元化的需要，有利于加快发展高速公路建设事业，有利于管好国有资产，保证国有资产保值增值。此外，交通主管部门还具备了与高速公路事业发展和高速公路经营相关的专业知识。显然，政府拟设立的国有资产管理机构还无法有效地履行好这些专门职责。在这种情况下，特许交通主管部门代表政府履行对国有及国有控股的公路经营企业出资人的职责，在目前的体制和政策环境下是有利于发展高速公路事业的一种现实选择。

（二）政府与高速公路经营企业的合同关系

如果没有特许经营协议的规范，将导致公路经营企业的收费经营活动失去控制，无法真正保障国家、公路经营者、公路用户和社会公众各方的合法权益；或者将导致政府对企业强有力地行政干预，使企业本应具有的经营自主权得不到落实。

高速公路经营，均应按照规范的特许经营制度的要求签订特许经营协

议,但在当前条件下实施还存在困难。而且签订特许经营协议的前提是对公路资产进行科学有效的评估,目前我国评估理论还不够完善,在资产评估的具体事项上还存在许多分歧意见。因此,目前还无法完全依赖于特许经营协议来规范公路经营企业的经营行为。交通主管部门还有必要代表政府对公路经营企业的投资、经营与财务决策实施一定程度的行政干预。这种干预不是对高速公路经营企业的事务进行直接的行政干预,而主要是通过股权管理来达到预期的目的。

(三)政府与高速公路经营企业之间的行业管理关系

在市场经济条件下,交通主管部门作为政府业务主管部门,代表政府履行对高速公路经营企业进行行业管理和宏观调控的职能。在缺乏科学、有效合同契约规范的前提下,交通主管部门还有必要影响高速公路经营企业的经营决策和财务决策。

由于缺乏科学、有效的契约规范,现代企业制度还不够完善,股权管理还没有真正发挥应有的作用,目前绝大多数公路经营企业的投融资活动往往还具有一定程度主观随意性,还缺乏对管理者的决策行为有效的约束。目前一些高速公路经营企业在投资经营过程中所暴露的这样或那样的问题,应当引起交通主管部门的高度关注。对此,在现阶段,交通主管部门还不能放松对高速公路经营企业的管理,还有必要对高速公路经营企业的经营决策和财务决策实行政策引导,并辅之一定程度上的行政干预。

综上所述,在现行体制下我国高速公路经营中政企关系的现实定位是实行“交通主管部门——交通控股公司——公路经营企业”三层次模式。交通主管部门组建交通控股公司,并作为国有资本的出资人,履行对交通控股公司国有股权管理职责。交通控股公司,作为政府与企业的“隔离带”,负责授权范围内公路国有资产的运营,对控股参股公路子公司履行股东权利;根据国家政策及市场情况进行资本运营,对公路经营企业实行选择经营者、重大决策管理、收益管理等三项事权管理;同时要进行战略管理、预算管理、运营监控管理等三项辅助管理及产权事务管理。它以高速公路的建设、运营和管理为根本任务。公路经营企业负责各条具体路段的运营管理,行使经营者财务管理的职能。为了真正实现政企分开,保证公路经营企业独立经营,保证高速公路的畅通运行,各级交通主管部门不直接参与公司经营管理,只履行行业管理职能。

这种管理模式最大的好处是能够在目前的条件下最大限度地处理好政

府与企业之间的关系，做到所有权和经营权相分离，国有资产有实在的产权代表，企业具有完整的日常经营管理自主权，能够在一定的程度上规范交通主管部门、交通控股公司和公路经营企业之间的关系。这种管理的模式符合国家投融资体制改革精神，也符合公路作为基础设施的根本特性，不仅有利于高速公路的建设、发展、养护和管理，也有利于普通公路的建设和管理。因此在现阶段，这种管理模式有必要成为我国收费公路管理的主导模式。

小　　结

市场经济条件下企业是微观决策主体，政府对企业的适度调控必不可少。我国政府与企业关系的改革方向是实现政企分开，包括政资职能分开和政企职责分开。

当前我国政府对公路企业的优惠政策主要包括政府财政投资倾向、财政补贴政策、税收优惠政策以及其他优惠政策。

高速公路经营企业的业务特征使其政企关系不同于一般企业的政企关系。市场经济条件下高速公路经营政企关系科学定位为：从配套机制上看，要求健全现代企业制度，形成科学的公司法人治理结构；从政府层面上看，要求明确政府职责，实行宏观调控与行业管理；从政企关联上看，要求推行特许经营制度，采用合同形式规范政企关系。

在现行我国高速公路管理体制不一，市场经济体制没有完全建立的情况下，高速公路经营中政企关系的现实定位关键在于明确政府和高速公路经营企业之间的产权关系、合同关系和行业管理关系。

思考题

1.什么是政企关系？市场经济条件下规范的政企关系有何特点？

2.市场经济条件下政府的宏观调控作用主要体现在哪些方面？

3.为什么说市场经济条件下政企关系改革的方向是实现政企分开？政企分开的主要内容是什么？

4.市场经济条件下为什么要注重规范公路经营中的政企关系问题？

5.目前高速公路经营企业一般都享受了那些来自政府方面的优惠政策？政府为什么要给予高速公路经营企业一定的优惠政策？

6.哪些高速公路经营企业存在明确和规范政企关系的问题？为什么？

7.什么是市场经济条件下公路经营中政企关系的科学定位?

8.什么是公路经营中政企关系的科学定位?

9.为什么要区别公路经营中政企关系的“科学定位”与“现实定位”?

10.你认为在现行体制下,是由交通主管部门还是国有资产管理部门承担高速公路经营企业国有资产出资人的权责,更有利于促进高速公路建设事业的快速与健康发展?为什么?

第四章

高速公路经营发展策划

学习目标

随着市场经济体制的深入发展，经营策划已逐步运用于企业生产经营活动之中，因而有时称为企业发展策划，它是指企业面临激烈变化的环境、严峻的内外部挑战，为谋求生存和发展而作出的谋划和策略。企业要获得不断发展的商机，就必须注重对自身经营发展的策划，当然，高速公路企业也不能例外。

通过本章的学习重点掌握高速公路经营发展策划、财务发展策划、人力资源发展策划的概念；掌握高速公路经营发展应遵循的基本原则；并对高速公路企业如何通过公共关系改善企业形象，促使企业可持续发展形成自己的特色。

第一节　高速公路经营发展的基本原则

一、高速公路经营发展策划概念

(一)高速公路经营发展策划的概念

经营策划主要回答企业变革和发展方向的重大问题：

(1)企业生存和发展的重大问题。

(2)企业变革的重大问题。

(3)变革和发展的方向和目标。

(4)变革和发展的途径。

只有根据环境的变化和要求,不断寻找变革和创新,创造性的进行经营,企业才能不仅适用于当前环境,也能适应未来的发展要求,从而获得生存和持久的发展。

高速公路经营企业要适应市场经济发展的要求,必须十分重视经营活动。社会主义企业的主要任务就是为社会提供价廉物美的产品或者满意的服务,为国家和企业自身创造更多的经济利益。因此,高速公路经营企业就应该为了自身的生存、发展和实现自己的战略目标而进行决策,并为实现这些决策而从各方面努力。高速公路企业经营策划是指在市场经济条件下,高速公路企业为了自身的生存、发展和实现战略目标,而对建设项目的规划设计、资金筹措、建设、实物资产和存量资产的保值增值等所进行的决策,并付诸实施的综合性活动,其目的是要取得良好的经济效益。

(二)高速公路企业经营策划的内容

1. 预测

包括进行市场调查,在市场调查的基础上,对市场需求、供给的现状和变化、技术进步、资源的变化、竞争的发展、经营方式的变化等等,作出科学的预测。

2. 决策

即在预测的基础上,对企业的发展方向、目标以及为达到目标的而作出的重大方针政策。

3. 把握企业的发展方向、目标具体化

即把他们变成企业成长发展的各种计划,如市场目标、企业规划、基本建设、技术改造、新技术的采用、职工的收招、职工的培训等计划,以及实现这些计划的步骤和重要措施等等。

4. 为企业的发展目标而开展各种市场活动

如资金的筹集、资料的采购、市场的开拓、生产组织形式和管理机构的改革、资本运营、发展同其他企业的协作关系等。

(三)高速公路经营企业发展策划的特点

1. 全局性

经营策划是根据企业总体的发展而制订的,通过对企业各种经营资源的优化组合,发挥出企业整体功能和总体优势,它规定企业的总体行动,追求企业的总体效果。企业的各个重要环节、各个专业职能的活动，虽然是局部的，但是作为总体行动的有机组成部分，对发挥企业的整体效能有着重要影响，因而也是带有全局性的。

2.长远性

经营策划是对企业未来一定时期生存和发展的统筹谋划，规定着企业的奋斗目标、方向，实现这些目标需要很多的时间，少则3~5年，多则10年以上。目前交通部规划了公路网发展分3步走的目标，根据这三个阶段目标，公路经营企业又应制订自己的发展目标，以谋求长远的发展。

3.竞争性

公路经营企业经营策划表现为公路产品的建设、生产和产品的功能可以替代的不同公路经营企业之间，在市场上具有竞争性。为争取公路使用者，争夺交通量而进行运筹谋划。因此，经营策划是企业在市场竞争中与对手相抗衡的行动方略，即针对来自国内外各方的对手的冲击、压力、威胁和困难，所制订的迎接挑战的行动方案。通过经营策划的实施、扬长避短，取得优势地位，战胜竞争对手，保证自己的生存和发展。

4.纲领性

经营策划规定的是企业总体、长远的目标，发展方向，经营重点，前进道路，以及基本的行动方针、重大措施和基本步骤。这些原则性的规定，具有行动纲领的意义，尤其是经营策划中的策划目标更是全体员工的奋斗纲领。

5.发展性

公路经营企业在制订经营策划的过程中要不断了解国内外环境、相关政策、法规的变化，作出相应的调整。“逆水行舟，不进则退”，一个企业要使自己具有旺盛的生命力，就必须具有不断发展的意识。只有在发展中才能生存，并且永葆青春。

6.相对稳定性

由于经营策划规定了企业发展的目标，具有长远性，只要战略环境未发生重大变化，即使有些变化，如果只是在预料中的，则企经营策划中所确定的策划目标、方针、重点、步骤等应保持相对稳定，不能朝令夕改。但是处理具体问题时，也应该具体问题具体分析，保持一定的灵活性。

二、高速公路经营发展的基本原则

(一)高速公路经营发展核心问题

经济发展的核心问题是优化资源配置和有效利用资源。这是任何形式经济发展的最基本的指导原则，包括计划经济体制和市场经济体制。无论选择行政手段、法律手段还是经济手段来调控经济，最基本的选择准则依然是有利于实现资源的最优配置和利用。这一基本调控原则适用于社会、经济发展的任何产业和领域。毫无例外优化资源配置和有效利用资源也应成为高速公路经营发展应该服从的首要目标。由于我国，也可以说是世界上大部分国家，在公路建设、养护中碰到的难题之一，就是资金需求缺口过大，有限资金的取得非常的来之不易，容不得半点浪费，应该“好钢用在刀刃上”，因此公路经营企业在经营发展中要处理好优化资源配置和有效利用资源的问题，充分发挥高速公路经营技术经济优势、资源优势，促进公路经营企业适应市场需求，建立适合自身发展的有效机制。

(二)高速公路经营发展的基本原则

要实现高速公路经营企业发展的目标，执行已选定的策划并开展相应的活动，保证实施这些活动的顺利开展，需要遵循以下原则。

1.目标分解，任务合理的原则

企业经营发展目标应分解为企业各部门和下属各单位的具体目标，以便落实责任和核查监督。给各部门、给单位直至个人应完成的具体目标应合情合理，既有利于挖掘潜力，调动各方面的积极性，又要切实可行，具备实施条件，有其实现目标的可靠保证。

2.统一领导、组织协调的原则

实施企业经营策略，必须由企业高层管理者进行统一领导，加强协调，保证企业各部门、各单位及全体职工，同一行动、步调一致、相互配合、密切协作，以保证企业经营战略总体目标的实现。

3.突出重点、兼顾全局的原则

一个合理的经营战略方案，应明确地规定战略重点，以突出企业的主攻方向。这些重点应该是对企业发展的全局有决定性影响的方面，如企业的优势所在，或者制约全局的薄弱环节、主要矛盾等。抓住重点，有利于推动全局，同时也要兼顾全面，用重点来带动一般，用一般保证重点。

4.适应变化、机动灵活的原则

策划是对未来一定时期的谋划和方略，但是到具体实施时，环境总会发生这样或那样的变化，策划的制订者和实施者应机动灵活，适时调整和修改原有的策划方案,使之符合变化了的新环境,以充分发挥策划的指导性作用。

(三)实现高速公路经营发展途径

高速公路经营发展的实现应该坚持以下几个方面的原则。

1.具备超前意识

高速公路经营必须具备超前意识,做到通盘考虑、一体规划、分步实施。特别是在高速公路建设时,就应成立专门的机构研究规划今后管理体制、机构定编、人员配备、设备购置、管理方式等问题,待高速公路通行即可顺利开展经营管理工作。

2.机构设置应坚持集中、统一、高效、特管

高速公路经营管理必须实行统一领导、坚持特管的原则,在人员使用上做到精干、高效,才能建立高速公路特有的快速反应机制。

3.实行现代化管理

高速公路建有先进完善的现代化设备、设施,具有技术密集型的管理特点,只有利用科学的管理手段,才能充分发挥设备效能。高速公路现代化管理应首先从办公现代化入手,建立管理数据库,开发使用微机,创造高智能环境。

4.加速人才培训,提高人员素质

高速公路多工种,跨行业的现代化管理,需要管理人员高素质、高技能;高速公路经营管理的发展也需要管理人员的知识更新。因此,高速公路管理必须进行经常性的人才培训,才能加速人员素质的提高,适应现代化管理的需要。

5.健全规章制度,实施规范化管理

高速公路管理项目繁多、分工细致、专业性强,为保证相互协调、有条不紊的工作,必须制订健全的规章制度和操作规程,实施严格的规范化管理。

6.重视经济效益,注重经营开发

高速公路的建设和管理均需要庞大的经费开支,在运营管理中除特别重视收费工作、力求节约开支外,还要利用高速公路的土地设施等进行综合经济开发。在为经营管理服务的同时,可作为通行费收入的补充形式,增加积累,实现高速公路的自我发展。

第二节　高速公路经营发展策划的基本内容

一、企业经营发展策划

(一)建立特许经营管理模式

特许经营公司的管理模式适应以私人投资为主的,以盈利为目的的收费公路,一般需要与政府签订特许经营协议后,才可以进行收费经营。这种模式是吸引更多民营资本进入公路建设的重要管理模式。由于政府主要通过特许协议,实现吸引资金和进行有效行业管理的目标,因此,此种模式需要完善的特许经营协议与之相配套。这种模式管理的收费公路在现阶段不会成为主流模式。

(二)收费集团式管理模式

收费公路特许机构管理模式一般由交通厅组建收费公路管理的特许机构。特如××省高速公路发展公司,属于公用事业开发集团性质。类似日本的道路公团管理模式,集团属于大型国有经济实体,以实现政府发展高等级公路建设目标的根本宗旨。组建收费集团,并通过集团进行高等级公路投资、建设、管理,这符合国家投融资体制改革的精神,符合公路基础设施的根本特征,不仅有利于高等级公路的建设、发展、养护和管理,也将有利于普通公路的建设和管理。因此,这种收费集团式的管理模式也将成为我国未来收费公路的主导模式。

(三)推行规模经营的管理模式

建议组建国有性质的省级收费集团公司,建立全省收费公路"发展基金",将收费收入、转让经营权收入、发行股票或者债券所得的收入等纳入其中,进行统一管理,在集团内实行统收统支的财务制度。通过兼并、重组等手段,实现省级范围内的收费高速公路统筹管理,平衡还贷,以形成优势互补、规模经营、滚动发展的良性循环局面。

(四)改进二级收费公路管理模式

首先,明确二级收费公路,以尽早统一还贷为主要目的,以继续发展为次要的、局部的目标；其次，将下放到地方的收费公路管理权统一收回，并承担相应的债务责任；同时建立全省收费公路“平衡还贷基金”，对收费收入实行统收统支；最后，逐一清算项目的偿债能力，进行全省统一的收入和支出测算，视债务情况确定统一的收费年限，但是不宜超过20年；对收费能力有限的收费公路停止收费；对收费能力较好的项目按期继续收费，将还贷余额纳入“平衡还贷基金”。

(五)实行滚动经营和多元化经营发展模式

为了缓解收费权期限的有限性与企业永续性之间的矛盾，高速公路企业应及早进行战略研究，建立企业的长期发展规划和战略。主要有两方面，一是进行滚动经营，不断拓展经营业务；另一方面实施多角化经营策略，分散经营风险。滚动经营，指尽管企业所拥有的某一条高速公路的收费权可能到期，但是企业可以继续有偿受让其他公路的收费权或者投资建设新的收费公路，这样企业就会拥有一种长期收费权资产，使主营业务不断拓展。滚动经营是一种单元化经营，这样使企业的经营风险增长，因为企业一定要保证可以不断的收购到收费权。多角化经营，指企业除了经营收费公路以外，还可以发挥现金流量大等优势，补充利用高速公路资源及信息优势，积极涉及相关领域，或其他具有高成长性的领域，这样，收费收入的稳健性和其他投资的高收益性可以形成优势互补，从整体上提高投资的收益率。当在这些领域的经营有了良好的基础或达到一定的规模后，在公司所拥有的收费权资产到期后甚至在没有到期时，企业就可以实施转型，将在其他领域的副业转为主业来进行经营。

在经营过程中，高速公路企业还应该充分发挥资本的纽带作用，通过收购、兼并、重组等多种方式开展资本经营，实施资本扩展。对效益好的高速公路企业进行重组改制并上市，也是较好的选择。

二、企业财务发展策划

(一)企业财务策划的目标

为保证交通基础设施建设的资金供应，交通部门采取各种措施拓宽筹资渠道，其中一个重要的举措就是成立高速公路经营公司，实现交通国有资产由无偿投入向有偿使用转变。例如上海、广州、福建、湖南、海南等，利用高速公路经营公司上市发行股票为本地区的交通建设筹集了大量的资金，其成绩很令人羡慕。各地交通部门也纷纷准备将其高速公路中的优良资产上市,并给高速公路经营公司制定了庞大的筹资计划,好像公司筹集到的资金越多越好。这种"公司筹资最大化"的认识,只是看到当前交通建设的巨大资金需求,而忽略了高速公路经营公司所承担的风险,对高速公路经营公司的长远发展是不利的。

为了保证高速公路经营企业的长远发展的目标,就必须作出适合企业自身实际情况的财务策划,而财务策划目标是围绕着公司财务管理目标展开而制订,明确了企业的财务目标,财务策划目标也就迎刃而解。高速公路经营公司的财务管理人员应将价值最大化作为公司财务管理的整体目标,正确兼顾盈利和风险之间的关系,使公司的价值达到最大化。高速公路经营公司财务管理受国家大政方针和公司本身经营特点的影响,有其特殊性。公路经营企业的经营具有垄断性和利润比较稳定的特点,其经营业绩比较突出,在资本市场筹资容易。国家将交通基础设施的建设作为重点项目,进行大力的投资。在今后的一段时间,高速公路经营公司的规模不断扩大,高速公路经营公司在经营过程中也面临很大的风险。因此,作为企业来说,其财务策划目标就是正确处理即保证企业价值最大化和公司经营过程中风险关系的问题,合理把握双方的"度",实现长远的发展。

(二)建立企业财务内控制度

由于高速公路建设具有投资额大、建设周期长、建设过程复杂等特点,因此,加强投资项目的内部管理,建立健全内部控制、牵制制度,是实现企业财务策划的保证。

1.高速公路建设资金管理内控制度的设计

高速公路建设事前、事中、事后的资金管理是工程招标投标、工程施工及工程竣工的资金管理。高速公路建设事前的资金管理应严格遵守《招标财务资格预审》的原则和要求来进行。

2.建立控制和牵制制度

控制和牵制业主自身的资金用途和承包商自身的资金使用行为,以及业主和承包商资金往来、结算这三方面的行为的内部控制制度。

三、企业人力资源发展策划

企业人力资源管理是指对人力的生产、分配、消费、交换所进行的各种管理工作的总称,其宗旨是劳动者和劳动资料实现最优化,充分利用人力资源,调动人的主观能动性,为提高生产效率服务;及时考察他们的工作绩效,并给予相应的奖惩和必要的调整,尽最大努力激发他们的潜能。

(一)人力资源发展策划原因

1.企业存在既有富余人员,又面临人才紧缺的矛盾

这是当前大多数企业的现状。这种状况的产生是计划经济体制向市场经济体制过渡中的必然产物;是经济增长方式从粗放型经营向集约型经营转变的结果;是企业从单一经营向多元化经营转变得结果;是政企不分的必然结果。

2.管理就是管人,就是靠人把事情做好

即人力资源发展要遵循以人为本的原则,作为企业的管理人员,应充分意识到人力资源是企业的特殊资源,开发人力资源也是开发生产力。人力资源是企业扩大生产、扩大规模,在竞争中立于不败之地的资本。

(二)企业人力资源发展策划内容

1.企业职工的技能培训和智力开发

国家之间、企业之间的竞争就是潜力开发的竞争。一些经济学家认为:大多数工人的教育水平与其创造力成正比例。实践证明:重视教育、重视对职工的培训给发达国家带来了巨大的技术经济效益。因此,美国一些资本家为了获得高额的利润,不惜血本增加智力开发投资,美国全国有 2 000 多万工程师,每年都进行培训以更新知识,仅 1990 年美国用于技术培训的资金达到了 60 亿美元,而相应的回报是:美国现在国民产值的平均增长额大约有一半是由于改善劳动力和教育水平取得的。

随着经济的发展,随着经济增长方式由粗放型向集约型转变,对企业劳动者的素质要求将会越来越高;另外,科技的日新月异也要求在职劳动者要不断的进行知识的更新培训;此外,随着产业结构的不断变化、调整,结构性失业的出现等,都要求企业职工要不断接受新的教育,新的技术培训,以避免遭受淘汰。以上都说明要提高企业市场竞争力,要保持我国经济持续稳定增长,就必须抓好企业职工的技能培训和智力开发。

2.现代企业家队伍的建立和企业经营者的智力开发

我国经济能否保持高速的发展,有赖于我国企业经济效益的不断提高,但是当前我国国有企业的经济效益都不容乐观,约有 1/3 的企业出现亏损;另有 1/3 的企业潜伏着暗亏。根据国家有关部门对企业组织的一次调查,

得出惊人的数字:近 81.7%的企业亏损是由于经营管理造成的。这充分说明目前国有企业管理者普遍存在素质较低问题。而改变这一现状的关键之一就是要尽快的培养和造就一支适应社会主义市场经济的现代企业家队伍。在美国,企业经理的作用受到格外的重视,企业通过职业荣誉感和物质激励双重机制来激发他们的工作热情和创新精神。同时随着改革开放的深入,我国企业逐步进入国际市场,在激烈的国际市场竞争中,我国企业能否取得成功、获得快速发展,很大程度上也有赖于我们重视企业家作用的程度,有赖于我们能否尽快的培养和造就一支懂技术、懂管理的现代企业家队伍。

3.建立行之有效的管理和激励机制

过去我国企业实行的是由政府有关劳动(人事)部门按照地区、企业类别等制定的不同工资等级标准。职工收入由基本工资加补贴组成,分配形成的单一性、大锅饭、平均主义现象,不利于调动职工的工作积极性。改革开放以来,企业分配制度进行了不断改革,出现了浮动工资、计件工资、岗位工资、年薪制度等分配形式,有效的刺激了职工的劳动积极性、创造性。特别是企业一线职工大多实行了劳动定额制、计件工资等分配形式后,由于体现了多劳多得的原则,能力、付出与收入对等,因此,企业广大职工劳动热情高涨。但是在企业管理层上,二、三线人员的分配形式不尽人意,管理水平相对落后,责、权、利不明确,造成了机构膨大、人浮于事;工作能力、工作业绩与报酬不相对应等现象,有悖于职工积极性的发挥,需要建立行之有效的管理和激励机制。

4.人力资源价值评估

人力资源是其他各种资源转化、管理、量化的组织资源。人力资源必须具备一定的能力,即必须具备能够提供现在和未来收益和效益的能力。因此,要取得这种资源,必须付出一定的成本。所以,存在着人力资源具备的能力和所投资的费用之间的关系,以及人力资源的效益如何达到最大限度发挥的问题,因此,需要对人力资源作出价值评估。

对被评估的资产价值作出科学的判断是一个非常复杂的过程,要求评估人员必须做大量的基础工作。由于人力资源评估具有不同于有形资产和常见的无形资产的特殊性、复杂性,使得人力资源价值评估的过程是在评估人员对被评估的人力资源部分进行逐步认识的基础上完成的,评估人员必须对被评估单位人力资源的具体状况进行深入的了解和调查,掌握大量的信息和数据资料,按造科学的评估程序进行操作才可能得出科学、客观、公正的评估结果。资产评估人员要顺利的完成一项人力资源评估业务,应按图 1-4-1 所列程序工作。

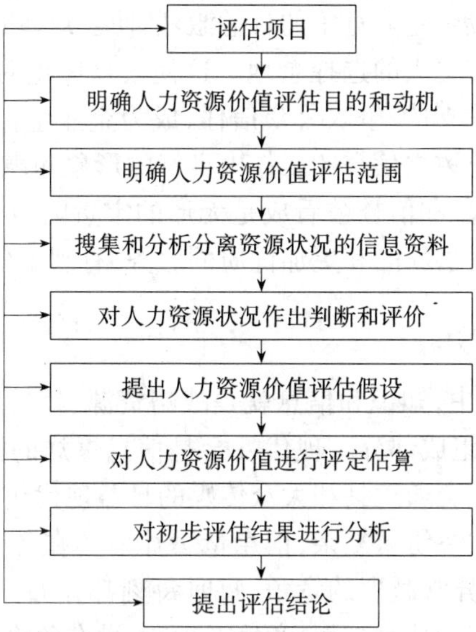

图 1-4-1　人力资源价值评估实施程序

四、高速公路企业的公共关系

(一)公共关系的职能

企业公共关系即企业为了寻求良好合作和和谐发展,通过形象塑造、传播管理、利益协调等方式,与企业内外公众结成的一种社会关系。因此,对任何企业,包括高速公路经营企业来说,公共关系职能发挥的好坏直接关系着企业的长远发展。

1.树立企业信誉

企业的信誉,是指企业在市场上的威信、影响,在消费者心目中的地位、形象、知名度。建立良好的信誉是企业经营成功的诀窍。“酒香不怕巷子深”的陈旧观念已经不适合竞争日益激烈的趋势。树立信誉首先要创名牌企业。按照公共关系学的观点,商品信誉是较低层次的,只是部分公众或者消费者在多次的商品交换过程中形成的对生产者和经营者的信赖程度,它只是企业技术经营素质的综合反映;而创名牌企业树立企业信誉,它是在社会商品适度发展,随着公众日益认识到企业活动的广泛社会后果,尤其是认识到一些企业的发展给社会带来新的物质文明,及有些企业的发展给社会带来公害的威胁。因此,公众对企业价值评估标准发生了变化,评价范围由对产品质量和服务扩大到企业生产经营活动和社会活动的各个方面。

商品经济的发展,企业竞争的日益激烈,使公众在购置商品、进行投资、决定求职等方面,有更大的选择余地。这使公众舆论对企业产生更大的影响力,也使争取舆论支持、争取公众信任,成为企业生存发展的重要条件之一。与此同时,企业树立信誉的工作由良好的形象和声誉的实现而获得的。由于企业良好的形象和信誉被看成是无形的宝贵财富。因此,对于公路经营企业来说,不断提供新的和更加优质的服务,有利于公路用户对公路经营企业产生信任感。

2. 收集信息

在信息的社会中,知识和信息就是战略资源、就是生产力、就是竞争力和经济成就的重要组成部分。现代社会是信息爆炸的社会,无所不在的浩瀚无垠的信息海洋、交通工具和大众传媒的日益现代化,人们活动范围的空前扩大,人际交往关系纷繁复杂,信息量爆炸般的在各个行业、各个领域冲突交会。企业面临异常激烈的竞争,每时每刻都在遇到大量的问题。市场需要把产品质量、产品技术方面、竞争者动向、潜在危险、企业需求等方面的信息,不断的传递给企业领导,要求领导层作出及时有效的决策。公共关系部门就要及时知道如何运用网络搜集与产品形象有关的信息,特别是有关企业形象和信誉的信息。

3. 加大宣传

当今,企业要充分利用信息技术和互联网的作用,以此作为企业现代经营管理的策略之一。首要职能是促进企业和内外公众之间的沟通。互联网的全球化发展,使传统的传播媒介如报纸、杂志、广播、电视等在传播范围、传输成本、实时互动、即时反馈等方面均无法与此比拟。因此,企业维系赖以实现与公众沟通的媒介进行重大结构性调整,在继续发挥传统四大媒介作用的同时,应该大力发展电子网络传播,为公共关系传播开辟新的天地。这种新的沟通方式不仅跨越了企业内部管理层的阻隔,而且跨越了国界,使企业的公开性原则——“公众必须被告知”,得到了最大限度的发挥和实现,提升了企业的知名度,使社会公众对企业有更加清晰的了解。

4. 协调谅解

随着商品经济的快速发展,产品社会化程度不断提高,任何组织都处于复杂的关系网络中,并且公众、政府之间的关系纷繁复杂,在这种情况下,谅解成为公共关系的一项重要职能。

(二)公共关系与企业形象塑造的关系

美国著名的公共关系权威海伍德教授,将公共关系定义为"公共关系是维系企业最有利运作环境的一门科学",除了评估相关人士的态度外,它还必须透过良好政策和有效沟通赢得大众的了解和支持。简而言之,公共关系就是经营企业形象的一门科学。从动态而言,公共关系是一种活动——社会关系活动。对现代企业而言,公共关系是关生存、谋发展的经营哲学,是企业求团结、图发展的工作艺术。

所谓企业形象是指社会公众(包括职工)对企业整体的映像和评价。日本著名公共关系学家八卷俊雄指出"环绕着企业各层次的关系、看法、观念构成了该公司的企业形象,各界对公司的看法、观念,应该符合企业实际,不符合的,就应该加以修正"。换言之,企业实态和企业形象状态相互依存。当形象状态优于企业实态时,就应调整企业实态,使之与企业形象相符合;反之,当企业实态状态优于企业形象状态时,就应该促进企业形象,使之正确支持和引导实态。要使企业形象和企业实态保持和谐一致,重要的途径就是积极开展公共关系。通过公共活动,挖掘公众利益,找到企业和社会利益的最佳结合点,承担起现代企业应承担的责任,并且把企业为社会公众所做的一切直接或者间接地,通过适当的方式(诸如新闻、广告、赞助、体育等)传播给社会公众,唤起公众对企业的关心、认同和支持,从而创造出优良的企业形象。

小　　结

高速公路企业的经营策划是指在市场经济条件下,高速公路企业为了自身的生存、发展和实现战略目标,而对建设项目的规划设计、资金筹措、建设、实物资产和存量资产的保值增值等,所进行的决策,并付诸实施的综合性活动,其目的是要取得良好的经济效益。

高速公路企业经营发展策划基本内容包括:建立特许经营管理模式、收费集团式管理模式、推行规模经营的管理模式、改进二级收费公路管理模式、实行滚动经营和多元化经营的管理模式。

公共关系是企业为了寻求良好合作和和谐发展,通过形象塑造、传播管理、利益协调等方式,与企业内外公众结成的一种社会关系。

企业人力资源管理,是指对人力的生产、分配、消费、交换所进行的各种管理工作的总称。其宗旨是劳动者和劳动资料实现最优化,充分利用人力资源,调动人的主观能动性,为提高生产效率服务;及时考察他们的工作绩效并给予相应的奖惩和必要的调整,尽最大努力激发他们的潜能。

思考题

1.什么是高速公路经营发展策划?经营策划需要回答哪些企业变革和发展方向中的重大问题?

2.高速公路企业经营策划有何特点?涉及哪些主要内容?

3.高速公路企业经营策划需要遵循那些基本原则?

4.什么是滚动经营和多元化经营发展模式?滚动经营和多元化经营各自的特点是什么?

5.什么是财务发展规划?高速公路经营企业财务发展规划主要解决哪些问题?

6.什么是人力资源发展策划?高速公路经营企业如何进行人力资源发展策划?

7.如何加强高速公路经营企业的人力资源管理?有何有效途径?

8.什么是公共关系?公共关系与企业形象关系如何?高速公路经营企业,应当如何通过协调处理好公共关系来改善企业形象,促使企业可持续发展?

第五章

高速公路投融资管理

学习目标

为了适应国民经济快速发展的需要,必须加强公路建设,特别是高速公路建设事业发展的步伐。这必然涉及到拓宽高速公路投融资渠道,增加高速公路投融资方式,以及加强高速公路投融资管理等问题。学习本章主要掌握:(1)了解我国高速公路投融资改革的意义及发展历程;(2)掌握高速公路筹资效益分析的内容及方法;(3)了解高速公路投融资模式及各种具体筹资方式;(4)掌握高速公路投资财务评价和国民经济评价的主要内容及计算方法;(5)掌握高速公路投资经济效益分析的内涵;(6)了解高速公路风险主要内容及风险分析的方法。

第一节　高速公路投融资管理概述

高速公路建设离不开巨额的资金投入,高速公路经营发展也需要足够的资金运转,只有具备足够的建设发展资金,高速公路才能得到有效快速发展。在我国公路建设资金短缺的环境下,研究高速公路资金供给方式及提高投融资效率,加强高速公路投融资管理,对高速公路事业的发展具有重要意义。

一、加强高速公路投融资管理的意义和作用

随着改革开放的深入和社会主义市场经济体制的初步建立,我国投融资体制改革相对滞后的制约作用越来越明显,使得一些老的病根未能去除,

新的矛盾又在积累。大量的政府投资仍然是行政部门直接决策投资,因而处于无人具体负责的状态,其直接后果是项目公司难以维持,银行贷款难以偿还。当前我国民间投融资障碍重重,居民储蓄达到 11 万亿元,但居民持有金融资产的形式单一,找不到比较好的增值出路;另一方面,经济快速发展与资金不足的矛盾越来越突出,各种经济类型的企业都深感融资困难,高速公路事业也面临同样的困境。因此,进行投融资体制改革,加强高速公路投融资管理是我国高速公路发展的当务之急。

加强高速公路投融资管理有利于缓解高速公路建设资金不足的矛盾。高速公路投融资管理体制改革的起因,是基于国民经济快速发展,对高速公路快速发展的需求,与传统体制下公路建设资金相对短缺的矛盾。公路本应是由政府投资修建并供社会使用的基础设施;但公路建设尤其是高速公路建设需要巨额资金,在资金供求矛盾十分突出的情况下,完全依靠政府投资、建设、养护和经营管理的旧模式已不适应公路大规模、高标准发展的需要。市场经济的规律和规则对单纯依靠行政融资方式提出了挑战。面对公路交通新的跨越式发展目标,现有的投融资管理,难以满足高速公路建设的巨大资金需求,必须进一步深化高速公路投融资管理体制改革。通过加强高速公路投融资管理,创新投融资方式,理顺投融资体制,放宽市场准入,积极吸收民间投资,有利于缓解高速公路建设资金不足的矛盾,促进高速公路事业发展。

加强高速公路投融资管理,有利于降低建设、管理成本,改善、提高高速公路管理效率和服务质量。在传统的政府提供公路模式下,由于对财政资金的过分依赖以及软预算约束,高速公路不能按市场经济规律有效进行管理,缺乏财务风险管理,从而产生高速公路建设资金的筹集、调度和使用过程不规范,公路建设成本费用过高,资金使用效率低下,管理无效率或低效率和服务质量差等问题。通过加强高速公路投融资管理,按照“谁投资,谁决策,谁受益,谁承担风险”原则,建立风险约束机制和市场竞争机制,使投资者能从降低建设与经营成本、提高管理效率和服务质量中得到好处,有利于降低收费公路建设与运营成本,提高管理效率和服务质量。

加强高速公路投融资管理有利于规范政府行为,防止公路领域腐败现象。我国现行的交通投融资管理体制是在交通系统内部封闭运行的,绝大部分资金都由交通部门自行征收使用,对外融资实行统贷统还,独立设置项目法人。这使得交通厅的行政地位和部门权利大大提升,被提升的权力不受节制必然导致滥用和腐败。巨额的公路建设投资,使得某些人通过利用官场人治体制下的各种“潜规则”，绕开国家宏观规划和政府计划的调节，逃脱国家法规的“束缚”，造成腐败工程充斥横行，腐败路越修越长。因此，加强高速公路投融资管理是当前公路管理体制改革的迫切任务。只有通过加强高速公路投融资管理，实施以项目、资金、市场互相分离，彼此制衡的交通投融资管理体制改革，才能使政府在其职责范围内行使职权，避免各种公路腐败行为，杜绝豆腐渣工程，从而使公路建设事业规范、健康发展。

加强高速公路投融资管理，有利于明确产权关系，建立科学的政企关系，促进高速公路经营企业健康发展。在政府单一提供公路的投融资管理模式下，由于吃“大锅饭”思想和保值增值责任不明确，以及经济利益的驱使等原因，使得高速公路投资主体虚位、越位、代为现象普遍存在。加强高速公路投融资管理，引入民间资本按特许经营等方式参与高速公路建设与运营，实现高速公路投资主体多元化，融资渠道多样化，有利于明确责任主体、风险主体和收益主体，建立归属清晰、权责明确的产权关系及科学的政企关系。通过特许经营制度，明确政府的监督指导和服务职责，以及企业运营高速公路的权利、责任与义务，建立政府与企业的良性互动机制，使政府按市场经济规律进行宏观调控和行业指导，消除不规范的干预企业行为，从而有利于促进高速公路经营企业健康发展。

二、我国公路投融资管理体制的改革与发展

公路建设投融资体制是全国投融资管理体制的一部分，公路建设投融资管理体制的改革受全国投资管理体制改革的大框架的影响。回顾我国公路建设投融资管理体制的历史进程，大体上可分为以下几个阶段：

第一阶段（1958 年以前）：实行中央和地方政府分级建设与管理公路的体制。

1958 年以前我国公路投融资管理实行的是中央政府负责国家干线公路的规划、投资与修建；各省、自治区、直辖市人民政府负责本行政区域内公路的规划、投资和建设。从 1953 ~ 1957 年，中央对公路交通的投资为 6.05 亿元，新建改建干线公路 15.28 万公里；各大行政区省、自治区、直辖市也投资 5 亿元，新建改建本地区工农业生产发展急需的一些经济干线和县乡公路。

第二阶段（1958 年以后至 1979 年以前）：实行地方政府负责建设与管理公路的体制。

1958 年下半年，中央政府决定，除国防公路仍由中央政府专款投资建

设外，把公路建设中央计划投资体制下放到省、自治区，国家计划中取消了公路建设投资。从此，中央的基本建设投资中不再列公路建设项目，公路建设项目投融资、建设与管理完全由地方政府负责。

这一改革在实践中所产生的问题有：①由于取消了公路建设的中央计划投资，使公路建设无法与国民经济发展同步；②在综合运输体系的发展中，单独取消了公路建设中央计划投资，导致各种运输方式难以协调发展；③国家无法在客货密集的全国性运输通道上集中资金修建高标准公路；④省际间、区际间干线公路建设缺乏资金保证，造成国道、省道出现一些断头路；⑤由于机构下放、撤销，养护道班解散，使大量的公路建设人才流失。

这一期间公路养路费是公路建设资金的主要来源。根据国务院发布的"确立用路者养路原则，由主管机关按规定统一征收车辆养路费，发给收费执照，即可通行全国"的决定。1950 年 7 月，交通部颁布了《公路养路费征收暂行办法(草案)》，规定凡行使公路的车辆，除了军用车、特征任务车、党政机关小汽车和人力车外，都要交纳养路费。从此，公路养路有了稳定的资金来源。随着中央和地方财政对公路投资的逐步减少，公路养路费逐步成为我国公路建设资金的主要来源。在"文化大革命"期间，不少省、自治区用于公路建设的养路费，达到了养路费总额的 20% ~ 30%。

以工代赈、民工建勤在我国公路建设中曾发挥着重要作用。新中国成立初期，为了发展新中国的公路事业，1950 年 3 月国务院决定实行"民工建勤"修路的方针。1951 年 5 月，国务院发布了《关于 1951 年民工修路的暂行规定》，明确了农村劳动力应承担的修路义务。从此，民工建勤修路养路制度以国家法令的形式确定下来，一直沿用至今。以工代赈是政府为了援助社会弱势群体，增加其福利的一种政策措施。我国政府对老、少、边、穷地区的公路建设，常常采用以工代赈的办法进行，既改善了农村交通条件又达到了援助的目的，是一种行之有效的政策。

第三阶段：从 1980 年至 1988 年，开始进行公路投融资管理体制改革。

党的十一届三中全会以来，国家实行了一系列改革开放政策，它促使公路建设事业必须寻求改革与发展。1980 年，国家在交通运输部分项目中试行基本建设投资有偿使用制度，基本建设投资由原来的无偿拨付改为有偿贷款，即所谓的"拨改贷"。我国从新中国成立后就开始拟定国家干线公路网(简称国道网)方案，但由于投资、体制等多种原因，一直都没有做出决定。1981 年 11 月，国家计委、国家经委和交通部联合发出《关于划分国家干线公路网的通知》，第一次明确规定了我国的国家干线公路网。1984 年国务院颁布了《关于改革建筑业和基本建设管理体制的若干问题的暂行规定》,推行招投标制度,代替行政分配任务制度,建立工程承包,实行基建物资和设备供应单位企业化,开始引进市场竞争机制。公路建设领域也全面推行国务院颁布的改革制度,实行路政与公路施工、养护单位政企分开,实行公路建设项目监理制度,推行招投标制度,并开始形成公路建设投入要素市场。

这一阶段我国公路建设投融资管理体制改革的主要做法包括:

(1)实行公路车辆通行费制度。20 世纪 80 年代初期,广东省率先突破了传统的公路建设投融资体制,进行贷款修路、收费还贷的有效尝试,取得了巨大的成就。1988 年国家批准了对高等级公路和大型桥梁、隧道实行收取车辆通行费的政策,明确规定了贷款修建公路桥梁隧道的规模。

(2)利用国内外金融机构贷款修建高等级公路。利用国家开发银行和国内商业银行贷款发展我国的公路事业,是加快公路事业发展的一个有效途径。我国从 20 世纪 80 年代中期开始利用世行贷款筹措公路建设资金,为发展我国公路建设事业、特别是高等级公路建设事业发挥了重要作用。陕西省西安至三原一级公路是我国利用世行贷款修建的第一批公路项目。对我国公路建设项目贷款的国外金融机构包括世界银行、亚洲开发银行等。

(3)开征车辆购置附加费。根据国务院 1984 年第 54 次常务会议的精神和国务院于 1985 年 4 月发布的《车辆购置附加费征收办法》,我国从 1985 年 5 月 1 日起,对所有购置车辆的单位和个人征收车辆购置附加费,由交通部统一管理,作为国家干线公路和重要的省级干线公路建设资金的来源。

(4)开征客运附加费和货运附加费。1986 年 6 月,福建省决定对在福建境内公路经营客运的车辆,按营业里程向旅客征收交通建设基金。此后,各省级人民政府先后开征了客运附加费和货运附加费,成为地方公路基础设施建设新的资金来源。1988 年,国家正式开征客运附加费和货运附加费。

(5)出现利用民间资金修建公路的雏形。1986 年 12 月 13 日,福建厦门国际信托公司首家向社会发行厦门高集海峡大桥建设债券,为建设高崎至集美海峡大桥筹集资金,使公路基础设施建设增加了新的资金来源。

第四阶段:1989 年至 2000 年,进一步扩大公路投融资管理体制改革工作。其基本特征是:实行收费经营制度。

20 世纪 80 年代末,广东省率先通过组建公路经营企业进行公路收费经营的有效尝试,推动了收费经营公路建设事业的发展。到 2002 年底,全国共有经营性收费公路 2.67 万公里。1989 年成立的佛开高速公路有限责任公司是我国第一家承担高速公路建设的公路经营企业。1992 年 8 月我国第一家高速公路股份有限公司江苏宁沪高速公路股份有限公司成立。由广佛高速公路有限公司、九江大桥公司和佛开高速公路股份有限公司一起重组的广东高速公路发展股份有限公司，于1996年7月成功发行B股，是我国第一家高速公路上市公司，也是我国第一家高速公路B股上市公司。1996年11月，安徽皖通高速公路股份有限公司在香港上市，成为我国第一家H股上市公司。截止到2004年3月，我国共组建了19家公路上市公司。

转让公路收费权筹措公路建设资金，是我国深化公路建设投融资体制改革的有效尝试。交通部1994年7月发布《关于转让公路经营权问题的通知》，首次明确允许通过转让公路经营权融资。1996年10月1日陕西西临高速公路收费权的成功转让，可以认为是我国比较规范的通过转让公路经营权融资的典型范例。各省都积极通过转让公路收费权，将具有一定经济效益的收费还贷公路，实行收费经营来筹措资金。

20世纪90年代以来，我国在利用BOT融资方面进行了积极的探索。1994年福建省泉州市开始利用BOT模式修建刺桐大桥，成为我国首例由民营企业发起兴建的BOT公路融资项目。此后，各省相继实施一些BOT项目，如京张高速公路河北段、广西兴业至六景高速公路、湖北襄阳至荆州高速公路等。"BOT"融资方式不需要国家或者交通主管部门花一文钱就可以利用国内外经济组织筹措的资金把高速公路建成。所以，"BOT"融资方式应当作为我国高速公路融资的重点研究对策之一。

这一阶段投融资管理体制改革，呈现投资主体多元化，融资渠道多样化趋势，同时还加强了公路投融资方面的法规建设。1996年10月，交通部颁布了《公路经营权有偿转让管理办法》，使我国的公路经营权转让有了规范其行为的法规依据。1996年，财政部发布《关于加强基本建设财务管理若干意见的通知》，要求通过落实建设项目法人责任制和项目资本金制度，来加强基本建设项目资金管理。1997年7月发布了《中华人民共和国公路法》，使公路建设、养护和管理以法律的形式进行规范，该法于1999年进行修订。2000年4月交通部发布《交通基本建设资金监督管理办法》，为监督管理交通基本建设资金提供了法规依据。

第五阶段:2001年至今，开始实施"费改税"，规范公路投融资管理体制。

2000年10月22日，国务院公布了《中华人民共和国车辆购置税暂行条例》，从2001年1月1日起实施。这意味着我国的公路资金"费改税"改革开始进入实施阶段。根据国务院2000年10月22日转批的《交通和车辆税费改革实施方案》,车辆购置税,除了分别提取一定比例的资金用于水利建设和老旧汽车改造外,由中央财政根据交通部提出、国家计委审批下达的公路建设投资计划,统筹安排,主要用于国道、省道干线公路建设。

车辆购置费改为车辆购置税只是我国公路交通税费改革的第一步。公路交通费改税指对交通部门现行的各种收费项目进行清理,按性质分别改为国家预算内税收、政府规费、使用者费和非政府的商业性收费的过程。具体内容包括:

(1)将具有税收性质的收费按不同类型,实行"费改税"。如开征燃油税取代养路费、公路客货运附加费、公路运输管理费。

(2)取消不合法和不合理的收费项目。

(3)将不体现政府行为的收费转为经营性收费,严格按照经营性收费的有关规定进行管理。

(4)保留少量必要的政府规费,降低不合理收费标准,实行财政收支两条线管理。费改税有利于规范政府收入行为,理顺公路规费与公路建设、养护的关系,遏止各种乱收费现象,保证公平原则,促进国民经济的发展,将是我国公路交通投融资管理体制的一项重大变革。

这一阶段公路投融资管理体制的改革,除了继续创新公路投融资方式外,还突出了规范投融资管理体制趋势。这是我国公路事业发展到一定阶段后向集约型可持续发展方向转变的表现。

我国公路投融资管理体制改革的基本方向是依据"谁投资,谁决策,谁受益,谁承担风险"的原则,在国家宏观调控下发挥市场机制对经济活动的调节作用,确立企业的投资主体地位,规范政府投资行为,逐步建立投资主体自主决策,银行独立审贷,融资方式多样,中介服务规范,政府宏观调控有力的新型投融资管理体制。

三、我国高速公路投融资模式

随着我国高速公路建设事业的快速发展,高速公路投融资模式,已由政府单一投资转变为以财政资金为基础,贷款资金为主体,民间资金和外资为重要补充的新格局。因此,目前我国高速公路投融资模式主要可以分为:政府投资、利用贷款、民间投资和外资投资四种。

(一)政府投资

政府投资是指政府利用自己掌握的资金等资源,如财政资金、交通专项资金及交通规费等,投资于高速公路建设,这是公路供给的传统方式。由于公路具有投资数额巨大、建设周期长、投资回报较低、社会效益显著等特点,民间资本很难介入或不愿介入,因而,只能由政府担当主要供给者的责任。政府投资,按投资主体分中央政府投资和地方政府投资;按资金来源分主要包括财政拨款、国债资金、交通专项资金、公路客货附加费、公路养路费、车辆购置附加费等。

政府投资模式的优点在于:其一,政府投资不是从投资项目本身的直接经济利益出发,而主要是以社会效益为主,有利于满足社会整体利益;其二,政府投资的资金来源于税费收入,政府能从整体、长远角度发展高速公路,有利于高速公路建设的统筹规划;其三,政府投资建设的公路一般不收费,因此使用者对公路的消费不受限制,有利于项目潜在效益的充分实现。

但是,往往由于政府投资机构,缺乏投资竞争压力和投资破产风险以及激励动机不足等原因,政府投资模式也会出现如下一些问题:一是由于资金供给的软约束使得投资成本较高、效益差;二是责任主体不明,公路供给质量低;三是受资金限制,常常供不应求,消费者处于无选择余地的被动地位;四是运营中通常缺乏维护保养,损耗较为严重。

(二)利用贷款

贷款资金指以公路建设项目法人为贷款主体,向国内金融机构借贷的负债资金。国内金融机构贷款包括国内商业银行贷款、国内政策性银行贷款和其他金融机构用于公路建设项目的贷款。目前,国内金融机构向公路建设提供贷款的主要有国家开发银行、工商银行、建设银行、农业银行、交通银行、招商银行等。1998 年至 2001 年,我国公路建设总投资 9 286 亿元中,公路行业靠银行贷款融资 3 427 亿元,占公路建设投资需求的 36.91%;地方自筹资金 3 880 亿元,占 41.78%,而地方自筹资金也主要是靠贷款解决的。2001 年,公路建设到位资金 2 547 亿元,其中国内贷款 1 048 亿元,占到位资金的 41.15%;2002 年,全年公路建设投资中,国内贷款占 38.8%;2003 年,公路建设到位资金 3 443.6 亿元,其中国内贷款占到位资金的 41.6%。贷款资金为我国公路建设、特别是高速公路建设事业做出了显著贡献,贷款资金已成为高速公路建设的重要资金来源。

利用贷款模式的优点在于:①近年来我国利率连续下调,利用贷款建设高速公路的成本大幅下降;②是利用贷款筹集公路建设资金手续相对简单,能在短期内取得巨额资金;③是对于经济效益好的高速公路,由于其具有稳定的现金流和可观的投资回报率，风险较小，银行能积极向其以优惠利率提供贷款，降低高速公路融资成本。

利用贷款模式的缺点在于：①如果贷款过多，就会出现内部和外部双重风险，内部风险是指项目资金循环不畅，产生破产风险等，目前我国部分公路已经出现车辆通行费不足补偿贷款利息支出，造成资金流转恶性循环，外部风险是失去信誉，再贷款难；②商业银行的运作要求安全性、盈利性和流动性“三性”统一，而我国部分高速公路，尤其是中西部地区高速公路的资金运用和回流很难与商业银行的“三性”相吻合，在银行业的市场化改革后，银行往往不愿意继续向收益水平低的高速公路贷款。

(三)民间投资

民间投资是相对于政府投资而言，它指政府资本以外的所有资本投资，但不包括国外资本投资。广义的民间资本投资包括信贷资本投资；狭义的民间资本投资主要指私人民间资本投资。由于公路建设中贷款资金的比例较大，因此将信贷资本投资单独列出。这里的民间投资指除信贷资本投资以外的民间投资，包括私人民间资本投资和国有企业民间资本投资两部分，属于“中义”范畴。

民间投资高速公路建设的方式很多，目前主要包括股票投资、转让高速公路收费权、发行公司债券、BOT方式等。

采用民间投资模式的优点主要包括：①有利于缓解高速公路建设资金供需矛盾，减轻政府财政负担。到2004年3月底，我国居民储蓄达到11.2万亿元，民间投资高速公路潜力很大。②有利于引入市场机制，降低高速公路建设经营成本，改善、提高收费公路管理效率和服务质量。通过引入民间资本投资高速公路建设，能够改变传统的政府提供公路模式下对财政资金的过分依赖以及软预算约束，建立风险约束机制和市场竞争机制，使投资者积极主动降低建设与经营成本、提高管理效率和服务质量。③有利于明确产权关系。采用民间投资高速公路模式，根据“谁投资，谁决策，谁受益，谁承担风险”原则，能有效避免政府投资而产生的高速公路投资主体虚位、越位、代为现象，有利于建立责权明确，产权清晰的现代产权关系。

民间投资高速公路也存在一定劣势：①民间资本的逐利性与高速公路的公益性的协调问题。民间资本以追求经济效益最大化为目标，而高速公路由于其基础性和社会公益性，社会效益最大化是建造高速公路的主要目的，因此两者很难达到完全协调一致。②由于传统投融资模式与观念的影响,民间资本进入高速公路领域还存在一定障碍。比如,对民间资本的歧视、市场准入的高门槛、政策法规不健全,税费结构不合理、资本市场不完善等。

(四)利用外资

目前,我国利用外资主要有两种方式:一种是间接投资,包括国际金融组织贷款、外国政府贷款和国际证券融资等;另一种是外商直接投资,包括中外合作、合作经营、外商独资、BOT投资以及经营权转让等方式。

虽然我国国内储蓄充足,但由于资本市场、管理制度的不完善,国内储蓄转化为投资的渠道不通畅。面对经济发展对高速公路的巨大需求,我国财政愈发力不从心。在这种情况下,外资仍是我国高速公路发展的重要资金来源。

引进外资于高速公路的建设与运营,不仅能够获得发展所需要的资金,缓解因公路交通落后而对经济发展形成的瓶颈约束,而且可以引进先进的技术和管理方法,提高高速公路的建设和运营效率。

我国高速公路利用外资中存在的问题:①目前我国对引入外资投资公路基础设施建设的条件比引入国内民间资本更为优惠,引入外资对民间资本不可避免的产生一定程度的挤出效应。②利用外资发展高速公路会给项目本身和国家带来很大的风险。外汇的任何不利变化都会造成项目财务上的困难;对国家而言,过分依赖国外资本将造成国内经济脆弱。③对大部分外资来说,只有高速公路具有可靠的经济效益时才会介入,因此引入外资数量不可能很大。

第二节　高速公路筹资管理

经过几十年的发展,我国高速公路筹资渠道越来越丰富,逐渐形成了以财政资金为基础、贷款资金为主体、民间资金和外资为重要补充的新格局。加强筹资渠道与筹资效益分析,努力创新投融资机制,提高投融资效率对我国高速公路发展具有重要意义。

一、高速公路筹资管理概述

目前我国高速公路基本实行了收取车辆通行费的制度,因此高速公路的筹资管理主要是指收费高速公路的筹资管理。

(一)收费经营型高速公路建设项目筹资管理的基本要求

根据国家规定,经营性项目的建设,必须筹集到一定的非负债资金作为资本金,使基本建设财务能够适应市场经济发展的需要。设立建设项目的资本金制度,意味着建设项目的资金来源分为两类:一类是投资者权益;一类是债务资金。设立资本金制度的重要意义在于:

(1)从项目投资建设开始就确立了经营性项目的自主筹资、自主经营、自享收益、自担风险的地位。

(2)在投资建设阶段就界定了项目的产权关系,并使项目有了较清晰的资本结构,为项目建成后投入经营奠定了坚实的基础。

(3)有利于建设阶段与生产经营阶段的衔接。按此要求,对经营性基本建设项目在投资建设阶段就应当把产权归属、资产负债和投资收益纳入基本建设财务管理的内容。

受经营性高速公路建设项目资本金最低不应当少于投资动态概算总额35%的限制,经营性高速公路建设项目筹集债务资金的最大限度为项目投资动态概算总额的65%。由于经营性高速公路建设项目完工交付使用后,项目资本金和债务将转变为企业的资本金和债务,所以加强经营性高速公路建设项目筹资管理的目的是为了提高筹资效益。反映项目筹资效益的理想财务指标是动态股权收益率。

在筹资管理中应当充分利用财务杠杆的作用来提高股权收益率。在一定的条件下,提高负债比率有利于提高股权收益率,因此有必要在项目筹资管理时充分发挥债务资金的财务杠杆作用。利用股权资金建设高速公路的优势是没有财务风险;主要缺陷是不利于提高股权收益率。利用债务资金建设高速公路的优势是"借鸡生蛋",在债务利率低于投资收益率的前提下提高负债比率有利于提高股权收益率;主要缺陷是借款建路将导致一定的财务风险。高速公路建设筹资管理分析的主要目的是选择合理的筹资结构,降低资金成本。

(二)收费还贷型高速公路建设项目筹资管理的基本要求

与公益性公路建设项目筹资管理相比较,收费还贷高速公路筹资管理的基本要求是根据公路未来可能的财务效益合理选择筹资结构。应当在科学论证的基础上合理筹措高速公路建设资金。如果公路具有明显的国民经济效益,但财务效益不理想;或由于收费将导致交通量的大幅度分流,从而使高等级收费公路相对闲置，则有必要使用国家财政资金修建不收费公路。当财政资金有限，而公路建设又是必要的话，应根据公路未来通过收费所形成的还贷能力来决定投资总额中的贷款筹资所占的比重。

（三）高速公路筹资效益分析

1.筹资效益的概念及其衡量

反映筹资效益的理想指标是股权收益率，它又分静态股权收益率和动态股权收益率，分别反映静态筹资效益和动态筹资效益。

静态筹资效益反映项目在某一特定年度的股权受益率。衡量静态筹资效益的理想指标是投资收益率或总资产报酬率，其计算公式为：

$$\text{投资收益率(ROI)} = \frac{\text{息税前利润总和(EBIT)}}{\text{平均总投资}} \times 100\%$$

动态筹资效益反映在高速公路项目的整个收费经营期间所获得的加权平均收益率。衡量动态筹资收益率的理想指标——股权收益率的计算公式为：

$$\sum_{t=0}^{n} \mathrm{NCF}_t (1 + \mathrm{ROE})^{-t} - E = 0$$

式中：NCF——计算动态股权收益率的现金净流入量；

ROE——股权收益率；

E——股权投资现值；

n——收费经营年限。

2.资金成本

一般来说，资金成本反映了一定经济主体占用资金所需付出的经济代价。资金成本包括狭义的资金成本和广义的资金成本两种概念。狭义的资金成本指一定经济主体为取得和使用资金所付出的各项费用，包括资金筹集费用和资金占用费用。广义的资金成本除狭义资金成本内容之外，还包括资金的机会成本概念。一定经济主体进行资金投放所期望获得的资金回报构成了资金的机会成本。

资金成本确定的一般计算公式为：

$$\text{资金成本} = \frac{\text{资金占用费}}{\text{筹资总额} - \text{筹资费用}} = \frac{\text{资金占用费}}{\text{筹资总额} \times (1 - \text{筹资费率})}$$

在此基础上，可进一步分别确定借款与发行债券的资金成本率、优先股资金成本率、普通股资金成本率等个别资金成本率以及加权平均资金成本率。

站在筹资的角度，资金成本是一定经济主体进行合理筹集决策的重要依据。进行资金成本分析是为了最大限度的获取筹资效益，而衡量筹资效益的理想指标是权益资金收益率。

站在投资的角度，资金成本是进行科学投资决策的重要依据。进行资金成本分析是为了最大限度的获取投资效益，而衡量投资效益的理想指标是投资收益率或总资产收益率。

站在经营的角度，资金成本是进行有效经营决策的重要依据。进行资金成本分析是为了最大限度的获取经营效益，而衡量经营效益的理想指标是息税前利润总额。

3.财务杠杆

企业的财务杠杆作用是指企业利用举债筹资方式来增加股东收益的作用。财务杠杆作用提高的同时，也增大了有损于股东未来各年收益的风险。因此需要在风险和预期收益两者之间进行权衡，做出抉择。

一般利用财务杠杆系数来反映企业举债筹资的相对程度。财务杠杆系数的计算公式为：

$$\begin{aligned}\text{财务杠杆系数} &= \text{每股收益变动率}/\text{息税前利润变动率} \\ &= \text{息税前利润}/(\text{息税前利润}-\text{财务费用}) \\ &= \mathrm{EBIT}/(\mathrm{EBIT}-C)\end{aligned}$$

式中：财务费用(C)包括公司支付的优先股股利。

如果预期收益率高于债务利率，提高财务杠杆系数有利于提高股权收益率，财务杠杆发挥正的作用；如果预期收益率低于债务利率，提高财务杠杆系数将会导致股权收益率的下降，财务杠杆起了负的作用。

由于高速公路企业的资产负债率一般在高速公路建设期间逐步增加，在高速公路建成交付使用时达到最高点，然后随着收费逐步偿还，资产负债率将逐步趋于零。所以，在高速公路收费的整个期间，加权平均债务股权比率一般不会很高，这意味着公路企业的举债筹资作用一般是有限的。

二、高速公路筹资方式及其选择

随着我国投融资体制的改革与发展，高速公路投融资之路越走越宽，呈现出投资主体多元化，融资渠道多样化趋势，筹资方式的选择对于高速公路管理有着重要影响。

(一)政府投资

根据高速公路在国民经济发展中的重要地位和作用，以及公路的准公共物品属性,各级政府都积极发展高速公路,提供高速公路建设资金。当前我国高速公路建设资金中来源于政府投入的主要包括:中央和地方各级财政拨款,国债专项资金以及财政专项资金(车辆购置税),公路养路费、公路客货附加费等交通规费资金。

1.财政拨款及其评价

财政拨款包括纳入中央财政预算对高速公路建设项目的拨款和纳入地方财政预算对高速公路建设的拨款。根据公路在国民经济中的先行官地位和对国民经济发展的促进作用,借鉴西方国家公路建设的成功经验,各级财政资金本应成为高速公路建设资金的主要来源。

我国传统公路建设投融资体制的影响,以及各级财政状况的不理想,使得除了国防公路、边防公路和极少数边远、贫穷地区公路,使用了有限的财政资金以外,财政资金对公路的投入寥寥无几。

2001 年至 2003 年我国中央财政赤字分别为 2 598 亿元、3 098 亿元和 2 916亿元,2004 年我国中央财政赤字预算为 3 198 亿元。这意味着在近期内要增加中央财政对公路建设的投入并不现实。地方财政拨款主要用于本地区公路的建设,1999 年全国地方财政公路专项资金总额为 115.3 亿元,占当年公路建设投资总额的 5.3%。从全国来看,除西藏、青海没有地方财政拨款专项资金外,其余各省都有。地方政府财力相对有限,也不大可能增加对公路的投入。相对于公路建设与发展的宏伟规划,公路融资形势严峻。

2.国债资金和交通专项资金及其评价

我国从 1998 年开始发行国债用于基础设施建设。1998~2001 年共发行国债 5 100 亿元,其中用于公路建设 693 亿元。2001 年国债资金投入 256 亿元,占 2001 年公路建设总投资 2 670.4 亿元的 9.59%。但随着我国积极财政政策的淡出,国债资金用于公路建设,特别是高速公路建设的将大幅减少。因此,从长远来看,国债资金不可能作为高速公路建设的稳定资金来源。

2001 年开始实施车辆购置税制度,所征收的车辆购置税形成用于公路建设的专项资金。车辆购置税是由原来的车辆购置费转变而来。2001 年征收车购税 266 亿元,其中用于公路建设 249 亿元,占 2001 年公路建设总投资的 9.32%。随着我国经济的快速发展和居民生活水平的提高,汽车生产量与消费量近几年持续高速增长,这必然导致车购税的增加。因此,车购税作为公路建设的专项资金,可以作为公路建设的长期稳定资金来源。

2002 年我国包括国债资金和车购税资金在内的国家投资 534.83 亿元,

占2002年公路建设总投资3 212亿元的16.65%。相对于"十五"和未来10年公路建设的投资需求,公路筹资任务仍十分艰巨。

3.交通规费资金及其评价

公路交通规费包括中央规费——车辆购置附加费(2001年开始形成车辆购置税);地方规费——公路客货附加费(纳入预算外资金管理的政府基金)、公路养路费(纳入预算管理的政府基金)和车辆通行费(预算外资金)。

实行交通车辆税费改革以后,预计在"十五"燃油税分配形成的公路建设资金平均每年约200亿元,约占2001年公路建设总投资的7.49%。

国债资金、财政专项资金和燃油税资金之和约占2001年公路建设投资需求的26.40%。随着公路制约国民经济发展的"瓶颈"作用得到初步缓解,以及民间投资的兴起,政府对公路建设的投资正进行结构调整,从东部地区转到西部地区,从重点对高速公路的投资转到以县乡公路建设投资为重点。因此,在高速公路建设中,政府投资的力度有限,必须积极引入其他投资方式以满足高速公路建设巨大资金缺口需求。

虽然也有一些高等级公路建设所需资金是靠车辆通行费收入来满足的,但是按照规定车辆通行费收入只能用于还贷;还清贷款本息后应当停止收费。《收费公路管理条例》的出台将对车辆通行费的征收和使用做出进一步明确的规范。

(二)贷款融资

贷款资金为我国公路建设、特别是高等级公路建设事业的快速发展做出了显著的贡献。世界银行贷款、亚洲开发银行贷款、外国政府贷款、国内政策性银行贷款(国家开发银行贷款)和商业银行贷款等已经成为我国高等级公路建设资金的重要来源。

到1999年6月底,全国共有外资贷款公路项目51个,贷款总额83.2亿美元,其中世界银行贷款项目21个,贷款金额为45.49亿美元,占贷款总额的54.7%;亚洲开发银行贷款项目14个,贷款金额为24.3亿美元,占贷款总额的29.2%;日本政府贷款项目11个(包括海外经济协力基金贷款项目8个,日本输出银行贷款项目3个),贷款金额为12.22亿美元;其他政府贷款项目2个,贷款金额为1.19亿美元,占贷款金额的1.4%。这些贷款对弥补我国公路建设资金不足和加快我国公路建设发挥了重大作用。截止到1998年底,国内银行共向公路建设提供了2 300亿元贷款。近几年,国内贷款占公路建设比重较大并有上升趋势,1998年国内贷款达到36.3%,2002

年达到38.38%。

如果通过科学的可行性研究和还贷经济分析,能够保证所修建的收费还贷公路能够在规定的贷款偿还期内,通过收取车辆通行费还清全部贷款本息,则贷款筹资不会对未来高速公路筹资和建设能力产生任何不利影响。

利用贷款修建高等级公路所带来的还本付息问题应当引起投资决策者的高度重视。目前我国在贷款建路、收费还贷政策实施上所存在的问题不容忽视。国内商业银行为降低信贷风险对公路建设贷款提出了用公路收费权抵押的要求,国务院已于1999年通过国函[1999]28号文同意"公路建设项目法人用收费公路的收费权抵押方式向国内银行申请抵押贷款",该政策的出台为高速公路建设利用贷款融资提供了有力的平台支撑。

(三)债券筹资

发行债券筹资包括两种方式:一是发行公路建设债券筹集资金;二是发行公司债券融资。发行公路建设债券属于直接融资范畴,资金来源于民间,在性质上与贷款无本质区别。近年来,我国在发行公路建设债券方面进行了初步、有益的尝试,并取得了一定的效果。如青岛公路总段经青岛市计划委员会和中国人民银行山东省分行批准,于1999年初面向社会发行了总额为4 000万元、期限为3年,年利率为6.93%、到期一次还本付息的公路建设债券(第一期)。这是我国公路建设部门近年来首次进入债券市场融资。

1986年12月福建厦门国际信托公司向社会发行厦门高集海峡大桥建设债券,成为我国首家发行债券筹集公路建设资金的企业。2003年11月21日,江苏交通产业集团发行期限为10年,利率4.61%,每年付息一次的企业债券18亿元。2000年以来,随着云南昆玉高速公路开发有限公司、江苏交通控股公司、浙江沪杭甬高速公路股份有限公司、北京首都高速公路发展有限责任公司等企业债券的成功发行,债券融资成为高速公路筹资方式的新亮点。与银行借款相比,公司债券融资的特点是利率较低,有益于降低公司的融资成本。

目前,规定公司债券发行的法规文件有:1993年8月2日发布的《企业债券管理条例》和1994年7月1日起实施的《中华人民共和国公司法》。

(四)股份融资

通过组建公路股份有限公司通过上市来筹措公路建设所需资金,是我国深化公路投融资管理体制改革的一项有效尝试。

到2004年3月底为止，我国共组建了19家公路上市公司，通过市场发行股票融资273.44亿与人民币，发行公司债券和向银行借款数百亿元人民币，成为我国公路建设融资的一个重要支柱。

与政府贷款建路相比，公司融资具有更大的优势。公路公司不仅有利于吸收民间资金和国外资金用于公路建设特别是高速公路建设，而且还可以通过发行股票将消费资金永久性地转变为资本。这意味着推行公路产业化将更有利于筹措公路建设资金，并且使得国家(作为公路经营企业国有资本的投资者)对公路公司的收费经营只承担有限的责任；公路公司贷款建路所导致的还本付息的风险，将全部由公司来承担，国家投入公路建设项目的资金，因而将发挥乘数效应。

(五)转让公路收费权筹资

1994年7月交通部发布《关于转让公路经营权问题的通知》，首次明确允许通过转让公路经营权融资。目前规范公路收费权转让的主要规章有1996年10月交通部发布的《公路经营权有偿转让管理办法》；2004年发布的《收费公路管理条例》中对收费公路权益转让问题做出了更权威、更明确的规范。

公路收费权是依托公路实物资产上的无形资产，是政府对已建成通车的公路设施允许收取车辆通行费的一种特许权利。转让公路收费权是政府主管部门按照有关规定将公路收费权在一定时期内转让给具有法人资格的国内外组织经营的一种特许行为。我国目前已经通过有偿转让西临高速公路、武黄高速公路、成渝高速公路重庆段、京沈高速公路北京段等收费权筹措公路建设资金数百亿元，在一定程度上适应了高速公路快速发展的需要。目前我国高速公路绝大部分是收费公路，因此，可以积极倡导高速公路收费权转让，通过将收费还贷高速公路的收费权转让给国内外经济组织，有利于筹措高速公路建设资金，有利于提高高速公路管理效率，促进我国高速公路事业发展。

转让公路收费权融资实践中出现的有关转让主体、转让条件、转让期限、转让价格确定、转让收入使用等各种亟待解决的问题，应当引起我们高度重视。

(六)项目融资(包括BOT融资)

我国国家计委1997年4月16日发布的《境外进行项目融资管理暂行

办法》中将项目融资定义为“仅以项目自身预期收入和资产对外承担债务偿还责任的融资方式”。它所具有的基本特征是:①债权人对于建设项目以外的资产和收入没有追索权;②项目业主不以建设项目以外的资产、权益和收入进行抵押、质押或偿债;③项目业主不提供任何形式的融资担保。由于债权人承担了较大的项目风险,要求有较高的投资回报,因而项目融资成本一般较高。显然,微观经济效益不理想的公路建设项目,不具备项目融资的条件。典型的项目融资包括 BOT 方式、ABS 方式等。

BOT(Build—Operate—Transfer)融资属于项目融资的一种特殊方式,其含义是指建设—经营—转让。BOT 的基本思路是:政府根据本国的基础设施建设规划特许某个体(一般为国内外的企业法人或金融财团)成为该建设项目的业主,自主筹措建设资金,并负责项目建设和运营管理工作。该业主有权在特许经营期限内经营该项目,用所取得的收入弥补费用,收费项目投资,并获得风险利润。特许经营期限终了,业主应当将处于良好技术状态的公路基础设施无偿交还政府。BOT 方式是引入私人资金和外资用于公路基础设施建设的有效途径。国外利用 BOT 方式建设公路基础设施的典型案例有:英法英吉利海峡隧道工程、马来西亚南北高速公路工程、泰国曼谷高速公路工程等。

我国利用 BOT 融资进行公路基础设施建设起于 20 世纪 90 年代。1994 年福建省泉州市开始利用 BOT 融资模式修建刺桐大桥。泉州市政府通过与泉州市的民营企业——泉州市名流实业股份有限公司签订特许经营期限(含建设期)为 30 年的特许经营合同,特许由名流实业股份有限公司和市政府授权投资的机构,按 60:40 比例出资依法设立泉州刺桐大桥投资开发有限责任公司建设与经营刺桐大桥的权利。该项目总投资 2.5 亿元人民币,于 1996 年 12 月建成通车。目前我国试行“BOT”融资的部分高速公路基础设施项目有广西兴业至六景高速公路、湖北襄阳至荆州高速公路、河南焦作至温县高速公路、京张高速公路河北段等等。

采用 BOT 融资方式进行高速公路建设,具有以下优点:①可以吸引国内外民间投资,缓解公路建设资金不足的矛盾;②可以将项目的风险转到私营机构;③由私营机构以“BOT”方式承担项目运作,会比政府部门效率更高;④可以集中具有一定实力的国际大公司共同完成项目,有利于缓解交通部门承担某些大型公路项目能力不足的矛盾。可以认为,“BOT”方式是利用民间资金建设高速公路最彻底的融资方式,其最主要的特点是不需要国家或者交通主管部门花一分钱就可以利用国内外经济组织筹措的资金把高速公路建成。所以,"BOT"融资方式具有真正意义的可持续发展性,是一种较为理想的融资方式,应当作为我国高速公路融资的重点研究对策之一。

尽管我国部分省市区在一些公路基础设施建设项目中试行了"BOT"模式,但目前我们还很难将"BOT"融资作为我国高速公路融资的主要方式之一,仍需要在试点的基础上逐步推广。目前影响和制约"BOT"融资方式使用和推广的主要障碍也许有以下方面:缺乏相应的法律规范;相关政策措施不到位;与投资受让公路收费权相比,"BOT"融资操作复杂,建设项目投资的风险相对较大;决策者的观念滞后;等等。

ABS(Asset-BackedSecuritization)即以资产为支持的证券化,使之以项目所属的资产为基础,以该项目资产所能带来的预期收益为保证,通过资本市场来募集资金的一种项目融资方式。

(七)其他筹资方式

除上述筹资方式以外,高速公路筹资方式包括车辆通行费资金筹集、资本置换融资等方式。车辆通行费资金是指地方政府按照一定比例从收费还贷公路通行费收入中提取的、用于高等级公路建设的专项资金。按照国家现行有关规定,收费还贷公路收取的车辆通行费,除了补偿收费公路日常养护与收费管理开支以外,只能用于偿还贷款和集资本息,不能作为新路建设的资金来源。但在现实中,由于地方政府公路建设任务繁重,建设资金又相对短缺,所以在现阶段,动用车辆通行费用于公路建设还在所难免。在目前公路建设资金短缺阶段,将一部分车辆通行费用于公路建设有利于形成"以路养路、滚动发展"的良性循环,其用一定程度的公平牺牲来换取效率具有一定的合理性,但应规范政府行为,防止地方政府将车辆通行费作为平衡财政收支的手段。

项目的资本置换,就是按市场的规则,以契约的形式,明确用于交换"资本"的价值和价格,并在确定所有权的基础上,规定交换双方的责权利,其实质是一种资本运作或投资运行方式,通过资本置换方式有利于吸引民间资本投资高速公路。国家政策支持效益好的项目,放开吸收民间资本,置换出国家建设基金用于效益欠佳或公益性较强的项目及县乡道路建设,使区域公路网均衡发展。上海市政府投资建成南浦大桥后,将其经营管理权交给从事基础设施建设和经营管理的上海久事公司。作为国有投资公司,久事公司通过再转让南浦大桥45%的经营权给民营企业,将所获转让资金投入徐浦大桥的建设。徐浦大桥尚未建成时,该公司又将其经营权再次转让给民营企业,把转让资金转到某工程上。

第三节 高速公路投资管理

高速公路投资一般包括对新建高速公路的投资以及对原有高速公路进行扩建和技术改造的投资。广义上的高速公路投资还包括对高速公路改建项目的投资、对高速公路大修理的投资、对高速公路水毁抢修和专项治理的投资等。通过对高速公路投资财务评价、国民经济评价和投资经济效益分析以及风险分析,能有效提高高速公路投资效率及投资的科学性。

一、高速公路投资管理概述

(一)投资管理原则

在对高速公路建设项目进行投资管理时,应该遵循一定的原则。

1.科学化、民主化原则

在进行项目投资管理时,必须尊重客观规律,按照一定的科学决策程序进行决策,必须做到先对项目进行调查研究和论证,然后进行决策。由于高速公路项目投资规模大、技术复杂、牵涉的范围大,单靠个人或少数人以经验决策很难做到全面的判断和决策,因此必须运用民主的原则,集思广益。

2.系统性原则

高速公路建设项目投资中的众多因素是项目联系、相互制约的。因此在投资项目决策时,要深入调查,搜集各方面的有关信息,并对其进行科学分析和研究。这些信息包括需求信息、生产信息、技术信息、供给信息、政策信息、自然资源等。因此,要遵循系统性原则,克服片面性、主观性。

3.提高经济效益

投资项目建设,必须带来经济效益,必须以提高经济效益为中心。在市场经济条件下,必须按价值规律办事。争项目、争投资、不切实际地扩大规模,造成资金的浪费都是必须防止的。与此同时,还必须坚持微观经济效益和宏观经济效益的统一,近期效益和远期效益的统一。只有这样,才能实现社会主义投资项目建设的目的。

4.注意资金的时间价值

重视资金的时间价值是正确确定项目成本和收益的不可缺少因素,因而也是正确评价项目经济效益的重要前提。在高速公路建设项目经济评价中，必须重视资金的时间价值，利用贴现率将不同时间的资金量折算成现值，即计算出收益现值和成本现值，然后再计算相应指标。

5.责任制原则

所谓责任制，就是要求决策者对其决策行为所带来的投资风险负有不可推卸的责任。不如此，就不能保证投资项目决策的严肃性和科学性，难以避免决策的主观性和盲目性。多年来的实践证明，决策者不承担风险，导致主观决策、盲目投资，是造成投资损失、浪费严重、效益低下等的主要原因。建立责、权、利相结合的投资决策责任制，建立有效的决策监督制度和法律保障制度，是保证决策的科学性，避免和减少投资项目决策失误的必要措施。对于玩忽职守，不负责任，造成决策失误，给国家经济建设造成重大损失和浪费着，要追究其法律责任，做到奖惩分明。

(二)投资决策程序

投资决策程序是指高速公路项目在决策过程中个工作环节应遵循的先后顺序。按照国家规定，高速公路投资项目决策程序主要按以下几个步骤进行。

1.提出项目建议书

根据国民经济和社会的长远发展规划，行业规划和地方规划，预测国民经济发展对高速公路提出的要求，分析客、货运量的发展趋势，当前的能力、缺口等，考虑国家有关的技术经济政策。在调查研究、预测分析的基础上，提出项目建议书，向国家推荐，供国家挑选。

项目建议书是投资前对项目的轮廓设想，主要从投资建设的必要性来衡量，初步分析投资建设的可行性。如：投资项目提出的必要性，建设规模和建设地点的初步设想；货源情况、建设条件、协作关系的初步分析；投资估算和资金筹措设想，偿还贷款的能力预算；经济效益和社会效益的初步分析。

项目建议书经国家综合平衡、审查、筛选后，对于需要进一步进行工作的项目，分别纳入国家、部门、地区的建设前期工作计划，并通知提出项目建议书的单位和有关部门，以便委托进行可行性研究。

2.编制可行性研究

凡纳入前期工作计划的投资项目，即可开始进行可行性研究工作。如，进行市场供需情况的详细调查与预测；建设条件的调查，包括自然条件、资源条件、交通运输条件、协作配套条件等。根据调查的资料,对投资项目的技术可行性和经济合理性,以及建筑条件的可能性等进行技术经济论证,进行不同方案的分析比较。在研究投资效益的基础上,提出建设项目是否可行和怎样进行建设的意见和方案。根据以上的分析论证,编写可行性研究报告,并供进一步调查研究、编制计划任务书之用。

3.编制计划任务书

计划任务书又称设计任务书。它是确定投资项目及建设方案的主要文件,也是进行投资项目工程设计的主要依据。可行性研究报告中所提供的项目投资若干方案,包括其中的最佳方案,经再调查、研究、补充、修正、挑选研究,即可作为编制计划任务书的可靠依据。编制计划任务书,是项目投资决策程序中的关键环节。

4.项目评估

邀请有关技术、经济专家和承办投资贷款的银行,对项目的可行性研究报告进行预审;然后投资贷款银行的咨询机构或计划决策部门委托有资格的超脱的工程咨询公司进行项目评估,即对项目的可行性研究报告和编制的计划任务书,进行全面认真仔细的审查、计算和核实;根据审核、评估的结果,编写出项目评估报告,为投资项目最后决策进一步提供可靠的科学依据。

5.项目审批

投资项目按上述决策程序完成后,决策部门应对可行性研究报告和计划任务书及评估报告等文件,按国家有关发展政策进一步加以审核。如果项目是可行的,即可批准。计划任务书一经批准,就算立项,投资项目决策就基本定下来。至于投资项目何时纳入年度建设计划,动工实施,还需要由计划部门经过综合平衡予以确定。

二、高速公路投资管理的基本内容

(一)高速公路投资经济评价

高速公路投资的经济评价是高速公路项目可行性论证的重要组成部分。它通过一系列经济指标来反映项目的综合经济效益,评价项目投资在财务上和宏观经济上的可行性。项目经济评价的结论,是项目投资的主要依据。按照我国投资管理体制和决策程序的特点,经济评价分为财务评价和国民经济评价两个层次。

财务评价和国民经济评价的主要区别是:

1.评价的角度不同

财务评价是站在企业财务的角度对项目进行分析,考察项目的财务盈利能力;国民经济评价是从国民经济的角度对项目进行分析,考察项目的经济合理性。

2.效益与费用的含义与划分范围不同

财务评价是根据企业直接发生的财务开支,计算项目的费用和效益;国民经济评价是根据项目实际所消耗的有用资源和对社会提供的有用产品(或服务)来考察项目的费用和效益。例如在财务评价中列为实际收支的税金、国内借款利息和补贴等,在国民经济评价中不作为费用或效益。财务评价只考察其直接费用和直接效益,而国民经济评价出了考察其直接费用和直接效益外,还要考察项目所引起的间接费用和间接效益。

3.费用与效益计算的依据不同

财务评价是采用实际的财务价格计算;国民经济评价则采用反映资源真实价值的影子价格计算。

4.评价的依据不同

财务评价主要依据各行业或部门的基准收益率,而国民经济评价的依据则是统一的经济折现率,且以国民经济评价的结论作为项目取舍的主要依据。

(二)财务评价

财务评价是在国家现行财税制度、价格体系和项目评价的有关规定,从项目业主或项目法人的角度出发,分析计算项目直接发生的财务效益和财务费用,分析项目的获利能力和偿债能力,并据此做出项目在财务上可行与否的判断。

财务评价指标体系包括:财务盈利指标体系、项目清偿能力指标体系。

1.财务盈利指标体系

(1)财务净现值(FNPV—FinancialNetPresentValue):是指把项目计算期内各年的净现金流量按一定的折现率折算到第零年的现值之和。表达式为:

$$FNPV=\sum_{t=1}^{n}NFF_t(1+i)^{-t}$$

式中:$NFF_t=FI_t-FO_t$——第 t 年财务净现金流量;

FI_t——第 t 年财务现金流入量;

FO_t——第 t 年财务现金流出量；

i——折现率；

n——项目计算期。

(2)财务内部报酬率(FIRR—Financial Internal Rateof Return)：是指使计算期内各年净现金流量之和为零时的折现率。表达式为：

$$\sum_{t=1}^{n} NFF_t (1 + FIRR)^{-t} = 0$$

式中：FIRR——财务内部收益率。

(3)投资回收期(T)：是指项目投产后用所获得的净收益低偿全部投资(包括固定资产投资和流动资金)所需要的时间。

(4)投资利润率：指项目达到设计通行能力后的一个正常生产年份的利润总额与项目总投资的比率。

2.项目清偿能力指标体系

(1)借款偿还期：指建设投资借款偿还期。如果项目不涉及国外借款，则只计算国内借款偿还期；如果项目涉及国外借款，则需要计算国内借款偿还期和国外借款偿还期。

国内借款偿还期是指在国家财政规定及具体财务条件下，以项目投产后可用于还款的资金偿还国内建设投资借款本金和建设起利息(不包括已用自有资金支付的建设期利息)所需的时间。其表达式为：

$$I_d = \sum_{t=1}^{P_d} R_t$$

式中：I_d——建设投资国内借款本金和建设期利息之和；

P_d——建设项目投资国内借款偿还期；

R_t——第 t 年可用于还款的资金，包括利润、折旧、摊销及其他可用于还款资金。

(2)资产负债率：是反映项目各年所面临的财务风险程度及偿还能力的指标。其表达式为：

$$资产负债率 = \frac{负债合计}{资产合计} \times 100\%$$

(3)流动比率：是反映项目各年偿付流动负债能力的指标。其表达式为：

$$流动比率 = \frac{流动资产总额}{流动负债总额} \times 100\%$$

(4)速动比率：反映项目快速偿付流动负债的能力指标。其表达式为：

$$速动比率 = \frac{流动资产总额 - 存货}{流动负债总额} \times 100\%$$

(三)国民经济评价

国民经济评价是站在整个国民经济的角度来考察项目,测算实施项目对整个国民经济做出的经济贡献和使整个国民经济付出的经济代价;进行项目经济效益和经济成本的对比分析,并据此做出使有限经济资源在全国范围内自由地流向效率最高的地区和部门,最大限度地提高有限经济资源的使用效益。

1.影子价格、影子工资和影子汇率

在国民经济评价中,广泛使用影子价格这个概念来衡量建设项目的经济效益和经济成本。影子价格(shadow price)是在资源达到最优配置和最大效率利用时的价格。由于市场机制不完善,市场价格往往对经济资源配置最优状况偏离,所以实际价格不能反映国民经济资源消耗的真实价值,必须用影子价格代替。在项目国民经济评价中所使用的影子价格是与机会成本的概念联系在一起的,它反映了项目投入物和产出物的经济价值。相对于项目的投入物而言,他的影子价格(机会成本)反映了由于该物品不能用于其他项目而损失的最大经济利益;相对于项目的产出物而言,它的影子价格(机会成本)反映了由于该物品用于其他项目所能获得的最大经济利益。这样,影子价格就成为衡量项目经济成本和经济效益的尺度。某种资源的影子价格不是一个固定数,而是随着结构的变化而变化的。影子价格的确定原则,不仅取决于某一社会折现率下的国内生产价格体系,还取决于国际市场价格,影子汇率、货物稀缺程度和供求状况等诸多因素。影子价格反映在劳动资源上叫做影子工资,反映在外汇价格的衡量上叫做影子汇率。由于现实中难以找到真正意义上的完全竞争市场,因此在建设项目国民经济评价中,往往将国际市场价格经过调整近似地作为影子价格。因为通过激烈的市场竞争,物品的国际价格逼近其经济价值。

一般来说,对高速公路项目影子价格衡量的主要投入资源类别包括:项目所占的土地、项目所消耗的设备及原材料、项目消耗得的劳动资源、项目占用的资金、项目所需的外汇。

(1)土地的影子价格:应能反映该土地用于拟建项目使社会为此放弃的效益,以及社会为此而增加的资源消耗(如居民搬迁费等)。

(2)设备及原材料的影子价格:公路项目消耗的设备及原材料在确定其

影子价格时,应将它们分为可供外贸的物品和不可供外贸的物品两大类,因为二者是用不同的理论和方法调整其影子价格。

对于可供外贸的物品的影子价格,主要有以下几种:

直接进口产品的影子价格:到岸价格(CIF)乘以影子汇率,加国内运输费用和贸易费用。

间接进口产品的影子价格:到岸价格乘以影子汇率,加口岸到原用户的运输费用及贸易费用,减去供应方到用户的运输及贸易费用,再加上供应方到拟建项目的运输及贸易费用。

减少出口产品的影子价格:离岸价格乘以影子汇率,减去供应方到口岸的运输和贸易费用,再加上供应方到拟建项目的运输和贸易费用。

对于不可供外贸的物品的影子价格,主要有以下几种:

不可供外贸的物品是指其使用将不影响国家进出口的货物,也包括那些无法进出口的物品,如土地、房屋、水、砂石等。

对中央政府统一公布了资源的影子价格时,按公布的价格计算。

对于中央政府没有统一公布资源的影子价格,但在国内已有较完善的市场时,其影子价格可以按市场价格确定。

对于在国内尚未形成市场的不可供外贸物品,或者虽然有市场,但政府对其价格有较严格控制的物品,根据这些物品的机会成本确定其影子价格。

(3)劳动力的影子工资:影子工资应能反映该劳动力用于拟建项目而使社会为此放弃的效益以及社会为此增加的资源消耗。影子工资可以通过财务评价中所用的工资和福利之和乘以影子工资系数求得。影子工资系数由国家统一测定发布。

(4)影子汇率:影子汇率反映外汇的真实价值,用于国民经济评价中外汇与人民币之间的转换。影子汇率可以通过国家外汇牌价乘以影子汇率转算系数求得。

影子汇率的计算公式为:

$$\mathrm{SER} = \mathrm{OER}\left[\frac{(M+T)+(X+S)}{M+X}\right]$$

式中:SER——影子汇率;

OER——官方汇率;

T——进口关税;

S——出口补贴(或负的出口税);

M——进口商品的到岸价格;

X——出口商品的离岸价格。

(5)社会经济折现率：是衡量高速公路项目投资资金的机会成本，是项目占用资金如果投入其他经济部门时，能获得的资金最高产出率，它反映的是国家对资金时间价值的估量，是计算经济净现值等指标是采用的折现率，也是评价经济内部收益率的判断。这一参数由国家统一测定发布。

2.国民经济评价的指标体系

(1)经济内部收益率(EIRR)：是使高速公路项目经济净现值为零时的贴现率。它是个相对指标，表示项目投资国民经济的贡献能力。其计算公式为：

$$\sum_{t=1}^{n}(CI_t - CO_t) \times (1 + EIRR)^{-t} = 0$$

式中：CI_t——第 t 年的经济效益；

CO_t——第 t 年的经济成本；

n——高速公路建设项目计算年限(建设期加竣工后预算使用计算期)。

(2)经济净现值(ENPV)：是用社会经济贴现率将项目计算期内各年的净效益折算到建设期初的现值之和。其计算公式为：

$$ENPV = \sum_{t=1}^{n}(CI_t - CO_t) \times (1 + Ls)^{-t}$$

式中：Ls——社会经济贴现率。

(3)经济效益成本比(EBCR)：是指按一定的经济折现率计算的建设项目经济效益现值与经济成本现值的比率。其计算公式为：

$$EBCR = \frac{\sum_{i=1}^{n} CI_t(1 + Ls)^{-t}}{\sum_{i=1}^{n} CO_t(1 + Ls)^{-t}}$$

(4)经济投资回收期(T)：是反映项目对投入资源清偿能力的重要指标，它的经济含义是通过项目的净收益来回收总投资所需要的时间。其计算公式为：

$$\sum_{t=0}^{T}(CI_t - CO_t) \times (1 + Ls)^{-t} = 0$$

(5)经济外汇净现值：是按国民经济评价中效益、费用的划分原则，采用影子价格、影子工资和社会经济折现率计算、分析、评价项目实施后对国家外汇收支影响的重要指标。其计算公式为：

$$ENPV_f = \sum_{t=1}^{n} NCFF_t(1 + Ls)^{-t}$$

式中：$NCFF_t = CFI_t - CFO_t$——第 t 年的经济外汇净流量；

CFI_t——第 t 年外汇流入量；

CFO_t——第 t 年外汇流出量。

(6)经济换汇成本：是分析、评价项目实施后在国际上的竞争力，进而判断其产品应否出口的指标，使用影子价格、影子工资和社会折现率计算的为生产出口产品而投入的国内资源现值与生产出口产品的经济外汇净现值之笔，亦即换取1美元的外汇所需的人民币金额。计算公式为：

$$\text{经济换汇成本} = \frac{\sum_{t=1}^{n} DR_t (1 + L_s)^{-t}}{\sum_{t=1}^{n} NCFF_t (1 + L_s)^{-t}}$$

其中：DR_t——项目在第 t 年为生产出口产品投入的国内资源(包括投资及经营成本等)。

三、高速公路投资经济效益分析

1.运行成本降低的效益

运行成本降低的效益是公路建设项目主要的内部效益。降低车辆在道路上运行的成本是提高道路等级和改善路面条件所追求的主要目标之一。因而有必要正确衡量高速公路项目所产生的运行成本降低的效益。

运行成本降低的效益，包括新建公路由于道路等级提高、交通拥挤状况和路面状况改善而降低的运行成本，旧路由于交通拥挤状况改善而降低的车辆运行成本和旧路由于交通量减少而降低的公路养护成本。具体包括：

(1)新建高速公路使客货运输成本降低的效益。其计算公式为：

$$B_{11} = \sum (C_0 - C_1) \times Q_{11} \times L_1$$

式中：B_{11}——高速公路导致运行成本降低的金额(元)；

C_0——无此高速公路时某车型通过其他公路或其他运输方式的单位成本(元/车·km)；

C_1——有高速公路时，客货通过高速公路的单位车公里成本(元/车·km)；

Q_{11}——高速公路正常交通量(年辆次)；

L_1——高速公路里程(km)。

(2)旧路由于减少拥挤而导致车辆运行成本和公路养护成本降低的效益。其计算公式为：

$$B_{12} = \sum(C_0 - C_2) \times L_0 \times Q_0 + (C_{y0} - C_{y1}) \times L_0$$

式中：B_{12}——运行成本降低的效益(元)；

C_0——旧路分流前的某车型单位成本(元/车·km)；

C_2——旧路分流后某车型单位成本(元/车·km)；

C_{y0}——旧路分流前平均养护成本(元/km)；

C_{y1}——旧路分流后平均养护成本(元/km)；

L_0——原线路里程(km)；

Q_0——旧路分流后的交通量(年辆次)。

2.运行里程缩短的效益

运行里程缩短具有减少运行成本和节约运行时间的双重作用，我国大多数高速公路建设项目都具有运行里程缩短的效益。其计算公式为：

$$B_2 = \sum(L_0 - L_1) \times Q_{11} \times C_0$$

式中：B_2——运行里程缩短的效益(元)；

C_0——原线路的某车型单位成本(元/车·km)；

L_0——原线路里程(km)；

Q_{11}——高速公路正常交通量(年辆次)。

3.运行时间节约的效益

运行时间节约效益是高速公路建设项目经济效益的重要组成部分。高速公路建设项目具有明显的运行时间节约效益。其计算公式为：

$$B_3 = Q_{11} \times \Delta T \times V$$

式中：B_3——运行时间节约的效益(元)；

Q_{11}——高速公路正常交通量(年辆次)；

ΔT——全程节约时间(h)；

V——平均时间价值(元/h)。

运行时间节约效益确定的关键在于确定节约时间的价值。节约货物运输时间，意味着加速资金周转，减少了资金占用，因此可以根据资金成本概念来计算货运时间价值。在国民经济评价中，资金成本表现为经济折现率，因而可以根据经济折现率和货物的平均价值计算货物的单位时间价值。对于旅客单位时间价值可采取生产法或者费用法确定。采用费用法，可按下列公式计算：

$$V_2 = \frac{\sum(F_2 - F_1)}{\sum(T_1 - T_2)}$$

式中：V_2——旅客单位时间价值(元)；

F——旅客愿意支付的旅行费用(元)；

T——旅客在途时间(h)。

4.运输事故减少的效益的计算

运输事故减少的效益的计算公式如下：

$$B_4 = \sum(S_0 - S_1) \times Q_{11} \times C$$

式中：B_4——运输事故减少的效益(元)；

S_0——没有项目的事故率(次/百万车·km)；

S_1——高速公路的事故率(次/百万车·km)；

C——平均每次事故的经济损失(元)；

Q_{11}——正常交通量(年辆次)。

5.交通量增加的效益计算

交通量增加的效益计算公式如下：

$$B_5 = \sum(P_1 - P_0) \times Q_5$$

式中：B_5——交通量增加的效益(元)；

P_1——有项目货物的平均市场价格(元/t)；

P_0——无项目货物的平均市场价格(元/t)；

Q_5——新增某物品的年货运量(t)。

6.促进公路沿线经济发展的效益

公路建设项目，特别是高速公路建设项目对公路沿线经济快速发展具有重要的促进作用，主要表现为：促进沿线工业拓展；促进沿线农业的发展；促进沿线商业的繁荣和促进沿线旅游业的开发。

7.促进区域经济发展的效益

高速公路建设项目促进区域经济发展的效益主要表现为：促进了沿线产业结构的变化和外向型经济的崛起；加快了农村城镇化的进程；促使沿线土地增值。

8.其他效益

除以上效益外，高速公路建设项目还可以为国民经济提供以下方面的效益：提供就业机会、节约能源消耗、控制环境污染、提高运输信誉和提高公路运输的舒适性和方便性。

四、高速公路投资风险分析

高速公路建设项目评价所采取的资料，大部分来自预测和估算，因此高速公路建设项目投资具有一定的风险性。为了分析风险因素对经济评价指标的影响,需进一步进行投资风险分析,以估计项目可能承担的风险,确定项目在经济上的可靠性。

高速公路建设项目产生风险的因素很多,主要原因有以下几点:①物价的变动;②技术装备和生产工艺的变革;③生产能力的变化;④建设资金不足和建设工期的延长;⑤政府政策和规定的变化;⑥自然灾害、政治事件等不可预见因素。

高速公路项目投资的风险主要包括:

(1)建设风险:主要是工期延误和成本超支等风险。

(2)交通量风险:实际预测的车流是否达到预测量,项目评估时为使高速公路项目早日批准实施,"乐观地"估计交通量,或者由于经济增长放缓、出现平行或相近的公路等客观因素发生变化而使交通量达不到预测量。

(3)收费标准:在项目评估时,假定经营期内收费是按一定幅度递增的,而按目前的运行机制须经政府批准方可实施,因此,收费标准存在与预测不符的风险。

(4)公路质量:在营运期体现为修理、养护费用的增加。

(5)法律及货币风险:由于长期的计划经济和公路投资渠道单一,而导致公路建设和经营中忽视了法律文件的完善性。而货币风险仅对外资的高速公路项目存在。

风险分析一般包括敏感性分析、盈亏平衡分析和概率分析。

1.敏感性分析

敏感性分析的指导思想是"作最坏的打算"。敏感性分析的基本思路是通过分析、预测项目主要因素发生变化是对经济评价指标的影响,分析影响项目经济效益的敏感因素和各因素变动对项目经济效益可能导致的不利影响,为建设项目投资决策提供依据。在此基础上,采取各种应变措施,防患于未然。

高速公路建设项目的敏感因素一般包括建设项目总投资、未来的交通量、建设工期等。高速公路建成后的养护与收费管理费用一般占通行费收入的20%左右,其变动对内部收益率等评价指标的影响较小,即项目对该因素的变动不敏感。

2.盈亏平衡分析

盈亏平衡分析是研究产品产量、生产成本、销售收入等因素的变化对项目盈亏的影响,实质上是分析产量、成本和盈利三者之间的平衡关系或盈亏界限。对于高速公路建设项目而言,就是研究交通量、成本和通行费收入三者之间的平衡关系。

盈亏平衡分析,一般是根据高速公路投资项目正常通车年份的交通量、可变成本、固定成本和通行费收入和税金等数据,计算盈亏平衡点,在这点上收入等于成本。盈亏平衡分析一般有线性盈亏平衡分析和非线性盈亏平衡分析两种。

3.概率分析

概率分析时使用概率研究预测各种不确定因素和风险因素的发生对项目评价指标影响的一种定量分析方法。一般的做法是:计算项目净现值的期望值及净现值大于或等于零时的累计概率。累计概率值越大,说明项目承担的风险越小。也可以通过模拟法测算项目评价指标(如内部收益率)的概率分布,根据项目的特点和实际需要,有条件时应进行概率分析。

概率分析常用的方法由期望值法、决策树法和模拟法。概率分析的一般步骤为:

(1)选择一个或几个不确定因素,作为概率分析的对象。

(2)确定和估算每个不确定因素未来可能的状态及每种状态可能发生的概率。

(3)根据对未来状态的估计值及其概率计算期望值 E。

(4)根据各不确定因素的期望值和各种变化的概率分布,求解项目经济效果评价指标的期望值和各种可能数值的概率分布。

(5)对投资项目进行风险分析。

小　结

加强高速公路投融资体制改革对我国高速公路发展具有重要意义。目前我国高速公路投融资模式,已由政府单一模式转变为以财政资金为基础、贷款资金为主体、民间资金和外资为重要补充的新格局。我国高速公路投融资模式,也主要分为政府投资模式、利用贷款模式、民间投资模式和外资投资模式四种。

高速公路筹资的具体方式,主要包括政府投资、贷款融资、债券筹资、股份融资、转让公路收费权筹资、项目融资等。对高速公路筹资效益分析所采用的指标包括投资收益率、资金成本、财务杠杆等。

高速公路投资经济评价,包括财务评价和国民经济评价两个部分。财务评价是从项目业主或项目法人的角度出发，运用财务盈利指标体系和清偿能力指标体系在项目财务上分析项目可行与否。国民经济评价站在整个国民经济的角度来考察项目，运用影子价格来计算各指标对项目进行评价。

高速公路投资经济效益，包括运行成本降低、运行里程缩短、运行时间节约、运行事故减少、促经区域经济发展的效益，是投资管理的一项重要内容。

高速公路投资风险，主要包括建设风险、交通量风险、收费标准、公路质量及法律与货币风险；风险分析方法一般包括敏感性分析、盈亏平衡分析和概率分析。

思考题

1.什么是投融资管理？加强高速公路投融资管理有何意义和作用？

2.我国目前高速公路投融资管理体制现状是什么？你认为现行高速公路投融资管理体制有何优势和局限性？

3.在现行体制下，我国高速公路建设资金的主要来源有哪些？用收费还贷公路收取的车辆通行费资金建设高速公路有何利弊？

4.什么是“以工代赈”资金和“民工建勤”资金？能否利用“以工代赈”资金和“民工建勤”资金建设高速公路？为什么？

5.什么是“转让收费公路收费权”？“转让收费权”属于融资行为还是投资行为？为什么？

6.什么是资本金？项目资本金和企业资本金有何不同？目前我国对高速公路建设项目实行资本金制度具体的规范内容是什么？

7.加强高速公路筹资管理的目的是什么？收费还贷公路和收费经营公路的筹资管理有何不同？

8.按照《企业债券管理条例》和《中华人民共和国公司法》的规范，怎样的高速公路经营企业才有资格通过发行公司债券筹措高速公路建设资金？

9.高速公路投资管理一般包括那两个层次？各层次的管理有何特点？

10.评价高速公路投资效益一般采用哪些财务指标？各项财务指标的内涵是什么？

第六章

高速公路经营企业资本运营

学习目标

为了适应市场经济发展的需要,促进高速公路经营企业可持续发展,有必要推行资本运营战略。学习本章主要掌握:(1)了解资本运营的内涵、特点和基本原则,掌握高速公路经营企业资本运营的原则和特点;(2)掌握高速公路经营企业资本运营的四项基本内容:实业资本运营、金融资本运营、产权资本运营和无形资本运营,了解高速公路经营企业资本运营的一般方法;(3)掌握不同组织形式的高速公路经营企业设立的原则和方式;(4)了解企业重组的内涵和分类方式,掌握高速公路经营企业重组的基本步骤、重组模式和主要途径。

高速公路经营的主体是高速公路经营企业,其主营业务是通过向道路使用者收取车辆通行费。而作为公司制企业,必然要重视自身业务的综合开发,不断提高高速公路的经济效益;不仅要重视收费管理、养护管理等日常生产经营,更要重视资本运营,通过生产要素的优化配置,企业间的兼并、收购和重组,对高速公路经营企业的全部资产进行全方位经营,以达到企业价值最大化和国有资产保值增值的要求。高速公路经营企业资本运营,作为一项全新的经营管理内容,而需要深入了解和学习。

第一节　高速公路经营企业资本运营概述

高速公路经营企业作为经国家特许从事高速公路建设并实行收费经营、以获利为目的的公司制企业,为了满足企业价值最大化的目标,必然要开展资本运营。高速公路经营企业资本运营，既应满足一般企业资本运营的特点和基本原则，又有其自身的运营规律和原则。

一、企业资本运营的概念

(一)资本运营的内涵

资本运营是一个新的经济范畴，人们对它的认识还很不一致。我们认为，所谓资本运营，是指对企业以价值最大化和资本增值为根本目的，以价值管理为特征，通过生产要素的优化配置，对企业的全部资产(一切有形资产和无形资产)进行有效运营的一种方式。资本运营的目标在于资本增值的最大化，资本运营的全部活动都是为了实现这一目标。企业的资本运营的实质，是企业财务功能在资本市场条件下的特殊表现。

长期以来，由于受传统体制的影响，许多企业管理者对企业的物质管理了如指掌，对资本运营则较为生疏，不善于根据市场的长期预测，决定企业的经营战略和资本流动方向，致使企业资源在闲置和凝固中浪费和流失。资本运营理念强调要将资金、劳动力、土地资源、技术等一切生产要素，都通过市场机制进行优化配置，即要将一切资源、生产要素在资本最大化增值的目标下进行结构优化。这一经营理念对于企业的经营者思考问题、解决问题的思路和方式转到市场上来有着重要意义，将对企业的发展产生深远的影响。

资本运营的内涵大致可分为以下三个方面：一是资本的内部积累；二是资本的横向集中；三是资本的社会化控制。从经济学意义上看，资本运营泛指以资本增值为目的的经营活动，其内涵颇为丰富，生产运营(商品运营或产品运营)自然包括其中。但若从其在我国产生和使用的背景来看，资本运营则又是作为与生产经营相对应的一个概念提出并加以利用的。从这一意义上讲，目前我们通常所说的资本运营是一个狭义的概念，其主要是指可以独立于生产经营而存在的以价值化、证券化的资本或可以按价值化、证券化操作的物化资本为基础，通过优化配置来提高资本运营效率和效益的经济行为和经营活动。

(二)资本运营的特点

资本运营相对于生产运营来说，是一种全新的理念，它具有如下特点：

1.资本运营是以资本导向为中心的企业运作机制

在传统的体制下,人们对经营概念的理解都很狭窄,将经营仅仅理解为生产经营。传统的生产运营是以产品导向为中心的运作机制,企业只注意产品的生产开发,不注意资本的投入产出效率,只注意产品的质量、品种问题,不关心资本的形态、资本运行的质量,资本负债结构等问题;只关注原材料、设备成本的变动,不注意资本价格和价值的变化。而资本运营是以资本为中心的导向机制,要求企业在经济活动中始终以资本保值增值为核心,注意资本的投入产出效率,保证资本形态变换的连续性和继起性,资本运营的主要目标是实现资本最大限度的增值。

2.资本运营是以价值形态为主的管理

资本运营要求,将所有可以利用和支配的资源、生产要素都看做是可以经营的价值资本,用最少的资源、要素投入,获得最大的收益,不仅考虑有形资本的投入和产出,而且注意专利、技术、商誉等无形资本的投入产出,全面考虑企业所有投入要素的价值并充分利用,挖掘各种要素的潜能。资本运营不仅重视生产经营过程中的实物供应、实物消耗、实物产品,更关心价值变动、价值平衡、价值形态的变换。

3.资本运营是一种开放式经营

资本运营要求最大限度的支配和使用资本,以较少的资本调动支配更多的社会资本。企业家不仅关注企业内部的资源,通过企业内部资源的优化组合来达到价值增值的目的,还利用一切融资手段、信用手段扩大利用资本的份额,重视通过兼并、收购、参股、控股等途径,实现资本的扩张,使企业内部资源与外部资源结合起来进行优化配置,以获得更大的价值增值。资本运营的开放式经营,使经营者面对的经营空间更为广阔,资本经营要求打破地域概念、行业概念、产品概念,不仅仅将企业看做某一行业、部门中的企业,不仅是某一地域的企业,也不仅仅是生产某一类产品的企业,而是把它看做价值增值的载体,企业面对的是所有的行业,所有的产品,面对的市场是整个世界市场,只要资本可以生产最大的增值。

4.资本运营注重资本的流动性

资本运营理念认为,企业资本只有流动才能增值,资产闲置是资本最大的损失。因此,一方面,要求通过兼并、收购、租赁等形式的产权重组,盘活沉淀、闲置、利用率低下的资本存量,使资本不断流动到报酬率高的产业和产品上,通过流动获得增值的契机。另一方面,要求缩短资本的流通过程,因此,要求加速资本的流通过程,避免资金的积压。

5.资本运营是一种结构优化式经营

资本运营通过结构优化,对资源进行合理配置。结构优化包括对企业内部资源结构如产品结构、组织结构、技术结构、人才结构等的优化;实业资本、金融资本和产权资本等资本形态的优化;存量资本和增量资本结构的优化;资本经营过程的优化等等。

6.资本运营通过资本组合回避经营风险

资本运营理念认为,由于外部环境的不确定性,所以企业的经营活动充满了风险,资本运营必须注意回避风险。为了保障投入资本的安全,要进行"资本组合",避免把鸡蛋放在同一个篮子里,不仅依靠同业组合,而且靠多个产业和多元化经营来支撑企业,以降低和分散资本经营的风险性。

7.资本运营是以人为本的经营

企业的一切活动都是靠人来进行的,人的潜能最大,同时也是最易被忽视的资本要素。资本运营将人看作是企业资本的重要组成部分,将对人的管理作为资本增值的首要目标,确立"人本思想",不断挖掘人的创造力,通过人的创造效益获得资本增值。

8.资本运营重视资本的支配和使用而非占有

资本运营把资本的支配和使用看得比资本占有更为重要,因为利润来源于使用资产而非拥有资产。因此,重视通过合资、兼并、控股、租赁等形式来获得对更大资本得支配权,即把"蛋糕做大"。还通过战略联盟等形式与其他企业合作开拓市场,获取技术,降低风险,从而增强竞争实力,获得更大的资本增值。

二、资本运营和生产运营

(一)资本运营和生产运营的区别与联系

一般来说,生产运营是以物化资本为基础,以生产和经营商品或提供劳务为手段,通过不断强化物化资本,提高市场资源配置效率,来获取最大利润的一种生产经营活动。它具有以下几个明显特征:

(1)生产运营的基础是物化资本,其中技术装备具有重要意义。

(2)现有的物化资本在运营中一般是非交换对象。

(3)生产运营的核心问题是根据市场需求状况及其变化趋势决定生产什么,生产多少,以及如何生产或提供何种劳务。

(4)投资活动主要围绕强化物化资本、产品或劳务开发来进行,如以量的扩大和质的提高为目的的固定资产改、扩建。

(5)生产运营的收益,主要来自向市场提供产品和劳务所取得的利润,并以此实现原有资本的保值增值。

(6)资本的循环一般要经过购买、生产和售卖三个阶段,顺序的采取货币资本、生产资本、商品资本三种职能。

资本运营与生产运营有所不同,一般不通过产品或劳务这一中介,而是以资本直接运作的方式来实现资本增值,或是以资本的直接运作为先导,通过物化资本的优化组合来提高其运行效率和获利能力。所以,同生产运营相比,资本运营具有以下几点区别:

(1)资本运营的对象,主要不是产品和劳务本身,而是价值化、证券化了的物化资本,或者说是可以价值化、证券化操作的物化资本。资本运营虽然极为关心资产的具体形态及其配置,但更为关心资本的收益和市场价值,以及相应的资产权利。

(2)资本运营的收益,主要来自于生产要素优化组合后,生产效率提高所带来的经营收益增量,或生产效率提高后资本价值的增加。从根本上讲,资本运营收益是产业利润的一部分,一般表现为较高的投资收益与较低的投资收益之间的差额。

(3)资本运营的核心问题,是如何通过优化配置来提高资产的运行效率,以确保资本不断增值。因此,在其运作方式上主要采取两种形式:一是转让权的运作;二是收益权和控制权的运作。

(4)资本运营一般要求将企业全部财产资本化,并获得较高的资本收益为目的的运作,因此,资本运营中资本的循环与生产经营中资本的循环不尽相同。

例如,它可以表现为货币资本、虚拟资本(产权凭证)两种形态,有时也可表现为生产资本、货币资本、虚拟资本三种形态。

尽管资本运营有其明确的内涵边界和不同于生产运营的若干区别,但是资本运营仍然属于企业经营的范畴,因此,资本运营与生产运营有着不可分割的联系。

资本运营与生产运营在本质上是一直联系在一起的。从其历史演进角度来看,资本运营与生产运营分与合大致有四个阶段:①在19世纪末以前,资本运营与生产运营基本上是合一的;②随着企业制度的变迁,所有权和经营权或控制权的分离以及资本市场和产权交易市场的发展,资本运营逐步成为一种可以与生产运营分层经营运作的经济活动;③分层运行的价值资本和物化资本由于公司制度和产权制度的不断完善，其内在联系又不断得到加强，这就为以资本运营作为先导来重组生产力各要素的经营活动提供了可能，资本运营更由此开始成为重组市场要素的基本手段；④从资本运营中发展起来的资本管理及其运营原则和方法被广泛应用于生产运营的管理之中，企业自身也大量进行资本的直接运营，资本运营与生产运营又在更高的层次上是联系在一起的。

资本运营并不排斥生产运营，而是在相当的程度和范围内，需要生产运营作为资本运营的实现形式。资本运营的目的，正是通过资本优化配置，达到提升资本产出效率和经济效益的最终目标。资本运营是服从和服务于生产运营的。我们现在提倡资本运营，只是要把“只注重生产运营，不注重资本运营”的观念转变过来，发展成为两种运营齐头并进的态势，最终提高高速公路经营企业的经营管理水平，促进社会资源优化配置。

(二)资本运营的实质

企业资本运营就总体而言，可以包括三个主要内容：一是资本的直接运作；二是以资本运营作为先导的资产重组和优化配置；三是按照资本运营原则进行生产运营。其中按照资本运营原则进行生产运营是基础，没有了这一基础，一切貌似资本运营的运作都没有实际意义，也就难以取得实际的成效。

所谓按照资本运营原则进行生产运营，就是指将资本运营原则引入企业经营机制之中。资本运营原则即是资本效益原则。简单的讲，就是企业经营通过不断提高资本配置和资本运行的效率来实现资本最大限度的增值，以获取尽可能大的收益。因此，资本运营是在企业内部形成以资本效率和效益为核心的新机制的条件下，企业以各种形式的资本运作为手段，来实现其资本有效增值的一种经营方式。尽管资本运营可以相对于生产运营而存在，并且可以与生产运营分层运作，但是资本运营最终必须以生产运营为基础，服从或服务于生产运营。

三、企业资本运营的意义和原则

(一)高速公路经营企业进行资本运营，具有十分重要的意义和作用

1.有利于推动企业制度创新和管理创新的同步发展

目前，我国现代企业制度的试点已经迈开了实质性的步伐，深化企业改

革的进程已跨越政策性调整阶段而进入制度创新。随着公司制度的确立，企业成为市场主体、盈亏主体、投资主体和管理主体，经营机制发生了根本性的变化。企业在管理思想上必须适应社会主义市场经济的需要，适应集约化经营的特点，适应国际通行惯例的要求；在管理内容上包括管理组织、管理人才、管理基础、管理方法等一系列问题上必须全面进行创新的实践。其中，资本运营型管理就是这一创新活动最重要的课题。有计划、有步骤地开展资本运营活动，可以使公司制度创新优势形成一股强大地合力，不断推动企业生机勃勃地向前发展。

2.有利于企业经营的集约化、集团化、国际化

资本既是一种生产要素，又是一种特殊的生产商品、企业管理向资本运营型转变，事实上意味着企业全部资产已经由实物化、存量化、封闭化转为价值化、货币化、证券化、社会化。如何经营好资本这一特殊商品，就成为高速公路经营企业面前的紧迫课题。一是通过资本联合、重组，实行集约化经营，壮大公司实力。二是通过资本的流动、组合、调整产业结构，变单一产业为多产业，实施多支柱策略。三是通过资本的控股、兼并，实行母子公司体制，发挥社会控制效应，形成资本规模优势。四是通过引进外资和向国外投资，增强国际市场竞争能力，实行国际化经营，形成资本国际化优势。

3.有利于促进我国资本市场的发育和成熟

资本市场在我国已经悄然兴起，金融市场、证券市场、期货市场、房地产市场、产权交易市场等，都有了相当大的发展。高速公路经营企业实行资本运营管理，能促进形成一个规范、完善、公开、公正、公平的资本交易市场的发育和成熟。

4.有利于培育和造就一支现代化的企业家队伍

实行资本运营管理，风险机遇同在。这就向企业家提出了新的更高的要求：经营责任更重，经营风险更大，经营本领更高。所以，实行资本运营管理，就是要使企业家的思想能够适应市场经济新的要求，实现经营战略从生产运营型向资本运营的飞跃，造就一支高水平的企业家队伍。

（二）基本原则

掌握资本运营原则是保证资本运营活动取得预期目标，实现资本增值的基本保证。资本运营的基本原则主要有以下几个方面：

1.资本系统整合原则

指加入企业的每个资本要素、每个运转环节构成了一个完整的资本运

行系统。资本运营的思想应贯穿于该系统的每一部分,使其整体功能得到最优发挥。

2.资本最优结构原则

指企业的资本结构必须保证各资本要素发挥更大作用。只有这样才能使同样数量的预付,有更多的产出和回报。

3.资本运营机会成本最小原则

指企业的经营方向是可变的,资本要不断从那些盈利性低的部门推出,畅通地进入盈利性更高的领域。

4.资本运营的开放原则

资本运营是开放性的,它不应只着眼于企业自有的各种资本,还要充分运用宏观资源配置的一切机制和条件,如信用、租赁等制度,调动非企业所有的各种社会资本加入到企业的经营系统中来,以最小的总预付资本推动最大的经营规模。

5.资本运营周期时间最短原则

资本周转速度的快慢决定了资本增值的快慢,资本运营应尽可能缩短资本周转的周期,提高流动速度,从而提高投资汇报率。

6.资本运营的最优规模原则

企业的资本运营规模也不是越大越好,而应保持适应的规模,才能既获得规模效益又不会因管理层次的增加而导致信息成本,监督费用的增加。

7.资本运营的风险结构最优原则

投资风险大小与收益大小一般成为正比,即风险大,收益也大;风险小,收益也小。投资在风险大小以及收益大小之间应合理搭配,既要有风险大、回报率高的项目,又要有风险小、回报率低的项目;即保证资本的安全性,又保证资本的增值速度。

(三)高速公路经营企业资本运营的原则

(1)有利于建立社会主义市场经济体制,促进生产力的发展。高速公路经营企业的资本运营,必须要遵循市场经济规律,按照市场资源配置的基本原则,力求使高速公路这一具有公益性的国有资产发挥最大的效能。切忌产生新的政企不分和政资不分。高速公路经营企业必须真正成为自主经营、自负盈亏、自我发展、自我约束的法人主体和市场主体。通过市场机制使各种生产要素得到合理配置,从而使高速公路经营企业资产得到保值和增值。

(2)有利于公有制经济的发展,充分显示公有制经济的优越性。我国的所有制形式是一种以公有制经济为主体,多种经济成分并存,共同发展的经济运作模式。目前高速公路经营企业主要是国有和国有控股的公路经营企业,因此评判高速公路经营企业资本运营的优劣,其标准是看它是否有利于国有资产的保值增值、国有经济的壮大和发展。

(3)有利于明晰产权关系,建立现代企业制度。建立现代企业制度是我国企业改革的基本方向,高速公路经营企业资本运营必须要体现现代企业制度的基本要求,要明确国有资产的产权代表,使国有资产的所有权和经营权真正分开。积极推广公有制的多种实现形式,拓宽高速公路的投融资渠道,利用资本运营,推动高速公路经营企业的集团化,规模化发展,力争组建我国特色的高速公路特许经营集团公司。

四、高速公路经营企业资本运营的特点

(一)资本运营内容

高速公路经营企业的资本运营,以实业资本运营和产权资本运营为主体,金融资本运营和无形资产运营为辅助。其中高速公路国有独资公司,由于肩负政府公路建设的规划目标,作为高速公路经营企业中资本运营的主体,在资本运营的内容上尤为体现该特点。

高速公路经营企业资本运营依托的高速公路实物资产,除了具有不可移动、不可分割、耐久性等自然属性外,还具有基础性、网络性和社会公益性。

高速公路经营企业经营的公路,一般为高速公路和一级公路;经营性公路与一般公路都属于公共物品,由全体公民使用,不具有使用上的排他性。公路具有服务功能的基础性,服务对象的公共性和服务效益的社会性:公路是国家的基础设施,是一个地区经济发展的基础,是现代经济快速运行的保障;它不仅服务于国民经济系统中所有的物质生产、流通和消费部门,而且还服务于社会政治、军事、教育等各个领域;存在经济学意义上的“利益外部性”,因而公路属于社会公益性基础设施。高速公路的公益性要求高速公路经营企业在资本运营过程中突出为高速公路建设筹集资金的重要作用,主要采用实业资本运营和产权资本运营方式,实现企业价值和社会价值的最大化增值。

公路只有连接成网才能更好的发挥其规模递增效应,因而具有网络性。

由于不少收费公路的投资主体不同或采取分段修建、经营方式,因而在省内的同一路段(例如 GZ35 陕西境内高速公路)造成多个公路经营企业或管理主体并存的局面,难以实行规范化、标准化管理,运营资源不能共享,资源的运用效率不高。这一方面影响路网的统一性,公路社会经济效能无法得以充分发挥;另一方面增大运营管理成本,并影响公路畅通。一些地方同一路线上多个企业并存,分段收费,造成主线站设置过密,影响高速公路效益的发挥,群众和社会对此反应强烈。这也要求高速公路经营企业,以实业资本运营和产权资本运营为主体的同时,着力运用产权资本运营整合现有的高速公路经营企业,充分发挥高速公路快速、安全、舒适、连续的运行特点,并且通过无形资本运营推广管理经验、管理方法和管理模式等。

(二)资本运营周期

依法成立的高速公路经营企业,虽然通过投资公路取得了特许经营权,但并不意味着它们拥有该公路的所有权;其所有权永远属于国家,国家是公路的惟一所有者。国家依据收回投资并有合理回报的原则确定公路的特许经营年限。根据我国现行规定,收费公路的经营期限最长不得超过 30 年。高速公路经营企业作为一个企业,按照《公司法》的规定应是永续经营的法人实体,而其经营的资产是有期限性的。在收费公路收费期满后,高速公路经营企业该如何发展? 所以,高速公路经营企业在经营过程中,必须广泛开展资本运营,通过建设新路或受让其他收费公路收费权来维持,但收费公路总是有经营期限的;随着我国财政状况的根本改善,随着我国公路网的逐步形成,通行费制度也许会最终退出历史舞台。在这种趋势下,如果高速公路经营企业不实行多样化投资和多角化经营战略,逐步实现由公路经营企业向非公路经营企业方面的转化,高速公路经营企业也将随着收费制退出历史舞台而完成其历史使命。

(三)资本运营客体

高速公路经营企业资本运营的客体是财务资金的运营,高速公路经营企业的主营业务收入主要来源于通行费收入,其特点是现金流量大,流动性强,收益呈稳定上升趋势;同时高速公路经营企业的资本金数额一般数以亿计,所以有充分的实力进行资本运营。高速公路经营企业还可以凭借未来特许收费权的质押来作为资本运营的客体,这是区别于一般性经营企业的显著特征。

第二节　高速公路经营企业资本运营的基本内容和方法

高速公路经营企业资本运营的内容极为丰富,从资本运营形态的角度,可以将资本运营划分为实业资本运营、金融资本运营、产权资本运营和无形资本运营。高速公路经营企业资本运营的方法也是多种多样。

一、高速公路经营企业资本运营的基本内容

(一)实业资本运营

所谓实业资本运营,实质上就是指企业将资本直接投放到生产经营活动所需要的固定资本和流动资本之中,以形成从事产品生产或者提供劳务的经济活动能力的运作过程。可见,实业资本运营的方式,包括固定资产投资经营和流动资产投资经营这两种类型。从实业资本运营的定义不难推断出,其最终目的就是要运用资本投入所形成的实际生产经营能力,从事产品生产、销售或者提供经营服务等具体的经济活动,以获取利润并实现资本的保值、增值。实业资本运营是企业资本运营范畴中最基本的运作方式。高速公路企业应积极确定各级资本运营运作主体的责任与权利,保证实业资本运营的各个环节都有人负责,使企业的整体经营活动步入有序的轨道之中。

实业资本运营的特征主要有以下几点:

1.实业资本运营伴随着实际的生产经营管理活动,即企业要参与实际的生产运作过程

企业投入资本从事实业资本运营之时,也就是其真正参与产品生产或提供服务的开始。在整个运营过程中,企业要对各方面的资源进行合理调配,并组织相应的管理活动,以实现企业的经营目标。可见,实业资本运营实际上就是企业从事具体的生产经营活动的过程。

2.资本投入回收较缓慢

由于实业资本运营主要是通过产品或劳务来实现资本增值,在这个过程中,企业要通过生产过程制造产品或提供劳务,并被消费者认可和接受,企业才能获得收益,收回初始的资本投入。如果任何一个环节出现脱节或阻滞,则资本的转化过程都会受到影响,导致企业投入无法按期收回。由于

高速公路投资大，造价高，因此投资回收周期一般较长。

3.资本流动性较差，变现能力低

实业资本运营的运作主要是以物质形态的资本为载体。它一般包括两大类，即固定资本和流动资本。对于企业经营者了来说，他一旦将资金投入到某个项目的运作，那么投入的资金就成为固化的资产，企业就不可能轻易改变投入资本的形式和用途，而且，已经固化于企业的房屋、公路和设备等实业资本上的变现能力也远不如股票、债券的变现能力。因此，实业资本的资本流动性和变现能力均较差。

4.资金利润率较高，收益较稳定，受通货膨胀的影响较小

由于实业资本运营要求企业参加实际的生产经营管理活动，减少了中介机构，其资金收益率相对较高。而且，它的运作对象是以物质形态的资产为主，即使经济形式发生波动，也不会发生大的贬值，因而较好的避免了通货膨胀的影响。

（二）金融资本运营

金融资本运营，就是指企业以金融资本（主要包括股票、债券等有价证券）为对象而进行的一系列资本运营活动。它一般不涉及到高速公路经营企业的公路建筑物、设备等具体实物的运作，实际上是一种与实业资本运营相对应的概念。它主要以有价证券为表现形式，如股票、债券等，也可以是指企业所持有的可以用于交易的一些商品或其他种类的合约，如期货合同等。企业在从事金融资本运营活动时，自身并没有参加直接的生产经营活动，而只是通过买卖有价证券或者期货合约来进行资本的运作。因此，企业金融资本运营活动的收益主要来自于有价证券的价格波动以及其本身的固定报酬收入，如股息、红利等所形成的收益。它不是依靠企业自身的产品生产、销售行为或提供劳务来获利的。企业从事金融资本运营，其主要目的并不是为了控制自已所投资企业的生产经营权，它只是以金融资本的买卖活动为手段和途径，力图通过一定运作方法和技巧，使自身所持有的各种类型的金融资本升值，从而达到资本升值的目的。

同实业资本运营相比较，金融资本运营主要有以下几方面的特点：

1.资金流动性较强，企业有着较大的变现能力

金融资本运营投资的结果主要体现在企业所持有的各类有价证券上，而这些证券又都是可以随时变现，随时充当交付手段的媒介。由于企业在金融资本运营中，其资产的流动性合变现能力都较强，这也就使企业在从事

金融资本运作时有了较大的选择余地和决策空间,换言之,一旦企业察觉形势有变或者有了新的经营意图,它可以较方便地将资产变现或者转移出来,以及时满足企业地需要。

2. 经营上所需的资本数额要求较为灵活、宽松

开展实业资本运营,尤其是高速公路固定资产投资经营活动,往往要求企业投入较多的人力、物力和财力,对企业的整体综合实力要求较高。但开展金融资本运营一般没有如此苛刻的要求,它只要企业交纳一定数目的保证金或购买一定数量的有价证券(这一数量往往较低,大多数企业都能承受),企业就可以从事金融资本运营活动。因此,金融资本运营活动从这个意义讲是一种适合大多数企业开展的资本运作方式。

3. 心理因素影响较大

社会心理因素对各种资本运营方式都会有不同程度的影响,从而造成经营行为和效果发生一定程度的偏差,这些影响一般而言都是偶发的、间歇的。但是金融资本运营中,心理因素却每时每刻都在起作用,因此,随之而来的风潮可能一触即发。例如:当证券投资者预感到某种证券价格即将发生变动时,他就会依据自己的心里判断抢先作出行动。当这种意识为许多人共有时会形成集体的"抢先"意识。这种共有的意识构成了证券市场每日每时的心里潮流,并常常会因此引起价格的剧烈波动,而这种现象又反过来进一步加强了投资者的心理动荡。

4. 经营效果不够稳定,收益波动性大

金融资本运营是一项涉及企业内部自身条件,如企业的资金实力,决策人员的能力、素质,企业所拥有的金融资本运营的经验和技巧等,又涉及到外部宏观环境因素,如国家宏观经济形势,政府所制定的相关法律、法规,行业政策,国民经济增长水平,居民收入等因素的复杂活动,从而使企业开展金融资本预言活动受到许多不确定因素的干扰,导致其收益呈现出波动性。而且,金融资本运营的收益主要是依靠有价证券市场上价格的波动来获取的,由于证券交易市场上价格的频繁变动,企业效益发生波动也就是必然的了。

(三)产权资本运营

产权资本运营是企业资本运营的重要方式之一。产权资本运营的对象是产权,其经营的方式是产权交易,通过产权的交易,可以是企业资本得到集中或分散,从而优化企业的资本结构,为企业间接带来权益。产权,从某

种意义上讲,可以被看作是一种资本,其意义在于将企业的经营资源不仅仅局限于企业自身的资本、劳动力、技术等,而要在更大的范围内运作资本,使企业通过兼并、收购、租赁、托管等具体的产权资本运营形式,实现资本扩张,获得资本的最大增值。

产权资本运营包含两个层次:一个是资本所有者及其代理人依据出资者的所有权经营企业的产权资本,以实现资本的保值增值目标。产权资本运营的主要活动包括:通过改变企业的资本结构,使投资主体多元化,实现资本的扩张,如通过合资,实现资本的扩张;通过投资活动,形成资本性权益,例如,企业设立了若干家全资子公司和控股子公司,该企业有权对其所属的子公司产权进行运作;通过对产权的转让或收购,分散风险,保证资本收益的最大化等。另一层次的产权资本运营是企业经营者依据企业的法人财产,以实现企业法人资产的保值增值目标。产权资本运营的主要活动包括:通过资产交易是资产从实物形态变为货币形态,或者从货币形态转变为实物形态,资产交易的结果是改变了不同资产在总资产之中的比例;企业进入资本市场发行企业债券;进入企业产权交易市场进行兼并、收购、参股、控股、租赁等等。

产权资产运营,对于企业经营具有十分重要的意义,主要表现在以下几个方面:

1.产权资本运营是进行企业资源优化配置的方式和手段

企业的主要目标是使资本不断增值,实现利润的最大化。当企业目标受到市场、资金、管理、技术等方面的制约,所有者无法获得预期的收益,反而要承担亏损甚至破产的风险时,企业所有者就会将企业的产权出售,获取另一种产权形式——货币产权,以重新选择投资方向,满足获利动机。产权资本运营应是一种积极主动的资源重组方式和手段。在西方发达国家,一些大财团公司经常进行企业的新陈代谢,以追求更高的效益。企业的产权交易,促进了企业的新陈代谢,使企业充满生机和竞争活力。

2.产权资本运营可以实现企业的资本运营战略

企业的资本运营战略是在企业对自身条件和外部环境分析的基础上,为实现企业的资本运营目标而做出的长远的谋划。企业的产权资本运营关系到企业的长期发展,因此,必须以企业的战略作指导。

当企业选择积极进取的发展性资本运营战略时,可以采取兼并、合并、控股、租赁等产权资本经营形式,促进资本集中、生产规模扩大。当企业选择多角化经营战略时,可以采取向其他行业并购、参股、租赁等形式,实现向新领域渗透。当企业选择退却型战略时,则可以采取拍卖、租赁等产权形式,缩小企业规模,进行产业的转移。

3.产权资本运营可以增强企业实力

企业通过产权资本运营可以扩大经营规模,增强企业的实力。企业通过控制股权,可以使分散的资金集合,使生产形成规模,实现规模经济;通过产权资本运营还可以实现优势互补,获得科学技术上的优势,有效地占领市场。

4.通过对闲置资产的产权转让,可以盘活闲置资产

企业通过闲置产权转让可以盘活闲置资产使凝固的资产向市场流动,调整企业的经营结构,提高资本经营效率。

5.产权资本运营可以打破行业进入壁垒,实现部门和行业转移

企业要实现跨部门、跨行业投资或要转移,首先要打破进入壁垒,如规模、资金、技术等壁垒,与直接投资和转产相比,通过产权交易方式突破进入壁垒更为迅速和有效。

(四)无形资本运营

无形资本,即资本化了的无形资产,是指特定主体控制的,不具有实物形态,对生产经营与服务能持续发挥作用,并能在一定时期内为其所有者带来经济利益的资产。

无形资本的内涵有两层涵义:首先,它是资本化的资产,是投资后能带来收益的资产;其次,它是无形的,这是它区别于有形资本的个性。

在高速公路特许经营制度的框架下,高速公路经营企业所获得的特许经营权,应作为企业的无形资产来看待。在经营过程中,必须广泛开展资本运营,通过无形资本运营,建设新路或受让其他收费公路收费权来获得新的高速公路特许经营权,高速公路经营企业可以通过经营多条公路(桥梁、隧道)而得以滚动发展,实行持续的资本经营活动。同时,高速公路经营企业通过无形资本运营推广管理经验、管理方法和管理模式等,来提高整个高速公路行业的管理水平和管理效率。

高速公路无形资本运营的特点,主要是依靠特许经营权的取得开展资本运营,受到政府的影响因素较大,并且无形资本的期限不超过30年,有较强的时限性。

二、高速公路经营企业资本运营的方法

从现有资本运营的具体方法来看,在金融证券市场上的有:上市、配股、

股份回购和出售、可转化债券、认股权证等;在产权市场上有:股份多元化、破产、购并、拍卖、合资、BOT、托管等。但就其最主要的方法,则是企业兼并、企业联合与企业收购。兼并与收购往往并称为并购,这是因为两者实质上都是一种企业产权的交易,其产生的动因及作用后果基本一致。所以高速公路经营企业资本运营大体有以下三种方式:

(1)企业兼并。根据著名的《大不列颠百科全书》的解释,兼并(merger)是指"两家或更多的企业、公司合并组成一家企业,通常由一家占优势的公司吸收一家或者更多的公司"。兼并是一种经济行为,与企业的其他投资行为一样,兼并也有特定的行为目的,即兼并必须给优势企业带来经济效益。兼并后原有的劣势企业将不复存在。

(2)企业合并。合并(consolidation),也称为联合,是指两个或者两个以上的企业通过法定方式进行重组,重组后原有的企业都不再继续保留其合法地位,而由新建的公司取而代之。

(3)企业收购。市场经济条件下,兼并、合并都是与收购联系在一起的。收购(acquisition)是指一家企业在市场上购买另一家企业的股票或者资产,以获得对该企业的控制权。

第三节 高速公路经营企业的设立和重组

高速公路经营企业的设立,主要依据《中华人民共和国公司法》的规定,必须满足一些列规范要求。而高速公路经营企业的重组情况比较复杂,可以有多种不同的分类方式,并且依据一定的重组程序和途径,可以选择多种重组模式。

一、高速公路经营企业的设立

我国高速公路经营企业按照组织形式划分为高速公路有限责任公司和高速公路股份有限公司,按照《公司法》的要求和规范,分别依据不同的设立条件。

(一)高速公路有限责任公司的设立

1.高速公路国有独资公司的设立

高速公路国有独资公司,是高速公路有限责任公司的一种特殊的组织形式,它是由国家授权投资的机构或者国家授权的部门单独投资设立的有限责任公司。国有独资公司具有以下特征:国有独资公司的投资人为1人,投资人以其出资额承担有限责任;国有独资公司的投资人只能是国家授权投资的机构或国家授权的部门,而不能是其他的机构和部门。由于国有独资公司的特殊性质,《公司法》对其组织结构和监督管理也有特殊规定:公司不设股东会,公司股东权利由国家授权投资的机构或国家授权的部门行使,并授权董事会行使一部分股东权利;董事会成员由国家授权投资的机构或者国家授权的部门委派或更换,董事长、副董事长由国家授权投资的机构或国家授权的部门从董事会成员中指定;经理由董事会聘任和解聘;监事会主要由国务院或国务院授权的机构、部门委派的人员组成,并有职工代表参加。

2.高速公路多元持股的有限责任公司的设立

多元持股的有限责任公司是有限责任公司的主要组织形式,多元持股的有限责任公司由二个以上五十个以下股东共同出资发起设立,股东以其出资额为限对公司承担责任,公司以其全部资产对公司的债务承担责任。多元持股的有限责任公司的投资人可以是两个或者两个以上国家授权投资的机构或国家授权的部门,也可以接受民间资本以及个人投资。多元持股的有限责任公司股东会由全体股东组成,股东会是公司权力机构。有限责任公司可以设立董事会;董事会设董事长;董事长为公司法定代表人;董事长的产生办法由公司章程规定。公司经理由董事会聘任。国有有限责任公司聘任总经理也无需征求投资部门意见或者报投资部门批准。有限责任公司也可以只设执行董事,不设立董事会;执行董事为公司法定代表人,可以兼任公司经理。

(二)高速公路股份有限公司的设立

1.高速公路一般股份有限公司的设立

高速公路股份有限公司的设立,应当有五人以上为发起人,采取发起设立或者募集设立的方式。股份有限公司的法定资本金为人民币1 000万元;上市公司的法定资本金为人民币5 000万元。发起人认购的股份不得低于公司总股本的35%。股东大会是公司权力机构,选举董事会成员和由股东代表出任的监事;董事会选举产生董事长;董事会聘任公司经理。所以,政府部门无权对董事长和总经理的聘任和解聘施加行政干预。公司监事会由股东代表和职工代表组成。

2.高速公路上市公司的设立

高速公路上市公司是股份有限公司一种特殊的组织形式,其与非上市股份有限公司的最大不同，就是可以利用自身的优势通过向社会公开发行股票筹集投资与经营所需的资金。公司上市需要具备以下条件：股票经国务院证券管理部门批准已向社会公开发行；公司股本总额不低于5 000万元人民币；公司开业时间在三年以上，最近三年连续盈利；持有股票面值达到1 000元以上的股东人数不少于1 000人；向社会公开发行的股份达公司股份总数的25%以上；公司在最近三年内无重大违法行为，财务会计无虚假记载；国务院规定的其他条件。2003年9月19日中国证监会以证监发行字[2003]116号印发了《关于进一步规范股票首次发行上市有关工作的通知》。按照此规定，从2004年1月1日起，公路运输企业只有在设立股份有限公司三年之后，才能够公开发行股票筹资并上市。这无疑抬高了企业上市融资的门槛，成为高速公路上市公司设立的附加条件。

二、高速公路经营企业的重组

无论是境外上市，还是境内上市，在高速公路经营企业改组为上市公司时，都必须进行企业重组。其最根本的目的在于提高公司的财务效益。目前我国公路经营企业中影响最大的当属公路上市公司。这里所指的公路上市公司是指以路桥收费经营为主营业务的上市公司，包括A股、B股和H股上市公司；不包括以路桥施工为主营业务的上市公司（例如路桥建设、西藏天路、四川路桥等）和一般参与路桥收费经营业务的上市公司（例如江苏悦达、湖南投资等）。截止到2004年3月底全国共有19家公路上市公司，其中以经营收费桥梁为主的有两家：厦门路桥和重庆路桥；以经营非高速公路为主的只有延边公路一家；其他16家均为以经营高速公路为主营业务的上市公司。随着高速公路的迅猛发展，相信会有更多的高速公路经营企业改组为上市公司。企业为了不断发展壮大，其经营方式必然会从实物资产经营向存量资产经营的转变，而企业重组则是资本运营的核心内容之一。

（一）企业重组的内涵

企业重组（BRP—Business Process Reengineering）是一个源于企业管理实践的新概念，主要指的是企业之间通过产权流动、整合带来的企业组织形式的调整，更具体的说是，公司对现有的各种资源通过兼并、收购等各种方式，实现在企业间的合理流动和重新配置，从而实现资源共享、提升效益、公司扩张和发展目标的行为。例如组成更有实力的公司，把单个企业组成企业集团，或是把“大而全”的企业实行分立、划小，变成几个法人实体，改组为更精干、生产更专业化的公司等等。经过组织形式的调整和重组后,企业组织更加完善,资本金更加充足,负债比例更加合理,财务制度更加健全,生产成本更低,企业由此增强了对市场的适应性和竞争能力,屹立于不败之地和发展壮大。

企业重组只是一种经济过程和手段,它的结果和物质内容是资产的再组合和配置优化。市场经济中的企业是实现生产要素组合以形成生产力的载体,企业的功能在于把各种物质的、精神的、技术的、资金的生产要素进行最佳组合,实效最有效率的生产与经营,获取最大的经济效益。现代市场经济中各种要素条件是不断变化的,特别是市场需求处在不断变化之中,从而使原来的生产方法和要素组合变得过时,成为不良的和低效率的;激烈的竞争推动企业不断的和及时的进行要素再组合,变不良的和低效率的要素组合为优良、高效的要素再组合,而企业重组就是要素再组合的一种手段和有效途径。可见,更本质的看,企业重组是手段,要素再组合则是结果,而资源的优化配置则是最终目的。企业重组使生产要素从原有的企业中获得释放和再次组合。总之,依靠企业的整合,使国民经济大范围内的各种生产要素流动化,更合理的再组合和再配置,从而,在微观上使一个个的企业活力增大,得以进行最有效的生产与运营,在宏观上,使国民经济结构优化,效率提高,素质增强。

(二)企业重组的分类方式

企业重组是中国经济体制改革进入到产权制度改革的相对高级阶段后才演绎出来的一个全新的概念,可以通过不同角度来进行划分。

1.根据企业重组的方式分类

(1)联合重组

联合重组是企业重组的重要形式,指若干企业组成各种形式的经济联合体,原有企业法人继续存在,却以各种形式在生产经营上进行联合与合作,并分享利益。联合首先是生产同一产品或者提供同一劳务、同一行业的企业的联合,也包括相关行业的企业的联合。

(2)兼并、合并、收购重组

兼并与收购是市场经济中资产重组的重要形式。兼并,又成为“吸收合并”,是企业重组的一兴一灭形式,兼并意味着兼并方公司保留,被兼并公司解散,法人地位消失。合并是原有公司均解散成立新公司,也称为“新设合并”。收购,它是一方以出资、入股方式成为另一方股东。兼并、合并、收购,这种企业组织结构的变动与调整，不仅仅是经济运行中的经常现象，而且是越来越向广度和深度发展，成为实现资产、产权流动重组的主要经济杠杆。特别是兼并、收购重组是企业存量资产调整和优化组合的重要形式，它不仅盘活存量资产，而且借优化组合而创造出新的生产力。

(3)破产重组

破产重组，包括企业倒闭和清算，是公司依法被宣布完全解体，资产全部变卖，进行偿债，由于变卖的资产要成为购买者的生产要素，因而破产是一种企业淘汰方式的资产重组。破产不只是企业倒闭和清算，而且包括依法重组和自动协议重组。重组是企业依法进行财务整顿后的存活。可见，重组与调整均是资不抵债而需要破产的企业，经过债务整顿，如采取债权转股权等方法，实现资本结构重组，以及经过领导班子的调整，生产、经营计划的改变，往往还伴随着兼并收购，而获得重生。这种破产重组与调整，是一种不是诉诸企业解体和消灭，而是加以“救活”的企业整合与资产的再组合。

总之，企业联合重组，合并、兼并收购重组，破产重组等等形式，实现了市场经济中产品、行业、产业结构的调整，起到了生产要素的再组合，特别是存量资产盘活和优化配置的作用；同时，它又起着调整和优化企业组织结构及企业资本结构的功能。

2.根据企业重组的内容分类

根据企业重组的内容，企业重组可以划分为业务重组、资产重组、债务重组、股权重组、职员重组和管理体制重组。

(1)业务重组

业务重组是指对被改组企业的业务进行划分，从而决定进入上市公司的业务的行为，它是企业重组的基础，是资产重组和其他重组的前提。高速公路经营企业的业务，一般分为盈利性业务和非盈利性业务。前者是指以盈利为目的的业务，又包括主营业务和非主营业务；后者是指不是以盈利为目的的业务，主要包括“企业办社会”的内容。相比较而言，高速公路经营企业的历史包袱较小。

(2)资产重组

资产重组是指对一定重组企业范围内的资产进行分拆、整合或者优化组合的活动，它是企业重组的核心。从高速公路经营企业上市的重组实践来看，对资产重组的分析，主要侧重于固定资产重组、长期投资重组和无形资产重组，而流动资产、递延资产及其他资产的重组，主要表现在基于资产重组模式的定量分析上。

(3)负债重组

按照有关规定,高速公路经营企业改组为上市公司的负债重组一般以"负债随资产"的原则进行重组,然而由于国有企业负债的若干特点,目前我国经济理论界及实业界正在探讨按照一定的形式进行"债权转股权"的有关问题。这也符合我国高速公路经营企业负债比重较大的现实情况。

(4)股权重组

股权重组是指对高速公路经营企业股权的调整,是高速公路经营企业重组的内在表现。股权重组包括两个层次:一个层次是从企业到发起设立的股份有限公司的股权重组;另一个层次是从发起设立的股份有限公司到募集的股份有限公司的股份重组。两种股权重组的前提和目的均不同。

(5)职员重组

高速公路经营企业改组为上市公司时,必须进行职员重组,其基本目的在于优化劳动组合,提高劳动生产率。职员重组的内容本身比较简单,其基本要求是减少上市公司的冗员,优化其劳动组合。

(6)管理体制重组

管理体制重组是指将企业的管理体制或有限责任公司的管理体制,改变为符合上市公司运行特点的现代股份有限公司体制,它是公司上市后转换经营机制的重要基础。

3.根据企业重组的时间分类

根据企业重组的时间,企业重组可以分为近期上市重组和战略上市重组。

(1)近期上市重组。近期上市是指企业为了近期(一般其计划的上市时间在一年左右)赴境外上市而进行的企业重组。由于我国国有企业境外上市的历史特殊性,目前所有的高速公路经营企业赴境外上市而进行的企业重组,都属于近期上市重组的类别,而随着企业改革的深入,下述战略上市重组类别将逐步增多。

(2)战略上市重组。战略上市重组是指企业为了在若干年(一般其计划的上市时间超过两年,最好是三年或更多)后赴境外上市而进行的企业重组。战略上市重组在发达的市场经济国家是相当普遍的,其基本目的是取得相对较好的筹资效果,具体来说,其优点是在于:上市公司的上市准备比较充分,从而有利于选择最佳时机上市;使投资者更容易了解公司的上市行为和有关招股说明;有利于增强公司上市时的业绩指标;对于形成稳定的公司管理层有一定的意义。

(三)高速公路经营企业重组的基本步骤

高速公路经营企业改组为境内上市公司的一般程序如下。

1.要初步决定上市的主体

有的高速公路经营企业组织结构和经营主体比较单纯,上市的主体比较容易确定。但是有的企业组织结构比较复杂,经营主体多元化,“企业办社会”的内容也很庞大,比如一些省级集团公司都有这些特点,这就需要初步明确上市的主体,即准备拿出哪一部分实体来组成将上市的股份有限公司。

2.初步决定将哪些子公司纳入上市范围

高速公路经营企业一般都有全资子公司和控股子公司,这些子公司中的多数一般和企业之间构成关联交易和同业竞争。在确定企业重组模式时,应尽量分析清楚而初步决定哪些子公司纳入上市范围。明确重组和上市公司各层子公司的关系,重组后企业和上市公司各自的内部管理组织。

3.确定公司重组方案

内容包括:公司资产折股、股权设置、股权结构、股权管理、机构设置的方案;企业分立或者合并的方案;原企业与公司的关系及相关问题处理的方案;债权债务处理的方案;非经营性资产剥离及管理的方案;离退休人员、富余人员处置的方案。

4.评估、审计阶段

评估划入高速公路股份有限公司的资产,对重组范围的投入和产出进行全面的财务审计处理。

5.处理关联交易

包括:一类是明确各类关联交易之间的具体关系;二类是制定有关的法律文件。

6.取得各种法律文件

主要包括以下文件:有关部门同意企业改组为股份有限公司的批文;关于发起人股和职工股的批文;关于产权界定的批文;国家关于国有股管理的批复;国家关于资产评估的确认文件;国土管理部门关于土地评估的确认文件;会计师报告和盈利预测;资产使用可行性分析报告和国家有关部门的投资立项批文等文件。

7.设立股份有限公司

召开公司创立大会,创立大会后30日以内,董事会向公司登记机关申请设立登记,设立登记后发给公司营业执照,标志着股份有限公司依法设立。

8.进行上市辅导

通常由担任上市保荐人的证券商担任辅导机构。

9.股票在证券所挂牌上市

(四)高速公路经营企业重组的模式

1.企业重组模式的特点

企业重组的模式是指按照企业重组的具体形式,对被改组企业的重组内容,进行初步重组的框架。对于高速公路经营企业来说,企业重组的模式并非惟一的。企业重组模式的选定是关系到企业股份制改组及股票发行的一项重要工作。企业重组的分析者,无论是主承销商,还是企业本身,当在某一些给定因素和条件的基础上来探讨即将上市的企业的重组时,首先必须对企业重组进行初步分析,其分析的基本目的和要求就是确定企业重组的模式。

企业重组的模式主要有以下四个特点:

第一,企业重组模式的初步性。企业重组的模式仅仅是对企业重组的初步分析。企业的结构与形态差别较大,企业重组模式仅仅是较粗的描述了企业重组的有关方面,一些具体实际的重组还需要进一步的专题探讨,如固定资产的重组、非上市部分的具体剥离等。企业重组模式一旦定下来,就会以之为基础展开一系列工作,所以在一般情况下,最好不要改变企业重组模式;但是如果某一些情况发生了较大的变化,按照有利于企业发展和上市的要求来改变企业重组模式也是可行的。

第二,企业重组模式的超前性。企业自身为向国家争取上市的允许而进行可行性研究时一般就需对企业重组的模式进行分析和决策;一旦国家同意企业可以准备改组为上市公司,企业则需以企业重组模式为基础准备有关材料;同时,如果企业按照战略上市重组的思路进行重组,其重组模式的超前性就表现的更加明显了。

第三,企业重组模式的基础性。尽管企业重组的模式仅仅是对企业重组的初步分析,但企业重组的模式是进一步分析企业重组的重要基础。一般来说,企业重组的分析者比较容易判断被改组企业适合按照何种模式进一步的重组,一旦确定按照某一种模式进行重组,以后企业重组的内容的具体方式将以之为基础展开。

第四,企业重组模式的多元性。企业重组模式的多元性是指每一种模式,都可以有多种变型的重组模式,以适应不同类型企业的需要。

2.高速公路经营企业重组模式

企业重组模式主要有:原整体续存重组模式,并列分解重组模式,串联分解重组模式,合并整体重组模式,买壳上市重组模式,资产注入、股权置换重组模式等。结合我国高速公路经营企业的发展现状,高速公路经营企业一般采取以下三种重组模式:

(1)原整体续存重组模式

原整体续存重组模式是指将被改组企业的全部资产投入到股份有限公司,然后以此为股本,再增资扩股,发行股票和上市的重组模式。按照该模式进行重组,企业组织结构的变化在原企业组织结构的基础之上,从原有的管理体制转换为适应上市的股份有限公司的管理体制。高速公路上市公司是高速公路经营企业建立现代企业制度中的突出代表。由于高速公路上市公司一般是用优质的路产评估后重组设立的,所以一般体现较好的经营效益。虽然从发展趋势来看,有些上市公司的经营效益呈逐年上升趋势;有些上市公司的效益有一定程度的滑坡,但基本上没有亏损的上市公司。目前我国高速公路经营企业重组一般选取该种模式,例如现代投资股份有限公司、安徽皖通高速公路股份有限公司的重组上市。

(2)合并整体重组模式

合并整体重组模式是指全部投入被改组企业的资产并吸收其他权益作为共同发起人而设立的股份有限公司,然后以此为股本,再增资扩股,发行股票和上市的重组模式。这种重组模式可以发生在公司上市以前,也可以发生在公司上市以后,合并有助于降低市场交易费用,提高资产收益率。合并整体重组模式的关键在于选择合适的对象,合并的对象应该是已经具有或者潜在具有较好的经济效益的企业;它们可以是法人,也可以是具有法人资格的资本权益,如果合并的对象是法人,合并后或其法人资格消失,或成为上市公司的子公司。合并整体重组模式较之于原整体续存重组模式增加了合并的内容,有利于增强上市公司的竞争力,它能够更好的进行内部优化组合与提高规模经济效益,增加筹资的数量。1996 年 8 月,我国第一家公路上市公司(Road Listed Company)——广东省高速公路发展股份有限公司的股票开始在深圳证券交易所上市,其采用的就是合并整体重组模式,1993 年 6 月 30 日,广东省交通部门把与该项目有关的具有三年经营业绩的广佛高速公路有限公司和九江大桥公司进行股份制改造,与佛开高速公路股份有限公司一起重组为广东省高速公路发展股份有限公司,并最终成功上市。2003年9月19日中国证监会以证监发行字[2003]116号印发了《关于进一步规范股票首次发行上市有关工作的通知》。按照此规定,从2004年1月1日起,公路运输企业只有在设立股份有限公司三年之后,才能够公开发行股票筹资并上市。这就要求高速公路经营企业站在战略上市的高度提前重组某些企业,积极广泛采用合并整体重组模式,提前实行战略重组,这将极大的提高高速公路经营企业今后的上市效果。

(3)资产注入、股权置换重组模式

有关政府部门、行业协会、集团总公司,对一些(上市)公司或下属公司注入优质资产或注入目标公司在生产、经营上所需要的资产,以改变目标公司的状况,提高资产运作的效率。我国十六家高速公路上市公司都有集团总公司的庇护,资产注入方式已较为多见,随着高速公路特许经营制度的建立和完善,收费还贷公路特许经营权转让行为将越来越多,资产注入、股权置换重组模式,今后将会更加普遍。

(五)高速公路经营企业重组的主要途径

1.高速公路经营企业资产重组

"资产重组"概念与资本结构和资产组合相联系,但又有着自己独特的内涵和运作方式,三者共同构成资本运营的组成部分。资产重组是指通过对企业资产结构的重新组合来优化企业的资本结构,实质上是对现有资产组合的打破,也是对现有资本结构的打破,即一个资产重组的过程,同时改变着企业的资产结构和资本结构。

在高速公路经营企业多种形式和多种方式的重组中,资产重组是其核心内容。这不仅因为资产重组本身的工作量很大、很复杂,而且因为资产重组既决定着负债重组、职员重组和管理体制重组,又决定着企业重组的基本效益指标。

高速公路经营企业上市的资产重组的主要工作,包括固定资产的重组(又主要包括经营性固定资产重组和非经营性固定资产的重组)和长期投资两个方面。同时,固定资产和长期投资的重组又决定着流动资产、无形资产、递延资产和其他资产的重组。

高速公路经营企业实施资产重组,有利于促进公路建设资金的良性循环,保障我国高速公路事业持续、健康、快速的发展;有利于实现规模经济效益,适应高速公路网络化的要求,解决高速公路经营企业业务单一,规模过小的问题。资产重组过程实际上是塑造全新的市场主体的过程，同时也是高速公路经营企业转换经营机制建立现代企业制度的过程。要把资产重组与推进高速公路经营企业建立现代企业制度、转换经营机制相结合，从管理、机制、观念上提高高速公路经营企业的素质。

2. 高速公路经营企业债务重组

高速公路经营企业债务重组，是指将高速公路经营企业的负债，通过债务人负债责任转移和负债转变为股权等方式的重组行为，可分为流动债务重组和长期债务重组两大类。通过债务重组，企业原有的应该在一定时期偿还的债务，就变化成了企业的股权，或者转移到了其他的法人实体，企业以债务的偿还责任没有了。因此，债务重组从企业内部来看是一种资产与负债的转移，从企业外部来看是一种所有者权益的变化。债务重组是在我国高速公路经营企业出现过度负债的情况下提出来的，即如何通过降低过度负债来改善资本结构和资产结构，在理论上是资产重组的一个组成内容。

作为高速公路经营企业重组重要组成部分的债务重组的基本目的有两个方面：一是以资产重组为基础进行负债的重新组合，从而完成了企业重组；二是在前者的基础上为了减少上市公司(实际上是指拟改组为上市公司的改组范围)的负债而采取的债务转移。

高速公路经营企业债务重组主要有以下两种主要形式：

第一，债务人员负债责任的转移，即将上市公司的债务划归其他实体拥有，如将上市公司的债务划归上市公司的控股公司所有。债务人负债责任的转移有两种情况，一是根据企业重组的模式进行的债务重组，一般按照"负债随资产重组"的原则进行重组；二是在此基础上为了减少上市公司的负债而采取的债务人负债责任的转移。

第二，负债转股权，是指为了减少上市公司的负债而将负债转化为股权的行为。通过实施债转股，可以改善企业的产权状况，由债权债务关系转为投资关系，原来的债权人以股东的身份进入企业，可以直接参与企业的经营决策，促使企业加强经营管理，提高经营效益，为其债务提供充实的保障；同时取得对企业的监督权，防止企业经营行为短期化，保障自己的利益。

小　　结

本章从资本运营的内涵、特点和基本原则入手，着重分析了高速公路经营企业资本运营的原则和特点。

高速公路经营企业资本运营的基本内容包括：实业资本运营、金融资本运营、产权资本运营和无形资本运营。而高速公路经营企业资本运营的一般方法有：企业兼并、企业合并和企业收购。

按照《中华人民共和国公司法》的规定，不同的企业组织形式高速公路经营企业的设立，依据不同的设立条件，并分别介绍了高速公路有限责任公司和高速公路股份有限公司设立的原则和方式。

高速公路经营企业重组的基本步骤有：(1)要初步决定上市的主体；(2)初步决定将哪些子公司纳入上市范围；(3)确定公司重组方案；(4)评估、审计阶段；(5)处理关联交易；(6)取得各种法律文件；(7)设立股份有限公司；(8)进行上市辅导；(9)股票在证券所挂牌上市。

高速公路经营企业重组的模式主要有：原整体续存重组模式、合并整体重组模式和资产注入、股权置换重组模式；重组的主要途径有高速公路经营企业资产重组和高速公路经营企业债务重组。

思考题

1.什么是资本运营？资本运营有何特点？市场经济条件下推行资本运营的意义和作用是什么？

2.什么是高速公路经营企业的资本运营？高速公路经营企业为什么要树立资本运营的观念？

3.什么是实业资本运营？高速公路经营企业的实业资本运营有何特点？

4.什么是金融资本运营？高速公路经营企业的金融资本运营有何特点？

5.什么是产权资本运营？高速公路经营企业的产权资本运营有何特点？

6.什么是无形资本运营？高速公路经营企业的无形资本运营有何特点？

7.什么是兼并？高速公路经营企业如何通过兼并实行资本运营？

8.什么是收购？高速公路经营企业如何通过收购实行资本运营？

9.什么是合并？高速公路经营企业如何通过合并实行资本运营？

10.高速公路经营企业设立有何具体要求？高速公路经营企业重组有何意义？

第七章

高速公路权益转让管理

学习目标

收费权转让是深化公路投融资体制改革的产物。在特定的历史条件下,收费权转让融资为促进我国公路交通事业的快速发展发挥了不可忽视的作用。但是,我们同时也看到在高速公路权益转让的实践过程中存在诸多的不规范行为,因此,加强对高速公路权益转让管理已经成为当务之急。

本章重点掌握高速公路权益、高速公路权益转让的概念;初步掌握目前我国规范高速公路的制度规范和收费权转让协议,应包括那些内容和条款;较好了解高速公路广告经营权和服务设施经营权转让的意义和局限性。

第一节　高速公路权益转让概述

一、高速公路权益转让概念

(一)高速公路权益

高速公路权益是指高速公路的投资主体通过投资建造公路所取得的对高速公路(包括沿线设施)的所有权以及与所有权相关的使用权、收费权、收益权、处置权以及其他权利。

在现行体制下,国家属于高速公路的惟一投资主体和所有者;但经政府特别行政许可,国内外经济组织可以通过投资建造高速公路取得一定期限内的收费权、广告经营权和沿线服务设施的经营权;或者通过投资受让已建成收费还贷高速公路的收费权、广告经营权和沿线服务设施的经营权,来从事高速公路收费经营活动。

(二)高速公路权益转让

高速公路权益转让主要涉及的是收费高速公路的权益转让。由于收费公路的权益包括收费权、广告经营权和服务设施经营权等;所以收费高速公路权益转让涉及到收费权转让、广告经营权转让、服务设施经营权转让等。

通过权益转让,受让方可以实际上拥有收费权、广告经营权、服务设施经营权等权益。经政府特别行政许可,国内外经济组织可以通过投资建路取得相应的高速公路权益,但不属于权益转让行为。

二、高速公路权益转让的意义

转让高速公路权益的主要作用是筹措高速公路建设所需资金。对此,高速公路权益转让具有以下意义。

(一)有利于在一定程度上缓解公路建设资金短缺的问题

各地通过将政府投资建成的收费公路的收费经营权转让,用所得的资金再进行新的公路基础设施建设,取得了很大的建设成果。据调查,到2002年底,全国绝大多数省市区和计划单列市发生过收费权转让事项,涉及转让项目180多个,涉及转让金额430多亿元。

(二)有利于利用市场机制改善高速公路经营管理,提高高速公路使用效益

收费经营权转让的结果,使原来公路行政性收费或非经营性收费转为经营性收费。按照国家现行有关法律法规,收费还贷公路的收费期限明显短于经营性收费的特许年限。因此,在收费还贷公路实行收费权转让后,转让方取得的收费权转让资金,除了用于偿还该路的建设贷款以外,剩余部分还可以用于公路建设。在市场经济条件下,公路经营者为了保证在特许使用年限获得预期的投资收益;并争取投资收益最大化,必然会千方百计改善高速公路经营管理、养护以及安全防护的水平,使公路用户的级差效益得到有效保证,以吸引更多的道路用户使用和选择收费高速公路。

(三)发挥市场配置资源的作用,盘活高速公路存量资产

通过收费全转让,可以盘活存量的高速公路资产,一次性的获得预期

的收费公路经营收益，可以在一定程度上缓解公路建设资金相对短缺的问题。

此外，通过收费权转让，在更大范围内寻求投资伙伴，是招商引资的重要途径；不仅增加了稳定的税源，同时新资金注入产生的连动效应不可低估；以较低成本获得大笔资金，为重新组合债权、债务关系，形成交通发展局部良性循环提供了切实可行的操作条件。

三、高速公路权益转让的原则

高速公路权益转让应当贯彻实施以下原则。

(一)客观性原则

高速公路权益转让所依据的数据资料必须真实可靠，对数据资料的分析必须实事求是。在权益转让前，有关人员要对进行权益转让的项目进行细致的了解，全面细致了解收费权转让项目的具体情况和真实的数据资料，对数据资料要做到账物相符、账卡相符、账账相符。在分析整理时，要从实际出发，对占有的大量的数据资料进行去粗取精、去伪存真的综合分析，然后对所转让项目的价值进行科学、客观的计算。

(二)科学性原则

高速公路收费权转让必须采用科学的转让规范、标准、程序、方法，一般而言，高速公路收费权转让的规范、标准、程序、方法是统一的。但是由于收费权转让对象的不同和转让目的与要求的差异，也要相应的调整权益转让的标准、程序和方法。各种高速公路收费权不仅存在里程长度的差异，还存在技术等级的差异，同时各类高速公路在使用中又要经常发生损坏和降级。因此，在收费权转让过程中，一定要求定量和定性分析相结合，静态分析和动态分析结合起来，这样才能使转让结果具有科学性与真实性。

(三)合法性原则

高速公路权益转让结果是否真是可靠，是否统一规范，涉及到国家及高速公路权益双方的得失。因此，针对高速公路权益转让工作，国家制定并颁布了一系列相关法规和规章制度。所有的权益转让工作都必须要按照相应的法规和规章制度来进行，才能使评估结果不仅具有统一性和可比性，而且具有法律权威性。

(四)公正性原则

在实际的高速公路转让过程中,只有坚持公正、公平的原则,才能保证转让结果的真实性和科学性。因此,公平与公正是负责收费权转让人员的基本素质要求之一,在实际转让过程中,对权益转让要兼顾国家、集体和个人三者的利益,不能偏袒任何一方,坚持一视同仁的原则,客观准确的进行收费权转让的工作。

(五)独立性原则

高速公路收费权转让独立性原则是指转让相关单位、企业和个人应该依据国家制定的有关法规和规章制度及可靠的数据资料,对被转让项目的价值及价格作出独立的评定。坚持收费权转让的独立性原则,是保证权益转让结果具有客观性的基础。相关工作人员应排除来自各方面的干扰,公正独立进行权益转让工作。

(六)可行性原则

要想使权益转让工作真实可靠又简单易行,就要求负责转让机构和转让人员是合格的,具有较高的素质。此外,在保证权益转让结果真实可靠的前提条件下,尽可能的节约人力、物力、财力,提高经济效益。

第二节　高速公路权益转让的基本内容

一、高速公路收费权转让

(一)高速公路收费权

公路收费权是指国内外经济组织经政府特许、向公路上的过往车辆收取车辆通行费的权利。允许向过往车辆收取车辆通行费的公路属于收费公路。根据国家的现行规定,县级以上交通主管部门利用贷款和社会有偿资金修建的公路,可以向过往车辆收取车辆通行费,用于偿还建路贷款和集资本息。国内外经济组织可以通过投资建造规定技术等级和规模的公路,以取得有期限的收费权;也可以通过投资购买已建成收费还贷公路的收费权。后一种行为属于公路收费权的有偿转让。

(二)高速公路收费权转让

公路收费权转让是指通过贷款或者社会有偿集资建设公路、依法取得一定期限内收取车辆通行费权利的法人单位,根据一定的目的和要求,经有权机构批准,将收费权移交给国内外经济组织的经济行为。我国《公路法》规定,“公路中的国道收费权的转让,必须经国务院交通主管部门批准;国道以外的其他公路收费权的转让,必须经省、自治区、直辖市人民政府批准,并报国务院交通主管部门备案”。目前,能够转让收费权的公路,是交通主管部门通过贷款和社会有偿集资修建的、并且达到国家规定技术等级标准和规模的收费还贷公路;公路经营企业拥有的公路收费权是否能够转让,或者说公路经营企业能否成为公路收费权的出让方,目前尚缺乏必要的政策规定。

(三)对高速公路收费权的理解

《公路法》把收费公路收费权作为收费公路的一项权益进行明确,并规定可经营和可转让,是将公路资产所有权和收费权相分离,这对交通主管部门实现收费公路规范化管理,发挥完整管理职责,具有重要的意义。正确理解收费权概念,这对理顺公路资产所有权和经营管理权关系,界定收费公路经营公司性质至关重要。我国的收费公路不管是收费经营还是收费还贷公路,其法律基础都是公路收费权,而不是公路资产。在《公路法》中规定,不管是转让收费权的公路还是国内外经济组织投资建设的公路,所规定的都是收费经营,既不是资产经营也不是经营权经营。

《公路法》赋予了收费公路收费权,但是涉及公路资产的重要物权就有三项:第一项是所有权,就是产权问题;第二项是收费公路经营权;第三项是收费公路收费权。在以前的公路管理中,我们没有从法律上很好的界定收费权,没有很好的认识到公路资产所有权和收费权的分离,没有很好的区分经营权和收费权的不同,为公路管理工作带来了许多问题尤其是在企业改制、政企分开,公路管理机构设置和收费公路管理公司职能界定上产生的问题最多。

二、高速公路广告经营权转让

(一)高速公路广告经营权

高速公路广告经营权是指特定经济组织所拥有的、在高速公路规定区域内进行广告宣传的权利。广告经营权可以通过政府特许无偿获得;也可以通过投资有偿受让获得。如何取得公路广告经营权,取决于政府对高速公路广告权益管理的制度规范。

广告作为一种有效的沟通形式和改进生活的一种手段,在人们的生活中日益得到重视和迅速发展。公路管理部门从事经营广告业务是指一些省、市的高速公路管理部门,在经营管理公路的同时,利用本身的大众传播媒体,在收费站、加油站、服务区停车场和收费票据等载体上经营广告业务,为广告客户提供公告宣传服务,并收取一定的报酬,如南京长江大桥上广告牌的兴起,北京东三环路上以企业命名的立交桥等就是广告业务在公路部门兴起的表现。

(二)高速公路广告经营权转让

广告经营权转让是指拥有高速公路经营管理的一些省、市高速公路管理部门或法人单位,依据有关法律、法规规定,在经有权机构批准后,将收费权连同广告经营权移交给国内外经济组织或单独出售广告经营权以获取一定报酬的经济行为。

三、高速公路服务设施经营权转让

(一)高速公路服务设施经营权

高速公路服务设施经营权是指特定经济组织所拥有的、经营高速公路沿线服务设施的权利。高速公路沿线服务设施包括高速公路服务区内的加油站、车辆维修站、商店、餐厅以及其他服务设施。

(二)高速公路服务设施经营权转让

高速公路服务设施经营权转让是指拥有高速公路经营管理权的一些省市高速公路管理部门或者法人单位,依据相关法律、法规规定,在经有权机构批准,将服务设施经营权连同收费权移交给国内外经济组织或单独出售服务设施经营权以获取一定报酬的经济行为。

第三节 高速公路权益转让价值评估

一、高速公路权益价值评估概述

(一)与高速公路权益价值评估相关的几个问题

1.公路资产属性的界定

公路是国民经济重要的基础设施,公路资产是国有资产的重要组成部分。在现行法规(包括《公路法》、《土地管理法》等)的有效规范下,不仅收费还贷公路的收费权转让中受让方有偿取得的只是公路实物资产派生出来的收费权资产;而且国家或者国有法人组织投入公路经营企业的公路资产,以及公路经营企业通过建造公路所取得的也只能是公路有期限的收费权,不可能是公路实物资产的所有权。如果公路经营企业取得的只是公路收费权而不是公路实物资产,而公路收费权又可以界定为企业的无形资产,则将公路及其附属设施作为固定资产并通过折旧回收投资的方法需进一步商榷。如果因为各种条件的制约,公路经营企业需要将通过建造取得的公路收费权或者投资作价折股投入的公路收费权作为企业的固定资产,只能认为这是一种特殊的固定资产,是一种需要在收费经营期限终了无偿交还国家,因而不能对企业承担责任也不能作为企业清算资产的特殊固定资产。

与其他国有资产一样,公路资产产权分为物的所有权及由此派生的其他相关财产权利。与一般国有资产相比,公路资产产权又具有特殊性。我国的国有资产包括经营性资产和非经营性资产,根据现代经济学中有关公共物品的理论,公共物品所对应的资产一般表现为非经营性资产。现阶段,我国对具备条件的公路实行公路车辆通行费收费制度,引入市场机制进行经营化管理的主要目的并非是为了推行公路商品化或将国有公路转变为私人物品,而是为了收取车辆通行费在一定程度上解决公路建设资金相对短缺的问题。在此基础上,以收取或者支付公路收费权出让金为手段,公路的所有权与其使用权(公路收费权)产生了有期限的分离。这样,以公路收费权价值为其对象的资产评估就成为现阶段公路资产评估的基本内容。

2.收费公路经营权价值评估

高速公路权益主要指高速公路经营权。收费公路按其性质可以分为经营性收费公路和非经营性收费公路。目前我国经营性收费公路的经营者是公路经营企业。其公路经营权体现为在一定时期内对公路及相关设施按规定收费经营的权利,他的取得可分为自行建造、有偿购买和无偿划拨几种方式。尽管它是各公路经营企业的立身之本,然而在许多公路公司,这种关键性的无形资产尚未得到恰当的正确的计量确认,或者账务处理不妥,而产生这一现象的原因是多方面的。

(1)如果计入这块资产,对于公路收益预期情况不理想的公路经营企业的收益状况将更加不利,而对于与其收入将稳定增长的公路经营企业也会降低其收益水平。

(2)计算这块资产必须选用合理的计算方法,而现在经营权转让中资产评估随意性大,收费标准的确定和调整缺少约束,收费期限测量不够科学影响了它的准确性。

(3)目前公路经营企业会计制度对公路经营权的账务处理规定不够完善。

3.公路实物资产价值与公路经营权价值的关系

公路实物资产与公路经营权的关系虽然十分紧密,但是又不能同日而语。根据交通部 1996 年 10 月颁布的《公路经营企业有偿转让管理办法》中的有关规定:公路经营权是依托在公路实物资产上的无形资产,是指经省级人民政府批准,对已建成通车公路设施允许收取通行费的收费权和由交通部门投资建成的公路沿线规定区域内服务设施的经营权。可见公路经营权不能离开公路实物资产而单独存在,但是前者的价值不一定等于后者,一些经济状况好、车流量大的公路路段,其经营权的收益现值将远远大于其公路实物资产价值;而相反一些经济状况不好的区域,车流量少的路段,其经营权的收益价值会低于公路实物资产的价值。

(二)高速公路权益价值评估相关法律规定

交通部《关于有偿转让公路经营权的管理办法》(简称《管理办法》)的第十二至第十七条对经营权的资产评估进行了规定。

第十二条规定:国家国有资产管理部门负责对交通部和省交通厅利用国家财政修建的公路经营权转让资产价值立项进行批准。

第十三条规定:省资产管理部门负责审批省筹资建设的公路经营权的资产评估。

第十四条规定:无形资产评估的机构应为由有关的资产管理部门认可的机构。特许权人对评估机构的业绩进行审查。如果需要的话,可以由省交通厅和交通部所确定的评估机构评估。

第十五条规定:进行特许经营的一方应准备资产评估报告,费用由要求进行资产评估的一方承担。

第十六条规定:评估经营权总价值应按照通用的国际评估标准进行,以现值加上预期价值测算。

第十七条规定:资产管理部门确认的评估价值应是经营权转让作价的基础。交易价格不得低于评估价值。工程竣工时的决算是保密的,不得向受让人公开。

二、高速公路权益价值评估的基本方法

目前高速公路权益评估通用的基本方法是收益现值法和重置成本法。

(一)收益现值法

收益现值法是指根据被评估资产未来的获利能力来评估计算其价值的一种方法。采取收益现值法评估资产价值的基本原理是:根据被评估资产在剩余寿命期内的分年度预期财务收益,用适当的折现率折现为评估基准日的现值,并以此作为确定被评估资产价格的依据。其中,资产的预期财务收益是指由于资产的使用所增加的现金净流入量(投资收入),在金额上相当于使用资产新增的净利润与该项固定资产折旧之和;折现率反映了交易方通过取得资产所期望获得的投资收益率。在市场经济条件下,收益现值法不仅是评估无形资产价值的主要方法,并且也越来越多地用于实物资产价值的评估。收益现值法是评估公路资产价值的主要方法。收益现值法的主要局限性是未来收益的不确定性在一定程度上导致了资产价值评估的主观随意性。收益现值法是公路收费权价值评估的主要方法。

(二)重置成本法

重置成本法是指根据被评估资产的重置成本来确定资产评估值的一种方法。所谓重置成本,是指在现行条件下重新购置与被评估资产完全相同或类似的资产所花费的各种成本费用的总和。重置成本法的基本思路是站在取得资产的角度,评价分析重新购进或者建造与被评估资产相同或类似的全新资产所需花费各种费用的总和,即按照现行市场价格取得资产的成本。确定资产重置成本的方法一般有重置核算法、物价指数法、功能价值法、规模经济效益指数法等。在重置成本基础上扣除被评估资产的各种损耗(即由于

新旧程度因素、社会技术进步程度因素、社会经济环境变化等对资产价值的影响因素导致的贬值量),即可得评估值。评估值的计算公式为:

重置成本评估价值(现行市价)=重置成本-有形损耗-无形损耗

或 重置成本评估价值(现行市价)=重置成本-实体性贬值-功能性贬值-经济性贬值

或 重置成本评估价值(现行市价)=重置成本×成新率

(三)两种方法评估公路收费权的比较

1.两种方法评估公路收费权的区别

(1)评估方法的区别

重置成本法的原理是生产费用价值利用,它是从重新构建一项资产所需费用支出的角度来评价资产的理论。资产价值量的大小与其费用支出息息相关;收益现值法的原理是期望价值理论,是从资产未来净收益的角度来评估资产的价值。资产的预期收益决定了资产评估价值的大小。

(2)评估对象上的区别

用收益现值法和重置成本法评估公路收费权时,就评估范围看,都是指同一项公路资产。这里所说评估对象的不同是指:重置成本法对公路收费权的评估,实际上是指对公路收费权所依托的公路实物资产价值的评估,是对构成公路实物资产每一要素资产逐一进行单项评估,评估对象是各个不同的单项资产;收益现值法评估公路收费权是把由各要素资产构成的公路实物资产视为一个整体资产,评估的对象是公路资产的整体获利能力。

(3)评估时考虑的因素不同

重置成本法评估公路收费权是围绕着构成整体公路资产的各个单项资产本身进行的评估,如征地补偿费用、路基费用、路面费用、管理费用等。评估时主要考虑两大因素:第一,确定构成公路资产成本费用的项目;第二,确定各成本构成项目的现市价。收益现值法评估公路收费权是指围绕着公路资产整体获利能力进行的评估,评估时考虑两大因素:第一,确定公路收费权价值的来源和水平的高低;第二,确定预期收益使用的折现率。

(4)评估结果不同

正是由于两种评估方法在评估公路收费权价值时存在着上述区别,通常会导致两种方法评估结果的不一致。

2.两种方法评估公路收费权的联系

(1)从评估的客体看,收益现值法和重置成本法尽管在评估对象上存在着差异，但是仍然有着非常紧密的关系。公路收费权是依托在公路实物资产上的无形资产，无形资产不可能脱离相应的实物资产而单独存在，这种依存关系决定了他们在价值上的相关性。

(2)从评估过程看，收益现值法评估公路收费权资产价值的依据是公路收费权资产的整体获利能力，公路收费权资产的获利能力在很大程度上取决于公路实物资产的技术等级、结构、及质量等因素，这些实物资产又与公路实物资产中各要素资产的成本费用的大小有密切的关系。因此，两种评估方法在评估公路收费权资产价值时有密切的关系。

(3)就全社会看，尽管一个时期内某项资产的构建成本与其收益可能不一致，但是自由竞争和资本自由转移的市场环境中，由于平均利润率规律的作用，在全社会范围，资产的构建费用与其收益会趋于一致。因此，一般来说，构建成本大的资产收益也高，资产的构建成本与其收益成正比例变化。

(4)从评估结果，正是由于存在上述联系，收益现值法和重置成本法在评估公路收费权资产价值时，其结果有一定的可替代性。

三、高速公路权益价值评估案例分析

我国×××公路是利用世行贷款修建的收费还贷公路，该公路全长283km，总投资约为30.7亿元，于1998年8月20日建成通车，如果打算将×××收费公路的收费权有偿转让，可对其权益价值作如下评估。

(一)交通量预测

根据《×××公路工程可行性研究报告》中对未来该路交通量预测的有关数据，结合到1997年底为止该公路所在地区国民经济发展的实际结果，可以认为，表1-7-1中有关分车型交通量的预测结果是科学合理的。

×××公路交通量预测分析表(1)(pcu/d)　　表1-7-1

年份	大客	小客	小货	中货	大货	托挂	合计	标准收费交通量
1999	261	659	596	1 878	334	822	4 550	8 550
2000	281	648	642	1 937	360	845	4 713	8 858
2001	302	792	635	2 323	387	911	5 350	9 934
2002	376	1 017	713	2 291	453	1 105	5 955	10 207
2003	376	1 017	713	2 291	453	1 105	5 955	11 245
2004	408	1 107	915	2 088	475	1 341	6 307	12 176
2005	452	1 209	929	2 379	492	1 594	7 055	13 971

从1999年至2005年交通量平均增长率为7.58%；考虑到公路收费的影响以及该公路所在地区国民经济发展对公路交通量增长的需求，可以认为，按照交通量平均年增长5%来估计收费权价值是有充分保障的。

如果从2000年1月1日开始转入收费权，特许经营期限为15年，那么按照5%的平均交通量年增长率，从1999年至2014年分年度交通量的预测数据如表1-7-2所示。

×××公路交通量预测分析表(2)(pcu/d)　　表1-7-2

年份	综合交通量	标准收费交通量	年份	综合交通量	标准收费交通量
1999	4 550	8 123	2007	6 722	12 001
2000	4 778	8 529	2008	7 059	12 601
2001	5 016	8 956	2009	7 411	13 232
2002	5 267	9 403	2010	7 782	13 893
2003	5 531	9 874	2011	8 171	14 588
2004	5 807	10 367	2012	8 580	15 312
2005	6 097	10 886	2013	9 009	16 083
2006	6 402	11 430	2014	9 459	16 887

(二)车型结构分析

根据1999年至2005年分车型交通量预测的结果，车型结构情况可反映如表1-7-3。

×××公路车型结构分析表　　表1-7-3

车型种类	小型	中型	大型	特型	合计
车型结构(%)	29.36	38.04	13.55	19.05	100.00

借鉴国内有关已建成高等级收费公路的实际车型结构情况，考虑到该地区所在地区民用车辆分车型构成及收费可能对该公路车型结构的影响，估计当×××公路建成通车后实际的车型结构未来可能的变动趋势是：中小型车所占比重比预期数偏高一些；大特型车所占比重比预测数偏低一些。

(三)标准收费交通量分析

标准收费交通量是指按分车型收费系数将分车型交通量换算为小型收费交通量，其计算公式为：

标准收费交通量 = 分车型收费交通量 × 分车型收费系数

分车型交通量换算的标准收费交通量如表1-7-1所示，从1999年至2005年标准收费交通量平均年增长率为7.27%，与交通量年平均增长率7.58%基本一致，所以，按标准收费交通量平均年增长5%来估计收费权价值是稳健的。

在交通量中有一部分可以免交车辆通行费，这部分交通量约占总交通量的5%左右，即收费交通量占总交通量的95%。那么，1999年×××公路平均每昼夜断面标准收费交通量应调整为8 123车次（表1-7-2）。

（四）现金净流量分析

根据我国现行规定，特许经营收费公路所征收的车辆通行费收入，需要照章缴纳营业税；分年度获得的营业利润需要依法交纳所得税，对此，现金净流量可以按照下列公式测算：

年现金净流入量＝（车辆通行费收入－营业税金及其附加
－养护和收费管理支出－收费权价值摊销）
×（1－所得税率）＋收费权价值摊销

或：年现金净流入量＝（车辆通行费收入－营业税金及其附加
－养护和收费管理支出）×（1－所得税率）
＋收费权价值摊销×所得税率

1.车辆通行费预测

×××公路车辆通行费收入的计算公式如下：

通行费收入＝平均日标准收费交通量×标准费率×365×283

×××公路建成后将按每车每公里0.2元的标准费率收费，那么，1999年平均日标准交通量为8 123车次，则通行费年总收入1.68亿元人民币，如果不考虑收费标准调整因素，通行费收入将按5%的年增长率增加，2014年总收入将达到3.49亿元。

2.养护和收费管理支出预测

根据《×××公路可行性研究报告》中的财务费用预计，×××公路建成后，养护费用为一级公路每公里3万元，二级公路每公里1.6万元；大修费为一级公路每次公里36万元，二级公路每次公里20万元。收费管理费按全年216万元（9×40×0.6）预计。我们认为，以上估计低估了可能发生的财务费用。根据稳健原则，我们按以下数据预测财务费用：

（1）一级公路每公里养路费按4万元预计。根据可供比较的某汽车专用公路1997年的公路小修保养实际支出情况，每公里费用为2.57万元；相比较之下,该路1996年小修保养实际支出为每公里1.28万元,考虑到会计核算中可能的误差和支出实际增长情况,特别是在养护费用中人工费用占有较大的比例、且人工费增长较快的事实,应当说每公里4万元的预计是合理的。

(2)二级公路每公里养护费用为2.5万元预计。公路小修保养主要是路面作业,相对于四车道的一级公路而言,二车道的二级公路保养小修工作量一般可以减少40%,所以,以上预计可以认为是适度的。

(3)一级公路每公里每次大修费用按100万元预计,相关汽车专用公路为山区一级公路,每公里每次大修费用时按照125万元预计的。大修作业的主要内容是路面更新,考虑到×××公路大修作业量比相关公路要少一些,且×××公路的平均投资为1 085万元,低于相关公路的平均投资(1 158万元),所以上述预计是可行的。

(4)根据相同的理由,二级公路每公里的每次大修费用预计为60万元。

(5)根据×××公路全线收费站的设置情况,收费站和收费管理处定编人员为381人,按人均月工资1 000元,人均年其他支出8 000元估计,人均年经费2万元是现实的。

如果大修间隔期为10年,大修费用按年预提,那么每年的大修费用为2 350万元;保养小修费用952万元;收费管理支出762万元;全年的财务成本4 064万元,预计财务成本按每年5%的速度递增。

如果实行经营性收费,×××公路征收的车辆通行费收入就需要缴纳营业税金及其附加,并根据盈利情况缴纳所得税,那么,分年度现金净流量情况如表1-7-4所示。

×××公路现金净流量测算分析表 单位:万元 表1-7-4

年份	标准收费交通量	年通行费收入	年养护与收费管理支出	营业税金及附加(3.3%)	所得税(33%)	现金净流入量
2000	8 529	17 620	4 267	581	4 215	8 557
2001	8 956	18 501	4 481	611	4 425	8 984
2002	9 403	19 426	4 704	641	4 647	9 434
2003	9 874	20 398	4 940	673	4 878	9 906
2004	10 367	21 418	5 188	707	5 123	10 400
2005	10 886	22 498	5 447	742	5 379	10 921
2006	11 430	23 613	5 719	779	5 648	11 647
2007	12 001	24 794	6 005	818	5 930	12 041
2008	12 601	26 033	6 305	859	6 227	12 642

续上表

年份	标准收费交通量	年通行费收入	年养护与收费管理支出	营业税金及附加(3.3%)	所得税(33%)	现金净流入量
2009	13 232	27 335	6 620	902	6 538	13 275
2010	13 893	28 702	6 950	947	6 866	13 939
2011	14 588	30 137	7 299	995	7 208	14 625
2012	15 317	31 644	7 664	1 044	7 569	15 376
2013	16 083	33 226	8 047	1 096	7 947	16 136
2014	16 887	34 887	8 449	1 151	8 345	16 942

根据以上分析,该公路分年度现金净流入量的现值可预计如表 1-7-5。

×××公路收费经营分析表 单位:万元 表 1-7-5

年份	现金净流入量	现值系数(10%)	现值	现值系数(15%)	现值
2000	8 557	0.919	7 778	0.870	7 445
2001	8 984	0.826	7 421	0.756	6 792
2002	9 434	0.751	7 085	0.658	6 208
2003	9 906	0.683	6 766	0.572	5 666
2004	10 400	0.621	6 458	0.497	5 169
2005	10 921	0.565	6 170	0.432	4 718
2006	11 467	0.513	5 883	0.376	4 312
2007	12 041	0.467	5 623	0.327	3 937
2008	12 642	0.424	5 360	0.284	3 590
2009	13 275	0.386	5 124	0.248	3 279
2010	13 939	0.351	4 893	0.215	2 997
2011	14 635	0.319	4 669	0.187	2 737
2012	15 367	0.290	4 456	0.163	2 505
2013	16 136	0.263	4 244	0.141	2 275
2014	16 942	0.239	4 049	0.123	2 084
合计	184 646	7.607	85 979	5.848	63 714

根据以上数据,如果该公路的收费权价值为 V 则有下列等式成立:

如果期望收益率为10%时,则

$$V = 85\ 979 + V/15 \times 33\% \times 7.606$$
$$V = 103\ 257(\text{万元})$$

如果期望收益率为15%,则

$$V = 63\ 714 + V/15 \times 33\% \times 5.848$$
$$V = 73\ 120(\text{万元})$$

第四节　高速公路权益转让管理

一、国家有关高速公路权益转让的管理规定

到2003年底为止,涉及对高速公路权益转让行为规范的法律、法规和规章有:1997年7月公布的《中华人民共和国公路法》(以下简称《公路法》);1996年10月交通部9号令发布的《公路经营权有偿转让管理办法》(以下简称《管理办法》);1999年1月7日交通部以交公路发[1999]9号文印发的《关于清理整顿公路收费站(点)的实施方案(试行)》(以下简称《实施方案》);1999年12月16日国家计划发展委员会以计外资[1999]1684号印发的《国家计委关于加强国有基础设施资产权益转让管理的通知》(以下简称《计委通知》);2002年4月15日国务院办公厅以国办发[2002]31号文印发的《国务院办公厅关于治理向机动车辆乱收费和整顿道路站点有关问题的通知》(以下简称《通知》)等。

(一)对公路收费权转让行为和转让主体的规范

目前,涉及对公路收费权转让行为和转让主体规范的法律规范,只有《管理办法》。《管理办法》第五条规定:"转让公路经营权是由省级交通主管部门授权所属的公路经营公司,将经批准的规定范围内的全部或部分公路经营权,在一定期限内转让给具有法人资格的境内、境外单位经营的一种特许行为"。

(二)对公路收费权转让条件的规范

对公路收费权转让条件的规范,需要解决的主要问题是:具备怎样条件的公路基础设施,才能够进行收费权的转让?目前,《管理办法》、《实施方案》、《通知》等均涉及对公路收费权转让条件的规范内容。

《管理办法》第九条规定，公路收费权转让范围的具体内容为“40km，4车道以上的公路路段及 500m 四车道以上独立的大型桥梁、隧道等公路基础设施的收费权”。

《实施方案》中要求，进行收费权转让的公路，应当具备以下公路技术等级和规模之一：“高速公路连续里程 15km 以上；一级公路连续里程 60km 以上；独立桥梁、隧道长度超过 500m，四车道以上；二车道独立桥梁、隧道长度超过 1 000m 以上”。

《通知》中规定：“收费期限已超过 2/3 的一级及一级以上收费还贷公路和城市道路，或长度 1 000m 以下的独立桥梁和隧道，以及技术等级为二级的收费还贷公路，均不得转让收费权”。

（三）对公路收费权转让期限的规范

《管理办法》第十一条规定：“转让公路经营权中的车辆通行收费权，应坚持以投资预测回收期加上合理年限盈利期（合理年限盈利期一般不得超过投资预测回收期的 50%）为基准的原则，最多不得超过 30 年”。

《公路法》第六十条规定：“收费权的转让期限由出让、受让双方约定并报转让收费权的审批机关审查批准，但最长不得超过国务院规定的年限”。

《计委通知》中规定：“资产权益转让年限一般不超过 20 年。对于在转让后对原基础设施进行了更新改造或扩建，且投资大、利润率低、回收期长的项目，可适当延长年限，但最长不得超过 25 年”。

《通知》中规定：“收费权转让后，应严格执行原批准的收费年限和收费标准，收费年限应连续计算，不得以经营权转让或者上市融资为由，延长收费年限或提高收费标准。”

（四）对公路收费权价值评估方法的规范

《管理办法》第十六条规定：“确定公路经营权资产的重置全价，应参照国际通用的评估方法，即：采用收益现值法与重置成本法相结合的方法进行”。

（五）对公路收费权转让价格的规范

《管理办法》第十七条规定：“经国有资产管理部门确认的公路经营权资产的评估价值，应作为公路经营权转让成交价格作价的依据。转让公路经营权的实际成本价不得低于评估确认价值”。

《公路法》第六十一条规定，“公路收费权出让的最低成交价，以国有资产评估机构评估的价值为依据确定”。

(六)对公路收费权转让审批权限的规范

《管理办法》第七条规定，“对含有中央车辆购置附加费或中央财政性资金投资建成的公路及国道公路经营权的转让，由省级交通主管部门报交通部审批；全部由地方规费或地方财政资金投资及自筹资金等建成的省道以下公路经营权的转让，由省级交通主管部门报省级人民政府审批，并负责办理向交通部报备事宜”。

《公路法》第六十一条规定，“国道收费权的转让，必须经国务院交通主管部门批准；国道以外的其他公路收费权的转让，必须经省、自治区、直辖市人民政府批准，并报国务院交通主管部门备案”。国办发[2002]31号文件中重申了《公路法》的规定。

《计委通知》中规定：“资产权益转让项目的审批权限按照国家现行内外资建设项目审批的有关规定，规模在限额以下的，由国家计委会同有关部门审批。重大项目报国务院审批。限下项目由各省、自治区、直辖市及计划单列市计委(计经委)审批”。

(七)对公路收费权转让收入使用的规范

《管理办法》第二十三条规定：“转让方获得的转让公路经营权收入，首先用于偿还被转让公路经营权的公路建设贷款和开发新的公路建设项目。任何单位不得将转让公路经营权的收益用于与公路建设无关的项目”。

《公路法》第二十一条规定：“出让公路收费权的收入必须用于公路建设”。

《计委通知》中规定：“转让资产权益的收入，在扣除应缴税款后，首先要用于偿还到期的债务，安置富余人员。其余部分在同级政府财政列收列支，专项用作建设资金，原则上限于在同行业内使用。不得将转让收入用于基础设施以外的项目建设，不得用于经常性支出和平衡财政预算、发放工资奖金等”。

《通知》中规定：“政府及其有关部门转让收费还贷公路和城市道路收费权取得的收入，必须全部上缴国库，实行收支两条线管理，并严格按规定使用，保证收费还贷公路建设贷款本息的偿还”。

除了以上规范内容以外，《管理办法》第二十五条中还要求中央投资建成的收费还贷公路收费权的转让收入,交通部应当参与按比例分成,并委托相关机构持有,用于该地区公路建设或者投入其他公路建设项目。

二、高速公路权益转让基本要求

高速公路权益转让必须符合我国现行的产业政策和有利于我国公路网建设及实现公路建设规划的精神,并在遵守我国法律、法规及有关规定的前提下,本着适度发展的优先国内投资者的原则进行。

公路经营权转让范围的具体限制为:40km,四车道以上的公路路段及500m,四车道以上独立的大型桥梁、隧道等公路设施车辆通行费的收费权和公路沿线规定区域内的饮食、加油、车辆维修、商店、广告等服务设施的经营权。公路经营权中的车辆通行费权和服务设施经营权可整体转让,也可只转让车辆通行费收费权。

对收益转让公路项目的具体盈利能力,现行政策并没有作出明确定的规定,什么样的公路项目能够进行权益转让,关键在于其收益是否能够满足投资方追求的盈利要求。目前,已转让的公路项目测算的资金收益率一般都是在15%以上,这样的项目都是各地交通量最大、效益最好地少数干线项目;而对于大多数投资回报率不高的公路项目来说,能否转让经营权或其他回报率高的项目能否有优惠政策,需要进一步讨论。另外,就全国而言,能够达到使用这种方式转让所规定地硬性条件的项目并不多;实际上已经转让的项目也多低于这一标准。这种“政策障碍”的存在应引起足够的重视。

三、高速公路权益转让协议

(一)高速公路权益转让协议的概念

高速公路权益转让协议是高速公路特许经营协议的重要组成部分。高速公路权益转让协议又叫做“TOT”项目特许经营协议,主要用于规范收费高速公路权益转让、收费经营以及经营期限届满将权益移交转让方等过程中签约双方各自的权利、责任和义务。

(二)高速公路权益转让协议的基本内容

高速公路权益转让协议一般应当包括下列内容:

(1)项目名称、范围和经营内容。

(2)特许经营的方式和特许经营期限。
(3)收费标准及其调整机制。
(4)特许人的权利和义务。
(5)受许人的权利和义务。
(6)养护质量与服务水平。
(7)特许经营期内的经营风险承担与保障。
(8)安全质量保证金制度及其责任。
(9)特许经营期限终了公路基础设施移交的内容、方式和程序。
(10)特许经营协议的终止和变更。
(11)监督检查机制。
(12)违约责任。
(13)争议解决方式。
(14)其他约定。

(三)高速公路权益转让协议样本及其附件

1.高速公路权益转让协议样本

第一条　定义及解释
第二条　合同条款
第三条　特许经营
第四条　项目公司
第五条　先决条件/特许前期和生效
第六条　运营、养护和维修
第七条　收费
第八条　财务管理、财务报表和报告
第九条　保险
第十条　特许机关一般义务
第十一条　项目公司一般义务
第十二条　特许机关和项目公司共同义务
第十三条　不可抗力
第十四条　终止
第十五条　声明和保证
第十六条　责任和补偿
第十七条　特许期满方移交

第十八条 转让和替代实体

第十九条 纠纷解决

第二十条 适用/管辖法律

第二十一条 语言文字

第二十二条 其他条款

2.高速公路权益转让协议样本附件

第一条 项目高速公路的定义

第二条 项目审批

第三条 项目关键点

第四条 质量保证体系

第五条 特许权费的支付

第六条 收费结构和程序

第七条 保险

第八条 合同终止付款计划

第九条 转让/回收说明

四、高速公路权益转让案例分析

这里所研究的特许经营案例是广东省石砚至观澜一级公路(简称石观公路),尽管该公路在权益转让过程中有些操作并非完全规范,但是以石观公路作为权益转让案例是非常有意的,最重要的原因是有助于我们研究权益转让涉及的整个审批过程。

深圳石观公路位于深圳市宝安区,是四车道收费一级路,全长40km。该公路始建于1994年6月,于1995年建成通车,总投资约为308亿元。该公路由深圳石观公路公司运营管理,该公路隶属于深圳宝安公路局。在公路完工之际,省政府同意将该公路以特许经营方式租赁给私人投资者。同香港和深圳的私人投资者进行了联系,通过投标方式,让有兴趣的投资者递交了项目建议书,从而选出中标者,同其进行协商。在这个案例中,上述过程是非常复杂漫长的,确定了投资者后,要致力于完成两个审批程序,一个是对特许经营进行审批;另外一个是对设立项目公司进行审批。超过3 000万美元的特许经营项目必须经过多层政府机构批准,包括市公路局、运输局、市计委、省公路局、省交通厅、省计委、交通部和国家计委。在实施特许经营项目的同时,也要对项目公司、或者合资企业、或者外商独资企业进行审批,项目公司必须经过市、省和国家经贸部门的审批,每个层次的政府部门都要对相同的文件进行审查并提出意见。对项目公司的批准要经过一年的时间，而对特许经营项目的批准要经过两年到四年的时间。从项目的角度出发，国内和国外的投资者关注的焦点问题包括：特许经营期限和价格、土地使用证和土地使用权的处理、利润分配、使用的优惠政策、是否修建不收费的平行公路、运营、管理和养护模式等。

与合同和公司章程有关的主要问题包括：

(1)合伙人之间的利润分配方式和比例，公司折旧和摊销的会计方法。

(2)项目运营、管理和养护方式。

(3)对公司原有员工的安排。

(4)土地使用证的申请。

(5)国内合伙人负责争取到的优惠政策。

(6)项目和项目公司的审批要求和责任。

本项目从立项到公司注册，总共用了 3 年的时间。在此期间，双方共花费了 300 万元，主要用于项目评估、项目的财务审计、项目的工程质量评估、项目审批程序、以及起草租赁项目建议书、协议和合同(由律师完成)和申请土地使用证。比较好的方法是由外方提供法律文件(通常这些文件比较复杂)，然后由中方进行修改，这要可以加快相关文件的定稿工作。本项目就是按照这样的模式拟定法律文件。在整个审批过程中，随着审批进程的进展，需要根据实际情况对项目的基础参数进行修改，特别是在财务方面更是如此。即使协议已经到了可以实施的阶段，也要根据需要进行修改，投资者对项目进行重新分析以确保财务的可行性。外方的主要作用是对包括审批在内的项目所有方面进行协调，以保证能及时对项目的范围和结果会有重大影响的建议作出反应。

小结

高速公路权益是指高速公路的投资主体通过投资建造公路所取得的对高速公路的所有权以及与所有权相关的使用权、收费权、收益权、处置权以及其他权利。

高速公路权益转让主要涉及的是收费高速公路的权益转让。由于收费公路的权益包括收费权、广告经营权和服务设施经营权；所以收费高速公路权益转让涉及到收费权转让、广告经营权转让、服务设施经营权转让等。

收益现值法是指根据被评估资产未来的获利能力来评估计算其价值的

一种方法;而重置成本法是指根据被评估资产的重置成本来确定资产评估价值的一种方法。

思考题

1.什么是高速公路权益?什么是高速公路权益转让?高速公路权益转让和收费权转让的关系是什么?

2.我国推行高速公路权益转让,主要是为了解决什么问题?

3.目前我国规范高速公路权益转让的制度规范有哪些?这些制度规范主要从哪些方面规范着高速公路权益转让行为?

4.高速公路权益价值评估方法主要有哪些?你倾向于采取哪一种方法?为什么?

5.规范的收费公路收费权转让协议中,应当包括哪些内容?

6.按照现行的政策规定,收费还贷公路收费权转让收入,应当如何使用?

7.按照现行的政策规定,公路经营企业能否作为转让主体通过转让公路收费权融资?

8.采用收益现值法,如何计算公路收费权的价值?如何科学确定计算收费权价值时所采用的财务折现率?

9.你认为转让高速公路广告经营权,有何意义和局限性?

10.为什么要转让高速公路服务设施的经营权?你认为转让高速公路服务设施经营权,可采取哪些有效方法?

第八章

高速公路成本管理

学习目标

成本管理是高速公路经营管理的重要组成部分。加强高速公路建设与收费经营阶段的成本核算与管理,对于强化高速公路投融资管理,提高高速公路投资效益,具有非常重要的作用。

通过本章的学习,希望学员们能够正确掌握高速公路建设成本、高速公路经营成本和高速公路养护成本的基本概念和构成,国家现行制度中对各类成本开支范围和开支标准的有关规范,以及加强高速公路成本管理的基础理论与方法。

本章所涉及的有关高速公路成本管理与控制的基本思路和基本要求,在一定程度上反映了当前有关加强高速公路成本管理的流行观点。但随着深化高速公路管理体制改革的进展以及有关财务成本制度的调整,这些观点有可能发生变化;深化改革与发展要求在高速公路成本管理上有新思路。

第一节　高速公路建设成本管理

一、建设成本的概念

建设成本是指建设单位在投资活动中计入交付使用资产价值的各项投资支出,包括建筑安装工程投资支出、设备投资支出、待摊投资支出和其他投资支出。其中,建设项目的建筑安装工程投资支出、设备投资支出和分摊的待摊投资支出之和构成了该项目的建设工程成本;其他投资支出构成了不需要通过建筑安装工作即可形成交付使用资产的价值。

根据国家规定,公路建设项目应当划分为经营性项目和非经营性项目两类。经营性建设项目基本建设支出由以下四部分构成。

(一)建筑安装工程投资支出

公路建设项目的建筑安装工程投资支出包括以下内容:

(1)公路及构筑物工程,包括路基、路面、桥梁、涵洞、隧道、防护工程等。

(2)房屋与建筑物工程,包括服务区房屋、收费站房屋、管理控制房屋、道班房、车库、油库工程,以及列入房屋工程概预算内的暖气、卫生、通风、照明、煤气、消防等设备的价值及其装饰、油饰工程,列入建筑工程预算内的各种管道、电力、电讯、电缆导线的铺设工程。

(3)设备基础、支柱、工作台、梯子等建筑工程。

(4)为施工而进行的建筑场地布置,原有建筑物和障碍物的拆除,土地平整,设计中规定的为施工而进行的地质勘探,以及工程完工以后建筑场地的清理和绿化等。

(5)安全设施、通信设施、监控设施、收费设施等各种需要安装设备的装置、装配工程,与设备相连的工作台、梯子、栏杆的安装工程,被安装设备的绝缘、防腐、保温、油漆等工程。

(6)为测定安装工程质量,对单体设备、系统设备进行单机试运行和系统联动无负荷运行所发生的支出。

其中第(1)~(4)项进一步构成建筑工程支出;第(5)、(6)项构成安装工程支出。

(二)设备投资支出

1.设备投资的概念

设备投资包括为购置需要安装的设备、不需要安装的设备以及为生产准备的低于固定资产标准的工具、器具等所发生的实际支出。

2.设备投资支出的确定

不需要安装的设备和工具、器具购入时,无论是验收入库还是直接交付使用单位,都直接计入设备投资支出。

需要安装的设备购入后,无论验收入库还是直接交付安装,必须同时具备以下三项条件,才能计入设备投资支出:①设备的基础和支架已经完成;②安装所需的图纸已经具备;③设备已经运到安装现场,验收完毕,吊装就位并继续安装。

对列入房屋、建筑物等建筑工程预算的附属设备,如暖气、通风、卫生、照明、煤气等设备,出库安装时,不能计入设备投资支出。

需要安装设备的基础、支柱等所发生的建筑安装费用不能作为设备投资支出。

(三)待摊投资支出

待摊投资支出属于间接支出,不能够直接按工程项目归集;不构成建设项目实体。但其支出与项目建设密切相关,所以应当采取一定的方法将其支出摊入各建设项目工程成本。待摊投资支出按照其经济用途可进一步划分为不同的成本项目。具体说明如下:

1.建设单位管理费

建设单位管理费是指建设单位从筹建之日起至办理竣工财务决算之日止发生的管理性质开支。建设单位管理费的开支范围包括:不在原单位发工资的工作人员的工资、基本养老保险费、基本医疗保险费、失业保险费、办公费、差旅交通费、劳动保护费、工具用具使用费、固定资产使用费(基建用固定资产折旧费)、零星购置费、招募生产工人费、技术图书资料费、印花税、业务招待费、施工现场津贴、竣工验收费和其他管理性质的开支。

业务招待费支出不得超过建设单位管理费总额的10%;施工现场津贴标准比照当地财政部门制订的差旅费标准执行。

建设单位管理费实行总额控制,分年度据实列支:工程概算总额在1 000万元及其以下的,费率为1.5%;1 001~5 000万元部分,费率为1.2%;5 001~10 000万元部分,费率为1%;10 001~50 000万元部分,费率为0.8%;50 001~100 000万元部分,费率为0.5%;100 001~200 000万元部分,费率为0.2%;200 000万元以上部分,费率为0.1%。

例如,如果某高速公路建设项目总概算为28亿元人民币,则建设单位管理费控制数为:

$$
\begin{aligned}
&1\,000\times1.5\%+(5\,000-1\,000)\times1.2\%+(10\,000-5\,000)\times1\%\\
&+(50\,000-10\,000)\times0.8\%+(100\,000-50\,000)\times0.5\%\\
&+(200\,000-100\,000)\times0.2\%+(280\,000-200\,000)\times0.1\%\\
=&963(\text{万元})
\end{aligned}
$$

业务招待费控制数 = 963 × 10% = 96.3(万元)

特殊情况确需超过上述标准的,需要事前报同级财政部门审核批准。实行基建财务与经营财务并轨的公路经营企业,一般不设置独立核算的建设单位。企业为管理公路工程建设所发生的各项管理费用构成工程管理费。

2.土地征用及迁移补偿费

土地征用及迁移补偿费,包括通过划拨方式取得土地使用权而支付的土地补偿费、附着物和青苗补偿费、安置补偿费、迁移费等,以及建设单位通过出让方式取得土地使用权而支付的出让金。

3.勘察设计费

勘察设计费包括建设单位自行组织力量或者委托勘察设计单位进行水文地质勘察、设计,在规定的范围和内容中发生的各项费用。

4.研究试验费

研究试验费包括为建设项目提供或验证设计资料、资料进行必要的研究试验,以及按照设计规定在施工过程中必须要进行试验所发生的各项费用。

5.可行性研究费

可行性研究费反映在项目建设前期进行可行性研究所发生的按规定计入建设成本的费用支出,不包括为科研购置的固定资产费用。

6.临时设施费

临时设施费反映建设单位按规定拨付给施工单位购建临时设施的包干费用,包括临时设施的搭设、维修、拆除费或者摊销费,以及施工期间专用公路、铁路的养护费、维修费等。

7.设备检验费

设备检验费反映建设单位按照规定付给商品检验部门对进口成套设备进行检验发生的费用。建设单位对进口成套设备自行组织检验所发生的费用,不包括在本费用项目中。

8.负荷联合试车费

负荷联合试车费是指单项工程(车间)在交付验收以前进行负荷联合试车发生的全部试车费用。单机试运行或系统联动无负荷试运行所发生的费用不能在该项目列支。

9.坏账损失

坏账损失是指建设单位超过规定期限确实无法收回的、报经批准后列作损失处理的预付款及应收款项。

10.借款及债券利息

借款及债券利息包括银行借款利息、延期付款利息、企业债券利息,以及使用部门统借统还基建基金借款发生的资金占用费等。其中延期付款利息是指建设单位按规定对进口成套设备采用分期付款的办法所支付的利息;借款及债券利息属于利息净支出;同期银行存款利息收入应当冲减利息支出。

11.合同公证及工程质量监理费

合同公证及工程质量监理费,反映建设单位在基建活动中签订有关合同经法定公证部门公证的费用,以及为了保证工程质量请工程监理部门进行质量监督的费用。

12.土地使用税

土地使用税反映建设单位在建设期间按规定应缴纳的土地使用税。

13.汇兑损益

汇兑损益是指建设单位使用国外借款,在建设期内按国家规定的外汇牌价将各种外币折合成记账本位币记账,由于汇率变动所发生的应计入建设成本的汇兑收益或汇兑损失。

14.国外借款手续费及承诺费

国外借款手续费及承诺费是指建设单位使用国外借款所发生的按规定应计入建设成本的各种手续费和承诺费。

15.报废工程损失

报废工程损失是指由于管理不善、设计方案变更以及自然灾害等原因造成单项工程或单位工程报废所发生的扣除残值后的净损失。

16.耕地占用税

耕地占用税是指建设项目的建设地点占用了耕地而按国家规定应缴纳的耕地占用税。

17.土地复垦及补偿费

土地复垦及补偿费是指建设单位在基本建设过程中因工程需要破坏土地,按规定支付的土地复垦费用和土地损失补偿费。

18.固定资产损失

固定资产损失是指建设单位清理固定资产所发生的净损失以及经批准转账的固定资产盘亏减盘盈的净损失。

19.器材处理亏损

器材处理亏损是指建设单位处理积压器材所发生的亏损以及自用积压物资所发生的修理费用。如果处理积压物资发生盘盈,则应当冲减本项目。

20.设备盘亏及毁损

设备盘亏及毁损是指建设单位发生的按规定报经批准处理的设备的盘亏和毁损,设备发生盘盈则应当冲减本项目。

21.调整器材调拨价格折价

调整器材调拨价格折价是指建设单位按照国家规定调整器材调拨价格所发生的折价损失。如果调整器材调拨价格发生溢价,则应当冲减本项目。

22.企业债券发行费用

企业债券发行费用是指建设单位因筹集债券资金而发生的债券发行费用,包括支付给银行或者金融机构的代理发行手续费和债券的设计、印刷等费用。

23.概(预)算审查费

概(预)算审查费是指建设单位在项目建设前期编制的概(预)算经有关部门审查所支付的费用。

24.项目评估费

项目评估费是指建设单位的项目贷款由贷款银行或金融机构进行评估论证所支付的费用。

25.社会中介机构审计费

社会中介机构审计费是指有关部门委托社会中介机构对建设项目的资金、财务以及竣工决算等进行审计所发生的费用。

26.车船使用税

车船使用税是指建设单位自用车辆、船舶等按照国家规定应缴纳的使用税。

27.其他待摊投资支出

其他待摊投资支出是指除了上述各种待摊投资以外的其他应计入建设成本的待摊支出,包括国外设备及技术资料费、出国联络费、外国技术人员费、取消项目的可行性研究费、编外人员生活费、停缓建维护费、商业网点费、供电贴费以及行政事业单位建设项目发生的非常损失。

(四)其他投资支出

其他投资支出是指建设单位按项目概算的内容所发生的、构成不需通过建筑安装即可单独交付使用资产价值的支出。独立核算的公路建设单位的其他投资支出一般包括以下内容:

(1)房屋购置费。指建设单位购置在建设期间使用的办公用房屋和为生产使用部门购置的各种现成房屋。

(2)办公生活用家具、器具购置费用。

(3)为可行性研究购置的固定资产费用。

(4)购买或自行开发无形资产的费用,包括购买的专利权和专有技术等。

(5)递延资产。指建设单位在基本建设过程中形成的不能计入交付使用资产价值的各种递延费用,主要包括生产职工培训费、样品样机购置费和生产经营性项目发生的非常损失。

实行基建财务与经营财务并轨的公路经营企业的上述支出,直接构成企业交付使用的相关资产(存货、固定资产、无形资产和递延资产)价值,不作为其他投资支出核算。

非经营性建设项目基本建设支出一般由以下六部分构成:

(1)建筑安装工程投资支出。

(2)设备投资支出。

(3)待摊投资支出。

(4)其他投资支出。

(5)待核销基建支出。

(6)转出投资。

其中(1)和(2)部分的具体内容与经营性项目的相关构成内容完全一致;非经营性项目中的待核销基建支出和转出投资的具体内容在经营性项目中分别列入待摊投资支出和其他投资支出中。

(五)待核销基建支出

待核销基建支出反映了非经营性项目投资中不能形成资产价值的投资支出。非经营性公路建设项目的待核销基建支出包括取消项目可行性研究费、报废工程损失等。其中报废工程损失是指项目的整体报废损失。单项工程、单位工程报废损失计入待摊投资。

待核销基建支出应在项目完工后报同级财政部门审批,冲销相应的资金来源。

(六)转出投资

转出投资是指非经营性项目为项目配套的、但产权不属于本单位的专用设施投资,包括专用道路、专用通信设施、送变电站、地下管道等。

(七)经营性建设项目与非经营性建设项目建设成本构成的比较

由于经营性建设项目实行资本保全原则,所以发生的全部基本建设支出均应计入建设成本,用项目建成交付使用后的经营收入予以补偿。与此不同,非经营性建设项目只产生交付使用的实物资产,不构成实物资产价值的支出需采取一定的方式处理。对此,经营性项目与非经营性项目的建设成本构成存在以下不同之处:

(1)计入经营性项目的建设成本,但不计入非经营性项目建设成本的基本建设支出。

例如建设项目取消的可行性研究费,在非经营性项目中,形成待核销基建支出;在经营性项目中计入待摊投资(其他待摊投资支出)。

建设项目为项目配套,但产权不属于本单位的专用设施投资所发生的支出,在非经营性项目中,形成转出投资;在经营性项目中构成其他投资支出中的无形资产价值。

考虑到资产重复计算等因素,财政部《关于解释〈基本建设财务管理规定〉执行中有关问题的通知》中,将经营性项目为项目配套的专用设施投资修改为:“产权不归属本单位的,经项目主管部门及统计财政部门核准作转出投资处理”。

(2)经营性项目计入其他投资中的无形资产和递延资产,非经营性项目计入工程成本的基本建设支出。

例如建设项目所发生的非常损失,在非经营性项目中计入待摊投资(其他待摊投资支出);在经营性项目中,构成其他投资支出中的递延资产价值。

(3)其他。

例如,建设项目整体报废所造成的损失,在非经营性项目中形成待核销基建支出;在经营性项目中,应当比照企业破产清算的有关规定进行财务处理。

二、公路基本建设成本管理的基本要求

(一)建设成本开支的原则和界限

根据国家有关规定,凡是为项目实体形成的各种耗费,以及所发生的各种辅助性费用,在规定的开支范围和开支标准内,都应当计入项目建设成本。建设成本开支应当执行以下规定:

(1)严格执行建设成本开支范围,严禁将国家规定不得列入成本、费用的各项开支列入建设成本。

建设单位的对外投资支出,对外捐赠和赞助支出,被没收的财物,支付的滞纳金、罚款、违约金、赔偿金等,以及国家规定不能计入建设成本的其他支出,均不得计入建设成本。

(2)应当划分清楚资本性支出与收益性支出,建设期内与建设期外费用支出,项目建设成本与自用固定资产购建成本的界限。

根据这一要求,建设单位从事生产经营活动所发生的收益性支出,建设项目已交付使用但尚未办理竣工决算手续前发生的除贷款利息以外的其他各项费用,建设单位在投资概、预算外用留用收入,或者上级部门拨入资金购置固定资产的支出等,也不应当计入建设成本。

(二)公路建设成本的管理与控制

加强建设项目财务管理的目的是为了提高投资效益。在投资决策已做出的前提下,提高投资效益的关键在于有效管理与控制工程建设成本,将实际工程成本控制在工程概算范围之内。这意味着,加强建设成本管理,有效控制建设成本,就成为保证工程投资效益的一项关键工作。

1998年以来,有关新闻媒介披露的工程质量问题触目惊心。据有关方面反映,目前每年"豆腐渣"工程所造成的经济损失达上千亿元;1995年以后竣工和1996年在建的50万元以上的25.14万个工程项目中,约有40%的工程处于失控状态。尽管目前加大了对工程质量管理的力度,但仍有20%的工程没有达到国家规定的质量标准。新中国建立以来,我国的工程建设曾分别于"大跃进"年代、"文革"时期,以及改革开放初期出现过三次大的质量事故多发时段,目前有可能出现第四次工程质量事故的多发期。对此,全国各界人士对杜绝"豆腐渣"工程的强烈呼吁和国务院解决"豆腐渣"工程问题的坚强决心,使我国从1999年开始开展了"工程质量年"的活动。

公路工程的质量问题也同样令人震惊。1998年6月28日,通车仅18天的云南省昆禄公路上挡墙倒塌、路基隆起,交通被迫中断;1998年10月25日,辽宁沈四高速公路清洋河大桥出现桥面塌陷,造成车毁人亡事故;1999年1月重庆綦江彩虹桥的突然倒塌、号称世界第二的宁波大桥出现中间断裂等,不仅使国家和人民的生命财产蒙受了重大损失,在社会上造成了非常恶劣的影响,也导致公路工程成本出现严重失控的现象(例如,为了处理昆禄公路的质量问题,在工程造价3.5亿元的基础上又得增加1亿元的修复费用;广东佛开高速公路全线 17 座桥梁中有 14 座出现桥面开裂事故,全面重新铺装桥面导致了耗资 3 700 多万元)。为了确保公路建设工程质量,交通部从 1999 年到 2001 年连续 3 年在全国开展"公路建设质量年"活动。

有关专家指出,目前所取得的科研成果和已达到的科学技术水平使我们完全有能力解决公路施工过程中所涉及的任何技术难题,所以目前所出现的公路工程质量问题绝不是技术问题。这些质量问题除了行政干预、不按客观规律办事以外,主要涉及的是经济腐败问题。公路工程未经批准开工、工程可行性研究走形式、不公开进行工程投招标而是搞"地下交易"或"暗箱操作"等腐败现象,不仅败坏了党风和社会风气,也必然会影响到工程质量。对此,加大对公路工程质量和公路工程成本的经济监督力度,已是摆在我们面前的一项紧迫任务。

腐败所引发的工程质量问题和经济损失触目惊心。河南许昌至漯河高速公路 1999 年建成通车,耗资 9.57 亿元。2000 年度曾被交通部评为中国高速公路 12 项优质工程之一。但到 2003 年年底为止,公路运行仅 4 年就大修了 4 次,经济损失巨大①。

在市场经济条件下所追求的公路工程质量,是体现最佳经济效益的质量。在保证公路工程基本质量的前提下,并非质量越高越好;是否提高质量,取决于质量与工程成本的比较。因此,说到底,公路工程质量问题实质上是公路工程经济问题。

这意味着财务人员应当在保证公路工程质量方面发挥关键性的作用。财务监督是经济监督的重要组成部分。为了有利于充分发挥财务管理在保证公路工程质量、控制公路工程成本、提高公路工程投资效益上的作用,应注重于做好以下建设成本的管理工作。

1.公路建设工程可行性研究阶段的成本管理与控制

公路建设项目可行性研究中所涉及的工程成本叫做"投资估算"。在现行条件下,这一阶段成本管理与控制的主要任务有两项:

(1)科学估算公路建设的总投资成本,防止人为地低估投资成本或者高估投资收益,导致可行性研究出现失误。

(2)通过采取招投标方式有效地控制可行性研究费用。

科学的公路建设项目可行性论证,对保证公路工程质量,提高公路工程

---

① 资料来源:新京报 2004 年 2 月 17 日 A18 版。

投资效益,具有重要的意义。但长期以来,我国公路工程建设的可行性研究却不尽人意。几十年计划经济体制的影响使管理者习惯于拍脑袋作决定,而不是按科学决策程序决策。这样,不按客观规律办事的"三边"(边勘察、边设计、边施工)工程不仅未受到限制,反而成为所谓的"多快好省地建设公路"的成功经验。另一方面,一些公路工程,特别是高速公路工程成了某些领导为突出政绩而实施的"首长工程"。为了使工程一定上马,为了抢时间、争速度,就不可能按科学决策程序办。这就难免导致工程质量问题。因此,有必要加强对公路建设项目可行性论证阶段的科学管理与有效控制,防止由于可行性论证方面的原因所导致的公路投资失误。可采取的具体措施如下。

(1)应尽可能地采取措施避免对公路建设项目可行性论证的行政干预,防止"先由政府官员进行项目可行的定论,后由研究单位进行项目可行的理论证明"及其类似现象发生。要做到这一点,实行政建分开、实施建设项目法人负责制是非常必要的。

(2)应通过制订有关规定保证,让有资质的研究单位独立地进行公路建设项目可行性论证,防止在选聘研究单位过程中出现腐败行为。通过实行投招标制让有业务资格、职业道德高尚,且有较强责任心的研究单位,承担公路建设项目的可行性研究工作,这是实现这一目标的理想选择。

(3)应通过制订有关规定,明确研究单位从事公路建设项目可行性论证,应承担的责任,并通过公路建设项目的后评估落实责任。如果能够明确这一点,将有助于减少有关方面对可行性研究的行政干预,并有利于避免研究单位在从事可行性研究中的武断和主观随意性。

2.公路工程设计、施工单位和监理单位选择过程中的成本管理与控制

公路建设项目概预算编制,是一项严肃认真的工作,它对控制公路工程成本具有重要的作用。交通部明确规定,以批准的初步设计进行施工招标的工程,其标底应在批准的总概算范围内;以施工图设计进行施工招标的工程,施工图预算经审定后是编制工程标底的依据。加强对公路工程项目概预算执行情况的财务监督,对于有效控制公路工程成本具有重要的作用。

工程投资控制的关键在于施工前的决策和设计阶段。工程项目做出投资决策后,工程项目能否在建设过程中节约投资和建成营运后取得良好的经济效益,涉及的各部门均起着决定性的作用。例如在山区修路,设计方案合理一些,就可以避免许多土方、石方的开挖,减少工程投入。

目前在设计方面所存在的问题是:由于某些项目法人为了保证工程质量,愿意多花钱建设高标准、高规模的工程,却不主动在项目的总体效益上进行更多的考虑。另一方面由于国内正处于公路建设大发展阶段,有些项目为了尽快上马,公路工程设计周期太短,设计方案难以做到细致合理。

例如,四川阿坝州一条通过牧区的二级公路,为了方便牛羊的迁移,设计了许多通道,抬高了路基,增大了工程成本。事实上,由于当地人口稀少,交通量不大,完全可以按照城市道路上设置人行道的做法,在公路上设置一些牛羊过路通道,不仅可以降低工程造价,还有利于保留当地的自然景观。

我国的工程建设招投标工作是从20世纪80年代中期开始实行的。实践表明,科学、严谨的工程建设项目招投标在保证工程质量、控制工程成本方面效果显著。但我国目前的公路工程招投标工作还远不尽人意。政府对公路工程投招标工作一定程度的行政干预影响了工程投招标的效果;政企不分所导致的交通主管部门对自己所属公路施工企业的"偏爱"影响了投招标工作的公正性;招投标工作中的少数"地下交易"、"暗箱操作"等腐败行为,败坏了公路建设单位的声誉,也必然使公路工程质量提高和公路工程成本的控制受到不利影响。对此,应注重做好以下工作。

(1)应通过公开招标和资格验证方式,选择有资格的设计、工程(造价)咨询单位负责编制工程概预算,并对其编制质量负责;防止在选择工程设计单位过程中的行政干预以及可能出现的腐败行为。中华人民共和国交通部令2001年第6号公布的《公路工程勘察设计招标投标管理办法》和2001年9月29日交通部交公路发[2001]582号发布的《公路工程勘察设计招标投标办法》已于2002年1月1日起施行。这对规范公路勘察设计单位的选择发挥有效的作用。工程设计单位所编制的公路建设项目概算或预算经批准后,应作为项目招投标与项目总投资控制的刚性依据。工程设计单位,应在一定条件下,对由于更改工程设计所导致的工程概算或预算增加,承担经济责任以及其他相关责任。

(2)应通过公开招标和资格验证方式选择工程施工单位,防止在选择工程施工单位过程中的行政干预以及可能出现的腐败行为。中华人民共和国交通部令2002年第2号公布的《公路工程施工招标投标管理办法》(以下简称《施工招投标办法》)已于2002年7月15日起施行。这对规范公路施工队伍选择发挥了重要的作用。

《施工招投标办法》规定,公路工程施工招标的评标办法分综合评分法和最低评标价法。综合评分法适用于高速公路、一级公路、技术复杂的特大桥梁、特长隧道工程,其他工程可采用最低评标价法。理论上,最低评标价法客观、公正,简单易行,也有利于控制和降低工程成本,所以属于国际上通用的评标方法。

为了规范工程建设项目施工招标投标活动,根据《中华人民共和国招标投标法》和国务院有关部门的职责分工,国家计委、建设部、铁道部、交通部、信息产业部、水利部、中国民用航空总局审议通过了《工程建设项目施工招标投标办法》,自2003年5月1日起施行。

在实践中,辽宁省交通厅于2002年5月在对沈大高速公路改扩建工程招标中,首次采用了国际上通用的最低评标价法,大大降低了工程造价。重庆市交通主管部门在渝黔高速公路、长梁高速公路、梁万高速公路等国际金融组织贷款项目的招投标过程中也采用了最低评标价法。虽然在体制不健全、管理不到位的状况下,采取最低评标价法,有可能出现承包人偷工减料影响工程质量、拖延工期、在工程变更时与业主讨价还价,导致工程造价难以控制等弊端,但可以认为,随着体制的逐步完善,管理水平的逐步提高,在高速公路工程招投标管理中逐步采用最低评标价法已成为我国加入WTO后与国际惯例接轨的必然趋势。

(3)在公路工程招投标和选择工程施工单位过程中,应当加大工程财务人员参与的力度,以利于做出财务上的最优选择。为了保证公路工程的质量和工程建设的正常进行,工程施工单位的现金支付能力,以及抵御经营风险的能力,应当引起公路建设单位的特别关注。这意味着,对工程施工单位的财务报表(包括资产负债表、利润表和现金流量表),进行认真分析,对施工企业的财务状况、获利能力、偿债能力和支付能力进行科学评价,并在此基础上做出选择施工单位的建议,应当作为工程财务人员的一项重要工作。

3.公路工程施工阶段的成本管理与控制

公路工程施工阶段财务管理与控制的主要目的不是追求工程成本的降低,而是为了保障工程质量,有效避免由于工程质量问题所导致的经济损失。应根据交通部颁布、并于1999年1月1日开始实行的《公路工程施工监理招标投标管理办法》的要求选择工程监理单位,以利于保证工程质量,控制工程成本。工程监理人员根据项目业主的授权,可在一定程度上决定工程设计方案的修改与工程款项的追加;可验收分部分项工程,签署工程付款凭证;因而工程监理人员的专业技术水平、敬业精神和工作的责任心在一定程度上影响这工程的质量和工程成本。洛(阳)三(门峡)高速公路建设过程中，由于工程监理人员玩忽职守，致使某涵洞工程全部报废，导致直接经济损失34万元人民币。在市场经济条件下，选择质优的工程监理单位往往要支付较高的监理费用；例如要聘请国际著名的工程监理公司承担工程监理工作，所需支付的监理费用往往数倍于国内工程监理公司的索价。因而在财务上所需进行的决策是：有否必要支付较高的代价来选择具有较高信誉的工程监理公司承担工程监理任务以保证工程质量，并且因此而避免由于工程质量问题所导致的更大的经济损失？

目前在公路建设市场上所存在的不合理工程分包行为，在一定程度上对工程质量造成不利影响。一方面，存在着项目业主强行指定分包行为；另一方面，工程总承包企业未经过业主同意，随意进行工程分包或转包，造成高资质投标、低资质施工现象，工程质量也就难以保证。

对此，有必要在贯彻实施《工程建设项目施工招标投标办法》的同时，严格合同管理。一方面，应当通过健全法制，杜绝业主干预工程施工的现象发生；另一方面，有必要把招投标制度，引入工程总承包单位选择分包施工队伍的管理上。通过严格的行业准入制度和招投标制度来确保工程质量，严格控制由于工程质量所导致的工程经济损失。

案例　合巢芜高速公路初期建设教训

投入不足，人为缩短工期，是造成高速公路工程“先天营养不良”的二项重要原因。以全长84km(不包括16km的芜湖长江大桥连接线)的合巢芜高速公路为例，由于在始建的20世纪90年代初期建设资金及其短缺，建设工程总投入只有8.8亿元，平均每公里1 000万元，远远低于同期其他省份每公里2 000万元的平均造价；由于为顺应“开发皖江、呼应浦东”的急切心情，工程仅用了15个月就完成建设任务，而科学的建设工期应当为3至4年。为了解决公路由于先天不足和超限车辆的破坏，经营该公路的安徽合巢芜高速公路有限公司决定投资6亿元人民币从2004年初开始对该路进行为期两年的大修改造①。

4.公路工程竣工决算阶段的成本管理与控制

加强对公路工程项目竣工决算情况的财务监督，对公路工程成本的有效控制，也具有重要的作用。公路竣工决算阶段财务管理与控制所涉及的主要工作有：核实工程总投资，核实建设项目超概算的金额，分析其原因，为对责任人的考核与评价，提供依据。

---

① 资料来源：中国交通报2004年3月29日B2版。

第二节 高速公路经营成本管理

一、公路经营企业成本费用的概念和内容

(一)成本费用的概念

根据现代企业成本费用管理的理论,可以认为,企业为取得资产所付出的经济代价,构成该项资产的成本,例如固定资产成本、在产品成本、半产品成本、产成品成本、商品成本等。资产在耗费或者出售过程中,资产的成本转化为费用。

根据我国《企业财务通则》中的规定,费用是企业在生产经营过程中发生的各项耗费。在企业经营实务中的成本一般指营业成本,包括产品成本、商品成本、工程成本、运输成本或者劳务成本等;费用一般是指期间费用。

(二)产品和劳务成本

企业的产品和劳务成本一般可从以下两方面理解:(1)企业的产品、劳务成本是指按产品、劳务归集的生产性耗费;(2)企业的产品、劳务成本是指企业为取得存货、获得劳务所付出的经济代价。

公路经营企业的经营成本属于劳务成本的范畴;反映了公路经营企业为养护公路和完成收费业务所付出的经济代价。

(三)期间费用

一般认为,期间费用反映了企业按期间所归集的非生产性耗费。期间费用一般包括营业费用、行政管理费用和财务费用。由于公路经营企业的广告宣传费用等业务推销费用较少,一般不单独核算与管理,所以目前其期间费用只包括行政管理费用和财务费用。

(四)公路经营企业成本费用的内容

1.公路经营企业的营业成本

根据财政部、交通部1997年3月印发的《高速公路公司财务管理办法》的规定,公司在公路通行期间发生的与公路经营有关的支出,计入营业成本。公路经营企业的营业成本包括以下内容。

公司在经营过程中实际消耗的各种燃料、材料、备品备件、轮胎、低值易耗品等支出;公司支付的各类人员的工资和福利费;公司在经营过程中所发生的固定资产折旧费、固定资产维修费、固定资产租赁费、公路灾害预防及抢修费、公路线路绿化费、取暖费、办公费、水电费、差旅费、保险费、劳动保护费等。

公路经营企业的营业成本可进一步划分为主营业务成本和其他业务成本。主营业务成本是指公路经营企业从事路桥收费经营业务所发生的成本,又可以叫做路桥经营成本;其他业务成本是指公路经营企业从事商品销售、汽车维修、服务区经营等其他业务所发生的成本。

按照营业成本的经济用途分类,公路经营企业的路桥经营成本可进一步划分为以下业务成本项目:

(1)公路维护成本:是指路基、路面、桥梁、涵洞等公路构筑物所发生的各项支出,包括公路小修保养支出和公路大中修支出。

(2)安全和通信及监控设施的维护成本:是指防撞护栏、隔离栅、标志、标线、讯号、电话机及线路、监控设施及线路所发生的各项支出。

(3)公路灾害预防及抢修成本:是指水毁工程及灾害性事故抢修所发生的各项支出。

(4)公路绿化成本:是指公路线路上各种绿化植物所发生的各项支出。

(5)收费业务成本:是指为收取公路车辆通行费而发生的各项支出,包括收费人员的工资、福利费和其他人员经费支出。

(6)其他成本:是指上述项目以外的支出,包括路政支出和交通安全支出等。

2.公路经营企业的期间费用

(1)行政管理费用。公司管理部门发生的支出计入管理费用,包括公司经费、工会经费、职工教育经费、劳动保险费、待业保险费、董事会费、咨询费、审计费、诉讼费、排污费、税金、技术转让费、技术开发费、无形资产摊销、业务招待费、存货盘亏、毁损和报废(减盘盈)以及其他管理费用。

(2)财务费用。财务费用是公司为筹集资金发生的各项费用,包括企业经营期间发生的利息净支出、汇兑净损失、买卖外汇价差、金融机构手续费以及筹资所发生的其他财务费用等。

二、公路经营企业成本费用的特点

与一般企业相比,公路经营企业的成本费用具有以下特点:

(1)成本费用呈现相对的固定性,是公路经营企业成本费用的一个显著特点。固定成本,是指在一定的时间和一定的业务量变动范围内,不受业务量变动的影响而保持相对稳定的成本总额。公路经营企业的成本费用呈相对固定性,意味着公路经营企业的利润最大化目标可以转化为收入最大化目标。

(2)公路资产折旧或者摊销成本是对公路经营企业营业成本有重要影响的成本项目。采取不同的折旧或者摊销方法,对当期损益的影响较为明显。

(3)在公路经营企业营业成本中,人员经费支出占有较大的比重。这意味着,通过控制人员编制来提高收费人员的工作效率;或者采取自动收费的创新手段,都有利于大幅度降低营业成本。

(4)在公路建成收费经营的初期,贷款利息费用在全部费用中占有较大的比重;以后随着贷款逐步偿还,利息费用逐年减少。

如果公路期望继续投资建路或者收购公路收费权得以滚动发展,则随着贷款的增加,利息费用还会进一步增加。

三、公路经营企业成本费用管理与控制

(一)公路经营企业成本费用管理的目标

首先,加强成本费用管理的目的,就是要防止在利润管理过程中,违反财务制度,通过成本费用而随意调整企业利润的倾向,以保证财务成本的真实性。在此过程中,通常要特别注意以下几个问题:

(1)企业为完成利润计划或满足股东分配欲望,不真实反映经营期间的成本费用,采取该提不提,该摊不摊或挂账等账务处理手段,调度“水分”利润,进行“超前”分配。

(2)成本费用有章不循,任意列支各种费用,具体表现在企业擅自提高费用标准,随意扩大成本费用开支范围以及乱摊成本费用,把国家规定不该列入成本的各种费用摊入成本。

(3)企业领导层在财务管理中要处理好领导层的决定和国家制定的财务制度之间的关系,即企业领导层的决定,必须在符合国家政策法规的前提下才能有效。在成本费用管理方面,企业应以财税法规为准绳,凡超越企业领导层权限范围的财务事项,必须上报当地财政部门批准。对于一些企业违反国家成本费用规定的行为,财税部门有权按规定要求企业进行财务调

整，按章纳税，并依违纪程度，按规定给予经济处罚。

其次，公路经营企业应当按照特许经营协议中的有关规定养护好公路，并且在经营期末将技术状况良好的公路交还给国家。这意味着，公路经营企业不能片面追求成本费用的降低而忽略了公路的正常保养与维护。

第三，公路经营企业应当在保证公路正常使用的前提下努力降低公路维修费用，有效减少收费业务费用，科学控制行政管理费用，促使利润最大化和经营效益最大化。

（二）公路经营企业成本费用管理的内容

成本费用管理，就是对企业收费经营过程中所发生的成本和费用，有组织、有系统地进行预测、计划、控制、核算、考核和分析等一系列科学管理工作的总称。它的主要内容包括：成本费用预测、成本费用计划、成本费用控制、成本费用核算、成本费用考核和成本费用分析。成本费用预测和计划为事前管理，它是在成本费用形成之前，依据企业收费经营的具体状况，运用科学的方法，进行成本费用指标的测算，然后编制成本费用计划，作为降低成本费用的行动纲领和日常控制成本费用开支的依据。成本费用控制和核算为事中管理，它是对企业生产经营过程中所花费的各项开支，根据计划进行严格的控制和监督，并正确计算公路保修业务的实际成本。成本费用考核和分析为事后管理，它是通过实际成本费用与计划成本和费用预算的比较，检查成本费用计划的完成情况，并进行分析，找出影响成本费用升降的主客观因素，发现问题，总结经验，从而制订进一步降低成本费用的有效措施，为编制下期成本费用计划，提供依据。

（三）公路经营企业成本费用控制方法

1.定额控制法

公路经营企业对公路小修保养成本和收费业务成本，应当采用定额控制法实行成本的定额控制。定额控制涉及两方面的工作：

(1)制订成本定额。公路经营企业公路小修保养成本和收费业务成本定额包括材料用量定额、材料价格定额、人员定额和工资水平定额。定额又可以叫做“标准”，制订各项成本定额的过程实际上也是确定各项成本标准的过程。

(2)差异分析。公路经营企业应当及时将实际成本与定额标准进行比较，揭示可能出现的差异，分析差异产生的原因，为考核责任人的业绩和今后进一步加强管理、控制成本提供决策依据。

2.费用预算控制法

公路经营企业应当针对公司行政管理费用特定的费用项目,通过编制费用预算,来实施预算控制。费用预算控制法的两个关键环节是:

(1)预算编制要科学;目前费用预算一般采取增量预算的编制方法;以后在具备条件的前提下,应当逐步推行“零及预算”的编制方法。

(2)预算控制要坚决。在预算控制工作中,“邯钢经验”中的成本否决制可为我们提供有益的借鉴。

3.工程成本预算控制法

公路经营企业对公路大中修工程成本、抢修工程成本、改造工程成本和道路绿化工程成本等实行投资成本预算控制。

(四)公路经营企业降低成本费用的途径

由于各企业的生产技术水平和经营方式不同,降低营业成本的重点和关联因素也有所区别。根据公路收费经营业务的特点,公路经营企业降低成本费用的主要途径可概括为以下方面。

1.努力降低公路养护成本

公路养护成本包括公路小修保养成本和公路大中修、水毁抢修等工程成本。

(1)公路小修保养成本属于可比成本,可通过将实际成本与计划成本或者上年成本的比较来衡量成本管理的得失。公路小修保养成本又属于具有较高效益成本比的成本支出,这意味着公路保养作业具有强制性,不应当片面追求靠减少保养次数来降低成本的短期化效益。公路小修保养成本的降低,应当主要靠控制养护用材料价格和提高养护工作效率来实现。

(2)公路大中修、水毁抢修等工程成本(以下简称工程成本)属于不可比成本;成本管理的成效应当主要体现在实际成本与预算成本的比较上。所以,工程成本控制主要适用于预算控制方法。

(3)加大对超限运输车辆的管理力度,是降低公路养护成本的有效途径。超限运输对公路极具破坏力,是导致公路养护成本急剧上升的重要原因。对此,公路经营企业应当严格执行交通部2000年3月发布、2000年4月1日起实施的《超限车辆行驶公路管理规定》,以及2003年11月以来国家有关加大对超限运输治理力度的政策要求,对超限运输行为实施有效控制,努力减少超限运输对公路养护成本上升的不利影响。

也许严格控制超限运输车辆可能会导致一部分交通量分流到其他道路上去，而使公司遭受通行费收入减少的损失。需进行决策分析的问题是：公司是否愿意承受未来公路养护成本大幅度上升的经济损失来换取今天通行费收入的稳定？与未来养护成本增加的现值比较，保证今天通行费收入稳定在经济上是否合理？公司是否可采取上调超限货车收费标准的做法在一定程度上来补偿养护成本上升的经济损失？

(4)科学合理地选择公路养护的具体方式。公路经营企业可以采取两种方式进行公路养护：第一，通过拥有养护机构自行养护公路；第二，面向社会公开招标，选择社会上的专业养护公司进行公路养护。选择决策在一定程度上影响着公路养护的质量和成本。

2.科学提高收费业务工作效率

提高收费业务工作效率的侧重点在于有效控制收费人员的人数。目前，公路收费站人员过多，是导致收费业务支出失控的重要原因。通过科学编制人员定额，严格按照定编控制实际收费业务人员，提高收费工作的效率，应当作为公路经营企业控制收费业务成本的主要措施。

从成本费用管理的角度来看，收费手段应当取决于成本费用效益。电子收费系统(ETC)在技术上先进，在经济上并非一定合理。为降低收费业务支出，公路经营企业应当重视对收费手段选择的研究。

3.有效控制公司行政管理费用

公司行政管理费用按照成本费用管理的要求可进一步划分为可控费用与不可控费用两部分。可控费用又叫做酌量性费用，是指未来决策可以影响的费用，例如办公费、会议费、差旅费、公务费、招待费等；不可控费用又叫做约束性费用，是指由国家政策规定和公司过去决策决定的、未来决策无法影响的费用，例如管理用固定资产的折旧费和保修费、高级管理人员工资和福利费等。公司行政管理费用的控制，应当主要针对可控费用进行，以求真正获得管理上的成效。

第三节 高速公路养护成本管理

一、公路养护的概念

我国交公路发[2001]327号《公路养护工程管理办法》中规定，“公路养护工程按其工程性质、复杂程度、规模大小划分为小修保养、中修、大修和改建工程”。

小修保养是对管养范围内的公路及其沿线设施经常进行维护保养和修补其轻微损坏部分的作业。

中修工程是对公路及其沿线设施的一般性损坏部分进行定期的修理加固,以恢复公路原有技术状况的工程。

大修工程是对公路及其沿线设施的较大损坏进行周期性的综合修理,以全面恢复到原技术标准的工程项目。

改建工程是对公路及其沿线设施因不适应现有交通量增长和载重需要而提高技术等级指标,显著提高其通行能力的较大工程项目。

二、高速公路养护成本管理的基本要求

(一)全员性成本费用管理

全员性成本费用管理是指高速公路管理单位的全体人员,包括各级行政领导、工程技术人员、各级管理人员和直接业务人员,共同参与养护成本管理,使单位的成本管理具有在管理空间上的全面性。

(二)全过程成本费用管理

全过程成本费用管理是指高速公路管理单位对养护成本费用形成过程所进行的管理,具有管理时间上的全面性。

(三)预防性成本费用管理

应当重视预防性成本费用管理工作。预防性成本管理是指为防止未来成本的上升所采取的预防性措施。对高速公路进行定期保养具有明显的经济效益。世界银行公路项目评估专家认为,道路养护的效益一般是养护成本支出的4倍至几十倍。如果对道路状况恶化置之不理,每节约1元养护成本将导致车辆运行成本至少增加2~3元。由于公路养护的作用在于防止未来成本的上升,而不是在现有基础上降低成本,因而降低成本的效益往往被人们所忽视。政府管理中的短期化行为,使得人们往往更重视新建公路,特别是新建高速公路;因而公路养护投资不足不仅是我国公路行业所面临的突出问题,在国际上这一问题也普遍存在。

强调对高速公路管理单位实行预防性成本管理,首先应当采取科学的方法来衡量养护的经济效益。这一方法应当是有无对比法。

其次，应当树立公路保养作业属于强制性作业、为保养公路所发生的支出属于必须发生的支出、不应当追求保养成本节约的观念，并且在制度上和资金上保证公路保养作业按期、按要求进行。

(四)建立与健全单位内部成本费用管理责任制

高速公路管理单位，应当通过建立与健全内部成本费用管理责任制，科学制订能够较理想反映单位业务技术与管理工作综合质量的成本费用管理指标，并且将指标逐级落实到各职能部门、内部基层单位和全体员工身上，与内部单位和员工的业绩考核紧密结合，调动全体人员和各个方面加强成本费用管理的积极性和责任感，努力提高高速公路管理单位的成本费用效益。

三、高速公路小修保养成本管理

(一)公路小修保养成本项目

根据 1987 年 11 月 19 日交通部印发的《公路养护单位成本核算办法》并结合高速公路养护的特点，可将高速公路小修保养成本项目划分为人工费、材料费、机械使用费、工具费、其他费等类。

1.人工费

指从事公路小修保养的道班工人(包括桥梁、隧道维修工人)的标准工资、误餐补助、各种工资性补贴、提取的职工福利费，以及公路小修保养临时雇用的临时工的费用等。

2.材料费

指在公路小修保养过程中直接用于路线、构造物的经常性维修保养的各种材料，以及材料运费、建勤车备料(沙石料)补助费、沥青、渣油加温燃料费等。

3.机械使用费

指在公路小修保养过程中使用的养路机械和使用固定归道班管理的运输设备所发生的费用，包括租用养路机械的台班费用，道班自有养路机械和运输设备的燃料、保养维修等费用。

4.工具费

指在公路小修保养过程中使用的各种养路工具的购置、摊销和修理费用。

5.其他费

指不属于以上项目的其他费用,包括按道班工人的工资总额和规定标准提取的工会经费、劳动保护费、办公费、差旅交通费、取暖费等。

(二)公路小修保养成本的作用

公路保养业务属于预防性业务,它在成本控制上的主要作用在于防止未来由于道路或者路面状况恶化所导致的养护和维修成本的上升。

(三)公路小修保养成本预测

1.公路小修保养成本预测的意义

公路小修保养成本属于可比成本,可以按照可比成本预测的方法进行公路小修保养成本预测。

对未来公路小修保养成本水平进行预测的主要目的,是为了预测有关因素变动可能对未来成本水平的影响;预测的结果可为公路事业单位制订成本降低计划和各项成本费用定额或者标准提供依据。

2.公路小修保养成本预测的方法

公路小修保养成本预测可根据以下步骤进行:

(1)预测按上年实际每公里平均成本计算的计划期的总成本

预测总成本 = ∑(计划养护里程 × 上年单位里程成本)

(2)测算各因素变动对成本的影响程度

某成本项目变动影响的成本降低率 = 该项成本变动的% × 该项成本占总成本的%

(3)测算全部成本降低率

全部成本降低率 = ∑某成本项目变动影响的成本降低率

全部成本降低额 = 预测总成本 × 全部成本降低率

或: = ∑某成本项目的预测成本总额 × 该项成本变动的%

(四)公路小修保养成本分析

1.公路小修保养成本分析概述

公路日常保养与小修成本属于可比成本的范畴;可比成本的比较分析可具体表现为以下四方面:①实际成本与上期成本的比较分析,反映为实际降低额和降低率;②实际成本与计划成本的比较分析,反映为计划完成情况的降低额和降低率;③计划成本与上期成本的比较分析,反映为计划要求的降低额和降低率；④成本实际降低与计划降低的比较分析，反映了计划降低任务的实际完成情况。

如果进行计划成本与上年成本的比较，则：

成本降低额 = ∑计划养护里程 ×（上年单位成本 - 计划单位成本）

成本降低率（%）= 成本降低额/∑计划养护里程 × 上年单位成本

如果进行实际成本与上年成本的比较，则：

成本降低额 = ∑实际养护里程 ×（上年单位成本 - 实际单位成本）

成本降低率（%）= 成本降低额/∑实际养护里程 × 上年单位成本

如果要反映成本降低计划完成情况的分析，则：

成本差异额 = 实际降低额 - 计划降低额

成本差异率 = 实际降低率 - 计划降低率

2.影响成本变动的因素分析

一般来说，影响成本变动的因素由三个。

（1）业务量数量变动对成本降低计划完成的影响。公路养护单位的业务量数量是指所养路的公路总里程。随着我国公路建设事业的快速发展，我国每年所需保养的公路总里程将不断增加。

（2）业务量结构变动对成本降低计划完成的影响。公路事业单位的业务量结构是指所养护公路由不同的道路等级和路面种类等所形成的结构。随着我国道路条件的不断改善，高等级公路、高级和次高级路面的公路在全部公路总所占比重在不断提高。这意味着公路结构也在不断地变化着。

（3）单位业务量成本变动对成本降低计划完成的影响。公路事业单位的单位业务量成本是指某等级公路或者某路面级别公路的平均每公里小修保养成本。公路养护机械化程度的提高、养护用材料价格的变动以及养护工人工资水平的提高等，都会影响单位业务量成本发生变动。

3.各因素变动对成本降低计划任务完成的影响分析

（1）业务量数量变动对成本降低计划完成的影响

数量变动影响的成本降低额 = [∑（实际养护里程 - 上年养护里程）× 上年单位成本] × 计划成本降低率

（2）业务量结构变动对成本降低计划完成的影响

结构变动影响的成本降低额 = ∑实际养护里程 ×（上年单位成本 - 计划单位成本）- [∑（实际养护里程 × 上年单位成本）× 计划成本降低率]

结构变动影响的成本降低率 = 结构变动影响的成本降低额

$/\sum$(实际养护里程×上年单位成本)

(3)单位业务量成本变动对成本降低计划完成的影响

单位成本变动影响的成本降低额＝$\sum$实际养护里程×(计划单位成本－实际单位成本)

单位成本变动影响的成本降低率＝单位成本变动影响的成本降低额$/\sum$(实际养护里程×上年单位成本)

例:某高速公路管理单位2003年高速公路小修保养成本表(按路面等级反映)所列的本年累计实际总成本为4 550万元,按上年实际每公里平均小修保养成本计算的本年累计总成本为5 000万元,按本年计划每公里平均小修保养成本计算的本年累计总成本为4 580万元。该单位2003年公路小修保养成本的计划降低额为340万元,计划降低率为8.5%。要求:

(1)计算该单位公路小修保养成本的实际降低额和实际降低率。

(2)确定小修保养成本降低计划的执行结果。

(3)采用因素分析法,计算分析数量、结构和单位成本变动对成本降低计划执行情况的影响程度。

小修保养成本分析的计算结果如下:

(1)小修保养成本降低额＝5 000－4 550＝450(万元)

小修保养成本降低率＝(450÷5 000)×100%＝9%

(2)小修保养成本降低额计划执行结果:450－340＝110(万元)

小修保养成本降低率计划执行结果:9%－8.5%＝0.5%

(3)影响程度分析

保养里程变动影响的降低额＝5 000×8.5%－340＝85(万元)

保养里程变动影响的降低率＝0

路面结构变动影响的降低额＝(5 000－4 580)－5 000×8.5%

＝－5(万元)

路面结构变动影响的降低率＝(－5÷5 000)×100%＝－0.1%

道路单位成本变动影响的降低额＝450－(5 000－4 580)＝30(万元)

道路单位成本变动影响的降低率＝(30÷5 000)×100%＝0.6%

4.公路养护成本项目分析

高速公路小修保养成本项目包括:人工费、材料费、机械使用费、工具费和其他费等。进行小修保养成本项目分析的主要目的是揭示影响成本变动的因素以及各因素变动对成本的影响程度,为成本控制工作提供可靠的依据。

(1)人工成本分析：

在现行体制下，公路养护成本中的人工成本，包括支付给养护工人的工资和按工资总额一定比例计提的职工福利费。人工成本的一般计算公式为：

人工成本 = 工资总额 + 职工福利费总额

= 工资总额 ×(1 + 职工福利费计提比例)

= 养护工人人数 × 人均工资 ×(1 + 职工福利费计提比例)

如果将工资和福利费合并，可以看到，影响人工成本高低的因素主要有职工人数和平均工资水平。因职工人数变动产生的差异叫做人工效率差异；平均工资水平变动产生的差异叫做工资率差异。

人工效率差异和工资率差异的计算公式如下：

人工效率差异 =(实际人数 - 定员标准)× 人均工资标准

工资率差异 =(实际人均工资 - 人均工资标准)× 实际人数

(2)材料成本分析：

材料成本包括公路养护用沥青、水泥、砂石等材料的采购成本。材料成本的一般计算公式如下：

材料成本 = $\sum$(材料用量 × 材料价格)

可以进一步分析出，影响材料成本高低的因素应当包括材料的消耗数量和材料的价格水平。因耗用材料数量变动产生的差异叫做材料用量差异；材料价格水平变动所产生的差异属于价格差异。

材料用量差异和材料价格差异的计算公式如下：

材料用量差异 =(实际用量 - 标准用量)× 标准价格

材料价格差异 =(实际价格 - 标准价格)× 实际用量

可根据人工成本、材料成本的分析方法进一步对机械使用费、工具费、民工建勤费等成本项目进行分析。

四、公路大中修、水毁抢修与改建工程成本管理

(一)公路大中修、抢修与改建工程成本项目

公路大中修、抢修与改建工程成本项目包括：人工费、材料费、机械使用费，其他直接费和施工管理费。

1. 人工费

指在施工过程中从事建筑工程施工工人的工资、补贴、奖金等。

2.材料费

指在施工过程中所耗用的构成工程实体或有助于工程形成的各种材料,外购结构件的成本和周转材料的摊销额。

3.机械使用费

指施工过程中使用自有施工机械所发生的施工机械使用费、使用外单位施工机械的租赁费以及按照规定支付的施工机械进出场费等。

4.其他直接费

指施工现场直接耗用的水、电、风、气等费用,冬季、雨季、夜间施工而增加的措施等费用,以及在施工现场发生的材料二次搬运费。

5.施工管理费

指公路事业单位为公路大中修工程、公路抢修工程和公路改建工程施工而设置的施工单位的管理费,包括工作人员工资、生产人员辅助工资、计提的职工福利费、办公费、差旅交通费、固定资产使用费、工具用具使用费、劳动保护费、检验实验费、职工教育经费和其他费用。

(二)公路大中修、抢修与改建工程成本管理与控制

公路大中修工程具有公路局部更新的作用,公路一般通过局部轮番大修实现整体更新。公路抢修工程与改建工程的主要作用在于恢复原有的规模和通行能力。抢修一般属于原地恢复;改建一般属于易地恢复。上述工程成本管理与控制的侧重点应当主要体现在以下两方面:

1.工程成本控制应与工程项目的投资决策相结合

公路大中修、抢修和改建工程属于工程投资的范畴;工程投资应当在可行性论证的基础上进行,以保证投资获得理想的投资效益。

2.工程成本应当实行预算控制

工程成本属于不可比成本,不可比成本控制的主要方法是预算控制法。对工程成本实行预算控制,就是要求将实际工程成本控制在预算规定的限额内。这就要求:

(1)工程费用预算应当科学合理,才能作为控制的依据。

(2)在工程施工过程中,可能会出现诸多影响成本水平的因素,如果这些因素变动对工程成本的影响是客观的、不可避免的,应当及时调整工程预算,使预算能够真正发挥控制工程成本的作用。

(3)工程完工后,应当将工程预算成本与实际工程成本进行比较,揭示可能出现的差异,分析差异产生的主客观原因,应以此为依据对当事人的工

作业绩进行考核,为今后实行有效的工程成本控制创造条件。

小 结

建设成本管理是公路建设项目财务管理的重要方面。从某种意义上说,加强基本建设资金管理的侧重点,应当放在建设成本管理上。

经营性公路基本建设支出由建筑安装工程投资支出、设备投资支出、待摊投资支出和其他投资支出四项构成;非经营性公路基本建设支出由建筑安装工程投资支出、设备投资支出、待摊投资支出、其他投资支出、待核销基建支出和转出投资六项构成。其中,建筑安装工程投资支出、设备投资支出、待摊投资支出和其他投资支出构成项目建设成本;建筑安装工程投资支出、设备投资支出和待摊投资支出构成项目工程成本。

对公路基本建设成本管理与控制主要涉及公路建设工程可行性研究阶段的管理与控制;公路工程设计、施工单位和监理单位选择过程中的管理与控制;公路工程施工阶段的管理与控制以及公路工程竣工决算阶段的管理与控制等内容。

高速公路的经营成本,可进一步划分为公路维护成本、安全和通信及监控设施的维护成本、公路灾害预防及抢修成本、公路绿化成本、收费业务成本和其他成本;期间费用可进一步划分为行政管理费用和财务费用。公路经营企业成本费用的一个显著特征是成本费用总额呈相对的固定性。这意味着在一定的交通量变动范围内增加收费交通量可有效地降低单位车流量成本,增加营业利润。

高速公路养护成本管理包括对高速公路小修保养成本的管理和对高速公路大中修、抢修与改建工程成本的管理。其中,公路小修保养成本属于可比成本的范畴,可采用可比成本管理的通用方法进行管理与控制,包括成本预测、成本分析等;公路大中修、抢修与改建工程成本属于不可比成本,一般应当采取预算控制的方式进行管理。

思考题

1.经营性公路项目的建设成本与非经营性公路项目的建设成本在构成上有何区别?

2.公路建设单位为取得土地使用权支付的出让金应当在何项目中列支?为什么?

3.公路建设项目贷款利息计入工程成本的截止时间,应当是项目完工交付使用、还是办理项目竣工财务决算?为什么?

4.要有效地控制公路项目的建筑与安装工程成本,有何有效措施?

5.某公路建设单位付款60万元购置管理用汽车一辆,该项支出没有被列入经批准的项目概算,那么按照国家基建财务管理规定,这60万元的支出应当在何项目中列支?为什么?

6.实行施工投招标制度和工程监理投招标制度对控制工程成本有何意义?为什么?

7.与一般工商企业相比,公路经营企业的营业成本构成有何特点?能否将公路经营企业的主营业务成本也归类为直接材料、直接人工、其他直接费用和间接费用?为什么?

8.“公路经营企业的主营业务成本属于固定成本”,你是否赞同这一观点?为什么?

9.要有效地控制公路经营企业的营业成本,应当主要采取哪些行之有效的措施?

10.你认为公路收费权和公路用地的土地使用权的摊销费用,应当计入管理费用,还是公路经营成本?为什么?

11.为什么说公路小修保养成本属于可比成本,公路大中修、抢修与改建工程成本属于不可比成本?与公路小修保养成本相比,公路工程成本管理与分析有何特点?

下　篇

高速公路经营开发和服务区管理

第一章

高速公路经营开发概述

学习目标

高速公路经营开发,是高速公路收费经营在高速公路沿线领域内的延伸,是高速公路经营的重要组成部分。希望通过本章学习,使得学员们能够了解高速公路经营开发的概念和作用,熟悉高速公路经营开发的基本内容。

第一节　高速公路经营开发的概念和作用

一、高速公路经营开发的概念

到2003年底,我国高速公路里程已达29 745km。高速公路以其畅通快捷的通行能力和服务水平、高速高效的发展潜质,成为具有广阔发展前景的新兴产业。高速公路的迅速发展使人们的视野不断地得到开阔,因此原有公路的观念也在逐渐地改变。特别是在国外收费道路不断发展的情况下,人们对公路的商品性质有了更为深入的认识,除了可以按照价值法则对使用高速公路的单位和个人收取通行费用外,还可以通过对高速公路服务区及服务区以外的经营开发来增加收入,以补偿建设、养护、管理高速公路所投入的资金。

高速公路的经营开发,近年来得到国内公路管理部门的较大关注,并逐渐兴起和发展。由于对经营开发没有明确的界限,更没有统一的规定,同时高速公路管理体制或管理主体又不完全相同,因此高速公路的经营开发应该说尚是理论和实践都有待进一步探索的领域。但有一点是相同的,即不论管理体制或管理主体如何变化，都应当依托高速公路，利用好无形资产，打造出自己的品牌。要抓住机遇，打破单一的经营模式，实行多种经营战略，适时稳妥地向外扩展，寻求新的经济增长点，加快高速公路产业化步伐；要特别注重边际效益，实现高速公路各项产业的滚动式发展。

关于高速公路经营开发的概念，随着高速公路非路产业经营开发的引入，目前较为一致的观点是：高速公路的经营开发是指包括服务区设施在内，能够方便司乘人员和旅客，有助于沿线经济发展，能够促进高速公路的发展，为高速公路的运营管理带来经济收益的经营项目和活动。但有些观点认为，服务区经营不属于高速公路经营开发的范畴。

当前，我国各地为适应对外开放、经济发展的迫切需要，为加快高速公路的建设，在所给的优惠政策里都相应地制订了允许开展包括沿线土地开发在内的多种经营的规划，并成立了相应的机构，有的叫综合经营部，有的叫开发经营部或经营发展公司，还有的就直接叫广告公司、工贸公司、劳动服务公司和咨询公司等，专门从事经营开发工作。

二、高速公路经营开发的作用

高速公路经营开发是在搞好收费和服务区管理的基础上，充分利用沿线的土地边角和现有设施，从事广告、仓库储存、旅游业、房地产等多种项目经营，从而带动沿线经济发展，为公路建设和养护提供资金保证。其主要作用如下。

（一）为高速公路建设和养护提供资金

随着改革开放的不断深入和国民经济的迅速发展，公路建设，特别是高速公路建设的速度在不断加快。高速公路的造价比一般公路高出几倍甚至几十倍，尽管在实施车辆通行费制度的前提下，这些投资在道路投入营运后可以通过收取车辆通行费逐年收回，但由于财力不足、资金紧缺，要集中巨额资金投入高速公路建设，困难确实很大。同时可以看到，收费尽管是高速公路公司目前的主业，但按照我国现行法律规定，高速公路通行费收取期限一般不超过 30 年。那么，30 年后高速公路不能收费了，企业该怎么办？为此，高速公路企业必须要利用现有资源优势，进行多元化经营，形成多产业、多支柱发展的格局。即通过开发和经营，来增加建设和养护的资金来源。

高速公路经营开发有利于吸引更多资金投向高速公路建设，加快我国高速公路滚动发展。在相当长的一段时间内，高速公路建设将一直是交通基础设施建设中的一个最活跃、发展最快的投资领域，但建设资金不足将是最大的难题。我国的民间资金经过几十年的积累，越来越雄厚，它寻求一种安全、稳定投资渠道的内在驱动力越来越强烈。高速公路投资大、回收慢，目前除了东部、南部发达地区因交通量可观，投资回收有保障外，对于许多线路，尤其是西部地区的高速公路，投资者、经营者信心不足，热情不高。引入高速公路经营开发机制，通过扩大有偿转让公路收费权、贷款、合资修建高速公路以及基础建设融资等多渠道、多形式筹措建设资金尽快建设我国高速公路，以发挥其网络效益和规模效益。例如，地方政府划拨土地给企业开发，鼓励企业向公路投资，或拍卖公路沿线土地使用权时把建设该条公路的投资作为附加条件，即“以地换路”等，给投资者、经营者以宽松投资环境，减少企业风险，加快回收投资，激发众多投资者的热情。

（二）带动沿线经济的发展

高速公路主管部门通过各种经营开发，不仅可以为本部门增加建设资金和养护资金，而且还可以带动沿线的经济开发和贸易发展。实践表明，在高速公路沿线，由于交通运输环境改善，创造了有利投资条件，使得地区之间、城乡之间的政治、经济、文化交流日益扩大，信息传输及时迅捷，高速公路沿线很快兴起一大批新兴工业、商贸城市，并使产业结构更趋合理，商品流通费用降低，人民收入增加，其经济发展速度远远超过其他地区。

早期的商品交易往往被选择在人口相对密集、交通比较便利的地方。在依靠人力和畜力进行运输的年代，市场位置的确定在很大程度上受人和货物可及性的影响。一般来说，交通相对便利，人和货物比较容易到达的地方会被视为较好的商品交换场所。久而久之，这个地方就会变成一个相对固定的市场。当市场交换达到一定规模后，人们又会对相关的运输条件进行改进，运输费用将不断降低。运输费用的降低，市场的引力范围又将扩大，由此，运输系统的改善既扩大了市场区域范围，也加大了市场本身的交换规模，运输经济学称之为“空间效用”。市场范围扩大的比率将超过运输距离增加的比率。著名运输经济学家拉德纳（D. Lardner）把这种现象称为运输与贸易的平方定律。运输在开拓市场过程中不仅能创造出明显的“空间效用”，同时也具有明显的“时间效用”。高效率的运输能够保证商品在市场需要的时间内适时运到，从而创造出一种“时间效用”，繁荣市场。与运输的空间效用一样，运输的时间效用同样可以开拓市场。按照拉德纳定律，潜在的市场范围的扩大为速度扩大倍数的平方。

对于高速公路的经营开发工作,拉德纳定律显然在发挥着影响。以高速公路为依托,有便利的运输条件,不仅能收到良好的经济效益,而且能够带动沿线经济的快速发展,具有较好的社会效益。如沈大高速公路建成通车后,沿线迅速形成高起点、高效益、外向型经济发展的格局,以此路为轴形成了经济开发带,大连、营口、沈阳三个高新技术开发区已具规模,外商纷纷来此投资,大型的工农贸专业市场应运而生。闻名的西柳服装大集,日成交额在百万以上。京津塘高速公路建成后,沿线已有9个高新技术产业园区初具规模,其中天津武清开发区,自1992年高速公路通杨村后,外资企业投资增加近20%。京石高速公路建成通车后,河北省的经济发展明显沿京石高速公路东移。沪宁高速公路建成后,通车时间不到10年,沿线各城市优势互补,得到了迅速发展。

高速公路经营开发,能够繁荣沿线经济,促进高速公路产业带的发展。高速公路产业经济带的明显特点是:高速公路一般在较发达地区首先建成,区内有一定经济基础,一般都有大型城市为依托,产业结构偏新、偏高,沿线经济区由粗放型加速向集约型转化。高速公路便于各种信息及时传递,加大并延伸了大城市经济辐射的影响力和范围。根据产业带理论和梯度规律,高速公路周边地区是受辐射最强的地方。在这样的背景下,对高速公路进行经营开发,见效最快,收益最大,从而带动周边各区域的经济发展。日本名神高速公路建成后,沿线14个互通式立交桥附近建成了900多家工厂。意大利南北干线太阳道路建成后,沿线地价提高了3倍以上。我国沈大高速公路开通后,沿线成立了85个经济开发区,占辽宁全省一半。

在高速公路沿线附近划出合适地方,允许公路主管部门进行开发经营,是近年来各地自行摸索、并得到各级政府明确认可和积极支持的做法。这一事物的出现和逐步完善,标志着市场经济观念在公路建、养、管领域已被大多数人所理解和接受。因此,经营开发的意义已远远超过了经营开发工作本身以及其带来的经济收益,它给公路交通建设发展注入了生机和活力。

(三)增加高速公路经营企业的经济效益

高速公路经营开发可以为高速公路建设开辟新的资金渠道。当前,由于我国经济的迅速发展,公路客货运输需求增长极快,对公路交通无论是数量还是质量都提出了更高要求,即要尽快建成一个完善、干支相连、城乡相通、高速的公路交通网络,为经济腾飞创造一个良好的交通运输环境。但在加快公路特别是高速公路建设步伐时,完全依赖国家投资是不够的,即使采取集资、贷款、引进外资等办法弥补资金缺口，仍将面临还本付息问题；公路收取通行费也受到价格、交通量等因素影响。从事经营开发可以改善高速公路沿线的景观，吸引更多车辆上路，增加公路的交通量，为公路发展提供良好的资金条件。

高速公路的经营开发，会提高高速公路的经营效益，将会积累一部分资金，有利于经营开发企业发展，从而使高速公路养护、服务设施的完善得到了更雄厚的资金保障。加之沿线地区的不断开发，会产生更多的交通运输需求，促进高速公路本身的可持续发展。由于高速公路明显的级差效益，经营开发使其自身资金流动加速，加快回收投资。据日本名神高速公路测算，其投资回收期年限只需3~5年。

（四）进一步增强了公路投融资的市场意识，有利于按照市场经济规律进行运作

近年来，在建成的高速公路和部分使用贷款或集资建设的一、二级公路、特大公路桥梁和隧道实行的收费制度，标志着利用市场筹措公路建设资金的新观念在公路建、养、管领域内已被大多数人所理解和接受。实行经营开发和有偿使用公路沿线的土地，有利于更好地发挥市场运作在加大公路投融资力度方面的推动作用，对于实现高速公路建立滚动发展的良性循环有其现实和深远意义。

我国高速公路经营管理改革的过程中，认识到首先要建立健全相关政策法规，并经过科学的方案论证，要认真按照市场经济规律创办企业，而不是用行政手段办事，为企业的生存发展创造良好的政策环境。其次实行政企分开，使企业真正做到"责、权、利"相结合，实现独立自主，依法经营。在我国高速公路经营改革实践过程中，深圳高速公路股份有限公司，结合自身的特点和所处的特殊区位优势，通过合资、引资入手组建股份公司，从融资、建设、包装上市到经营管理实现一体化的企业运作模式，是实现公路建设管理企业化发展的成功典范；安徽省以省高速公路管理局和皖通高速公路股份有限公司等为基础，通过机构和资源的整合，以行政区划组建高速公路建设发展总公司，实现建设、管理和开发一体化的良性循环也是一种值得借鉴的发展模式。此外，华北高速公路股份有限公司依托京津塘高速公路优良的资产状况，转换原先按地区条块分割的行政管理体制，跨省市组建股份公司，并成功上市发行股票，取得了良好的经营业绩，是我国高速公路跨省市实行企业化转制，并上市融资的一个成功案例。

第二节　高速公路经营开发的基本内容

高速公路管理应进行公司化改革，成立专门的高速公路经营发展公司，负责高速公路的经营开发，在交通运输、经济发展方面发挥高速公路应有的作用。随着我国高速公路里程的延长，经济的快速发展，物流业的兴起，高速公路的经营不能仅仅局限在收费和附属设施的开发两个方面，必须扩大经营规模，拓宽经营渠道，走集约化经营的经营模式，以高速公路为渠道，促进沿线经济的发展，提高高速公路的利用率。综合近年来的国内外数条高速公路管理者探索出的经营开发模式和成熟经验，高速公路的经营开发内容主要是指沿线的服务区经营开发、广告开发、仓储开发、旅游开发、土地开发、高新技术开发和其他形式的开发。

服务区开发是高速公路经营开发的重要收益之一。服务区开发主要是对过往车辆提供住宿、餐饮、维修、娱乐等多方位服务。高速公路全封闭、经营线路长，这就在客观上决定了过往司乘人员会选择在服务区进行短暂停留或住宿休息，因此服务区经营有相对稳定的服务对象。但由于沿线隔一定距离就建有服务区设施，要能吸引服务对象，服务区的住宿、饭店、娱乐最好为中低档，并且要求物美价廉，服务态度良好，这样才能吸引司乘人员回头光顾，才能提高高速公路的服务效益。同时由于驾驶行业的特殊性，服务区的饮食和住宿最好配有浴池、娱乐、健身性设施，以解除驾驶员的心理、生理疲劳，吸引更多的顾客。服务区的餐厅服务应体现快速、简便的思想，对于那些急于赶路的司乘人员来说，物美价廉、简单快速的餐饮会更具有吸引力。服务区还应具有加油站、停车场、商店、娱乐、公共厕所、通信设备、中小维修设备等设施，为司乘人员提供全方位的服务。

现在，社会分工越来越细，服务的社会化、市场化已成必然趋势，一些事情交给社会办，常常会有另外一番景象，这已成不争的事实。而与社会化意识相左的是垄断心态，有了这种心态就会自觉不自觉地歧视和排斥本行业外的社会资源，设置重重壁垒。在这种心态下，必然会形成各种利益集团，严重阻碍一个领域乃至一个行业的发展和进步。现在许多省的高速公路服务区经营权已向社会公开招标，最直接的动机是鉴于高速公路特殊的经营环境，必须打破自我封闭的小循环，引入竞争机制，提升服务区的服务质量。通过实践，大多经营效益和服务质量良好。这充分表明，我国公路服务行业已逐步向社会开放，在更大范围内实现了资源优化配置，走上了良性循环的轨道。

在服务区经营逐渐向社会开放的过程中,规范服务区的经营管理,树立高速公路的服务品牌,是做好服务区工作的目标。根据高速公路沿线经济发展的总体要求,制订服务区准入制度,对进入高等级公路和服务区经营的单位和个人应高标准要求,规范化管理。在向社会进行服务区招商,吸引社会资金投资服务区经营开发时,应在不断满足司乘人员的消费需求的运作中,要做好服务区经营管理工作。

除了服务区开发外,开发的项目还有多种,其中最主要的有:沿线广告开发、仓储开发、旅游开发、土地开发、品牌开发和其他开发等。

一、广告开发

广告作为一种有效的沟通形式和改进生活的一种手段,在人们的生活中日益受到了重视并获得迅速发展。公路管理部门经营广告业务,是近年来才提起的,并得到了迅速发展。如南京机场高速公路,平均200m左右就有一块广告牌,无论从扩大企业的影响力、社会公益宣传,还是高速公路广告经营效益都有明显的效果。尤其从高速公路经营开发的角度看,效益更明显。因为在经营管理公路的同时,可以利用本身拥有的大众传播媒介,在收费站、加油站、服务区、停车场和收费票据等载体上经营广告业务,为广告客户提供了广告宣传服务,从而获得相应经济效益。

高速公路管理部门从事广告开发业务,尽管目前有不同的意见,甚至有一些争议,但只要开发得好,一定有广泛的发展前景。一方面因为有广泛的载体,只要统一规划,限定内容和发布范围,进行统一管理,面对车流量大和广泛的宣传对象,定能起到较好的宣传效果;另一方面广告开发还有利于高速公路本身的宣传和品牌策略的实施。不过,广告的开发一定要符合国家《广告法》管理的要求,广告牌应牢固美观,按照有利于消防和减少噪声的原则,经常整修更换。而且要符合高速公路管理的规定,经主管部门批准才能设置。特别是户外广告与交通广告等的设置,不仅不能有碍于安全行车,而且要有利于美化路容。

二、旅游开发

旅游资源是旅游活动的客体,是供旅游者参观游览和疗养的基本要素,是一个国家或地区发展旅游事业的物质基础,是发展旅游事业的最基本条件。改革开放以来,旅游事业作为我国对外经济开放政策的一个重要方面迅速发展起来。与此相适应，对旅游资源的开发、利用问题也就提到了重要的议事日程。公路管理部门从事旅游开发，除了在一些风景区开办一些疗养院和旅馆以外，其他业务如在高速公路沿线开发新景点、景区的文化挖掘（结合风土人情办各类特产节、文化节）、汽车旅馆经营等也在积极探索之中。例如辽宁省高速公路管理局在沈大高速公路的鞍山甘泉服务区，利用温泉和其他天然资源开发旅游宾馆，环境优美、价格优惠，集旅游、休息、疗养于一体，颇受欢迎，效益很好。有的省、市还开办海滨浴场和狩猎场，以吸引兴趣不同的旅客。这表明高速公路管理部门不仅有条件，也有能力从事旅游业的开发。

根据各省、市、自治区的公路主管部门对旅游资源开发的情况可以看出，发展旅游业对高速公路经营所起的作用主要有如下几个方面。

（一）增加财富积累和经济收入

通过开发旅游资源，提供优质的服务，创造出满足人们需要的使用价值，以此来增加经营主体的经济收入，不仅是旅游经营部门的主要目的，也是公路管理部门的企望。

（二）充分利用各种类型的旅游资源，满足人民日益增长的物质文化生活需求

长期以来，山川风光、名胜古迹都以其历史文化价值而受到人们的重视。高速公路主管部门不仅可以利用高速公路的便利交通，把各种景点串联起来，形成一串璀璨的明珠，如宁杭高速将沿线景点串成一个珠链，满足人们旅游、参观的要求，同时也可以以高速公路为依托，为人们参观、旅游提供优质的后勤服务。

（三）促进高速公路建设事业的发展

旅游业的发展有赖于道路的畅通、运输业的便利；反过来旅游业的发展又促进公路事业的发展。

（四）增加就业机会

随着旅游业的开发和旅游区的开放，需要有一大批人去从事旅游服务业，这就为高速公路管理部门的人力资源优化提供了可能，也为社会增加了就业机会。

旅游资源的开发还必须注意既要利用高速公路沿线现有的旅游点,又可修复和拓宽旧有旅游点,同时,还应该有计划地开拓新的旅游点。经营上要能够适应高、中、低档各层次顾客的需要。开发方式可以多样化,高速公路管理部门可采取独资、合资或招商等方式经营。

服务区作为高速公路上的一处景点,应充分利用当地旅游资源,选择适当位置,结合文化古迹、风景名胜等进行修建,绿化美化环境,给人以怡情悦目的感受。另外,服务区应注意娱乐性项目,如歌舞厅、卡拉OK、球类、棋类运动和健身器材等的开发。这样不仅满足了高速公路司乘人员的需要,而且能够吸引非正常客流在服务区举行小型聚会和会议等,从而既增加了经济效益,也提高了顾客满意程度。

三、土 地 开 发

土地是一个国家最宝贵的自然资源和最基本的生产资料。近年来高速公路的修建也带来了沿线土地的增值。有些省、市、自治区人民政府为了筹备资金,加快公路建设,从政策上给了公路管理部门以优惠,允许在新建公路两旁的一定地块由交通建设部门进行土地开发,所得收益用于交通建设,或者指定交通建设任务由土地开发经营者建设。有的把当地资源开发和修建道路紧密结合起来,资源开发和道路建设项目同时立项、资金同时筹措,形成交通投资多渠道、多元化的格局。有的则规定在高速公路立交桥旁划出土地作为交通开发使用。还有的规定,凡在国、省道干线公路两侧500m范围内从事工商、服务、生产经营性业务的单位和个人,按占地面积每亩征收土地增值费,专项用于重点公路建设等。

从国内土地开发的情况来看,目前主要有以下几个内容:房地产业务、收取土地增值费、"生地开发"、种植、养殖业开发、高速公路空间开发、场租等。

总结各地的经验和我国土地开发的有关法规和政策,公路主管部门在开发、利用土地时,主要应注意以下几方面的问题。

(一)要有利于高速公路的畅通、安全、舒适

在开发过程中,只能沿公路两侧组团式发展,一般每隔30~50km规划建设一处"港湾式"集中点,不得沿高速公路两侧搞线状建设,搞街道化。开发一定有利高速公路畅通、安全、舒适,不然就有悖于高速公路管理的要求。

(二)要树立正确的地域观点

土地开发要有地域观点,因地制宜,确定合理的土地利用方向。由于高速公路沿线各地自然条件千差万别,社会经济技术条件各不相同,使土地资源具有明显的地域性。因此,必须根据当地的自然条件和社会经济技术条件,结合高速公路的运行情况,扬长避短,发挥地区优势和土地潜力,正确确定土地的合理利用方向,做到地尽其力。

(三)要树立有效的综合观点

土地开发要有综合观点,考虑自然环境和经济发展的各个要素都是互相联系、互相制约的,所以,在考虑合理进行土地开发时,应该充分注意到自然环境的适宜性与限制性,社会经济条件的合理性与技术条件的可能性,使多种不同类型的生产部门结合起来,构成有机的地域组合。

(四)要树立科学的生态观点

土地开发要有生态观点,把用地和养地结合起来,既有利于有效地利用土地,又有利于保持其输入—输出动态平衡。那种掠夺性地利用土地,不仅会造成土地的侵蚀、退化和污染,也不利于公路的养护。

(五)要树立牢固的经济观点

土地开发需要注重不断提高其经济效益,没有经济效益或经济效益不明显的项目,最好不要开发。

四、仓 储 开 发

仓储开发主要是指通过向客户提供货物装卸、材料堆放等场地,从而收取费用,获得经济效益的一种服务活动。目前随着物流业的迅速发展,大流通体系的形成,物流体系的重要环节——仓储得到了快速发展。

高速公路的收费站、服务区和立交桥下有许多边角地带,通过加工改造、整理,可以向社会客户提供货物装卸、材料堆放等的场地,这种仓储服务不仅可以利用其便利的交通设施,为大批量的货物装卸和中转提供方便,而且也可增加不少收益。广深高速公路和广州市北环高速公路的管理部门,在公路通车前后就着力改造立交桥下和其他公路范围内的土地,以租赁方式给承租方用作货物库存、料场和停车场等,效益非常好。其他省、市、自治区的高速公路管理部门也纷纷效仿，逐渐将这一业务开展起来。

五、品 牌 开 发

高速公路所影响的区域广泛，投入的资金动辄几十亿，如沪宁高速公路1996年通车时建设资金近70亿，目前加宽又预计100亿以上，如何利用高速公路企业的影响力和资金、交通、信息等优势，进行品牌开发是目前高速公路经营开发的重要内容之一。

目前，我国高速公路管理部门在从事经营开发方面，除了上述五个方面外，一些高速公路企业还结合各自的情况，发挥自己的优势，从事诸如信息咨询、技术服务和商贸等业务，广开高速公路建设筹资渠道。

（一）信息咨询

随着高速公路的发展，特别是以后高速公路网络化的发展，高速公路的管理将积累越来越多的经验，同时，也亟需不同层次、不同方面的信息咨询服务。而这方面的服务随着高速公路设施的进一步完善和高新技术的发展，是极有条件提供的。如在高速公路监控方面，不仅有较为完善的通信设施和闭路电视系统，而且还将逐步建立高速公路管理的广播中心、通信中心等。这样不仅能及时地为广大司乘人员提供准确的气候、路况等方面的消息，同时这种广播服务系统也可为广大听众提供高速公路路况、设施、商贸、工矿及其他服务方面的信息和咨询服务。这些逐渐发展的信息和咨询服务业务，是高速公路管理部门获取经济收益的可取途径。

（二）技术服务

高速公路的建设、经营和管理不仅是公路、桥梁、交通运输等高新技术发展的结晶，而且也是道路建筑材料和设备技术进步的标志，其发展的本身就需要凝聚较高的技术。高速公路管理部门一般都有自己的建筑队伍、机电中心和设计室与开发部，可从事运输业、建筑业和高新技术的开发，而且高速公路也是较好的试验场地。随着高速公路的快速发展和建设、经营、管理经验的不断丰富，特别是通过不断引进国外先进技术和管理经验，高速公路的管理部门不仅能够进一步改进技术，加快建设速度和提高管理水平，而且还能够利用现有通信设施，通过办班培训、印发科普资料、技术咨询等方式，大量地为社会和公路部门提供技术服务。

(三)商贸

结合高速公路的服务区管理,为便于司乘人员采购,高速公路管理部门不仅可以营销日用品、食品等商品,而且还可以争取有关部门的支持,营销建材、机械设备等,从而增加经济收入。陕西省高管局已成立了工贸公司,专门从事经营活动。

此外,结合各地的不同情况和政策措施,高速公路管理部门还可以从事与高速公路建设、管理有关的设备租赁、交通工程承建等活动。沈大高速公路利用自己的优势,举办了驾驶员培训等业务;天津高速公路管理处则成立了建筑队、汽车组(搞客货运输服务)和设计室等,从事经营开发工作。其他各省、市、自治区也都各有创新,分别开展了不同形式的开发活动。

案例　皖通风采

安徽皖通高速公路股份有限公司于1996年8月15日注册成立,1996年10月31日在香港发行H股,并于同年11月13日在香港联交所上市。皖通高速是国内第一家在香港发行H股的公路上市公司,公司主要业务为持有、经营及开发中国安徽省境内外收费高速公路及公路,现拥有合宁高速公路、205国道天长段新线全部权益,宣广高速公路有限责任公司、安徽高界高速公路有限责任公司51%的股权,安徽皖通科技发展有限公司75.5%的股权,直接拥有北京海威投资有限公司70%的股权。

公司成立以来,不断收购、开发新的优质路段,凭借产业优势、区位优势、政策优势、技术优势,在公路运营、管理领域取得了巨大成就。公司目前拥有四条收费公路:合宁高速公路、205国道安徽段、高界高速公路、宣广高速公路,都位于贯通东西的国道主干线上,各条道路车流量稳定增长。截至2002年中期,资产规模由上市当年的25.2亿元扩张到43.95亿元,年主营业务收入由上市当年的6 916万元增长到6.11亿元,净利润从3 139万元增长到2.48亿元,每股收益从2分/股增长为1角8分/股。目前又募集资金将投资于连霍高速公路安徽段,该路段也是贯通欧亚的干线公路,将为公司业绩增长带来巨大贡献。依托公路主业的强大支持,该公司还开辟了公路相关业务,并进军高科技行业。

1.公司的人力资源状况

皖通公司有员工570人,按受教育程度统计,大专及以上233人,大专以下学历337人;按技术职称统计,教授级高工2人,高级职称30人,中级职称81人,初级职称160人。公司倡导"环境留人、事业留人、情感留人、机制留人”，广泛吸引各种人才，给他们提供良好的发展空间。公司对于高管人员也有良好的激励机制，例如在高管人员的薪酬结构设置中公司将奖励与工作绩效相挂钩，体现按绩取酬的原则，并且公司也在酝酿建立长期激励机制，目的是将高管人员的利益与公司的业绩充分挂钩，达到公司与个人双赢的效果，促进公司长期发展。

2.公司的技术状况

公司在高速公路机电工程项目方面具有技术和人才方面的优势。目前公司的高速公路联网收费系统和高速公路综合信息系统处于国内领先地位。公司将通过加大这方面的投入并结合高速公路的管理需要来保持现有的技术优势。

3.公司的经营形势

安徽皖通及其子公司的主营业务成本及费用主要为折旧费、土地使用权摊销、公路维修费、以及其他费用(指安徽皖通及其子公司的中控维护费、路政管理费、征费业务支出、绿化费、产品销售成本等)构成，其中固定资产折旧和无形资产摊销费用是最主要的主营业务成本及费用。公司目前的经营形势不错，公司所辖的各段收费公路收入均达到预期的目标，营业收入同比增长较大，盈利达到预期目标。公司享受国家15%的所得税政策。

4.公司的发展战略

公司主营业务是高速公路的收费经营管理，公司在其他投资方面主要是以高速公路为主营业务，考虑到公司的多元化发展，公司将在其他领域寻找新的经济增长点。目前公司的经营受国家政策影响相对较小。公司在业务发展方面受到当地政府的扶持，但是在WTO的背景下，国民待遇将适用于不同的经济实体，这是必然的趋势。如果完全放开市场，公司有一定的实力来迎接挑战，因为公司已较早介入高速公路经营管理，已积累了不少高速公路建设管理方面的人才和经验，在现有的基础之上借鉴其他行业公司的管理经验，不断完善公司管理架构，总结公司管理经验，规范工作流程，提高效率，降低成本，以应对未来的挑战。

5.皖通科技

皖通高速除了主营业务的发展，也考虑到其他业务的拓展。由于高速公路是现代化进程的产物，公司在高速公路的发展过程中积累了大量的机电工程和IT行业的技术人才和优势，公司从战略发展角度考虑，结合公司自身的特点，投资成立了皖通科技发展有限公司，正是由于皖通高速具有强大的资金和管理优势，吸引了IT行业及有关上市公司的高级管理人员和技术人员。

6.公司近期目标和远期目标

公司近期目标:①提高现有路段的服务水平和管理水平;②多种收入来源的挖掘;③加快公路建设与改造;④安全高效地实现主业扩张;⑤加大技术开发与技术创新投入;⑥加强人力资源管理体系建设;⑦规范运作与强化风险控制;⑧开拓公司资金筹集渠道及科学运用。

远期目标:到2010年,通过收购或参股方式,公司将实现控制安徽省境内最重要的两条东西方向国道主干线的目标,使公司的总资产规模将突破100亿元,通行费收入超过20亿元。进一步发展公路相关业务,全面实现高速公路运营管理的信息化。同时,公司通过积累逐步形成成熟的公路管理模式。此外,继续加大对高新技术产业的投资力度,力争使非公路业务收入占本公司总收入的比例提高到三分之一以上。

其他业务发展战略:不断开拓高速公路的社会市场和服务领域,全面提升企业价值。进一步完善高速公路沿线服务设施,大力发展广告、加油站等增值业务。利用公路沿线铺设的光缆管道发展通信信道租赁业务,提高核心资产的附加值。

新兴业务发展战略:进一步加快皖通科技的发展,投资兴建光通信产品和信息产品的研发基地,不断推出新的产品和服务,开拓新兴市场,促使其早日成为公司的支柱产业和新利润增长点。

将来发展的方向:公司将来的发展方向主要是根据公司发展的内外部环境而制订的。公司的经济效益与国内宏观经济的发展密不可分。从外部环境看,中国已加入WTO,国民经济整体回升,投资消费等主要经济指标向好,出口量呈高速增长态势,宏观经济出现重大转机,特别是西部大开发战略的实施带来的极好机遇,将是推动本公司发展的强劲动力;从内部环境看,公司旗下现有高速公路已进入成熟期,交通流量增长显著,拟收购的高速公路具有重要的战略地位,增长潜力巨大,预计公司经济效益将出现快速增长的趋势,发展前景看好。

7.行业及市场现状前景

公司所从事的高速公路产业是国家重点扶持的产业,具有自然垄断和收入稳定的特点。作为促进经济发展的重要基础设施,在今后五年至十年内,仍然是国家重点和大力发展的产业。安徽省地处贯通南北的交通要塞,西部开发和沿海经济的发展都会对安徽省的交通带来巨大增长。公司将把握行业发展的契机,实现公司的快速稳定成长。

公路运输具有方便性和灵活性,加上公路覆盖面广,因此公路运输具有不可替代性。随着经济繁荣和区域经济增长,随着高速公路的发展,公路运输在运输综合体系中的地位将越来越重要。

公司作为国内第一家进入香港联交所发行H股的公路上市公司,开创了我国高速公路公司新的融资模式和渠道。与目前国内17家A股市场的公路上市公司相比,尽管总规模排名不高,但公司的净资产排名较为靠前,说明公司的资产负债率低,财务状况较好,而公司的每股收益水平和净资产收益率的排名都比较靠前。同时,由于公司较早进入资本市场,在管理规范以及市场形象上都具有一定的比较优势。因此,总的来看,公司在同行业中的地位相对突出。

安徽省的地理位置处于华东腹地、长江下游,与江苏省、浙江省、江西省、湖北省、河南省及山东省毗邻,为连接东南沿海地区与中国内陆及中西部的重要省份。随着国家西部大开发战略的实施,安徽省的区域优势将日益明显,公司旗下的合宁高速公路、宣广高速公路、高界高速公路均为国家东西向大通道,交通流量将持续、快速增长。

8. 公司的主要竞争优势

区位优势:安徽省是连接我国东南沿海与内陆及中西部的重要省份。资源优势:公司拥有的高等级公路均为省内最具竞争力的路段。成本优势:利用先进的管理降低成本,地域特征决定了人力成本的优势。科技优势:是唯一一家具有自主开发高速公路信息管理系统的公司。

9. 公司的投资价值

公司在产业、区位、政策和技术等方面具有优势,公司经营稳健,现金流稳定,财务风险低,因此有非常好的发展潜力。另外公司有以下特点:基础设施行业,收益稳定;所拥有的路段属国家两纵两横的部分,收益来源稳定,前景看好;公司结构简单,管理规范,是香港上市H股公司,在法人治理结构方面运作规范。

10. 中国加入WTO后,对公司的经营带来的影响

中国加入WTO以后,必将为国内经济发展带来新的机遇,经济的发展离不开交通基础设施,高速公路的特点为货物和人员的周转和流动提供了便捷的途径,随着人民生活水平的提高,人们对汽车的需求也会越来越强烈,私家车的普及也只是时间的问题,这都将给高速公路的发展提供机会,所以加入WTO以后会给公司经营带来新的机遇。

小　结

本章主要阐述了高速公路经营开发的概念和高速公路经营开发的作用,高速公路的经营开发是指包括服务区设施在内,能够方便司乘人员和旅客,有助于沿线经济发展,能够促进高速公路发展,为高速公路的运营管理带来经济收益的经营项目和活动。还介绍了除服务区开发外的其他开发项目,如沿线广告开发、仓储开发、旅游开发、土地开发、品牌开发和其他开发等。

思考题

1.高速公路经营开发的概念。
2.高速公路经营开发的作用。
3.高速公路经营开发的基本内容。
4.发展旅游业对高速公路经营的作用。

第二章

高速公路经营开发

学习目标

通过本章学习，在了解高速公路经营开发基本内容的基础上，熟悉和掌握高速公路的广告开发、高速公路旅游开发、高速公路土地开发、高速公路仓储开发和高速公路经营品牌开发。

第一节　高速公路广告开发

一、高速公路广告开发的分类

在当今信息时代，广告无处不有，无时不在。它像一条无形的纽带，把某一地区、某一国家、甚至世界范围内的企业，同成千上万的用户和消费者联系在一起，起着传递信息、沟通供求、促进生产和销售、指导消费等方面的重要作用。

广告必须依附在各种媒介上才能起到传播的效用，这个媒介物就是广告媒体。从理论上讲，广告媒体就是指广告主与广告对象之间信息传递的载体。换句话说，凡是能在广告主与广告对象之间起媒介作用的物质都可以称之为广告媒体。比如报纸、杂志、电视、广播等便是经常使用的广告媒体。它是沟通广告主与消费者或用户的信息桥梁。印刷术的发明和使用，产生了印刷广告；电视机的问世，出现了电视广告；激光的应用，产生了激光广告等。随着科学技术的进步和商品经济的不断发展，作为传递广告信息载体的广告媒体越来越多样化。高速公路的发展，高架广告牌、电子广告牌、印刷广告、橱窗、霓虹灯、车厢、票据等都是有效的广告媒体。

广告是企业和产品对外宣传的主要渠道之一，而高速公路自身就拥有许多可以用于制作广告的媒体和接收人群优势，很多广告公司和企业也开始重视对高速公路广告的投入和策划。高速公路自身拥有的设施，都能为广告客户提供良好的空间。高速公路广告招商对象的确定，对于创造经济效益和提升高速公路的形象有非常重要的意义。如四川成灌高速公路全线广告定位在旅游地、风景区的宣传广告，有旅游广告一条路之称。从减少人员、降低管理成本的角度来看，多数高速公路都是把沿线的广告发布权承包给专业广告公司操作。

目前，常见的高速公路广告类型主要有以下几种。

（一）广播电台广告

广播电台广告，即高速公路广播电台除发布交通、天气信息外，可发布一些广告宣传，为活跃司乘人员旅途生活提供指导信息。随着高速公路管理设施的进一步完善，广播电台的建立，进行广播电台的广告开发，一方面为司乘人员和乘客提供交通、路况、路线选择、气候等信息；另一方面可利用其成本低、信息变化容易、重复性强和及时的特点，做短小、精炼的广告宣传，为司乘人员和乘客提供服务与商品信息。

（二）户外广告与交通广告

户外广告与交通广告，即在高速公路收费站、停车场、车站、匝道附近、服务区等地，树立广告牌、路牌、电子显示屏、情报板、张贴广告字画等进行广告宣传或形象宣传，能形成重复性强、容易注目的良好效果，还可调节驾驶员视线，缓解疲劳，有利于安全。

（三）票据和 IC 卡广告

利用票据和 IC 卡发行频率高、高速公路上外地车多、流通范围广的特点，在票据和 IC 卡上印企业广告、产品宣传等商品广告，可进行高速公路形象宣传和企业产品宣传，加深旅客对司乘人员的良好印象，也可创造广告开发收益。

经营开发部门从事广告业务，应符合公路管理和有关法规的规定，统一规划、审批、管理，要从服务于高速公路安全行车和美化景观要求，在人们心理能接受的范围内从事经营。

二、高速公路广告开发的特点

1.载体丰富

高速公路自身就有许多可以用于制作广告的媒体,高速公路沿线及桥梁、隧道有很大的广告利用价值,收费站、加油站、服务区、收费票据以及路两侧可供开发的地方均可为高速公路广告载体。

2.政策性强

一方面由于高速公路本身的商品特性,同时涉及交通安全管理,又要受到广告管理的约束,高速公路广告经营具有很强的政策性,要严格执行交通安全法和广告法,应守法经营。

3.服务性强

由于广告受众主要是旅客和驾驶员,因此广告的设置和影响方式等应考虑广告受众。在服务区发布交通信息、旅游信息,广告形式,应适应驾驶员的接受和偏好,体现高速公路广告的服务性。美国一家公司研制出了一种个性化电子广告牌,上面安装了一种传感器,能够识别过往车辆里的收音机正在接收哪个频率的节目,分析本时段的驾车者收听哪类节目最多。该装置可以接收到60%~85%的过往车辆的车载收音机信号。人们收听节目的偏好与消费习惯有一定联系,喜爱听某种广播节目的人,也会相应对某些产品尤其钟情。广告公司事先按不同类型的听众制作出不同风格和内容的广告,并根据传感器收集到的数据进行统计分析,判断不同时段驾车者中占优势地位的消费者群体,对广告牌显示的图文内容进行调整,最多可能每小时就调整一次。美国福特汽车公司的一个销售商目前已经在加利福尼亚州的一条高速公路上用上了这种个性化广告牌。该公司发现,早上上班高峰时,驾车者听得最多的是乡村音乐,因而这段时间广告牌上多是越野型敞篷小型载货卡车的广告。到了傍晚,系统"窃听"出路上车辆中播放的多是访谈或者新闻节目,广告牌的内容就转到家庭型轿车上。

三、高速公路广告开发经营方式及其效益分析

从近几年一些省、市的经验来看,高速公路管理部门兼营广告业务,主要是从事广告发布业务。这样既可充分利用所拥有的大众传播媒介为商品经济服务,又可以为办理广告业务的单位增加经济收入。兼营广告业务要担负广告的设计、制作和审查,同时还要熟悉广告管理法规,这是兼营广告业务单位必不可少的条件。

下面是广珠东线浪网服务区的高架广告策划。京珠高速广珠东线浪网服务区,是京珠高速公路广珠东线第一个高速公路服务区,每天在此停留的车辆众多,日车流量为7~10万车次,车辆种类为小轿车、旅游客车、集装箱车。该服务区设备完善,客流主要是以经商、旅游观光为主的流动大众。周边环境优美,途经此地的车辆能一目了然地看到在此发布的户外广告。本广告位置是目前京珠高速公路最大的服务区,在这里发布企业或品牌形象户外大型广告,将达到极佳的宣传效果。

(1)方位示意图:见图2-2-1。

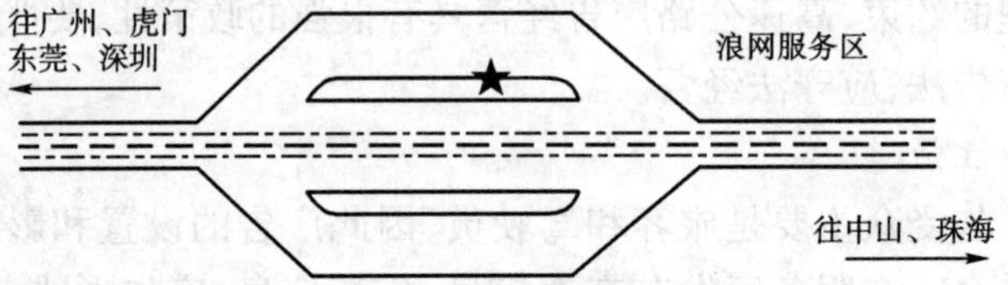

图2-2-1 方位示意图

(2)广告位置地点:广珠东线K40+100,行车方向:南北向,中山浪网服务区。

(3)广告类别:大立柱T形牌。

(4)画面面积:6m(高)×18m(底长),国际标准2面216m^2。

(5)服务范围:地租、电费、保险、画面报批、悬挂及6个月一次清洗。

(6)供电范围:夏季:19∶00~24∶00 冬季:18∶30~23∶30。

由于高速公路产业带的发展,同时由于高速公路服务区显现出的无限商机,因此众多企业开始将目光投向这块(条)文化经济信息汇集的"黄金点(线)"。现在各服务区进出口边、高速公路匝道边的高架广告牌均成为"战略要地"。一些高速公路就连餐厅、小卖部的门头都有人来联系设置广告牌事宜。作为企业,只有把准市场风向,才能抢占先机,为树立产品形象,吸引受众关注力,企业相中高速公路服务区、高速公路匝道周边的广告价值,纷纷前来洽谈品牌形象宣传或广告代理,无疑为高速公路企业广告开发提供了商机和经济效益。

第二节　高速公路旅游开发

一、旅游开发的概念

在运输市场上,高速公路客运是其中一个最活跃、最有潜力的增长点。

高速公路以其安全、舒适、快速特性,并有完善的服务设施吸引着大量客流。高速公路不仅区域通达性高,而且有服务区为依托,使高速公路部门进行旅游开发成为可能。高速公路在旅游开发方面具有很大的优势:其一、高速公路的两侧多为风景秀丽的景区、乡村,联通各大中城市,在这里建立服务区便于城市居民周末度假,形成假日经济。有的高速公路服务区,背靠大湖,交通便利,景色优美,在这里,还扩大建了疗养院、养鱼场,在湖中增设一些人工景点,从而成为集旅游、休息、疗养、养殖于一体的综合经营开发部。其二、有的高速公路联通了几个旅游景点,可开通到各旅游点的旅游特快客车,服务区设立中转站,实行景点几日游的服务,集购物、休息、旅游于一体,发挥高速公路交通的优势,为人们参观、旅游、购物提供优质便利的服务。

根据各地高速公路旅游开发的经验,高速公路旅游开发是指利用高速公路设施,结合高速公路产业带各类旅游资源,组织或参与高速公路旅游开发。

二、旅游开发的原则

总结我国旅游开发的经验,高速公路管理部门要搞好旅游开发,必须遵循下列原则。

(一)保持和发展旅游资源的特色

任何自然景观应有其特色,有特色才有吸引力,有特色才有竞争力。因此,凡是能够吸引旅客的自然风光,在开发上要力求保持其特色。如陕西常兴服务区周边旅游资源丰富,有扶风法门寺、眉县杨家村青铜器出土处、太白山森林公园等,可考虑与当地共同发展旅游产业。他们还打算以当地风味小吃为主,推出特色菜系,并考虑推出一家清真餐厅,主营饺子、泡馍等陕西特色小吃。

(二)保护自然环境和生态平衡

开发旅游资源,除了经济因素以外,更重要的目的是美化高速公路,使大自然更好地为人民生活服务。发展旅游服务事业,绝非是破坏自然环境和生态平衡,否则,旅游吸引力反而会减弱,对人民的生活环境也会带来不利的影响。所以,在开发旅游资源时,禁止破坏自然风光,同时,要符合环境保护要求,对空气质量、水质、噪声等要求均不能超标,而且要注意防火,符合消防安全的要求。

(三)经济原则

旅游资源的开发必须考虑旅游对象的使用价值。一般来说,旅游资源的经济价值是与它吸引旅游者的多少成比例的。吸引旅游的人越多,所带来的收入也就越大。为此,进行旅游资源开发时,必须充分地考虑地理位置、气候等自然环境条件和旅游市场需求变化的特点等因素,合理地进行建设,增强对游客的吸引力,要做到投入合理,有明显的经济效益。

三、旅游开发的具体内容

旅游资源就其主要性质和功能来说,大体上可以划分为以下几类:自然风景、古人类遗址与历史古迹、民族风情、宗教朝圣、文化艺术、体育运动、休息和疗养、登山、购物等。

各种类型的旅游资源,是长期以来自然形成或历史遗留下来的,是发展旅游业的基础。

如何发挥这些资源的效能,搞好旅游资源的开发利用,是旅游开发的一个十分重要的问题。

(一)高速公路服务区旅游开发

目前,我国高速公路管理部门和经营部门对旅游资源的开发多以特色服务为突破口。如:辽宁省高速公路管理部门在沈大高速公路的鞍山、甘泉服务区,利用温泉和其他天然资源,开发旅游宾馆,环境优美,价格优惠,集旅游、疗养、休息于一体,颇受欢迎、效益很好。高速公路经营开发部门对旅游资源的开发,满足了人民群众的需要,提高了高速公路的经济效益。京沈高速公路兴城服务区于2000年9月22日正式对外营业。由于服务区建筑风格独特,并且拥有亚洲第二的跨路空中餐厅,壮观的景致吸引众多的过往车辆驻足,用餐、住宿的客人很多。高速公路经营公司把服务区作为兴城对外开放的一个"窗口",作为旅游开发的一个契机,在进行对外服务的同时,大力推销宣传兴城。服务区的150名员工中70%为兴城人,在上岗前,员工除接受正规业务培训外,还被要求必须掌握兴城旅游方面的知识。凡客人用餐、住宿的"闲暇"时间,员工们都会不失时机地向客人介绍兴城的旅游资源;遇有外地会议在此召开,服务区则会安排与会人员游览兴城。服务区东西两区醒目处的宣传兴城旅游景点的橱窗每天都吸引许多客人驻足观看,有的客人还要在兴城风光图片前留影。

(二)高速公路产业带旅游开发

以旅游带动沿线经济,通过参与特产节、生态游等活动拓展了旅游开发的内容,同时带动沿线经济的发展,形成互动,相互促进,共同发展。沪宁高速公路江苏境内的6个服务区,自1996年9月开通运营以来,当地的土特产借助服务区实现扩张已是成功范例。在沪杭高速公路嘉兴服务区,仅粽子一天销售量就达3万多公斤,杭州酱鸭年销售额也在500万元以上,这些不仅改变了当地农村产业结构,而且丰富了服务区的服务内容。去年,在江苏京沪高速公路有限公司组织的"江苏特产节"上,江苏省64个县市的200多家企业、2000多名优新产品汇集服务区超市,在短短20多天里,各方惠顾者就达10多万人次。

无锡惠山区2003年举办了第7届阳山桃花节,邀请家乐福、麦德龙等20多家洋超市、大超市以及沪宁高速公路服务区负责人赴会,有10万游客前去观光游览,"阳山生态游"已成为本地及上海等周边城市50多家旅行社开办的一项热门旅游项目。

随着我国经济发展,人民物质文化水平的提高,以旅游为目的的出行在客运量中所占比重不断提高,旅游已逐渐成为人们的日常消费项目之一,具有强大的市场潜力。旅游业的发展又有赖于道路的畅通,运输业的便利。目前高速公路管理部门主要局限于做一些小规模的旅游辅助开发,比如参股组建旅游车队。也有利用高速公路沿线现有的旅游点进行小型开发和业务拓宽等,但整体来讲还处于萌芽阶段,发展还不成熟。但是,从社会发展和高速公路经营发展的多元化角度考虑,高速公路参与旅游资源的开发已是势在必行。

第三节　高速公路土地开发

一、高速公路土地开发的概念和作用

(一)高速公路的修建带来了沿线土地迅速增值

高速公路修建遗留的可开发土地资源主要有两类:A类为开发优势好,土地相对集中,B类为小面积的不返耕弃土场和公路边沟外侧与外隔离栅以内的土地和立交区内地。A类土地是为高速公路多元化经营和多方筹措

交通建设资金，预留的土地资源，具有增值潜力，面积集中，易开发。随着高速公路的建成通车即可进行该类土地的综合开发。主要可进行房地产开发，建造商品房和商铺销售或者出租，兴建加油站或汽车修理厂。只要服务态度好、质量优良、信誉高，都可做到盈利性开发。如四川成雅高速公路利用其与成都市连接的5.78km高速公路高架桥，管理者直接进行运作，形成了规模宏大的桥下商铺和展场，充分发挥集团开发的优势；广州市北环高速公路利用穿越城市的优势，对高架桥进行加工和改造后用于商业开发；沪宁高速公路的阳澄湖服务区在建设时有意识结合风景区和当地特产进行建设，通车后由于其优美的景观和环境，便捷的交通，使其成为品尝阳澄湖大闸蟹的宝地之一；山西省高速公路两旁从事经营性土地开发紧密的与高速公路结合起来考虑，开发价值上从提升高速公路景观效果，促进高速公路生态系统平衡方面着手。比如土地相对集中，但土壤条件比较恶劣的取、弃土场可以考虑以种植速生林木为主，将采伐和绿化二者结合开发，也可种植经济林以采收果实，既可创造经济效益，又可形成森林景观，保护水土。对立交区的土地则可考虑按一定的间距建立几个特色苗圃，种苗可用于本路的绿化，如更新苗木、新栽、新植等，还可以对外销售。上海莘松高速公路、广佛高速公路、四川隆纳高速公路等也都进行了这类开发。

（二）土地是宝贵的自然资源

土地是宝贵的自然资源、财富，是国土资源的重要组成部分，是一个国家最宝贵的自然资源和最基本的生产资料。高速公路沿线具有丰富的公路边角用地，如何充分、合理地利用它，也是高速公路经营开发的一个项目。高速公路的修建，一方面使沿线土地增值，另一方面又引起土地紧张。这一矛盾的两方面决定了土地开发的方向，一种是沿线土地合理开发利用，一种是空间开发利用，两者有不同的适用环境和意义。比如在土地比较开阔且离大城市稍远的地域可进行沿线开发；跨过城市或在工业、人口密集地宜进行空间开发。从国内土地开发的情况来看，目前主要有：收取土地增值费、房地产业务、种植或养殖业务、高速公路空间开发、场租等。

综上所述，高速公路土地开发是对沿线高速公路用地进行合理综合开发，实现沿线土地增值的经营活动。

二、高速公路土地开发的基本原则

总结各地的经验和我国土地开发的有关法规和政策，公路主管部门在开发、利用土地时，主要应坚持以下原则。

(1)有利于高速公路的畅通、安全。在开发过程中，从高速公路运营管理出发，充分实现高速公路的畅通、安全，不然就有悖于高速公路管理的要求。

(2)要坚持因地制宜的原则。要有地域观点，因地制宜，确定合理的土地利用方向。考虑沿线土地资源的明显地域性，结合高速公路的运营情况，扬长避短，发挥地区优势和土地潜力。

(3)坚持可持续发展的原则。要有生态观点，树立科学发展观，把用地和养地结合起来，既有利于有效地利用土地，又有利于保护环境。

(4)坚持社会效益、环境效益与经济效益相结合原则。开发应以中长期利益为主，充分考虑兼顾高速公路的利用期限。要有综合观点，考虑自然环境和经济发展的各个因素，充分发挥土地开发的经济效益，同时考虑社会效益、环境效益。

三、高速公路土地开发的基本内容

从国内土地开发的情况来看，目前主要有以下几个内容。

(一)房地产业务

经过有关主管部门的批准，在立交桥附近或特别划定的地方，以自主自营、合资、合作等方式，建造一批商品房屋出售，获得收入。如广东省广深珠高速公路有限公司在征地拆迁时，就征得主管部门的允许，在互通式立交处有意识地多征一些土地，然后，在建路的同时就建商品房出售，成为高架桥下的商业服务经商场所，称作“桥下铺”，沿线形成组团式的房地产开发，具有明显的经济效益。

(二)场租

在约定的期限内，把立交桥附近及其他规定地方的土地和场所，以租赁的方式给承租方，用作店铺、仓储地、料场等。如广州市北环高速公路利用穿城的优势，对立交桥底略作加工和改造，然后，作为店铺或摊位出租，或用作临时停车场，从中收取管理费和场租费。

(三)收取土地增值费

许多省市为了筹措资金，加快高速公路建设，从政策上给予公路主管部门优惠,允许在新建高速公路两侧的一定范围内从事经营性土地开发和其他业务。在土地开发过程中有的则规定在高速公路沿线开征土地交通增值费,在汽车专用公路立交桥旁划出土地作为交通开发使用。还有的规定凡在国、省道干线公路两侧500m范围内从事工商、服务、生产经营性业务的单位和个人,按占地面积每亩征收5 000~10 000元土地增值费,用于重点公路建设等。

(四)种植、养殖业开发

高速公路大部分路段地处农村,沿线收费站的土地、公路用地都可进行很好地开发。针对高速公路线路长、公路用地多的特点,进行这一方面的开发也是大有潜力的。在高速公路的沿线收费站、公路用地的边角地区开办苗圃,种植经济花草、果树,开办渔、畜养殖业,综合开发高速公路的附属产业,有助于推动高速公路沿线的经济发展。其优势是:通过这些农、林、畜的开发,可增加高速公路公司的收入,解决员工的一部分福利,开拓经营思路;通过这些项目的开发,绿化、美化了环境,推动高速公路的其他经营项目的发展,如旅游、服务区的开发;有利于在公路沿线推广高科技种植业,推动生态农业的发展,带动公路沿线农村的经济发展。如上海莘松高速公路和广东广佛高速公路,就曾利用立交附近的土地作苗圃和养殖场,种植一些经济作物,既美化、绿化了公路,又获得不少收益。

(五)"生地开发"

政府对公路投资者实行优惠政策,即允许优先选择开发地块的位置,带项目划给适当土地进行"生地"开发。在划定地块里,投资者可以经营运输服务设施或饮食服务等,其收入作为投资者补偿。目前广东由于采取这一措施,先后在广深、深汕东段和广珠东线等项目中,以"生地开发"的形式引进了不少境外投资。

(六)高速公路空间开发

在国外,道路用地的综合利用已成为高速公路建设的一个重要问题。城市高速公路大都采用高架桥的形式,桥上、桥下都有大量空间,具有很高的利用价值。1968年美国政府向国会提交了一项呼吁有效利用高速公路空间的报告。后来美国国会通过立法对有效利用公路土地作了规定,要求公路建设与住宅、商业设施、停车场、汽车站、公园、娱乐设施、文化设施等从城市规划、设计、施工到费用分担都一起综合计划。这就使高速公路的空间利用越来越活跃,并出现了许多成功的事例。纽约市中心的乔汉·华盛顿引桥高速公路有往返 12 条车道,路面上横跨了公用住宅(Wash Bridge House),不仅提供了住房,还与高大的吊桥形成了协调和谐的景观。另外,纽约富兰克林兹贝托双层高速公路上方建起的高速公路大厦,高速公路上的芝加哥邮局,挪威高速公路上的国立图书馆和高级饭店都是利用高速公路空间的实例。我国人多地少,充分利用高速公路空间有现实意义。但目前由于资金短缺,对高速公路空间资源的大规模开发利用还不多,有关部门应做好规划,鼓励投资和经营商开发利用高速公路的空间资源。

四、高速公路土地开发的现状和发展趋势分析

由于交通基础设施建设的产业政策导向,在土地、资金等要素方面得到了大量支持,同时高速公路经营开发的企业化,高速公路沿线土地开发得到了迅速发展,高速公路企业纷纷投资房地产、商业设施、停车场、维修站、物流基础设施、汽车站、公园、娱乐设施、生态产业链、土特产生产基地等。但同时我们也看到,浪费土地、盲目投资的现象也十分普遍。

结合国内外高速公路土地经营开发的实践,高速公路土地经营开发有以下一些趋势。

(一)有效利用公路土地,减少耕地占用

交通部已制定出台了关于在公路建设中实行最严格的耕地保护制度的意见,提出了 26 条具体措施。中国目前人均土地面积只有世界人均的 1/3,人均耕地面积不足世界人均的 43%。近年来随着人口的增加,人均耕地逐年减少,供需矛盾日渐突出,已经严重影响了粮食生产和农业发展。根据经济社会发展需求,加快公路基础设施建设仍将是中国今后相当长时期内交通工作的主要任务。而中国土地资源特别是耕地资源紧缺,因此公路建设中必须加强对耕地的保护,不仅有利于保护农民利益和解决“三农”问题,更有助于实现整个交通行业的可持续发展。

将在项目立项、可行性研究、工程设计、工程实施等环节,采取切实可行的措施,严格保护耕地,进一步提高土地利用率。对浪费土地资源的项目,要通报批评,严肃查处。以后在公路建设项目立项和可行性研究上,交通部要求避让基本农田和经济作物区,不得为追求政绩工程或形象工程而提高建设标准,避免浪费土地资源;设计人员要创新设计理念、提高设计水平,尽

量不占用农田;高速公路服务区的功能和规模应合理确定,尽量利用废弃地、荒山和坡地,或结合弃土场设置,原则上不得占用农田;不符合《公路建设项目用地指标》要求或不合理大量占用农田的项目不得通过设计审查;耕地保护的有关条款列入项目施工招标文件,并严格执行;项目法人组织交工验收时,应对土地利用和恢复情况进行全面检查。

交通部指出,将在加快公路建设的同时实行最严格的耕地保护制度,凡是浪费土地资源的项目将予以通报批评、严肃查处。

(二)综合开发

要有综合观点,考虑自然环境和经济发展的各个因素,使专业化与多样化结合。自然环境的各个要素都是互相联系、互相制约的,所以在考虑合理进行土地开发时,应该充分注意到自然环境的适宜性与限制性,社会经济条件的合理性与技术条件的可能性,使多种不同类型的开发项目结合起来,构成有机的地域组合。

第四节 高速公路仓储开发

一、高速公路仓储开发的概念和原则

仓储开发主要是指通过向客户提供货物装卸、材料堆放等的场地,从而收取费用,获得经济效益的一种服务活动。

从各地仓储开发的情况来看,高速公路的仓储开发主要应遵循下述要求:

1.要有利于高速公路的安全、畅通

安全、舒适、畅通是高速公路区别于一般公路的主要特征之一。因此,在从事仓储开发业务时,首先要考虑是否有利于高速公路的车辆畅通和行车安全。如若不合乎高速公路行车要求的仓储业务,是不允许经营的。

2.要经济合理地规划和使用场地

高速公路沿线有不少边角地块,都具有一定的使用价值,但使用的意义却有较大差异。因此,一定要因地制宜,合理地规划和改造。将那些最便利和最适宜于仓储的地块开发出来,选择时往往应考虑交通区位条件、产业构成等因素,对那些不适宜于仓储的地块,不要进行开发。

二、高速公路仓储开发的具体内容和方法

(一)仓储业务开发

随着第三方物流的发展,企业供应链的逐渐建立,仓储业务得到快速发展。高速公路仓储开发,一方面有交通运输优势,另外还有土地、地理等条件,通过向客户提供货物装卸、材料堆放、储存、理货、包装、发货等服务,具有明显的经济效益。高速公路一路连多省,高速公路上的行驶车辆主要为各类货车,仓储开发应大有潜力可挖。高速公路网的建成开通,将连接我国45个大型公路主枢纽及各省市的重要枢纽,成为客货运输通道。如何利用高速公路便捷的交通条件和各类主枢纽衔接,提高货物周转速度,是经营开发部门关注的问题。高速公路收费站、服务区、立交桥下周边,有许多可供经营仓储开发的空间。这些地域与高速公路互通性好,通过加工、改造整理,可以作为向客户提供货物仓储的场地。广深高速公路、广州市北环高速公路经营开发部门,在通车前后,就着力于改建立交桥下和其他可利用的土地,以租赁方式交给承租方,用作货物仓储地和停车场等,取得很好效果。其他省市高速公路管理及经营部门也纷纷仿效,将这一业务开展起来。但高速公路的仓储开发应该保证高速公路的安全、畅通、舒适,并且合理规划,因地制宜。

(二)快运业务开发

快运业务目前发展速度非常快,依托高速公路网络发展快运业务有明显前景。宜将物流快运发展的重心放在省会至省内大、中城市和周边省会城市的线路上,依靠高速公路建立快运网络,在各地设立货运受理站,从建立信息网络、快速、服务三方面,注重高速公路运输网络的开发利用。利要用高速公路的交通工具、仓储设备、通信手段,完成原料、产品、消费整个供应链的运作。在快运业务开发中,各种运输方式应有机结合,经营公司应与交通运输部门进行联运,完成物流开发业务。

(三)配载中心业务开发

建立集储存、停车、配货、修理、住宿、加油等功能一体的物流中心,吸引配载业户进场经营、承办双方进场交易、配载车辆停放、待运货物进场储存的业务,形成以运输业为主体,以配载为依托的物流开发模式。物流服务配载必须以信息化为支撑,辐射邻近省份城市货运信息网络,为运输部门提供

快速、高效、低成本的物流服务；另外通过建立物流网站，为驾驶员提供货运信息服务，为货运单位提供道路选择、交通信息、货运受理站存储情况、货况跟踪等，并吸引车辆上高速公路。1998 年 1 月，交通部将良乡确定为北京市六个一级公路枢纽的重点项目之一，北京市铁路局将良乡确定为“十五”规划中广安门货场搬迁的最佳位置，同时赛普京良综合物流基地项目纳入了北京市“十五”规划之中。北京赛普京良综合物流基地位于良乡卫星城西南方向(工业区，京石高速公路闫村立交桥东侧，占地面积 5 000 亩，约 3 330 000m^2)。基地将建为一内陆口岸，设置有海关、商检、卫检、动植物检疫，并具有储运、货代、保税区、通信等功能，可直接办理出入境手续，展示大厅等。北京赛普京良综合物流基地主要建设内容是保税仓库、中转市场、车辆停放仓库、集装箱公司、陆运码头、航运码头、生产资料仓库、空运仓库、铁路管制站、别墅村、商住物业管理站、高速公路服务区、路港商业服务、法律、商务、技术服务中心、结算中心、展示大厅等。

第五节　高速公路经营品牌开发

一、高速公路经营的营销理念

如同人的行为必然要受到一定的思想观念支配一样，企业的营销行为也总是受到一定的观念所支配。这种支配企业营销行为的观念，是一种企业经营的指导思想，也可以说是一种企业经营的哲学或企业经营管理哲学，或者说是一种企业对市场的导向。营销实践证明，观念是否正确，是否符合客观形势，对于企业营销活动能否成功、企业经营成败关系极大。支配企业营销行为的观念不是固定不变的。它是随着社会经济发展、随着市场形势的变化的而发展变化的。从西方经济发达国家(尤其是美国)的情况来看，市场营销观念的演变过程，大体上经历了四个阶段。

(一)生产观念

生产观念，也称之为生产导向，它是 19 世纪末到 20 世纪 20 年代这段时期占支配地位的一种传统的、古老的观念。生产观念实质上是一种“以生产为中心”的经营哲学。它不是从市场需求出发来指导企业的营销活动，而是从企业本身出发，“我能生产什么，就卖什么”。生产观念主要适用两种情况：一是市场商品供不应求，顾客只关心是否买得起产品而不在意产品本身;二是产品成本较高,只有提高生产效率,降低成本,方能扩大市场。生产观念是在特定条件下所形成一种观念。随着科学技术的发展和生产力水平的提高,在市场竞争的推动下,生产观念必然要被其他观念所取代。

(二)销售观念

销售观念,也称之为销售导向,它是20世纪20年代末到二次世界大战结束这段时期占支配地位的观念。销售观念实质上是一种“以销售为中心”的经营哲学。它重点考虑的是“我怎样才能把产品卖出去”,而不是根据市场上用户和消费者的需求。销售观念的假设前提是,消费者有一种“购买惰性”,消费者不会因本身的需求与愿望来主动购买商品。如果企业不积极地从事销售工作和努力促销,消费者就不会购买本企业的产品,或不会购买很多本企业的产品。

(三)市场营销观念

市场营销观念,也称之为市场营销导向、顾客导向,它是20世纪50年代中期才正式形成的一种新的企业经营哲学。市场营销观念实质上是一种“以用户和消费者需要为中心”的经营哲学,它重点考虑的是“用户和消费者需要什么,我就生产什么”,它以整体市场营销的手段来满足用户和消费者的需要,从而实现企业长期合理的利润。市场营销观念的重点是顾客导向、整体营销手段和顾客满意度。

(四)社会市场营销观念

社会市场营销观念,也称之为社会市场营销导向,它是20世纪70年代所形成的一种企业经营哲学。社会市场营销观念认为,企业不仅要满足消费者的需求和欲望并由此获得利润,而且要符合消费者自身和整个社会的长远利益。这就要求企业在进行营销决策时,必须充分考虑消费者的需求和欲望、消费者利益、企业利益以及社会长期利益这四个方面的因素,正确地处理好消费者、企业利益与社会长期的利益这三者之间的关系。以满足消费者需求,保证消费者和社会的长期利益,作为企业根本目的与责任。这就是社会市场营销观念与市场营销观念的区别所在。

由于高速公路经营的特点,同时社会经济的不断发展,加上影响高速公路经营的环境因素非常多,包括政治法律环境、社会文化环境、经济环境、技术环境、地理环境等。高速公路经营的营销理念应是具有高速公路经营特色的服务营销理念。

1.服务营销的涵义

服务营销的研究形成了两大领域:服务产品的营销和顾客服务营销。服务产品营销的本质是研究如何促进服务产品的交换;顾客服务营销的本质是研究如何利用服务作为一种营销工具促进有形产品的交换。但是,无论是服务产品营销,还是顾客服务营销,服务营销的核心理念都是顾客满意和顾客忠诚,通过取得顾客的满意和忠诚来促进相互的交换,最终实现营销绩效的改进和企业的长期成长。事实上,高速公路经营服务营销既涉及到服务产品的营销,又涉及到顾客服务的营销,它是研究在高速公路服务提供的全过程中如何促进服务产品的交换和更好满足顾客服务的需求,以实现企业经营业绩的改进和持续的顾客满意。

2.服务营销的特点

服务营销的一般特点:

(1)供求分散性:服务营销活动中,服务产品的供求具有分散性。不仅供方覆盖了服务业的多个部门和行业,企业提供的服务也广泛分散,而且需方更是涉及各种各类的企业、社会团体和千家万户不同类型的消费者。高速公路服务顾客需求的多样性(要满足服务对象的多种需要),同时由于线路较长而带来服务无法集中于一点。因此一般高速公路服务企业有占地小、资金少、经营灵活,往往分散在沿线的一些地点。服务供求的分散性,要求服务网点要广泛而分散,尽可能的接近消费者。

(2)营销方式单一性:有形产品的营销方式有经销、代理和直销多种营销方式。有形产品在市场可以多次转手,经批发、零售多个环节才使产品到达消费者的手中。服务营销则由于生产与消费的同一性决定其只能采取直销方式,中间商的介入不太可能。储存待售也不现实。如高速公路旅游服务、运输服务、餐饮等服务由于提供的产品的特殊性无法储存。服务营销方式的单一性、直接性,在一定程度上限制了服务市场规模的扩大,也限制了服务企业在多个市场上出售自己的服务产品,这给服务产品的推销带来了困难。但目前的连锁经营或一站式经营将对传统的观念有一定的冲击。

(3)营销对象的复杂多变:服务市场的购买者是多元的、复杂的。购买服务的消费者的购买动机和目的各不相同,某一服务产品的购买者可能涉及到社会各界各业各种不同的家庭和不同身份的个人,即使购买同一服务产品的购买者有的用于生活消费,有的却用于生产消费。即使是高速公路服务营销对象,也是相对多元和复杂的。

(4)服务消费者需求弹性差异大:根据马斯洛需求层次原理,人们的基本物质需求是一种原发性需求。这类需求人们易产生共性,而人们对精神文化的需求属激发性需求,需求者会因各自所处的社会环境和各自具备的条件的不同而形成较大的需求弹性。一方面,高速公路服务对象有物质需求,弹性相对较小,而部分可以升格为精神需求,弹性则较大,因此高速公路服务方式、策略由于弹性的差异较为复杂。同时,服务需求受外界的影响大,如季节的变化、气候的变化、科技发展的日新月异等对信息服务、环保服务、旅游服务、运输服务的需求造成重大的影响。

(5)服务人员的技术、技能、技艺要求高:服务者的技术、技能、技艺直接关系到服务质量。消费者对各种服务产品的质量要求也就是对服务人员的技术、技能、技艺要求。服务者的服务质量不可能有唯一的、统一的衡量标准,而只能有相对的标准和凭购买者的感受体会。

3.服务质量的涵义

要做好服务营销工作,服务企业必须为顾客提供优质的服务。什么是优质服务?这首先涉及到"服务质量"的概念问题。服务质量可以被定义为顾客对实际所得到的服务的感知与顾客对服务的期望之间的差距。因此,服务质量是一个具有主观特点的概念,它取决于顾客对服务的质量预期和实际质量体验的(即顾客实际感知到的服务质量)之间的对比。在顾客体验达到或超过质量预期时,顾客就满意,就会认为服务质量较高;反之,会认为服务质量低。

顾客感知的服务质量,包括技术质量和功能质量两个方面。技术质量是指服务过程的产出,即顾客在服务中所得到的实质内容,如高速公路服务区加油、汽车维修设施服务,为顾客提供的安全、准确、高效的服务体验,他包括服务过程中使用的技术方法、设备、器械、信息系统等硬件要素,技术质量可以通过比较直观的方式加以评估,顾客也容易感知,从而成为顾客评价服务好坏的重要依据。功能质量这是指服务的技术性要素是如何实现,即服务的生产过程,包括服务人员的态度与行为、企业的内部关系、对顾客的了解程度、行业知识和专业经验等软件要素。

上述顾客服务质量与决定它的顾客质量预期和质量体验三者之间的关系,可以用一个函数表示:服务质量分数=实际感受分数-期望分数。这是一种服务质量管理模型。该模型涉及到顾客评价服务质量的五个标准,即可感知性、可靠性、反应性、保证性和移情形。可感知性是指服务的有形部分,如高速公路服务设施、服务人员等,它们一方面为驾乘人员认知的无形服务提供了有形线索,另一方面,其本身又构成顾客服务的内容,直接影响顾客对服务质量的感知。可靠性是指高速公路企业准确的完成所承诺服务的能力。可靠性实际上是要求企业服务过程中信守承诺,避免出现差距,这是服务质量的核心,也是有效的服务营销的基础。反应性是指愿意随时帮助顾客提供快捷、有效的服务。研究表明,在服务过程中对顾客的回应时间是个关系到顾客对服务的感知、企业形象和顾客满意程度的重要因素。保证性是指服务人员的知识、态度以及激发顾客对企业的信心和信任感的能力。当顾客同一位友好、专业、知识丰富的服务人员打交道时,他会认为自己找对了公司,从而获得信心和安全感。移情性是指公司站在顾客立场给予顾客关心和个性化服务,他可以使整个服务过程富有“人情味”。

4.顾客满意战略

顾客满意战略,又简称CS战略,最早始于20世纪90年代日本的汽车工业,随后包括服务业在内的许多产业纷纷引进CS战略。此战略的指导思想是:企业的整个经营活动要以顾客满意为方针,站在顾客的立场上,按顾客的观点来考虑和分析顾客的需求。实际上,顾客满意本身并不是什么新思想,无论是20世纪50年代的消费者市场营销,60年代的产业市场营销,70年代的社会市场营销,80年代的服务营销,还是90年代的关系市场营销,其核心都是追求顾客的满意。但是顾客满意战略的提出,理论上将推动了顾客满意与顾客忠诚、企业经营绩效间的关系,影响顾客满意因素,如何衡量顾客满意度等方面大量研究的成果的出现。在实践上,则推动企业将其战略重点由过去的市场份额规模增长,转向了市场份额质量(用市场份额中忠诚顾客的百分比来衡量)的提高。顾客满意战略的提出,不仅有利于增加顾客的利益,还有利于改善企业的经济效益。

顾客满意战略的主要内容有:站在顾客的立场上而不是站在企业的立场上去研究设计产品(包括有形产品和无形产品);不断完善服务的生产与提供系统,最大限度的使顾客感到安全、舒适和便利;重视顾客意见,顾客参与和顾客管理;千方百计留住顾客,并尽可能实现相关销售和推荐销售(即通常所说的3*R*);创造企业与顾客彼此友好和忠诚的界面,使服务手段和过程处处体现真诚和温暖;按照以顾客为中心的原则,建立富有活力的企业组织;实现分级授权。

二、高速公路经营的品牌策略

在现代市场条件下,品牌不仅仅是某个商品的标志,表明商品的出处,区别市场上同类商品不同生产者或经营者，而且是企业竞争的强有力的武器。因此，正确地制定品牌决策，对企业保持竞争优势是一个重要的决策。

品牌(brand)。美国市场营销协会(AMA)字义委员会认为：品牌是一个名称、符号、象征和设计，或者是以上几种的组合，它主要用于识别一个或一群卖主的产品或劳务，以之与其他竞争者的产品或劳务相区别。

品牌名称。指品牌中可以用语言称呼的部分。如“京沪”、“海南高速”等。

标志。批品牌中可以被识别，但不能用语言称呼的部分。

商标。商标实质上是一个法律名词，一个品牌或其一部分经政府有关部门注册登记后，获得使用权、禁止权、转让权和许可使用权等权限，我们就将其称为商标。

品牌化。菲利普·科特勒指出，企业为其产品建立品牌名称、品牌标志，并向政府有关部门注册登记而取得法律保护的一切活动称为品牌化。

以上介绍了品牌的有关知识，高速公路经营品牌策略主要包括：

(一)统一品牌策略

高速公路企业由于辐射广阔、影响力大，因此高速公路经营产品可以使用一种统一的品牌，当高速公路经营项目投入市场后，消费者接受产品的周期将大大缩短，同时品牌宣传费用少，经营成本降低。但要保证所有产品的质量，否则，一个产品可能会影响一群产品。

2001年京沪高速公路全线通车不久，江苏京沪人就独具慧眼，瞄准上连接三省三市(江苏、山东、河北、北京、天津、上海)的“京沪”这个共有路名。他们通过深入的市场调查和科学分析后，决定用路名来打造企业品牌。首先，用江苏名优特产注册了“京沪白酒”、“京沪干红”、“京沪啤酒”和“京沪卤鸭”等10多类43种京沪品牌的商品，既抢占了注册“品牌”的先机，又开创了全国首家用路名打造“品牌”的先河。

(二)定牌生产策略

高速公路企业有路名品牌，如何进行品牌开发，服务当地经济，同时扩大高速公路企业的经济效益和社会影响，一方面要积极进行品牌宣传和推广，同时与知名企业联合进行定牌生产，这是非常重要的品牌策略。品牌意识是江苏京沪人经营意识的重要体现，他们利用“江苏京沪美食节”作为契机，在6个服务区全面推开，用各种条幅、宣传牌等标志将服务区装扮得分外亮丽。正值中秋、国庆两大节日,加上黄金周的大幅升温,服务区内已是车流如潮,南北旅客蜂拥而至。结果半个月时间,“江苏京沪”获得了可观效益,更把名声带到了大江南北。另外采取定牌生产的方式,先后与连云港汤沟酒厂、南通大富豪啤酒厂等企业联合开发了“京沪白酒”、“京沪啤酒”、“京沪干红”。同时,公司还与苏北沿线企业联合开发了“京沪矿泉水”、“京沪大米”、“京沪月饼”和“京沪龙虾”等名优特产品。这些产品在高速公路服务区和全省大中城市相继推出后,深受广大消费者的喜爱。仅2003年1至10月份,该公司综合经营就实现销售额5 000多万元,实现利润1 900多万元。

(三)品牌化策略

高速公路企业建立品牌名称、品牌标志,并向政府有关部门注册登记而取得法律保护的一切活动称为品牌化。海南东线高速公路是中国第一条采用股份制投资方式修建的高速公路,也是中国第一条热带滨海旅游高速公路。海南东线高速公路是国家公路建设“二纵二模”重点工程项目之一,它途经海口、琼山、定安、琼海(博鳌亚洲论坛会址)、万宁、陵水、三亚五市两县,贯穿海南省人口最集中、旅游资源最丰富、经济发展最快、人文条件最好的地带,是海南的经济大动脉和旅游生命线。海南高速公路股份有限公司是全国第一家上市的高速公路经营管理企业,也是海南目前资产规模最大的国有控股上市公司。公司的发展战略是:强化对海南环岛东线高速公路的建设和管理工作,充分利用政府给予的优惠政策,加强对高速公路沿线土地的综合开发利用,同时积极开展多种经营,不断提高企业市场竞争力。公司的发展目标是:以路为本,综合经营,逐步发展成为一家集“路、工、贸、旅、农、信息网络”为一体的多元化的国际化的大型股份制集团公司。

“海南高速”是较早的一个高速公路品牌,图2-2-2是海南高速公路股份有限公司徽标设计图。该徽标由公司的英文HAINAN EXPRESSWAY CO. LTD的海南头写字母H,高速公路头写字母E(小写)组成。色彩为单色,用代表生命、顺畅、安全的绿色,象征财富的金色和黑色在不同媒体应用。徽标中心为一条透视状的高速公路(字母H),象征速度和进取精神,周围螺旋桩的线条(字母E)寓意永无止境的发展,并有海南岛形状和环岛高速公路的联想。整体图形如四通八达的立交桥,并有通向彼岸,通向未来的涵义。该徽标体

图2-2-2 海南高速公路股份有限公司徽标

现了海南岛高速公路的特点，体现了公司的追求卓越、锐意进取、立足海南发展辉煌灿烂明天的精神。该徽标艺术手法独特，极具理性的射线与随意性螺旋线条的巧妙结合，给人的印象极为深刻，且时代感强，含义深刻，简洁明快，易读易记，具有徽标标志的良好功能。

案例　黄金大通道的“品牌”效应

2001年京沪高速公路全线通车不久，江苏京沪人就独具慧眼，瞄准上连接三省三市(江苏、山东、河北、北京、天津、上海)的“京沪”这个共有路名。他们通过深入的市场调查和科学分析后，决定用路名来打造企业品牌。首先，用江苏名优特产注册了“京沪白酒”、“京沪干红”、“京沪啤酒”和“京沪卤鸭”等10多类43种京沪品牌的商品，既抢占了注册“品牌”的先机，又开创了全国首家用路名打造“品牌”的先河。

1.经营思路

在一般人的印象中，高速公路企业只要守株待兔，坐等收费，就可以有很好的收益。因为，有这么长一条高速公路，不愁没有车上来行驶。但京沪公司认为，高速公路运营企业必须冲破建设高速公路和管理高速公路的传统观念，把立足点转变到经营高速公路上来。要充分利用和开发高速公路的多种功能，以路为依托，外向拓展，服务社会，不断做大做响高速公路品牌。只有这样，才能在市场经济的竞争大潮中立于不败之地。

一个成立仅一年的公司，就在社会上树起了自己的形象，获得了较高的评价。近两年，该公司先后被交通部和人事部联合授予“全国交通系统先进集体”，被全国总工会和国家安全监督管理局评为安康杯优胜企业，被江苏交通厅授与“技术创新先进单位”和“江苏交通系统首批无三乱先进集体”称号，全公司28个基层单位全部成为省级文明单位；淮安女子收费站被评为全国交通系统“巾帼”建功先进集体。

2.品牌意识

品牌意识是江苏京沪人经营意识的重要体现。继京沪品牌注册之后，该公司按照“让社会更美好”的企业理念，以拉动省内企业的超人胆略，全力打造自身品牌。他们采取定牌生产的方式，先后与连云港汤沟酒厂、南通大富豪啤酒厂等企业联合开发了“京沪白酒”、“京沪啤酒”、“京沪干红”。同时，公司还与苏北沿线企业联合开发了“京沪矿泉水”、“京沪大米”、“京沪月饼”和“京沪龙虾”等名优特产品。这些产品在高速公路服务区和全省大中城市相继推出后，深受广大消费者的喜爱。仅2003年1至10月份，该公司综合经营就实现销售额5 000多万元，实现利润1 900多万元。

3.“高竞人”现象

品牌意识还体现在该公司塑造自身形象上。有一次，韩国世宇通株式会社驻上海办事处的一位客人，在范水服务区用餐后匆匆离去，将一个装有护照和返程机票的文件夹遗忘在饭桌上。事后他抱着一线希望打电话到服务区，得知该区正为找不到失主而着急时，他非常感动。在取回东西时，他坚持要付酬金，但被谢绝了。

“高竞人”现象，这是该公司为树立员工新形象，建设一支高素质、竞争能力强的团队而实施的一个创举。它来源于两个75%的实践，在公司出台的《“高竞人”培养计划》中，明确要求到2005年，75%的员工必须达到大专以上学历，10年内本科以上的人数要达到75%以上。目前首批24名高中级管理人员、11名员工分别参加了南京大学商学院研究生班和河海大学本科班。学历高了，服务也要提升，从去年5月起，公司上下开展了学文明礼仪、学业务技能、学英语和学写仿宋体字的“四学”活动。这些举措让全体职工成了公司的“活名片”，每个人都代表该公司的品牌形象。

4.副业也成经济增长点

目前，国内高速公路服务区的汽车修理大多是服务区的副业，以补胎、冲气为主，其他维修项目很少。江苏京沪高速公路有限公司认为，服务区汽修厂经营有道，完全可以作为服务区一个新的经济增长点。他们确定了“拓展经营、扩大规模、做优做美、提升效益”的经营理念。

在拓展经营、扩大规模上，他们按照二级资质汽修厂所具备的条件，配置了必需的设备和技师，每个服务区均配有多名高级技工。所有从业人员均具有中级技工资质，目前可从事与二类汽修厂相适应的维修业务。为了进一步满足驾驶员的需要，他们还与地方实力较强的一类汽修厂合作，实行联动维修经营，如遇疑难杂症，请地方汽修厂派技术力量前来“会诊”排除问题。

为了将服务区汽修厂做大做强，该公司还计划建立一个具有一级资质的维修中心，不但可满足路上故障车辆的紧急维修，还将承担公司内部车辆日常保养和维修业务，甚至走出护网参与维修市场竞争，在市场海洋中挣到一杯羹。

在做优做美、提升效益上，该公司实行了三个统一，即各服务区汽修厂统一识别标志；统一生产操作规程；统一大宗配件的采购、配送。今年4月1日，他们通过招投标方式选择了一家轮胎总代理商，在公司监督下负责向服务区配送，减少了中间环节，在最大限度让利于驾驶员的前提下，公司利润空间也得以增加。公司维修人员实行全员绩效挂钩。汽修厂除厂长为服务区正式工外,其余人员均聘用,工资实行“下不保底、上不封顶”的分配机制,即他们的收入全部按照个人营业额的比例提取,如发生顾客投诉现象则进行处罚。这样一来,修理工们爱岗敬业,钻研业务,吃苦耐劳、文明服务蔚然成风,修理工的收入增加也带来了汽修厂经营收入的同步增长。

5.服务无止境

由于环境的特殊,高速公路上车辆修理相对于普通道路上车辆修理价格要高一些,汽修厂除大宗配件统一配送外,还实行协议修理,从不强行修车,有时事故车主为了节约资金想自己修理,汽修厂就免费送配件到现场。

有一次,京沪高速公路沭阳段排障车拖来了一辆昌河面包车到沭阳长庄服务区修理。据车主介绍,他是北京人,这次到上海要账,钱没要到,却要来了这台抵账的破车,一路上已经修过两次了,在泰州一次就花了500多元。汽修厂师傅打开前车盖一检查,发现这车已经接近报废期,机体老化,汽缸严重腐蚀,一般的小修小补是很难解决困难的。维修师傅把情况一说,车主直摇头:“我们领导有交待,这车已没有大修的必要了,只能小修小补,能开到北京就行了”。这下可把师傅们给难住了。按照常规,机体部件损坏必须更换,否则难以保证车辆正常行驶。怎么办呢?他们对此车进行了“会诊”。最后决定:除汽缸床垫已冲坏必须换新的外,对汽缸盖实施“修补”手术。他们先用高强度AB胶将汽缸盖凹部填平,然后用锯条和砂皮反复打磨。这次修理共收材料和工时费260元,车主非常满意地走了。第二天,车主专门打电话来表示感谢,说他已顺利回到北京。

修车有结束,服务无止境。服务区汽修厂为进一步方便顾客,还不断拓展服务范围,在免费为驾驶员提供开水、矿泉水、急救药品、便民塑料袋的同时,还准备为车主、旅客提供休息场所。

小　　结

本章主要阐述了高速公路广告开发,包括高速公路广告开发的分类、高速公路广告开发的特点以及高速公路广告开发经营方式;高速公路旅游开发,包括旅游开发的概念、旅游开发的原则及旅游开发的具体内容;高速公路土地开发,包括高速公路土地开发的概念和作用、高速公路土地开发的基本原则、高速公路土地开发的基本内容和高速公路土地开发的现状和发展趋势分析;高速公路仓储开发,包括高速公路仓储开发的概念和原则及高速公路仓储开发的具体内容和方法;高速公路经营品牌开发,包括高速公路经营的营销理念及高速公路经营的品牌策略。

思考题

1.常见高速公路广告类型。
2.高速公路广告开发的特点。
3.高速公路旅游开发的原则。
4.高速公路土地开发的基本内容。
5.高速公路仓储开发的具体内容。
6.服务营销的特点。
7.高速公路经营品牌策略。

第三章

高速公路经营开发管理

学习目标

通过本章学习，了解高速公路经营开发发展的基本思路，熟悉高速公路经营开发的前景，重点掌握高速公路经营开发方式。

第一节 高速公路经营开发方式

随着经营开发的逐渐兴起，高速公路经营开发的管理已成为高速公路管理不可分割的部分。作为管理服务的手段，经营开发管理要有利于吸引更多的公路使用者上路，达到发挥与提高高速公路效益的目的；作为具体的经营活动项目，它应依托高速公路，不断挖掘新的利润增长点，来增加收入，为公路建设、养护和管理开辟新的资金来源渠道。

高速公路经营开发的管理只有向企业化经营型方向发展才会有强大生命力。作为高速公路管理的一部分，必须服从全路管理总目标，服从于高速公路的运营管理。只有这样才能真正落实“集中、统一、高效、特管”的管理原则，保证政令统一。高速公路经营开发管理应贯彻宏观调控、微观搞活的指导思想，统筹规划、合理布局，并对项目的经营管理实施行政监督、指导、防止偏离高速公路安全、舒适、畅通的轨道。同时，应使每一个开发项目或开发经营单位，挑选有开拓创新、勇于进取的人员进行管理。经营开发企业应走自主经营，独立核算，自负盈亏，自我约束，自我发展的道路。结合我国的国情和各地的经验，经营开发可采取以下几种形式。

一、自主经营方式

由高速公路管理部门成立高速公路经营开发公司，负责对全路线经营开发的规划和一切经营业务活动的管理。这个公司或部门既是管理机构也是经济实体。按照统一领导、统一计划、统一经营、统一核算和责、权、利相结合原则，下设若干分公司（或专业公司）或部门，实行分级分层经营管理。

既是管理机构也是经济实体的企业自主经营方式是计划经济体制下延续下来的一种企业管理方式。这种经营方式与事业型管理相比，是比较完整的经济实体。经济上实行自主经营，独立核算，自负盈亏，利于在市场经济中实现公平竞争，自我调节，自我发展。但也有明显的缺陷：

(1)从外部讲，资产的所有权和经营权高度重合的本质没有改变。资产所有权和使用、经营权仍然统一于国家，经营者仍然不能真正承担起对国有资产保值、增值的责任，经营者只对自己的上级负责，不对经营效果负责。

(2)从内部讲，过分强调直线专业职能，忽视综合管理职能。部门设置讲究上下对口，一职多人。在市场经济中，使各项专业管理相互碰撞，服务目标不一致，缺乏整体竞争力。

(3)在人事管理上过分强调稳定，缺乏内部竞争机制。往往企业周边是市场经济的惊涛骇浪，企业内部仿佛进入了平静的港湾，感受不到市场竞争的冲击，从人力资源开发的角度，员工缺少市场的洗礼和竞争的锻炼。

为此，经营公司应引入特许经营，或是招投标，使经营公司真正成为经营主体。自主经营方式应该是高速公路经营开发的一种重要形式。目前应加快进行企业股份制改造，规范法人治理结构，使其真正成为自主经营、自负盈亏、自我发展的市场主体。

二、负债经营方式

资金是企业组织生产，经营的前提条件。任何一个企业为了保证生产经营的正常进行，必须拥有一定数量的资金。另外，由于临时性生产的需要或适应市场需求变化，扩大适销产品的生产规模，研制开发新产品，也需要资金的保障。在内部资金不足的情况下，企业需筹措资金，以增强自身的经济实力，在激烈的市场竞争中立于不败之地。虽然企业有多种渠道筹资，但负债筹资有其相对的优越性，多为企业所采用。以特定的偿付责任为保证，以获取利益为目的的负债经营，已被现代企业的经营者作为重要的理财策略。这种策略给企业带来巨大经济效益的同时，也产生了一些不容忽视的负面作用。因此，在采用负债经营方式时，应正确认识负债，合理负债。

为了捕捉扩张机遇，高速公路经营企业可以充分利用财务杠杆负债经营，但关键是合理的债务控制。一方面企业要考虑资产负债率，同时更要关注负债结构，尤其是短、长期债务的匹配。这样才能既发挥债务的最大经济效用，又能规避短期支付风险。

在西方财务中，资金结构一般是指长期资金中权益资金与负债资金的比例关系。在我国，资金结构主要是指在企业全部资金来源中权益资金与负债资金的比例关系。但仅仅关注权益资金和负债资金的比例关系是不够的，因为即使权益资金和负债资金的结构合理，如果负债资金内部结构不合理，同样也会引发财务危机。

(一)负债结构

负债结构是指企业负债中各种负债数量比例关系，尤其是短期负债资金的比例，短期负债资金的比例对企业经营的影响主要体现在：

(1)短期负债影响企业价值。短期负债属于企业风险最大的融资方式，也是资金成本最低的筹资方式，因此，短期负债比例的高低，必然会影响企业价值。

(2)短期负债中的大部分具有相对稳定性。事实上，在一个正常生产经营的企业，短期负债中的大部分具有经常占用性和一定的稳定性。例如，加油服务的油料储存、车辆维修的零配件储存，商店的存货等占用的资金，虽然采用短期负债方式筹集资金，但一般都是短期资金长期占用。

(3)短期负债的偿还压力。从负债的偿还顺序可以看出，企业首先要偿还短期负债，其次才是长期负债，而长期负债在其到期之前要转化为短期负债，与已有的短期负债一起构成企业在短期内需要偿还的负债总额，形成企业的偿债压力。

(二)权衡长、短期负债

当企业资金总额一定、负债与权益的比例关系一定时，短期负债和长期负债的比例就成为此消彼长的关系，所以很有必要权衡长、短期负债优缺点。

资金成本一般而言，长期负债的成本比短期负债的成本高。这是因为：

(1)长期负债的利息率要高于短期负债的利息率。

(2)长期负债缺少弹性。企业取得长期负债后，在债务期间内，即使没有资金需求,也不易提前归还,只好继续支付利息。

财务风险而言,短期负债的财务风险往往比长期负债的财务风险高,这是因为:

(1)短期负债到期日近,容易出现不能按时偿还本金的风险。

(2)短期负债在利息成本方面也有较大的不确定性。利用短期负债筹集资金,必须不断更新债务,而金融市场上短期负债的利息率很不稳定,因此在利息成本方面有较大的不确定性。

难易程度相对来说,短期负债的取得比较容易、迅速,长期负债的取得却比较难。因为债权人在提供长期资金时,往往承担较大的风险,一般都要对借款的企业进行详细的信用评估,有时还要求以一定的资产做抵押。因此高速公路经营负债结构应结合具体因素进行分析。

(三)负债结构的影响因素

在企业负债总额一定的情况下,究竟需要安排多少流动负债、多少长期负债呢?需要考虑如下因素:

1.经营稳定性

高速公路经营企业销售稳定增长,能提供稳定的现金流量,用于偿还到期债务。反之,如果企业销售处于萎缩状态或者波动的幅度比较大,大量借入短期债务就要承担较大风险。一般而言,由于高速公路经营业务的相对稳定性,可以较多地利用短期负债。

2.行业特点

各行业的经营特点不同,企业负债结构存在较大差异。高速公路企业利用流动负债筹集的资金主要用于加油服务的油料储存、车辆维修的零配件储存,商店的存货等,因此流动资产的占用水平主要取决于企业所处的行业。

3.企业规模

经营规模对企业负债结构有重要影响,在金融市场较发达的国家,大企业的流动负债较少,小企业的流动负债较多。大企业因其规模大、信誉好,可以采用发行债券的方式,在金融市场上以较低的成本筹集长期资金,因而,利用流动负债较少。

4.利率状况

当长期负债的利率和短期负债的利率相差较少时,企业一般较多地利用长期负债,较少使用流动负债;反之,当长期负债的利率远远高于短期负债利率时,则会使企业较多地利用流动负债,以便降低资金成本。

(四)优化负债结构

在中外财务管理中,一般都是通过一定的资产与流动负债的对比来分析短期偿债能力和流动负债水平是否合理。例如,通过流动资产与流动负债进行对比计算流动比率,通过速动资产与流动负债进行对比计算速动比率,并根据这两项比率来分析企业短期偿债能力,以及流动负债的水平是否合理。采用上述指标来分析企业短期偿债能力,有一定的合理性,但这种分析思路存在以下两个问题:

(1)这是一种静态的分析方法,没有把企业经营中产生的现金流量考虑进去。

(2)这是一种被动的分析方法,当企业无力偿债时,会被迫出售流动资产还债,这种资产的出售会影响企业的正常经营。

为了规避传统分析方法的缺陷,在确定企业的负债结构时,要充分考虑现金流量的作用。企业的短期负债最终由企业经营中产生的现金流量来偿还,以现金流量为基础来确定企业的流动负债水平是相对合理的。在确定企业负债结构时,只要使企业在一个年度内需要归还的负债小于或等于该期间企业的营业净现金流量,即使在该年度内企业发生筹资困难,也能用营业产生的现金流量来归还到期债务,即有足够的偿债能力。这种以企业营业净现金流量为基础来保证企业短期偿债能力的方法,是从动态上保证企业的短期偿债能力,比以流动资产、速动资产等从静态上来保证更客观、更可信。

从以上分析看出,各种确定负债结构的方法都有优缺点,在实际工作中要结合企业具体情况合理选用。此外,除了进行定量分析外,还要结合企业的行业特点、经营规模、利率状况等各种因素来合理确定。

三、合资、合作经营方式

高速公路主管部门或高速公路经营开发公司,与高速公路沿线的有关企事业单位或个人或其他投资者,共同筹措资金,按投资额度大小分配开发项目经营权,投资经营者在保证开发项目的资产不流失前提下,经营一定年限取得一定利益后,再将其资产收归国有。或者,由高速公路沿线的有关企事业单位、个人或其他投资者投资,高速公路主管部门或高速公路经营开发公司,保留其开发权利,参与合作,按合作合同分配利益,经营一定年限后,再将其资产收归国有。

目前,在高速公路经营开发实践中,合资、合作经营方式已经有大量的理论探讨和实践。

在高速公路经营开发项目中,经营性基础设施项目,新建设可以考虑逐步减少政府投资,采取 BOT(建设·运营·转让)等方式面向社会投资者招标。

对高速公路经营存量资产,如服务区设施,除国家有规定的以外,可以采取 TOT(转让·运营·转让)、股权转让、经营权转让等方式面向社会投资者招标。

有的经营项目,有经营收入,但不足以收回成本。这些项目,可以通过政府资金的引导,采取 PPP(公私合营)模式吸引社会投资者合作建设。

在高速公路经营开发中,由于高速公路管理的特殊性,用于管理的投入,如行政办公设施、公共绿地等非经营性基础设施项目,可以以政府投资为主,通过代建制方式进行建设。对于其中有条件的项目,可以按照 BT(建设·转让)方式吸引社会资金进行建设,政府通过补偿机制和回购方式,回报投资者。

在高速公路服务区这一领域内,合资、合作经营方式已开始形成一种趋势,如福建省把高速公路综合服务区引入市场运作的轨道,服务区、停车区经营权全面向社会开放,采取与中石化等大企业强强联营,或全部转让经营权等方式,回收了近 4 亿元资金用于新的高速公路建设。

值得注意的是,市场化运作项目的推出,高速公路管理部门应相应配套改革措施,实行相应的经营制度,完善政府经济调节、市场监管和公共服务职能,促进高速公路经营开发的快速发展。放开高速公路经营市场,不但不能减少政府的管理职能,反而对政府的职能提出了更高更严格的要求。要强化政府对开发的总体规划职能,制订必要的专项发展建设规划,增强规划的前瞻性、科学性和透明度。要加快相关政策法规体系的建设,抓紧制订经营市场监管规则、产品和服务的定价和调价办法等。管理部门应依据法律法规,对企业的市场进入、退出、产品和服务的价格决定以及质量进行严格地监管。要树立为投资者服务的意识,增加为投资者决策服务的内容,降低投资者商务成本。

四、承包与租赁经营方式

将统一规划的经营开发项目一切不动产及其他主要设施,承包或租赁给经营者,由经营者自主经营。高速公路管理部门按照承包或租赁合同规定,向经营者收取部分承包利润或租赁租金以增加养护、管理基金。惠来商旅服务中心是广东深汕高速公路东联实业开发有限公司投资兴建的高速公路服务区,位于广东深汕高速公路惠来路段,向西距广州 370km,至深圳 280km,向东至漳州 350km。总占地面积 28 万多 m^2,是一个集餐饮、名优特产专卖店、超市、工艺品商店、加油站、汽车修理厂、汽车旅馆、救护中心,休闲场所等服务行业为一体的多功能大型综合服务区。随着服务中心知名度和美誉度的提升,车辆停留量扶摇直上,从而大大刺激了相关配套服务的需求与发展。面对服务区显现出来的无限商机,众多企业也开始将目光投向这块文化经济信息汇集的“黄金点”。潮汕土特产总汇,以及中餐厅、汽车旅馆、花木场等项目,正以巨大的施展空间日渐获得精明商家的青睐。在招商会上,来自各地的众多商家与服务中心达成合作意向,开展租赁业务。

河南省高速公路 8 个服务区使用权招标正式开标,32 家投标单位参加了开标仪式。在省交通厅监察室的监督和省公证处的公证下,省高速公路发展有限公司对 32 家投标人的投标文件进行了现场启封、唱标,32 家投标人均当场确认了开标记录。8 个服务区最高投标价 3 年总计 8 909 万元,最低投标价 1 262 万元,其中,许昌服务区有 17 家单位参加竞标,最高投标价 1 609万元,最低投标价 232 万元;漯河服务区有 14 家单位参加竞标,最高投标价 1 580 万元,最低投标价 165 万元。开标以后,由省高速公路发展有限公司对投标文件进行评审。

高速公路的经营开发方式很多,各省、市、自治区仍在进行深度性探索。有的经营开发已初具规模,积累了不少经验,为今后大规模开发经营创造了条件。

第二节 高速公路经营开发的前景

一、国外高速公路经营开发简介

(一)非路产业经营开发

高速公路的建设是衡量一个国家或者地区经济发展水平的产物,是现代化的重要标志之一。欧洲是高速公路修建最早的地区,美国、日本是高速公路覆盖最广的国家,已基本形成全国网络。伴随高速公路的建设及以前对公路经营管理的经验表明,与之相适应的非路产业经营开发将显得越来越重要。随着现代经济的发展,人们对高速公路的属性认识也发生了巨大的变化。从单一的社会基础设施到向经济复合载体的演变,最后开始更清楚认识到它不同于市场上流通的一般商品的商品属性。它具有多种特殊性:高速性、垄断性、公共安全性、公益性、享受性等。

高速公路的非路产业经营开发,是指整个高速公路系统及辐射的其他系统中除用于车辆通行的道路外的设施,对土地、广告线路使用以及相关行业,进行有计划、有目的的市场运作,使其在产生直接经济效益的同时,对高速公路运营不产生破坏作用和其他负面影响的一种可持续发展的经营。它是一个跨行业、多学科的复合经济运作模式,不同于单一的房地产开发、物流业开发、餐饮娱乐开发、旅游资源开发等。必须以特定的环境——高速公路为背景,进行一些有地域性、关联性、时效性和社会性的综合开发,并且开发成果在短期内可能导致经济的负增长,但只要对提升高速公路形象、改善高速公路生态环境、加快连接城市现代化进程和整个高速公路生态系统良性循环有益,就可以考虑进行此类开发。

国外营运良好的高速公路线路,其非路产业经营开发大多经历四个时期。投入增长期(回报率为负)、投入产出平衡期(回报率为正)、效益高峰增长期(回报率线性增长)、效益平衡期(回报稳定、进入良性循环)。不难看出,经营开发进入第三个时期后,就能成为整个高速公路运营收入的重要组成部分,实现高速公路生态经济系统的平衡化、多元化发展。

我国高速公路经营开发,由于现阶段我国的服务区不是完全以赢利为目的,因此认为高速公路经营开发指服务区以外的经营开发。但随着高速公路企业化的进程,高速公路经营开发服务产业化发展,非路产业经营开发的经营观念将突破传统。

(二)特许经营

美国是特许经营的发源地。国际特许经营协会对特许经营的定义是:特许经营是特许人和受许人之间的契约关系,对受许人经营诀窍培训,特许人有义务提供服务。受许人的经营是在特许人所有和控制下进行的,并且受许人有义务对其业务进行投资。特许经营的另一个定义,即欧洲特许经营联合会的定义,该定义如下:特许经营是一种营销产品、服务和技术的体系,基于在法律和财务上分离和独立的当事人(特许人和他的单个受许人)之间紧密和持续的合作,依靠特许人授予其单个受许人权利,并附加义务,以便根据特许人的概念进行经营。特许人给予并迫使单个受许人商号、商标、服务标记、经营诀窍、商业和技术方法、知识产权，在双方一致同意而制订的书面特许合同的框架和条款之内执行。

根据国外经验，“特许公司制”是一种科学、有效、适应高速公路管理的体制。如意大利高速公路特许公司建设管理了占全国86%，达6 000km的高速公路；法国9家特许公司建设和管理了近6 000km的高速公路，占全国高速公路的75%；日本、德国、美国等发达国家也是采取特许公司的办法建设高速公路，在一定的期限内(一般为30年)对项目筹资建设并独立进行经营管理。实践证明，实行特许经营，对高速公路的发展产生巨大的推动作用。

1. 有利于明确经营者的权利和义务

我国高速公路经营管理的立法，正在逐渐建立健全，各项有利于高速公路发展的优惠政策相继出台，高速公路实行特许经营的条件基本成熟。高速公路实行特许经营符合高速公路“集中、统一、高效、特管”的原则。实行高速公路特许经营后，按照高速公路封闭管理，相对独立性和统一性、专业性的特点，设立相应的综合管理机构，可以明确经营者的权力、义务及管理程序、方法，达到减少环节、节约开支、统一步骤、便于管理的目的，又能充分发挥高速公路的效益。

2. 有利于提高管理水平

高速公路实行特许经营后，明确了“授权”，经营管理单位可依法对高速公路实施统一经营管理，经营者的合法权益受到法律保护，各部门间的协作就会更加畅通。实践证明，各部门间的紧密合作是实施高速公路管理系统相当重要的因素，没有一个部门能单独处理高速公路管理中的所有问题。各部门间必须协调地进行工作，才能更好地完成各自的任务，而高速公路实行特许经营，是解决这些问题的前提。

3. 有利于解决高速公路资金匮乏的问题

资金匮乏是制约我国经济发展的关键环节，高速公路建设也不例外。近几年高速公路建设多元化、多渠道筹集资金的步子已迈开，为发展我国高速公路建设注入了活力。高速公路特许经营后，作为一个经济实体的经营单位能更有效地调动各方资金，使建、管、养、收、还贷一体化，充分发挥独立经营单位的管理原则，能更有效地促进高速公路的发展。

4. 有利于高速公路收费标准及收费率的确定

高速公路实行特许经营后，国家对通行费标准和费率的确定，即可运用经济规律，按项目投资及投资回报率加以核定，避免了过多的行政干预和主观决断,能有效地克服各种特权车逃、免费现象,为确保投资回收和偿还贷款奠定了基础。

5.有利于走出"一局管理论"的误区

高速公路实行特许经营,要走出高速公路经营管理"一局管理论"的误区。"一局管理论"的观点是忽略了高速公路经营管理的特许性,即高速公路从筹资到建设与管理,必须要按市场经济规律运行,由一个符合社会主义市场要求的实体来承担责任和风险的客观事实;"一局管理论"的观点不符合高速公路自身的特点。高速公路管理对安全、高速、高效的要求与普通公路的管理目标有很大差异。高速公路管理需要多功能相互配合的复杂系统进行集中统一指挥控制,这种管理具有知识密集、技术密集、手段快速、高效、服务优质等特点,而原事业性质的公路管理对这些都无法做到。

6.有利于加速我国高速公路的发展

高速公路实行特许经营是世界各国的普遍做法。美、日、意、德等高速公路发达国家对高速公路的管理都实行符合本国国情的特许管理方法,都取得了成功的经营管理经验。我国高速公路刚刚起步,其实施特殊的经营管理方法是为了吸收国外先进经验,少走弯路,快速发展我国高速公路事业。

随着高速公路的发展,关于高速公路的管理模式、体制、政策、方法等尖锐的问题展现在人们面前。由于高速公路建设的突飞猛进与管理理论和法律滞后等原因,造成了目前高速公路管理中体制不一、方法各异的局面。高速公路管理应根据集中、统一、高效、特管的原则,实行特许经营。近几年来,许多高速公路公司虽然没有得到政府形式上的授权,但是在实际工作中,许多规定都具有了"特许"的性质。如公司"对高速公路隔离栅内的第三产业开发享有专营权,经营者的合法权益受法律保护"。"高速公路、高速公路用地和高速公路设施属于国家所有,交通行政管理部门按照法律、法规规定的程序和权限报经批准后,可将高速公路部分或全部经营权转让给国内外各种形式组成的合法经营者"等。像宁沪高速公路股份有限公司被国务院证监会列为第四批海外上市企业,在发行H股的过程中,政府以承诺的形式批准了公司若干特许权和优先权。

高速公路特许经营机制是一个系统工程,涉及面广,具有很强的政策性、科学性、专业性,随着市场机制逐步引入,我国高速公路的进一步发展,特许经营方式必将在我国高速公路建设与管理中得到充分运用并不断完善,形成有中国特色的特许公司,积极推动我国高速公路发展进程。

(三)高速公路经济与生态环境保护

随着人们对环境保护与经济可持续发展的认识,高速公路充分体现环境与资本经营的和谐。因此,高速公路的非路产业开发是否科学合理,是否可持续,不仅是一个经济问题,更是一个生态问题,其开发价值评价的标准是能否在保护环境、维持新的生态平衡的基础上最大限度地发挥高速公路的社会、经济和生态效益。

我国从建成通车第一条高速公路开始,管理者们就开始摸索对高速公路的服务区、闲置土地、广告设施等进行开发利用,并取得了一定的经济效益。但是,高速公路的管理和归属等问题也长期制约了经营开发的进一步发展。随着社会经济的发展,环境破坏问题、生态失衡等问题的出现,人们从可持续性发展的角度提出了如何促使高速公路经济与生态环境保护的协调发展这一严峻的课题。

实践证明,环境是基础,经济是条件,二者是相互制约,但又相互促进。国内外高速公路建设者们开始在高速公路建设的同时,采取各种技术和工程措施保护环境,恢复破坏的生态系统的工作,并取得了显著的效果。但高速公路进入运营后,要维护该系统的生态环境,就必须投入大量的物力、财力和人力进行高速公路绿化维护、边坡防治、净化水源等工作。如何正确地处理运营管理、经营开发、养护管理之间的关系,是高速公路生态环境系统可持续发展的关键。

欧洲高速公路起步早、发展快,城乡之间、国与国之间,现已基本联网,发达的交通公路网,畅通快捷的行车环境,使车辆可以不停车出入欧共体国家,十分方便。这些国家在高速公路经济与生态环境保护方面有其共同特点,值得我们借鉴。

1.注重实用性

他们根据高速公路车流量的不同,设置车道。比如,从伦敦到桑格兰的高速公路,其间路经许多城镇,一般情况下越接近城镇的进出口车道越多,这样就减少了堵车现象。他们的高速公路中间基本没有活动护栏,主要是出口多,每条高速公路都和普通公路连接。在排水问题上,他们也注意实际,高填方地段设排水沟,排水沟和城市的排水沟一样,将水引到一处用抽水机排出;低填方地段,则让水自然排出;还有些路段在水量多的地方多设排水槽。所以,高速公路路面上看不到积水。有些国家,如英国、法国、比利时、荷兰的高速公路,两旁都设置了路灯,有些是设在离城市十几公里处,有些是全路段都设，这样对晚上行车安全极有好处。在绿化方面，他们也很求实。欧洲所有国家森林覆盖面和陆地植被都比较好。修建高速公路时，他们十分注意路两旁的树木保护和植被的复原。如瑞士的高速公路，所经过的一些隧道的隧道口及隧道顶部，都是修好后重新移植的植被。这样高速公路两侧就和整个自然植被及森林连接起来，像公路穿过森林和草地一样，公路与自然十分和谐。路中间隔离带的绿化也因地制宜，有的有，有的没有。即使有绿化，也是随其自然，长出的荒草也不打平，和路两侧的自然景观形成一体。而且每条路隔离带的绿化都不一样。路两侧的防撞板和隔音墙也是因路段而设，通过村镇就有，险要地段就设，没要求整齐划一。这些国家都把重点放在路面铺设上，以保证行车畅通无阻。路面平整度高，防滑性强，大部分都是粗糙度强的路面。在整修中不是采取打补丁的方式，而是一整段一整段的整修。桥头跳车现象基本没有，桥和路形成一个整体。路的上下行线并不都是并排挨在一起的。有时为了绕山头和村庄、森林与河流，就地理环境而设，减少了占地拆迁，保护了森林和植被。同时，在修路和建服务区时，尽量不破坏原来的地貌。在英国靠近莎士比亚镇的一个服务区，就建在一个小山坡上。服务区内的停车场、加油站、商店、餐厅都是就地势而建，周围的树木、草坪都是原来山坡上长的，人工绿化很少。总的看，这些国家的高速公路在管理和修建中是比较注重实用的。

2. 注重科学性

其中比较突出的是收费、服务区和道路标志指标。收费系统实行入口自行取卡、出口读卡判型结算的收费方法。出口收费方式分为：人工收费、使用卡结算收费（无人管理）、自动投币收费（仅限于开放式）、不停车电子收费系统，用储值卡方式结算。收费站的服务水平可达到每小时人工收费150 辆，使用卡收费 300 辆，不停车收费 900 辆，科学管理带来了工作高效率。服务区建设无论从设计造型上，还是场区的建设上，都注意科学性。加油站、商店、餐厅、住宿、娱乐馆、停车场设置的非常合理。大货车和轿车的停车场是分开的。大车设置在服务区的后边，小车设置在服务区的侧面，商店紧靠停车场，住宿娱乐场所就设置稍远些，比较静，便于驾驶员休息。不设食宿的服务区，设小食品店、购物店、娱乐厅，驾驶员加完油可将车停好，喝水、吃小食品、看录像片，然后继续行车。考虑驾驶员和游客长途疲劳，服务区设置一般都远离高速公路，房屋建设精美别致，带有草坪、花园、使旅客有散步的地方。大一些的服务区，还设有游泳馆、迪厅、酒吧等。公路上的各种指示标志非常科学。他们按 *A*、*B*、*C*、*D* 将高速公路编号，按阿拉伯数字字排列，往哪座城市走那条高速公路非常明确。靠近城区设有可变情报板，随时通报路上发生的情况，对驾驶员提出相应警示。法国、英国在坡道、紧急停车等地，通过热熔夹板式的方法，施画振动标线。高速公路路旁停车带设反光标线，标线上设有凸线，车轮压上就振动，提醒困倦驾驶员。每条高速公路出口，都标明去哪条高速公路和城市、村镇。许多国家在高速公路两侧还设置了医院救护标志。此外，欧洲经济委员会20多个国家已签订了“国际干线公路网协定”，在欧洲国际高速公路网率先实行了统一的“TEM货币”，专供沿线加油及用餐使用。高速公路连接口岸装置了先进设备，车辆可以不停车从这个国家到另一个国家。

随着行业分工的更加明确化，高速公路责权利也变得有章可循，高速公路经营开发将逐渐形成一个新兴行业。根据国内外经验表明，高速公路的建设和营运，必将带来区域经济的迅速繁荣，带动地区产业多元化发展，而多元化格局中尤其以运输业、房地产业、广告业和旅游业为主。高速公路非路产业的经营开发，必将带动一个新兴的交通经济业繁荣发展，更好地协调高速公路的经营开发与生态环保之间的关系。

二、目前我国高速公路经营开发实践

高速公路的经营开发在我国应该说处于理论和实践的不断探索之中，目前在国内尚无多少固定模式和过多的成熟经验。但随着改革开放的进一步深化，它必将成为拓宽高速公路运营业务，增加经济效益的一个很有发展前途的项目。

（一）发展的有利条件

我国的公路建设事业与其他事业一样，从改革开放以后有了突飞猛进的发展，已经进入了以高速公路建设为重点的黄金时期。以高速公路、汽车专用公路为骨架，以一般公路为辅道的公路发展趋势已基本形成。目前，不少省、市、自治区已建成的高速公路已基本形成网络化，而且结合各自的经济发展情况，制订了近期和长远的高速公路发展规划。高速公路建设的这种发展趋势，为沿线的经营开发提供了便利的条件和物质基础。

结合我国国情，由于财力不足、资金紧缺，要集中巨额资金投入高速公路建设，在今后较长一段时间内，依然有一定困难。而经济的发展又迫切需要交通运输业的迅速发展，特别是加快高速公路的建设。这种矛盾促使我们必须在现有的多渠道、多形式筹资基础上，通过各种形式的经营开发来扩大筹资渠道，增加建设投资资金来源。

（二）我国高速公路经营开发实践

通过近年来部分省、市、自治区尝试性的探索，有的已经形成了一定的规模，有的已经积累了不少经验，有的正在争取政府部门在政策上给予优惠，这就为我们今后大规模地开展经营开发活动，提供了可资借鉴的经验和方法。以下是合(肥)安(庆)高速公路和粤高速经营开发的经验。

1.借路发展抢商机

高速公路连接大中城市，沿线有丰富的旅游资源，消费者资源和无限商机。高速公路沿线资源成为商家的必争之地。合(肥)安(庆)高速公路是京福、沪蓉高速公路共用段，属黄金地块，沿线地区土特产、手工制品是其丰富旅游资源中的重要组成部分。合安高速公路正式通车后，面对该路日益增大的车流人流，全国各地的商家纷纷看好其潜在的市场和凸现的商机，一齐聚焦于餐饮、购物、汽车修理等多种功能于一身的服务区，意欲借路发展，实现经济效益与社会效益的双赢。

2.服务区公开招租

高速公路经营开发公司坚持“大服务”理念，千方百计打造服务区，以实现高速公路整体效能。面对众商家意欲借区发展的这股东风，合安高速决定将服务区对外承租，借助具有经营实力和经验的企业来进一步提高服务区的管理服务水平。该公司采取的服务区对外承租的方式，在社会上引起了强烈反响，来自浙江、湖北、福建等省及沿线的众多民营企业和个体业主纷至沓来，参与竞标。经过几轮激烈的竞价，经营实力、经验深厚的浙江桐乡市同新食品有限公司最终折桂，获得了公路服务区的经营权。高速公路服务区有着其他经营区无可匹敌的优势，它的交通区位优势明显，有稳定的消费群体，没有固定资产投资风险，投资回报有相对保障。

3.土特产“借区”扩张

合安高速公路沿线是安徽名特优产品的汇集地，公路通车后，沿线乡镇纷纷看好公路服务区这个特殊的“商业贸易区”，希望借此推销地方特产，拓展市场份额。目前沿线各种名特优产品大举进军各服务区，服务区经营效益明显，同时由于竞争激烈，商家在产品的质量、包装，以及生产方式上大做文章，以质量取胜、服务取胜，来抢占市场份额。无论服务区的经营开发还是消费者均取得了实惠。事实上土特产借助服务区实现扩张在其他省已有成功范例。在沪杭高速公路嘉兴服务区，一天销售粽子就达6万多斤，杭州酱鸭年销售额也在500万元以上,不仅改变了当地农村产业结构,而且丰富了服务区的服务内容。目前,合安路已正式营业的香铺、陈埠服务区相继设立了名特优产品专柜,生意红火。

4.一站式服务

一站式服务在美国高速公路上很流行。高速公路经营企业以连锁经营的形式进行,在高速公路上建立包括便利店、加油站、汽车旅馆或酒店在内的"一站式服务"设施。在BP、美孚、加德士大举瓜分加油站版图,并在油站大建便利店之际,广东公路"巨无霸"粤高速利用高速公路的资源,豪夺包括便利店、加油站、酒店在内的高速公路服务市场。这一发展形式与美国、欧洲等地的高速公路服务区非常相似。

加油站上的便利店可以生存,完全因为依赖于加油站。而粤高速提出要建立"一站式服务区"则完全是因为手上的公路资源。目前粤高速已建的高速公路达到1 500km多,加上正在修建的1 300km,手上高速公路的资源就有2 800km多。建立"一站式服务区"一方面是为行驶在高速公路上的司乘人考虑的,因为他们一般都会需要加油、买东西和住宿等;同时考虑到既然拥有了公路资源,就应该在公路资源上增加"附加值"。粤高速还会利用"附加值"与粤高速本身的汽车运输资源结合起来,进行仓储服务等物流业的发展。随着高速公路经营开发实践,一站式服务必将产生很好的收益。

同时一站式服务也有利于高速公路服务区整体经营开发,有利于竞标企业按照竞标协议规范运作,强化管理,改善服务。作为交通大动脉的高速公路,是展示企业形象、扩大油品销量的市场。辽宁销售分公司一直密切关注辖区的高速公路服务区动态,经过充分准备,这个分公司以每年550万元的标的竞得山海关服务区整体经营权。秦皇岛分公司把管好"关内第一站"进行了有效的运作。一是选派精兵强将接手服务区,并斥资40多万元对服务区进行整体改造和包装,使加油站穿上了"中国石油"的新装;二是提高运作水平,在确保质量、专业规范的前提下,将附属服务项目以年320万元的合理价格转包,集中精力搞好主营业务。山海关服务区加油站由"中国石油"管理后,日销量由原来的不足20t提高到60t多,山海关服务区被当作社会化运作优秀典型而加以推广。

5.连锁经营模式

广东南粤物流股份有限公司以现代物流理念,通过兼并、重组等资本运作手段,整合广东省交通集团内部和社会物流资源,全面提升综合物流服务水平和能力,逐步发展成为全方位的物流服务供应商,其拥有广东通驿高速公路服务区有限公司77.7%股权。广东通驿高速公路服务区有限公司主要从事高速公路服务区一体化及公路附属产业的经营，拥有全省高速公路服务区13对，2010年将达到95对。通驿公司通过对高速公路服务区统一品牌、统一规划、分期建设、多元化经营，建立了高速公路服务区连锁经营模式，形成了便利店、餐饮、油站、广告及通信网络等连锁经营网络。

6.人性服务

以人为本是惠来服务区的一个特色。惠来服务区将服务区内的厕所取名叫“解忧所”，特点有以下几个，一是大，服务区内共有6个厕所，可以同时容纳200多人同时使用，在全国绝无仅有；其二是人性化，“解忧所”内设有专门残疾人厕位、通道，以及专门为哺乳期的母亲而设置的婴儿哺乳室。惠来服务区与“多美丽”快餐店一拍即合，现在2 200多m^2的快餐厅已经落成，据说是“多美丽”在中国最大的分店。还配备普通的商场、超市。此外，服务区还设置了生态农庄，里面有鱼塘、蔬菜种植基地，设施齐全的生态农庄吸引了大量游客，客人可以到生态农庄直接挑选品种，然后做菜，绝对新鲜可口，还可从果树上摘最新鲜的水果品尝。

7.功能多样

今天的服务区的经营理念已经发展到提供一体化多功能服务的综合服务中心。惠来服务区在高速公路上建汽车旅馆，还有配套项目美容、美发等服务。服务区是24小时开放，区内配置消防、治安、医疗等救护中心，可以有效解决高速公路治安、消防、医疗的需要。除了治安等问题，惠来服务区还设置了汽车修理厂、商务中心，提供传真、宽带网等服务。

(三)高速公路经营开发管理

高速公路经营公司应坚持全方位、多元化的发展战略，努力实现经营开发工作的跨越式发展，着力建设以资本运营为主要目标的经营机制和以法人治理结构为核心的现代企业制度。在经营开发工作中，积极拓展经营领域，寻求新的经济增长点，积极发展公路交通工程、绿化、广告、服务区经营、沿线开发等公路相关产业，不断扩大经营规模，努力向专业化发展，积极向外拓展业务，树立品牌意识，增强市场竞争力。

高速公路经营公司，为了从根本上解决管理工作中存在的问题，应紧紧围绕质量管理，精心组织，加大投入，狠抓落实，层层签订工作任务和工作质量目标责任书，逐级落实工作责任，提高工作质量和管理效率。为了进一步改善高速公路的经营开发管理工作，主要采取以下措施：

1.加强质量教育,提高员工质量意识

高速公路经营开发工作经验不足,在全国尚无可遵循模式,富有挑战性,需要时间去不断积累经验。质量意识是高速公路经营成败的关键,经营公司为了加强质量教育,提高员工质量意识,可以通过请进来、走出去,邀请有关专家集体授课,有针对性的进行培训、组织技术人员到兄弟单位学习等方法进一步强化全员质量意识。公司人事部门应制订相关考核办法,对技术人员、关键设备操作人员进行考核,着力提高关键岗位员工的质量意识和岗位责任心。

2.提高经营管理水平

高速公路经营公司应是一个进行独立核算,自主经营,自负盈亏,承担相应法律责任的组织实体。公司应从产品开发,经营管理全过程不断提高经营管理水平,在组织上应建立相应机构,有相应的组织保证。同时高速公路经营公司应加大软件投入力度,确保提高管理水平。继续加强技术力量的引进,并在保证原有设备性能完善的情况下,继续加大设备投入,为提高经营管理水平提供保证。

3.加强经营管理

高速公路经营开发管理涉及资金、人力、物力等多种资源要素,应规范运作,合理使用各类资源,降低开发成本,增加开发收益。因此规范化管理是提高高速公路的经营开发管理水平的重要手段之一,开发公司应在人力资源、财务管理、设备物资等各方面均应制订严格的规章制度。

4.做好绩效考核完善公司分配制度

高速公路经营公司为了充分调动广大员工积极性,建立有效的分配激励机制,促进公司效益增长,根据经营性公司分配制度,结合自身实际,继续深化内部分配制度改革。要求各单位要根据各自的生产经营特点,进行科学合理的绩效考核,制订相应的薪酬计算办法,提高职工的主动性和创造性,使公司深化内部分配制度改革的各项工作稳步推进。

(四)发展的前景

(1)伴随着高速公路沿线工商业的发展,高速公路的经营开发将逐渐成为自我发展、自成体系的独立行业。根据国外经验,随着高速公路的建设和运营,沿线各地将会利用有利的交通条件相应地发展工商业,促进沿线工商业的发展。这种发展的必然结果,就要求与之相配套的房地产业、广告业、旅游业等服务性行业要尽快地发展起来。为此,在高速公路出入口附近、立交桥和服务区的周围地方，伴随着工商业的发展，以及经营开发的不断兴起，将逐渐形成组团式的较为完整的综合服务体系。

(2)高速公路经营开发，将逐渐成为美化环境和保障车辆安全畅通的重要手段。通过经营开发，将使得高速公路成为组团式的饮食、休息和旅游服务区，特别是对旅游景点和风景点的开发，将使得高速公路成为带状的美化区。同时，由于经营开发提供了便利的休息、娱乐和旅游场所，减少了司乘人员长距离、长时间乘车所带来的疲困，为减少交通事故，保障车辆安全畅通提供了便利的条件。

(3)伴随着交通开发的兴起和经济理论研究的深入，交通经济学作为一门新兴的学科正在逐步兴起。它不仅将随着交通开发的全面展开而日益丰富，反过来，它也将成为我国高速公路经营开发的指导性理论，指导有关部门制订开发政策和经济措施，做好长远规划，有计划地进行滚动发展，达到开发与经济发展一体化，使得高速公路的开发工作成为常盛不衰、创新发展的一个新兴行业。

三、高速公路经营开发发展的基本思路

目前，全国高速公路通车总里程已达3万km，跃居世界第二位。随着我国人均GDP的不断增长，高速公路上的物流、车流、人流量将会大大增加，服务业这块蛋糕显得越发诱人。面对企业的企盼，面对驾驶员焦灼的等待，面对高速公路服务业的巨大商机，在高速公路服务业上也应有所突破。

各高速公路经营企业应紧紧围绕经营开发思路，突破现有管理局限，搭建开发平台，组建经营开发公司，进行高速公路经营开发。各公司要结合实际，因地制宜，开展多种经营。同时实行规模和特色经营，推出拳头产品，打造品牌，形成规模效益。

(一)制订经营开发管理办法

制订《经营开发管理办法》的目的是为了规范公司经营开发工作，更好地开发利用高速公路沿线的各种资源，加快开发步伐，充分发挥高速公路的社会效益、经济效益，服务社会、服务大众，树立良好的形象。应加大对经营开发工作的政策、资金支持力度，设置高效的管理和激励机制。

高速公路目前的管理体制大多实行统一管理，提供的服务也有统一的服务标准。一旦实行多种经营方式，如何控制？如何规范？就成了现实问

题。有业内人士指出,问题也并不是十分复杂,像国外高速公路服务区的快餐基本都是麦当劳提供一样,高速公路经营开发企业如果为了实现规范标准的管理和服务,可以把餐饮、加油站、汽车维修等配套服务的经营权整体转让,直接引进已经形成的规范服务。管理部门只要制订科学合理的经营开发管理办法,就可以既有利于高速公路服务业的发展,为企业创造更大的商机,也有利于主管部门把主要精力放在制订规则和监督管理上。

京福高速公路服务区,为进一步规范服务区经营管理,进行了有效的制度创新。开发公司从实际出发,在保障采购质量为前提下,为合理降低采购成本,采取了如下措施:一是各服务区成立了"采购管理委员会",下设"物资采购供应小组"和"采购审核小组",负责计划采购的审核和计划外物资采购申请的批复、大宗物资采购合同的签订及采购供应人员的培训工作等;二是结合各服务区不同特点,分别建立了物资采购管理制度,对物资的进货渠道、申报程序、商品入库、出库等各个环节做出了明文规定;三是结合服务区人员录用管理制度,采用竞争上岗的方式,对物资采购人员进行选配,确保物资采购的透明度;四是建立了整体供应链,对全线服务区日常通用商品实施统一采购配送,缩短了工作程序,避免了重复环节,节省了采购成本,仅此一项,1~6月份节约资金500多万元;五是深挖内部潜力,开创特色经营,积极同当地旅游相结合,根据各服务区所处的地理位置,开发最具当地地方特色的商品,通过缩短物资采购路程达到了节支增收的目的,同时也满足了过往乘客的消费需求。

(二)服务区开发带动多种经营

高速公路经营公司以服务区开发带动公司多种经营的开发思路,全面推进公司经营开发工作。在服务区经营开发的带动下,积极进行开发项目研究,条件成熟的项目先行开发,形成多种经营、百花齐放、上下联动的经营格局。公司应根据高速公路现状,就其经营管理模式、经营渠道、运作机制等进行广泛深入的调研,拓宽经营渠道、完善工作体系、活跃经营氛围、形成多种经营格局。如:广告经营业务,可利用公司具有广告设计、制作和发布的资质,在公司统一规划下,合理开发广告资源;场地租赁业务,可对现有停车区的资源进行租赁盘活,通过招标实行社会化管理,创造最大效益;房地产开发,可以利用现有土地或征地,进行房地产开发;物流配送业务,可利用公司现有的场地,搭建一个物流信息平台,实行物流配送;苗圃花卉业务,可利用公司现有场地进行苗圃花卉培育经营等。

(三)服务产业化

我国的高速公路建设规划中规定:高速公路每隔50km到60km应设服务区。同时设计要求在两个服务区之间增加停车区。服务区是高速公路运营管理体系的一个分支,主要来协调人和车的关系,根本目的是为了保证整个行车过程中的安全。由此可以看出,我国把服务区视为高速公路运营功能的一部分,一直是归高速公路管理局管理。

目前我国已经有了具备厕所、加油站等设施的高速公路服务区400个左右。由于国内高速公路是采用收费的形式来管理的,收了费就要提供服务,所以高速公路上的厕所都应当是免费的,整个基础设施建设费用纳入了高速公路建设成本,因此,现阶段我国的服务区不是以赢利为目的。但随着高速公路企业化的进程,高速公路经营开发服务产业化也是未来的发展方向。目前我国已有多条高速公路通过招标的形式对服务区进行建设经营,像一些临近风景区的高速公路服务区的开发,就可以因地制宜,进行市场化、产业化的经营。

(四)深化改革,实现全方位、多元化的发展

公司以高速公路为依托,大力发展相关产业,积极探索经营开发工作的新路子。经营开发工作的长足进展为企业可持续发展增添新的动力。紧紧抓住企业改制的契机,着力建设以资本运营为主要目标的经营机制和以法人治理结构为核心的现代企业制度。就经营开发工作应适时提出"坚持以路为主,走多元发展道路"指导方针,确立"紧紧依托高速公路建设、管理主业,积极发挥现有的资产、信誉优势,走多元化、集约化、规模化道路,不断拓宽筹融资渠道,拓展经营开发领域,努力盘活存量资产,增加资本积累,提高资产整体运营效益"的发展战略。如沪宁高速公路公司,原来经营开发由各管理处负责,一方面由于经营环境和经营条件不同,服务标准无法规范,经济效益各不相同,同时规模普遍较小、自身缺乏竞争力、科技含量低。现在把所有经营公司组建成沪宁高速公路经营发展公司,提出走集约规模之路,打造公司品牌的经营理念,随着管理体制和经营机制的改变,经营公司充分发挥自身优势,大力拓展经营领域,扩大经营规模,在依托高速公路建设的基础上,积极转变经营观念,树立市场意识,积极向高速公路路域旅游业、房地产业、物流业等多项领域进军。而且可以发挥各分公司的经营优势,优化投资组合,优势互补,同时服务标准可以进一步规范。

案例一　宁沪高速公路经营良性扩张

经过十几年的发展,江苏交通基建唯一的上市公司——宁沪高速公路公司,迅速实现资本扩张,目前已经从一个单一的高速公路建设型企业发展为以经营路桥为主业,涉足运输服务、交通科技、金融租赁等行业的多元化大型股份制上市公司;从经营管理一条高速公路发展到管理约700km多的六路一桥项目及投资经营其他五家公司。今天的宁沪高速,对外投资收购总额已达56亿元,直接管理和参与管理的总资产超过210亿元;公司的注册资本由设立初期的6.53亿元发展到今天的50.3亿元;净资产也从当初的6.53亿元积累到现在的136.02亿元,总资产达到150.82亿元;公司核心资产沪宁高速公路自开通以来交通流量一直保持两位数的增长,公司经营业绩步入了良性发展的轨道。

1997年6月27日,宁沪高速12.22亿股H股在香港联交所上市;2001年1月16日,公司1.5亿股A股在上海证券交易所上市;2002年12月23日,公司一级美国预托证券凭证计划(ADR)生效并在美国场外市场挂牌交易。至此,宁沪高速成为目前为数不多的在中国内地、香港及美国三地证券市场同时挂牌的上市公司。

境内、境外两个资本市场的成功上市,大大提升了宁沪高速进行资产扩张的能力。公司利用H股、A股募集资金收购了与沪宁高速公路平行的宁沪二级公路江苏段15年收费经营权;投资建设了广靖、锡澄高速公路,并拥有广靖锡澄高速公路有限责任公司85%的权益;收购了江苏扬子大桥股份有限公司26.66%的股权,扩展了公司的资产基础与主业规模。

此外,公司还致力于积极稳健的资本运作,不断实现公司资产的良性扩张:联合宁沪高速公路沿线几家汽车运输公司发起设立了江苏快鹿汽车运输股份有限公司,拥有其33.2%股权;收购全长30km的宁连高速公路南京段30年100%的收费经营权;收购苏州苏嘉杭高速公路有限公司33.33%的股权。这一系列举措,都为公司带来了显著的投资回报。

在立足主业的同时,公司还适度探索相关行业的发展,充分利用自身资源优势,拓展投资领域。2002年5月,宁沪高速控股子公司——广靖锡澄公司,投资江苏省租赁有限公司,开始了在金融领域的探索;6月,公司作为发起人之一的上海中交海德科技股份有限公司正式成立,是公司首次涉足交通科技领域,利用资源优势,强强联合的尝试;9月,宁沪公司与苏州市投资公司共同出资组建的江苏宁沪投资发展有限责任公司设立完成,其将立足于交通产业,为公司培育新的发展项目。同时,公司凭借高速公路服务区餐饮经营的经验,在南京开设了双狮楼酒店,为公司更广泛打造品牌开辟了一个新的窗口。

据了解,沪宁高速公路江苏段的拓宽改造工程是未来几年公司的核心工作。沪宁高速公路江苏段扩建将采用双线8车道,在现有路基两侧分别扩建2个车道的方案,扩建工程于2003年展开,计划2006年上半年竣工。2003年,江苏省高速公路通车里程已达到2 003km,计划到2010年高速公路通车里程将达到3 500km,沪宁高速正处在江苏省以推进高速公路网络化为代表的新一轮交通大发展时期。

案例二　宁杭高速将建成江苏第一条生态环保旅游景观路

沿机场高速公路出南京,到溧水向东,已露出雏形的宁杭高速公路便进入眼帘。即使走在正在建设中的宁杭高速公路上,也可看出她与其他高速公路的明显不同,道路曲直,因形就势;植被景观,浑然天成,绝少障碍物的绿化设施,最大限度地打开了行路人的视野,旅游者可尽情极目远眺宁杭路上变化无穷的山水田园。

1.创新高速公路建设理念

宁杭高速公路是连接南京、杭州两大省会旅游城市的国道主干线,也是上海至云南瑞丽国道主干线及江苏省规划建设的“四纵四横四联”高速公路主骨架的重要组成部分。全长114km的双向四车道宁杭高速(江苏段)从2000年7月开始,分两期工程已经先后开工建设,总投资44.62亿元。东段溧阳上兴至宜兴苏浙交界父子岭段,有66km为六车道高速公路。全线有特大桥4座、大桥11座、互通区7处,两个服务区。

计划于2004年底建成通车的宁杭高速公路,是江苏省高速公路建设理念的一个界碑。在以往组织、管理、质量、便捷等建设思想基础上,首次将生态、环保等多种新概念纳入总体设计蓝图。宁杭高速公路将建成生态、环保、旅游、景观路,创建第一条具有可持续发展特征的高速公路,建成代表江苏21世纪初最高建设水平的高速公路。新型建设理念的实施是江苏高速公路建设的重大概念刷新,是生产型高速公路向生态路的转变。作为全省第一条新概念高速公路,宁杭高速公路的建设者们将建成具有一流内在质量、一流外观质量、一流沿线设施、一流环境景观、一流档案资料的高速公路,使整个工程成为精雕细琢的艺术品。

2.规划设计、景观先行

宁杭高速邀请著名的英国伟信公司进行环境景观设计咨询。据了解,专门进行环境景观设计,在江苏省高速公路建设中尚属首次。以往高速公路设计是逢山开路、遇水架桥,没有很好地考虑对沿线自然生态、环境的影响,以及高速公路的建设与沿线自然生态、环境相协调的问题。这次宁杭高速公路在充分考虑平、纵、横断面相结合的同时,还充分考虑到与自然环境、人文、景观相结合,努力做到不仅不破坏自然环境,还要适度改善沿线生态环境,不仅考虑到道路线形美观,还考虑到行路人的心理和视觉的感受,做到“显山露水”,使宁杭高速公路真正做到源于自然、融于自然、高于自然。

宁杭高速公路从一开始就杜绝了乱开挖、乱取土、随意施工、破坏环境的行为。对排水、防护工程做了大的改变,配合景观设计,视线范围内的截水沟、截溜槽由明式转为暗式。在丘陵地区路段,采用生物技术恢复和营造“湿地”,为野生动植物提供新的栖息地。道路互通范围内的内侧边坡普遍放缓,尽量取消违反人性化的防护工程。道路边沟还充分考虑到保护农田。各种桥涵形式多样、风格各异,充分考虑了与周围自然环境、景观的协调。

宁杭高速公路在环保景观上进行了一系列的技术创新研究。特别是开展了边坡防护、美化及环境景观设计研究,对实施效果进行了完整分析记录,开展绿化种植技术、种植方式、种植模式的研究。为高速公路环境景观设计,以及高速公路建设绿化工程的设计、施工提供了大量典型范例。

据了解,宁杭高速公路在生态、环保方面设计、施工方面高度创新,并没有明显提高总体工程造价。绿化景观设计上的资金投入有明显增加,由同类似高速公路投资 20 万元提高到 100 多万元。但因为设计上的科学合理使工程投资表现出此涨彼消的结构变化,而投资总额并无明显增加。

以生态、环保、旅游、景观为突出特色的宁杭高速公路建设,工程质量控制仍然作为基础性要求被置于首位,确保主体工程安全可靠。路基工程选用技术成熟、安全可靠的处理方法,路面工程充分总结吸收了沪宁、京沪等优质工程的施工经验的基础上,采用更加先进的技术手段,提高了路面结构抵抗荷载能力。综合质量目标是 8 年不大修。

3.为长江三角洲挂上一条“珠链”

以生态、环保、旅游、景观为突出特色的宁杭高速公路,在设计和建设中,首次引进“珠链”概念,在百余公里的道路“链条”上,镶嵌着包括服务区、收费站、道路互通区、风景点等“珠宝”。宁杭高速公路的服务区除具备必要的服务功能外,还将成为旅游资源和信息展示发布中心。服务区本身将建设成为旅游、观光、休闲目的地。宜兴太湖服务区是建设者正在精心打造的标志性“链珠”之一,主体建筑依湖而建,远离公路,将变成观湖景区。南京东芦山服务区地处山腰,可享受登高望远的惬意,贯庄水库、后家山自然植被可尽收眼底。道路互通区将全部建成为各具特色的公园或小型风景区。交通工程也进行大胆创新,增设旅游标志,采用风格独特、格调高雅的图片和色彩,制作旅游风景区示意标牌和人文地理标牌。在交通事故易发地段,设置电子安全警示标线。

宁杭高速公路还注重大环境的协调和景观改善。据了解,宁杭高速沿线将关停沿线500m范围内的采石场,封山育林,沿线300m范围内控制建房,对沿线周边环境进行综合整治。根据高速公路建设的统一规划,沿线地方政府被要求对公路视角范围内的荒山、塘口进行绿化,恢复自然植被,在沿线50m范围内,结合农业产业结构调整,种植绿化带、经济林带,大力发展生态、观光、旅游农业。

小结

本章主要阐述了高速公路经营开发方式,包括自主经营方式、负债经营方式、合资合作经营方式、承包与租赁经营方式;高速公路经营开发的前景,包括国外高速公路经营开发简介、目前我国高速公路经营开发实践及高速公路经营开发发展的基本思路。

思考题

1.高速公路经营开发方式。
2.高速公路负债结构的影响因素。
3.我国高速公路经营开发的经验。
4.高速公路经营开发实践中有那一些合资、合作经营方式。
5.高速公路非路产业经营开发的概念。
6.高速公路经营开发的基本思路。

第四章

高速公路服务区管理概述

学习目标

通过本章学习，了解高速公路服务区的概念和功能，熟悉高速公路服务区管理的原则和作用及国内外高速公路服务区发展概况，重点掌握高速公路服务区的构成。

第一节　高速公路服务区

高速公路是现代化的公路，由于它是采用全封闭、全立交，严格控制出入，因此车辆驶入高速公路后，除在互通式立交处允许上、下外，基本上与外界隔离。为了给旅客尤其是长途旅行的旅客，在生活上提供食宿方便，补充一些日常用品，向路外亲友联系；为了给驾驶员提供油燃料，汽车零配件以及车辆故障的检修、上水、清洗等项服务，路侧服务区的设置就应运而生。这是高速公路不同于一般公路的特点之一，也是现代化公路的一个标志。

在一般公路两侧有众多的饭店、修理站、加油站等服务场所，而全封闭的高速公路只有靠高速公路管理部门解决。为了确保高速公路行车安全舒适、快速经济，对驾乘人员心理上、生理上的过度疲劳有所缓和，在建设全封闭高速公路的同时，必须在沿线建设休息服务设施。

一、高速公路服务区的概念

(一)定义

高速公路的服务区(Service Area 以下简写为 SA)，是指设置在高速公路上，主要为车辆、驾乘人员和旅客提供服务的设施，它包括休息、停车和辅助设施三部分，是专门为人、车服务的场所和建筑设施范围的称谓。高速公路服务区在高速公路运营中起到了重要的行车保障作用，为过往的车辆和驾乘人员提供了维修、休息、恢复精力的场所。服务项目少的称停车区（Parking Area 以下简写为 PA），总体称服务区。

（二）高速公路服务区的性质

高速公路设置的服务区，是高速公路的组成部分，它的功能作用是为高速公路全封闭、高速行车提供保障条件。它既为行车提供物质供应服务，也为旅客及驾驶员、公路管理部门的人员提供生产生活服务，因此，服务区具有公益性，属事业性质。同时该项公益事业具有商品经济的属性，服务区通过向公路使用者提供商品和服务来完成自己的经营活动，获取自身利益，因此服务区的生产劳动是社会劳动的一部分，它具有经营性质。

高速公路服务区的社会公益性和商品性导致了服务区的双重性。一方面服务设施作为高速公路设施的一部分，一切产权归投资主体所有，服务区的生产、经营、服务活动要注重道路使用者的利益，它的规划建设、管理由国家交通主管机关及高速公路管理机构统一领导，体现了服务区管理属于事业性管理；另一方面，由于高速公路服务区的有偿使用决定了它要用价值规律的一般原则调节自己的生产、经营服务活动，通过有偿服务实现服务区设施的价值补偿和实物补偿。因此，它具备企业管理的属性。与高速公路其他活动相比，服务区的管理活动更偏重于企业性经营管理。

（三）高速公路服务区的特点

高速公路服务区与一般城镇服务相比，有以下特点：

1. 服务对象的唯一性

服务区的服务对象一般为通过高速公路的司乘人员，单纯以到服务区为目的的顾客较少，因而服务对象相对单一。

2. 服务对象的流动性

过往司乘人员的流动性很大，住宿一般不超过一宿，“回头客”、“常住客”少，这点与一般宾馆、饭店有明显不同之处，从而增加了服务难度。

3. 服务要求的多样性

过往司乘人员的需求层次不一样，消费水平也不一样，客观上要求服务区在设施和服务上能够满足各种不同层次服务对象的需求，这就给服务区的经营提出更高的要求。

4.服务效益的不稳定性

由于服务区所处位置及客流情况不一,使得各服务区服务内容相差很大。另外,客流的变化很不稳定,具有突发性,这些都造成服务效益的不稳定性。

总之,服务区是高速公路管理体系中的重要一环,它具有自己的规律特点和管理模式,管理好服务区既是高速公路管理体系的自身要求,更是广大司乘人员的迫切愿望,它将随着高速公路的不断发展而逐渐显示其重要性。

(四)服务区设置的原则

驾驶员一旦进入高速公路,就与外界"隔绝",到达目的地之前要在高速公路上行驶很长时间。高速公路在行车道上是严禁随意停车的,如果因为疲劳而在路肩等非休息的地方贸然停车休息,则可能招致严重车祸。因此在高速公路上必须相隔一定距离设置供驾驶员和旅客休息的场所。设置服务区的原则如下:

1.驾驶员连续驾驶的原则

在高速公路上能够连续、安全驾驶的时间长短因人而异,平均来说在1~1.5h之内,驾驶员尚能保证安全有效地驾驶车辆。

2.车辆连续用油的原则

汽车油表指示在设计中一般在燃油警告灯亮时仍可行驶10~20min,以平均车速90km/h计算,可行驶15~30km,因此服务区最大间隔不能超过30km。

3.驾驶员休息的时间原则

交通量小时,车行驶速度快,同样时间行驶距离长,间隔可大些,交通量大时,车行速度慢,同样时间行驶距离短,间隔可小些。

4.交通流量原则

交通量小时,车行驶速度快,间隔可大些,交通量大时,车行速度慢,间隔可小些。

其他还要考虑生态环保、经营开发等因素,总之服务区要因地制宜,大小间设,以方便驾驶员安全驾驶,减少车辆在主干道停留为原则。

(五)高速公路服务区设置的必要性

服务区一般相距50~60km设置一处,根据地理环境和需要,可设计成各种形式。高速公路的全封闭隔断了使用者与外界的接触,服务区的设立为司乘人员提供休息场所,有助于缓解司乘人员的疲劳,有利于行车安全;服务区通常为高速公路的使用者提供餐饮、住宿、购物、休息、娱乐和通信,并提供加油和零配件供应,以解决旅途中的需要。除此之外,服务区还可提供各种信息,如路况、天气、地理情况等。另外,建筑及周围环境有特色的服务也是高速公路的一处景点,可以起到点缀作用。

1.高速公路的"封闭性"保证了横向无干扰

行车速度快、通行能力大,从而实现高效、安全、节时、舒适的优势性,但另一方面,它人为地阻隔了车辆和司乘人员与外界的联系,给部分旅客和车辆带来了不便和困难。旅客和驾驶员在旅途中食宿、购物、通信、加油、维修车辆等都不能与社会直接联系,接受服务,这就要借助于高速公路内部的有关服务设施来提供。高速公路沿线服务区正是为解决以上问题,给车辆和旅客提供服务而修建的。

2.高速公路运行的重要特点是车辆能够持续高速行驶

驾驶员必须保持精力的高度集中,因此,容易造成精神上的疲劳;同时,由于线路线形的单调,也易引起驾驶能力的降低。据观察,车辆行驶越快,驾驶员精神越紧张,大脑皮层兴奋性增强,促使心跳加快。如果车速在80km/h以上时,驾驶员心律会增至每分钟100~110次,甚至更多。为解除连续行驶的疲劳和紧张,满足驾驶员生理上的需求,设置服务区,在保证安全上是很有必要的。一般地说,在高速公路上,当连续行驶2h左右,至少应休息15min以上。

3.服务区设施对车辆进行维护与修理

在高速公路上,长时间、长距离、高速行驶的车辆很容易出现故障,尤其是国产汽车、车况较差,故障率较高,利用服务区设施对车辆进行维护与修理,十分必要。据观测,在我国车况中等的货车平均7 900km左右就有一次中途抛锚,车况差的货车则平均850km就抛锚一次。据统计,西安—临潼高速公路(无服务设施)交通事故中有70%以上与疲劳驾驶和精力分散有关,机械故障占到24%。随着今后高速公路网的形成与完善,公路客货运距大幅度增加,高速公路服务区的作用就更加突出。

4.高速公路服务区增加了道路使用者的安全感、舒适感

高速公路服务区的设置,消除了旅客和驾驶员的后顾之忧,增加了道路使用者的安全感、舒适感。良好的服务区,能够吸引车辆利用高速公路,发挥高速公路的社会效益和经济效益。并且高速公路服务区本身作为高速公

路现代化设施的一部分，有改善高速公路景观的作用，更为重要的是，高速公路服务区的设施和管理具备了一定的水平，其收入相当可观。据日韩等国家资料显示，服务区的营业收入占整个收费收入的 3% ~ 5%。

二、高速公路服务区的功能

(一)高速公路服务区的预告标志

高速公路服务区的预告标志用于预告高速公路服务区的位置。分别设在距离服务区 2km、1km 减速车道起点及服务区入口处，见图 2-4-1。

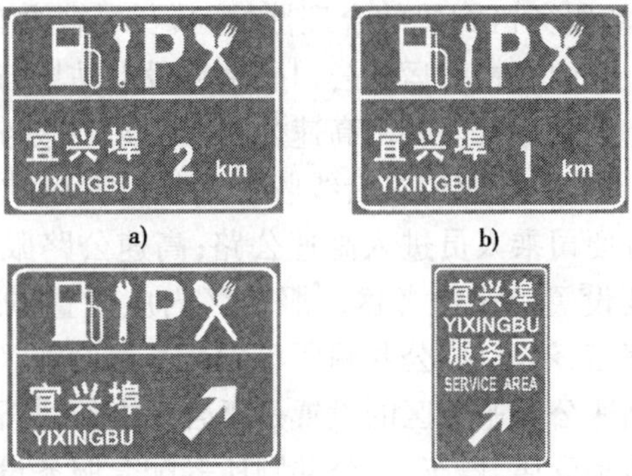

图 2-4-1 服务区预告标志

(二)高速公路服务区的功能

服务区一般相距 50km(因地区、道路等有所不同)左右设置一处，根据地理环境和需要，可设计成各种形式，如外向型、内向型、主线上空型、单侧集聚型和外向内向并用型，以及上述各种类型的综合型。外向型是普通型，我国一般采用此型，也有的采用外向单侧集聚型的。服务区是高速公路的附属设施，在高速公路管理系统中占有重要地位。它直接向司乘人员提供生活服务和工作方便，是路与人联系的纽带，是车辆持续安全行驶的休息加油站，对吸引人们行驶高速公路具有显著作用。

在介绍高速公路服务区的功能前，先介绍交通部高速公路检查评分标准。检查的主要内容分为路况、管理规范化、用户满意程度和综合评价四部分。路况部分包括路面使用状况、交通、安全、防护等附属设施状况、绿化及路容路貌等；管理规范化主要包括路政管理、收费管理、营运管理、养护工程管理、服务区经营服务管理等;用户满意程度主要是指高速公路用户对行驶高速公路的便捷程度、安全保障、服务设施使用等的评价;综合评价指部检查组成员的总体印象。检查满分为 1 000 分,按评分标准采用扣分的方式进行计算。

在服务区经营服务管理检查的主要内容为:服务区设施不齐备,功能不全,每发现一处扣 2 分;服务区环境差,卫生状况不良,每发现一次扣 2 分;服务区工作人员仪容仪表差、服务态度差,每发现一人次扣 2 分;服务区物品价格不合理,社会反响不良,每发现一处扣 2 分。从中也可看出服务区的基本要求。

另外,关于站场服务区配置的合理性的问题,尽管没有明确的规定,但也有一定的研究。其内涵指对运营公司所辖路段上站场与服务区配置和布局合理性的评价。该指标可反映出高速公路收费站和服务区的配置是否合理,是否方便司乘人员。高速公路沿线收费站的设置应结合当地经济的发展,配置要合理,方便司乘人员进入高速公路;高速公路服务区的设置应合理,一般每 50km 要设置一个服务区。服务区内应设置:加油站、汽车修配厂、旅店、饭店和商店、停车场、公共厕所等配套基本设施。顾客对服务区的一般评价依据是高速公路服务区的设置是否合理方便,是否有加油站、汽车修配厂、旅店、饭店和商店、停车场、公共厕所等配套服务设施。

同时从高速公路预告标志上,也可以看出高速公路服务区的主要功能。高速公路服务区的功能主要包括以下内容:

1.为司乘人员提供休息场所

高速公路的全封闭隔断了使用者与外界的接触,服务区的设立为司乘人员提供休息场所,有助于缓解司乘人员的疲劳,有利于行车安全;服务区通常为高速公路的使用者提供餐饮、住宿、购物、休息、娱乐和通信。

另外,由于高速公路在选定方案时,已经考虑到要通过旅游、文化名胜、文物古迹和风景区,因此又可以使人们不仅完成旅行任务,同时也给人们提供休息娱乐地点。加之高速公路具备快捷、安全、舒适的行车条件,会使人们乐于利用高速公路去旅游观光。1995 年“五一”节以后,我国实行每周双休日,又为人们提供了一些宽松且较多的休闲时光。长住城镇的居民,为了安排郊游,也会选择高速公路作为通道,领略田园风光,呼吸新鲜空气,消除疲劳,恢复正常,以利于投入以后的劳动、工作和学习。而优美设计的服务区,也可以为他们提供出行的住地。因此在服务区内最好有周边地区的旅游胜地介绍。

2.车辆维修加油

在高速公路通行中,尤其是长途车,最重要的是车辆维护和加油,在高速公路的合理距离设立服务区,里面应该配套有汽车修理、洗车、加油和零配件供应,以解决旅途中需要。

3.人性化服务设施

高速公路服务区,一定要卫生干净,最好布置一些园林、花卉。服务区要有医疗、残疾人的设施和儿童"游乐场"、哺乳室等。服务区还可提供各种信息,如路况、天气、地理情况等。

服务区要吸引车主,在本身形象上应下功夫,一些大型的服务区的设计建设应成为周围的标志性建筑。

4.展销土特产

高速公路沿线城市往往有不少特色产品,但由于车主、驾驶员不可能每个城市都进去,如果服务区能有这类产品销售,一定很受欢迎。

5.客运接驳

近几年随着交通运输业迅速发展,客运接驳在高速公路客运中逐渐兴起。新国线公司经营的京沪高速客车除部分客车直达往返外,大部分班车将改为自京沪两地始发、中途停靠、接驳旅客上下的形式。经交通部批准,新国线公司将在京沪沿线的天津、沧州、泰安、沭阳、靖江、江都、江阴、无锡等8个城市设立客运接驳站。接驳站一般设在高速公路服务区内,客运公司将乘车的旅客用免费客车从市内候车处摆渡到接驳站上车,并将下车的旅客用车送进市内。从高速公路运营安全的角度,利用高速公路服务区进行客运接驳无疑是较好的一种选择。关键这种运输协作首先要联合制订运行规则,实现政策一体化;其次要打破地区保护,实现市场一体化,解决公平问题。另外在公路建设中应有这样的规划,通过高速公路服务区的点对点运输,来提高交通运输效率。

第二节 高速公路服务区管理的原则和作用

一、高速公路服务区管理的原则

高速公路服务区的社会公益性和商品性,导致了服务区的双重性。一方面服务设施作为高速公路设施的一部分,服务区的生产、经营、服务活动要注重道路使用者的利益,它的规划建设、管理由国家交通主管机关及高速公路管理机构统一领导,体现了服务区管理属于事业性管理;另一方面,服务区应要用价值规律的一般原则调节自己的生产、经营服务活动,通过有偿服务实现服务区设施的价值补偿和实物补偿,因此,它具备企业管理的属性。

(一)服务区管理的概念

高速公路服务区是高速公路的重要组成部分,是高速公路正常运营的重要保证,服务区业务经营是高速公路经营的重要补充。服务区通过为来往驾乘人员提供必要的服务,保证高速公路的正常营运秩序,提升高速公路的社会形象,提高高速公路经营水平,在注重社会效益的同时增加高速公路的经营收入。

服务区管理是高速公路管理部门及服务区经营部门对高速公路服务区的有关服务设施、停车设施、辅助设施等进行的规划、投资、建设和经营活动的总称。服务区管理的目的,是以完善高速公路服务功能、提高高速公路服务水平、保证高速公路运营工作正常运行,最终实现高速公路的多功能、高效率与高效益。即对服务区免费、收费服务项目的各种活动过程的各种要素进行决策、计划、组织领导、控制、激励,包括组织管理、人力管理、安全管理、卫生管理、财务管理、文明创建等方面的系统管理。

(二)服务区管理应遵循的原则

由于服务区依附于高速公路的特性,所以无论何种管理模式,无论何时何地,都应该有一个共同的行为准则作为管理者决策的指针。服务区的管理原则由服务区的性质及其管理目的决定,一般包括如下:

1.政策性原则

贯彻执行国家和地方的法律、法规和政策,在高速公路管理相关规定的约束下开展经营和服务工作。

2.服务性原则

牢固树立“服务至上”的经营思想,以高速公路形象为总体建设目标,积极开拓服务领域,完善服务功能,为在高速公路上运行的顾客提供优质、文明、周到和热情的服务。同时要坚持形象工程建设,保证安全环境,建立文明服务窗口,加强环境整治力度,提高服务标准。

3.经济性原则

以经济效益为中心,在保证行业形象建设的同时,为高速公路经济收入的增长开辟途径,提高高速公路经营效益。

4.规范性原则

严格按高速公路相关规章、制度、规范工作行为。

二、高速公路服务区管理的作用

(一)服务区管理的内容

(1)坚持以树立高速公路形象为主要目标的原则,以安全、卫生、优质服务为主线,完善服务功能,提高服务水平,按照“文明服务区”的标准,为高速公路的总体利益服务。

(2)根据服务区功能的需要制订组织结构,并根据岗位需要选聘人员,保证服务区正常工作的运转。

(3)根据相关规章制度规定岗位职责,按照“责、权、利”统一原则规范各岗位人员行为。

(4)严格财务管理制度和物资采购制度,按相关规范制订工作流程,保证服务区工作的规范运作。

(5)制订环境卫生及文明服务标准,适时跟踪检查并控制,保证服务区创建目标的全面实现。

(6)严格经济责任制,按经济责任制协议执行。

(二)高速公路服务区管理的作用

根据高速公路服务区管理的主要内容,加强高速公路服务区管理,主要有以下作用:

(1)贯彻执行国家各项法律法规及规章制度,保证服务区范围的安全生产和安全保卫;保证高速公路资产不受损害或损失。

(2)高标准、严要求地抓好环境卫生工作,并注重环境美化和文化氛围建设,以优美的环境展示高速公路的形象。

(3)坚持文明服务,以驾乘人员为服务对象,牢固树立“顾客第一,顾客还是第一”的服务理念。

(4)坚持以经济效益为中心,在高速公路经营规章制度的规范下,积极开拓高速公路的经济增长点。

(5)积极开展文明行业创建活动,开展形象工程建设,为高速公路整体社会效益的实现贡献力量。

第三节　高速公路服务区设施

一、高速公路服务区的构成

高速公路服务区主要服务设施有:加油站、休息室或旅馆、管理与养护机构用房、商店与餐馆、医护站或急救站、修理所、给水排水设施、绿化用地、停车场、公共厕所、浴室、通信设施及其他辅助设施(如服务区标志牌)等。服务区的设施一般要统筹规划设计,具体内容根据发展情况而定。基础性的服务设施主要有:加油站、停车场、商店、餐馆、公共厕所等。服务区和停车区的主要区别在于有没有加油站和修理设施。停车区的规模比服务区小得多,但最小规模也应包括停车场和厕所,规模大的增设小卖部和快餐店。当服务区距离过长而加油量较大时,停车区也可设加油站。当发展需要时,停车区可扩建成综合性的服务区。

(一)服务区的形式

服务区的形式应根据地形和环境对主线的关系可分为分离式、单侧集中式、中央式三种。一般以两侧对称而又分开设置的分离式居多;单侧集中式在一侧,需要有跨线桥,占地紧凑,但造价高;中央式服务区设在当中,高速公路在这里分两侧供汽车行驶,单侧或中央式,都是将服务区集中设置在一边或中间。一般来说,停车区几乎都在高速公路两侧呈分离型,为防止往返车辆交换通行卡舞弊行为,服务区宜为分离型。另外,若往返交通量悬殊较大,可在交通量大的一侧设立服务区,另一侧则预留场地,以后扩建。

根据服务区内厕所、餐厅、商店与停车场的相对位置,服务区有外向型、内向型、平行型、架空型。当外部风景优美时,宜采用外向型,以利于观光;当外部环境较闭塞或繁杂时,宜采用内向型;当高速公路两侧环境差异较大时,可分别采用外向型和内向型。架空型有利于节约用地,充分利用高速公路空间,改善高速公路景观。

按加油站在服务区的位置可分为入口式、出口式、中间式三种。一般来说,加油量大的服务区,应采用出口或中间式,以防入口堵塞。各国根据本国特点及相应路段情况,而采用不同的形式。

高速公路服务区的位置一般宜选择在风景优美或具有某些特色的地方,如在温泉、海滨或文物、古迹处,既便于司乘人员休息,也可为旅游人士观光。同时这些地方一定要供水、供电方便,与互通式立交和长大隧道保持一段距离。

对服务区的环境应注意保护,而且要更进一步绿化与美化。对区内建筑物不仅要求结构设计方面要做到既坚固、耐久,又要经济、合理,而且还应由建筑工程师深加工,进行美化设计。使房屋建筑外观方面做到秀丽悦目,场地景观进一步绿化和园林化,当人们休息时感到环境舒适,空气新鲜,并产生与公路隔离感,不受眩光和噪声干扰。当与高速公路主线形成高低地势的差别时,比较理想的位置是能够从服务区瞭望到高速公路。

高速公路服务区由于其主要设施,如停车场、餐厅和加油站等布置的位置不同,因而有不同形式的服务区。

1.根据停车场的位置划分服务区

根据停车场位置服务区有分离式服务区和集中式服务区。分离式服务区上、下行车道停车场分别布置在高速公路两侧;集中式服务区上、下行车道停车场集中布置在高速公路一侧,如图 2-4-2 所示。

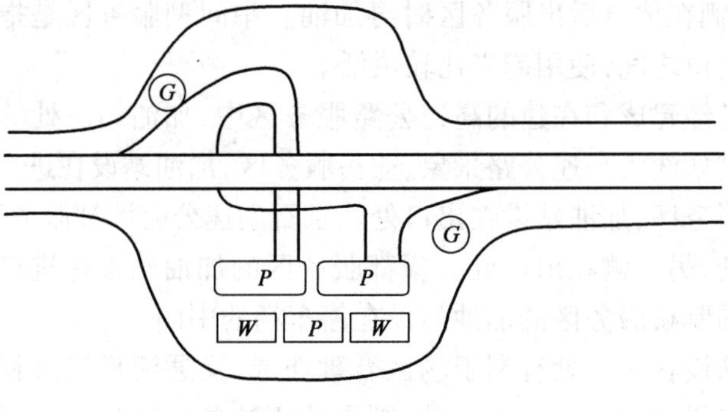

图 2-4-2 集中式服务区

图中:P 为停车场、G 为加油站、W 为公共厕所、R 为餐厅

高速公路上、下行车道中间有中央分隔带分开,路两侧行驶的车辆都要使用停车场。分离式停车场更便于停车,车辆可以直接开到停车场,不必绕到对面停车场去。一般高速公路都采用分离式停车场。

2.根据餐厅的位置划分服务区

根据餐厅位置服务区有外向型服务区、内向型服务区和平行型服务区。外向型服务区是在餐厅和高速公路之间布置停车场、加油站等其他服务设施。这种布置适用于服务区外侧有较开阔的田原、山野、森林等风景秀丽的地带,旅客在用餐的同时,可以欣赏窗外美丽的景色,使人心旷神怡,解除旅途的疲劳。内向型服务区是餐厅与高速公路相邻,餐厅的另一侧布置停车场和加油站等其他服务设施。这种布置适用于服务区周围环境比较封闭，旅客无法向外远眺的情况，如深挖地段或四周为乡镇街道等。例如京石高速公路望都服务区属于这种类型，餐厅与主线相邻。平行型服务区是指餐厅和停车场、加油站等服务设施都与高速公路相邻，沿高速公路方向作长条形布置。这种布置方式用于地势狭长和山区的地段。

外向型的服务区便于停车，且旅客进入服务区可避开嘈杂的汽车噪声的干扰，以便在安静的环境中得到较好的休息从而更快地缓解疲劳。同时，因餐厅离高速公路较远，有时还有花台、树木等绿化带的隔离，减少了尘土的污染，使旅客能得到较为干净卫生的食品。因而，一般都采取外向型的方案，只有在地形条件受到限制时，才采用内向型的方案。

3.根据加油站的位置划分服务区

根据加油站位置服务区有入口型服务区、出口型服务区和中间型服务区。入口型服务区是指加油站布置在高速公路服务区的入口处，车辆一进入服务区立刻就可以进行加油。出口型服务区是指加油站布置在服务区的出口处，车辆在休息后出服务区时再加油。中间型服务区是指加油站布置在入口和出口之间，使用起来比较灵活。

目前已经建成和在建的高速公路服务区中，加油站所处的位置三种形式都有。例如沈大高速公路景象、熊岳服务区，加油站设在进口处，甘泉、营口等其他服务区，加油站设在出口处。京石高速公路涿洲服务区，加油站一侧在进口处，另一侧在出口处。望都服务区的加油站设在进口处。京津塘高速公路马驹桥服务区的加油站设在停车场的中间。

加油站设在出口处有利于场区合理布局、交通流畅以及行人行车的安全。但是如果加油站设在入口处，则更便于这些车辆加油。但当加油的车辆比较多的时候，就会在服务区入口处排队，妨碍匝道上车辆的行驶。

由于停车场(P)、餐厅(R)、加油站(G)、公共厕所(W)等主要设施的布置与地形、地貌、沿线自然特征、土地利用、投资费用以及管理条件等因素有关，实际上服务区的形式是通过对各种因素的综合分析和比较，并且按照上述不同分类进行组合来确定的。

(二)我国目前服务区的常见形式

服务区的形式和内容布局不拘一格，要考虑方便实用，人流、车流顺畅，经济技术可行，沿线土地合理利用，景观美化等因素。在学习借鉴国外先进经验的基础上，既要满足我国经济、文化迅速发展的需要，还要逐步形成具有丰富文化内涵和民族风情的中国特色的服务区形式。

1. 分离式外向型服务区

分离式外向型服务区在我国是最常见的一种服务区形式。例如沈大、京津塘、京沈、石安等高速公路服务区全部采用这种形式。沪宁高速公路的黄栗墅、仙人山、窦庄、芳茂山服务区，津唐高速公路的唐山南服务区，杭甬高速公路的三江、梁辉服务区和福厦高速公路泉厦段朴里服务区也是分离式外向型的。分离式外向型服务区如图2-4-3所示。

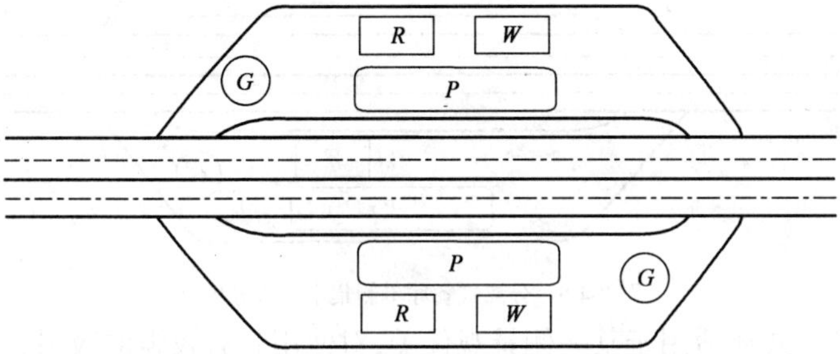

图2-4-3　分离式外向型服务区

2. 分离式平行型服务区

沪宁高速公路梅村服务区、京津塘高速公路马驹桥服务区和京石高速公路望都服务区都采用这种形式。分离式平行型服务区如图2-4-4所示。

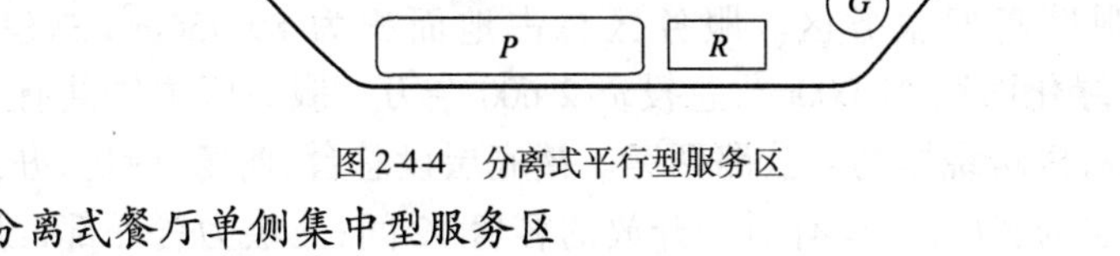

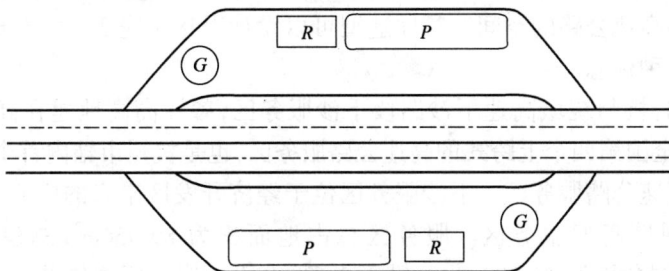

图2-4-4　分离式平行型服务区

3. 分离式餐厅单侧集中型服务区

分离式餐厅单侧集中型服务区如图2-4-5所示。

分离式餐厅单侧集中型服务区适合于高速公路一侧场地比较狭窄的情况。餐厅可以建在另一侧，旅客通过地下通道进入另一侧餐厅用餐。为了节省投资和场地也可以在路两边建设小卖部和简易食堂(或快餐厅)，旅馆和餐厅等集中建在一侧。例如京石高速公路涿州服务区和望都服务区就是这样规划建设的。沪宁高速公路两个服务区的客房也都建在一侧，如阳澄湖服务区。在高速公路初期运行阶段，交通量较少，餐厅利用率不高。服务区采取分期修建，可先在一侧的服务区内建餐厅，另一侧餐厅留待以后发展时再建。福厦高速公路泉厦段朴里服务区第一期工程就拟建一侧综合服务大楼，沪宁高速公路阳澄湖服务区的综合服务设计集中建在一侧。

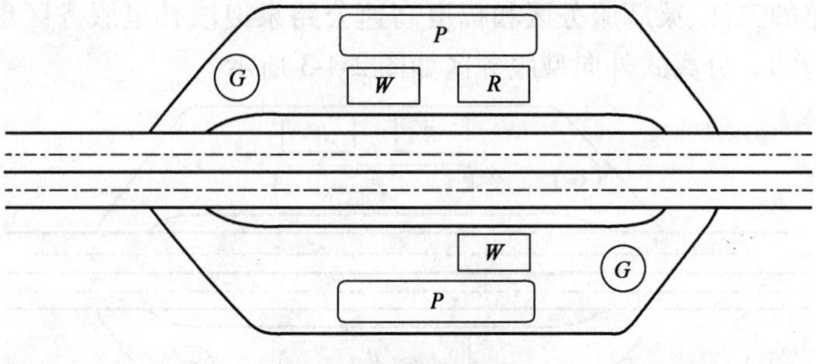

图 2-4-5 分离式餐厅单侧集中型服务区

这种形式还适用于某一侧景观优美，对使用者有较强的吸引力，而另一侧场地条件又有限，餐厅、休息室等设施只可能采用外向型的情况。如沪宁高速公路阳澄湖服务区就采取这种形式，因收费及管理上的需要，上、下行线的停车场应分隔开。

4. 主线上空型服务区

主线上空型服务区餐厅建在高速公路上空，两侧可共同使用，这样可以充分利用高速公路的空间。餐厅造型可以设计得尽量完美，可以作为高速公路的一种标志。

例如，杭州绕城高速下沙路段下沙服务区，餐厅高高地建在高速公路上，这是全国第四个上跨式的高速公路服务区，也是杭州市辖内首个大型的综合型高速公路服务区。下沙服务区位于经济开发区未来的中心地带，是一座景观性高架服务区。服务区总占地面积为 89 756m^2，总建筑面积 4 912m^2，绿化面积 21 000m^2，总投资 2 600 余万。服务区主楼共有三层，像一座大桥，横跨绕城高速公路两旁。楼底层设总台、商场、厨房、办公区、盥洗区；二层为客房部，设有对外开放的客房 12 间；三层为餐厅部，设有可同时容纳 300 多人就餐的大型观光餐厅和 4 间小餐厅，坐在宽敞、高雅的餐厅内，还可以看到穿梭于服务区主楼下往来车辆。

杭州绕城高速公路有近 20 个进出口与高速公路、国、省道及进城道路相连，是往来上海、宁波、福建等地的重要交通枢纽。由于杭州市区白天限制货车进城，因此服务区实际上还担负了减轻杭州城内的交通负担的重任。

目前服务区可免费停放 1 000 辆小车、两三百辆货车。

另外还有一种中央集聚式，服务区设在当中，高速公路到这里分成左右两侧供汽车行驶。如图 2-4-6 所示。

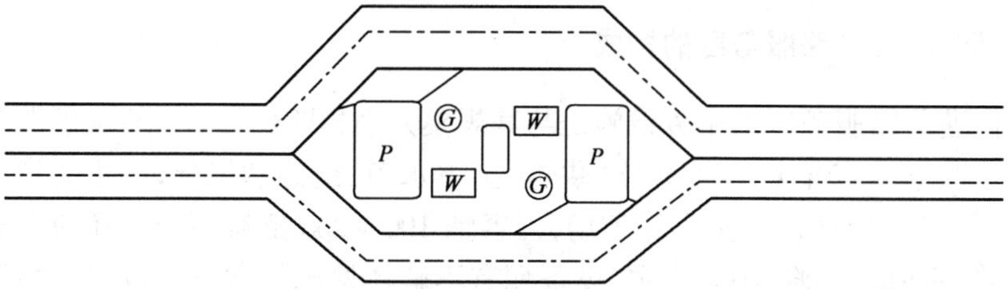

图 2-4-6　中央集聚式

这两种形式的服务区在国外经常见到，只是造价高，占地面积大。

(三)高速公路服务区内各种服务设施的布置原则

1. 汽车维修站的布置原则

关于汽车维修站的位置有以下两种意见：

(1)一般认为汽车维修站应与加油站并排布置。这样布置便于共用通信设备、浴室、盥洗室及室外场地，提高设备和场地的利用率。但是一定要注意按照消防规范进行设计。

(2)汽车维修站与加油站分开布置。沈大高速公路 6 个服务区，其中 3 个服务区维修站建在进口、加油站建在出口。有 1 个服务区维修站建在出口、加油站建在入口。其他 2 个加油站与维修站邻近建设。根据使用的经验，认为维修站设在进口、加油站设在出口为好。驾驶员进入服务区后先维修车辆，然后休息，临走时再去加油。使用者认为这样顺当，而且较安全，不用采取特殊的消防措施。

2. 餐厅、旅社等的布置原则

餐厅、旅社、商店、小卖部、办公用房等宜设在同栋综合服务楼内，以方便旅客，减少人流和车流的交叉，提高安全性。

3. 公共厕所的布置原则

公共厕所宜靠近大型车辆停车场，便于大批旅客使用。厕所同时要靠近餐厅、旅社和商店。如服务区规模大，则可分设几处。

4. 其他设置的布置原则

其他如给排水设施、供电设施、垃圾处理设施等，应尽量设在较隐蔽的地方。注意人车分开，以免人行线和车行线交叉，保障交通安全，以避免互相干扰,既要相对独立,又能完整使用。

服务设施的布置还要注意地区特点。如广东,对冲凉、空调、绿化、装饰房间(标准房)、卫生间要求较高。

(四)高速公路服务区的构成

高速公路服务区的服务设施是与其规模大小相匹配的。规模大的服务区要求服务设施齐全,除有供水、供电、上下水道、道路和绿化外,主要应有餐饮、住宿、加油站;还应有停车场,可容纳100~200辆客、货车;还应有车辆检修,主要以快修、小修为主,设备配有不解体检测设备;应有商场,主要销售一般商品和汽车零配件;有通信、娱乐、卫生间,有的卫生间还设有为残疾者设的专用厕所,无障碍行车可供轮椅通行。应有污水处理站、垃圾站、加油站,加油站应按石化、消防部门要求标准设计。

规模小的服务区要求服务设施无论从规模上和服务内容上都较简单适用。一般有餐饮、小卖部、停车场,停车场可容纳50~80辆客、货车;有加油站、通信、卫生间,视需要可配备客房。

规模最小服务区要求的服务设施只是停车场,可供停放25~40辆客、货车,并有加油站和简单的检修间,供车辆检查、整理货物用。

高速公路服务区内各种设施按其使用功能大体可分为:为旅客服务的设施、为车辆服务的设施、为职工服务的设施及其他设施。

二、为车辆服务的设施

(一)停车场

停车场内的停车车位与车道布置必须与设计车辆相适应,使之能够合理停放与自如进出,且能有效地使用土地。停车场从其性能来看,可以考虑分为停车车位和车道。停车车位是供停放车辆和乘客上下车的场所,除引导汽车进入停车车位,同时也是供汽车停车时调头或后退等的场所。车场与贯穿车道必须相连接。

1.停车场布置的原则

(1)停车场应集中一处,避免分散设置成许多小停车场。因为停车场分散设置在区域之内,由于位置的关系在使用上就要偏于某一方,而导致其他停车场利用率降低。

(2)停车场的布置应充分利用当地的地形,尽量减少土石方量。停车场适宜设在同一标高上，如高差太大，亦可考虑把停车场设置在不同的标高平面上。

(3)当车辆穿过建筑物时，通道的净高和净宽应大于4m。

(4)停车场内应考虑布置一定数量的消防设施，以确保安全。

(5)在严寒地区，停车场的布置方式应与场内采暖设备管线的布置方式一致。

(6)最好是将小型车与大型车的停车场完全分开。一般将小型车布置在距餐饮等设施较近的位置，而大型车靠后。但对于小型休息设施，采用大、小型车兼用的方法有时还是有利的。

(7)车辆在停车场内单向行驶，互不交叉，为便于驾驶员寻找停放车辆，停车车位应编号。

2. 停车场内的坡度要求

为使所停放的车辆不至于滑动，停车场的坡度必须在规定的数值以内。另外，在进行停车场内的排水设计时，坡度的大小应当予以特别的注意，停车车辆的纵方向应小于2%，横方向应小于3%。

3. 停车场地面要求

混凝土整体地面是永久性地面，为停车较多时采用，有时也采用沥青混凝土路面。

(二)加油站

服务区的加油站是顾客需求量最大、最关键的部门，也是效益最高的部门。一般服务区加油站的设置为高速公路两侧对称式，根据实际需要确定设置油灌和加油机数量，一侧至少需要30m^3的油罐3个，加油机至少3～6台，能够供应90号汽油、93号汽油和0号柴油。目前出于对环境的保护，对97号汽油的需求量在增加。

由于服务区加油站多处偏僻地区，来往客流复杂，安全管理就成为加油站管理中的头等大事。首先服务区应规定配备充足的消防器材，并制订出严格的安全管理制度和处罚办法。它不仅要求内部服务人员在操作过程中严格按规程办事，而且要求外来人员严格遵守安全制度。

(三)修理所

加油站与修理所最好是并排相邻布置，实际上把这两种设施设在同一栋房屋内的实例较多。这样的布置由于通信室、浴室、盥洗室、室外部分等都可以共用,所以具有能够有效地利用设施和用地,并使使用设施的车辆路线也比较简单等优点。

在室外的加油设施、修理厂、洗车场、服务车停车场的布置时,必须考虑这些设备的性能、使用频率、使用车辆的路线、消防法规等而进行规划。

使用加油站与修理所的车辆数,高速公路的实际情况约为 10: 1,由于前者往往占绝大多数,所以在布置这两种设施时,必须考虑这一因素。

关于加油站、修理所在服务区内的位置,一般有入口型、出口型与中间型三种。入口型是在休息之前检查车辆、加油,这是驾驶员一般所倾向的。从适合于交通管理的观点来说,也是本着在高速公路行驶时应当最优先进行加油与车辆的检查修理这一观念。尤其是布置在服务区的入口处,可以更容易地看清楚设施,使驾驶员根据需要进行加油和修理。在保证交通安全的同时,对营业者来说,也能起到营业广告的效果。入口型就是按上述想法考虑的。但是,在使用加油站的车辆多时,服务区入口车辆排队会妨碍匝道上车辆的行驶。与此相反,出口型是先停车,在休息之后再进行加油、修理,这是优先考虑人的生理要求的一种自然想法。在这种情况下,能够有充分的时间考虑车辆是否需要修理,可以在设施的出口处对车辆的情况再进行一次鉴定。

根据实际情况调查,在出口处设置加油站时,在使用加油站的车辆路线上大约一半的车辆是直接来加油站的,其中的绝大部分是加油后就走了。但直接来加油站的车辆的绝大部分是从停车场方面来的,其中 50% 的车辆证实是寻找加油站而进入停车场内的一端。考虑到这一点,设置出口型时应使从停车场的前方能看到加油设施或者用贯穿车道妥善地诱往加油站。中间型没有明确规定使用的顺序,但却有布置在中间的想法。这里不管从什么位置都能顺利地进出,与其他设施有机地结合起来,使其能有效的运用,车辆路线也不会发生紊乱。在现阶段的上述形式当中,以哪种形式作为标准的布置形式最好,尚无明确规定。

(四)贯穿车道

设计贯穿车道时须注意的其他事项如下:

(1)在停车场外围行驶的主要交通最好是单向通行,在服务区中主要贯穿车道不得直接接在停车车位上,也不要直接导向休息室的出入口处。在停车区中,接着贯穿道路设置停车车位是普通的情况,这一部分的行车宽度必须有供停车调头所需要的宽度。

(2)通过停车场内的贯穿车道允许采用对向车道,在停车场内不要考虑很严的交通规则,应该有某种程度的行驶自由。为此,交通岛的设置应是所需的最低限度,在不同速度相接触的部分应尽量少设。

(3)同大型车停车场相连接的贯穿车道,最好是单向通行。

(4)在服务区里配备有养护管理用的车辆时,为使其能够顺利地进行工作,在服务区有必要设置上下线的联络道,附近有跨线桥或涵洞时,应尽量利用这些设施。

(5)车辆进入停车车位或者停车区之间的车辆回转时需设计回车车道。

(五)标志、标线

服务区内的设施较多,车流量大,且人流较复杂,是较特殊的公共场所。因此,必须用特制的图形符号给使用者及时传递某种信息的视觉符号,用它来指导人们的行动,提醒人们应做什么,怎样去做以及要注意什么等等。图形符号应具有直观、简明、易懂、易记的特征,可使不同年龄、具有不同文化水平和使用不同种语言的人容易理解。因此,标志的图形符号必须标准化、规范化,界定其含义,使标志发挥更好的社会效益。图 2-4-7 是停车指示标志。

a) b)

图 2-4-7 停车指示标志

(六)天桥与地下通道

服务区的设计位置、形式有各式各样,但有一点是共同的,各种服务设施布置在主线两侧,服务区的管理机构只设一个总部。这样,必然会发生人员和物资设备的相向流动,因此需通过建造天桥或地下通道来满足物资供应及人员的工作生活要求。

天桥或地下通道的形式和方案取决于服务区所在地区的水文地质、气候、地形、主线两侧的建筑物布局等条件。就使用观点看，建地下通道有利于人员的流动和两侧各管道的联系。从安全角度讲。地下通道对各方面的安全保证度大一些。地下通道一般采用过人与供应管道分开设置。过人通道断面一般为2.5m×2.0m，设计时要特别注意考虑防漏、防渗、排水等问题。

一般当外界环境优美或附近有旅游景点时，设置天桥也是首先要考虑的因素。建筑风格、建筑材料需要设计部门进行方案比较和经济技术条件论证。

三、为旅客服务的设施

(一)休息室与旅馆

为车辆提供服务的设施与为人提供服务的设施，原则上应当是分别单独地分开布置。这是为了尽量避免车流与人流的交叉，使人们休息的场所更为安全，并创造一种幽静的气氛。特别是为了防止交通肇事，在出入匝道附近必须避免人与车辆交叉。

休息室与旅馆是专供旅客和司乘人员休息、娱乐和睡眠用的，其设施应布置得舒适、雅致、安静、卫生。特别是要注意建筑物的造型与周围环境的协调一致。根据沈大高速公路服务区的营运实践，来服务区住宿的人员并非都是旅客和驾驶员，还有相当数量的旅游者、商贸人员和出差办事的干部，这些旅客和部分驾驶员往往希望住高、中档的客房，以便更好地休息以解除疲劳。因此，中低档的住宿标准已不能满足要求，有必要设置部分高档的客房。每间客房住宿人数不宜太多，一般以2~3人为宜，客房内要有电视机，并设置公共天线。高、中档客房应配备单独沐浴设施，低档客房则配备集体沐浴设施。

(二)商店与餐厅

商店与餐厅经销日常旅行用品、当地名优产品、土特产以及各类方便食品、饮料等。由于一般在服务区内停车时间不长，所以快餐和小卖部比较受欢迎。商店和餐厅外面应设置从外部可以直接与之相联接的道路和停车场，为搬运货物和工作人员上下班提供方便。餐厅、厨房的设计标准，应符合卫生防疫部门的有关规定。

(三)公共厕所

在休息设施中设置公共厕所,是为满足长途旅行的每个人生理上的要求。公共汽车的乘客是在短时间内很多人同时使用厕所,所以要充分考虑同时使用率的问题。同时注意设置的位置、外观的形状、内部清扫容易、维修管理简易等而进行设计。如京石高速公路徐水服务区公共厕所不仅造型新颖,而且很注意位置的选定,并专门设置供大型公共汽车的污水排放井。

(四)园林与绿化带

服务区的园林绿化带主要是供旅客散步、休息和观赏景物之用,园地和绿化带的设置也可以起到美化服务区环境、减少粉尘污染等作用。

园林规划包括保护景观、美化环境、防止污染、栽植等内容,应能够充分发挥休息设施的效果。园林上原有的树木、树林和岩石等要尽量保存,有时以这些保存物为主体,确定建筑物、车道和停车场等位置,能在自然景观中有一种协调感。

(五)广场和通道

广场和通道在停车场与建筑设施、园地之间设置,是人们在这些不同性质设施之间通行联系的场所。为高峰时进入停车场的车辆不致拥挤,特别在停车区、餐厅、小卖部、厕所等设施的前面,要确保有十分宽阔的广场和通道(服务区 20m 左右)。停车场和设施前面的广场原则上不应有高差,因地形制约在停车场和各设施之间有高差时,为了残疾人的方便,必须设置专用坡道。广场和通道的构筑必须考虑到美观。

(六)医务室和急救站

设置医务室和急救站的目的是为行车事故提供医务人员、救援车辆和紧急抢救。目前我国已建成的高速公路服务区一般都没有设置医务室和急救站,万一发生事故,则会发生伤员因不易及时得到抢救而死亡。

(七)通信设施

通信设施、紧急电话、公用电话、电报及问事处等,服务区的通信系统应能及时、准确、可靠地传输高速公路管理的数据、命令、话音和国家新闻等信息。使用通信系统可以沟通管理部门，以及路面现场与中心控制室的联系，使高速公路管理工作形成集中、统一的一体化管理模式。

要求建设项目用地范围内的通信管道、建筑物内通信管线和线路配套设备纳入工程设计，同步施工。

四、其他服务设施

目前，大多数服务区实行自主经营、独立核算、自负盈亏、自我发展、自我完善的企业化管理模式，服务区一般应设以下部门：财务部、后勤部和业务部。业务部负责餐厅、旅店、商店、修理厂、加油站的管理工作；后勤部负责后勤保障和停车场与公共等项目管理工作；财务部负责会计、出纳等管理工作。要保证各部门工作的正常运行与服务水平，必须保障服务区内部工作人员有个基本的生活和工作条件，建设一定数量的职工宿舍和职工食堂，对服务区的系统化、专业化管理，对服务质量的约束等方面都能起到积极的作用。

(一)职工宿舍

服务区的人员配备根据服务区的规模及服务内容确定，一般中等规模服务区的人员编制大体是：管理机构(经理、财会、驾驶员)8人；业务部(餐旅、商店、加油修理)75人；后勤部(后勤、保障、厨厕、停车区)10人。一般控制在90～95人，宿舍面积以人均$12m^2$计，职工宿舍建筑面积为1 100～1 200m^2。

(二)职工食堂

食堂的建设、设置与否有待更深入的调查，因为它牵涉到人员的管理和设备的增多。目前服务区内设置职工食堂的地方不多，但有些服务区已呈现出强烈需求的状况。

食堂的建筑面积一般标准为$(1.1\sim1.3)m^2$/座，按100人用餐计算：

$$1.3\times100=130m^2$$

包括操作间，总的食堂建筑面积约为$260m^2$。

除上述设施以外，服务区还包括以下一些设施：

(三)供水设施

供水设施的水源要保证与使用水量相适应，以使用自来水为原则。使用自来水以外的水源时,要满足水质标准的规定。

供水方式以水塔及无极调频压力灌方式为标准,在一般情况下水塔设置在上下线中的某一侧。当选择水源时,要进行充分的实地调查,从工程费、管理经费和工作情况等考虑,选出最好水源。为此,提出以下一般的调查事项:

(1)场区内土地的高低及周围建筑物和环境状况;已埋好的管道情况及机械能力;根据有关用水法规是否是指定地区及其具体要求;有无自来水及其位置、管径、管种、最低水压及断绝或减少水的情况;附近水井的口径、深度、水量、水位、水位恢复时间、水质及地层图;河川、湖沼等其他水源的状态及能否采用。

(2)水井的水质及水量多数都不能达到计划值,缺乏依赖性。另外,需要水泵设备和净水设备等,容易引起管理上的问题。因此,没有进行地质等的充分调查时,应尽量避免依靠水井的水源。

(3)在水源上,可以设想用单一水源供给计划水量和用两个以上组合起来的复合水源供给计划水量。对休息设施来说,从卫生上及维修管理上均应采用单一水源方式。复合水源方式是按水质不同将水井和水道水分别引人或者使用一部分回收的排水方式,在经济上、管理上并没有优势。因此,只是在水源非常困难,并要充分考虑经济性的情况下,才采用复合水源。

(四)污水处理设施

1.污水处理概念

目前,我国高速公路沿线修建的附属设施所排放的污水主要以生活污水为主。这类污水含有较多的有机物及病原微生物,如果不加控制,任意直接排入水体或土壤,使水体或土壤受到污染,将破坏公路周围的自然环境,甚至造成公害。因此,选择适合于高速公路的污水处理系统,是保证整个公路环境不被污染的关键。

由于高速公路附属设施的规模、建筑性质和使用功能不同,其构筑物排放的污水量差别也特别大。因此,污水量是污水处理系统选择时需要考虑的重要因素,它将决定处理设施的规模、系统方式、投资费用,是处理系统合理、安全运行的保证。

测定各类建筑物的排水量是比较困难的,一般按给水量的80%~90%计算。通过对几条高速公路使用情况的调查了解,服务区的排污量一般为20~30t/d,停车区排污量为15~20t/d。

2.污水处理方式

服务区休息设施的排水除直接向公共下水道排放以外,要设置污水处理设施,以满足排水的水质标准后向河川等排出。当建设污水处理设施时,对环境等要进行充分的实地调查,研究排水的计划水质和处理设施的布置。污水处理采用合并处理方式,但由于设置地区有关规定的限制,当这种方式达不到排水标准时,要研究设置高级的处理设施。

污水处理原则上采取上下行集中型,要考虑维修管理方面的问题进行研究布置。能使用公共下水道时,可以直接从休息设施排放污水。设置污水处理设施时,要使其符合有关排水规划,同时要遵守条例中规定的更高标准以决定排水的水质。

为不使污水处理设施的臭气、噪声、振动等影响到餐厅、商店、住宅等,应对风向、排出口位置等进行研究,同时还要考虑美观问题;要规划用植树办法保持污水处理设施与周围景观相协调。污水处理方式一般采用把粪尿和盥洗水等合在一起进行处理的合并处理方式。

3.污水处理方法

目前我国高速公路收费站、服务区等附属设施采用的污水处理方法大致分为两种。

(1)活性污泥法。此方法是利用微生物的吸附来氧化分解污水中的有机物的处理方法。即需处理的污水与活性污泥同时进入曝气池成为混合液,沿着曝气池注入压缩空气进行曝气,使污水与活性污泥充分混合接触,并供给混合液以足够的溶解氧。

活性污泥法正常运行除了要有良好的活性污泥外,还必须有足够的溶解氧。通常氧的供应是将空气中的氧强制溶解到混合液中去的曝气过程,曝气过程除供氧外还起搅拌混合作用,使活性污泥在混合液中保持悬浮状态,与污水充分接触混合。通常采用机械曝气和鼓风曝气。鼓风曝气的过程是将压缩空气通过管道系统送入池底的空气扩散装置,并以气泡的形式扩散到混合液,使气泡中的氧迅速转移成液态供微生物需要。

(2)土地处理法。土地处理法是一种污水的自然处理方法,是土壤的自净过程。净化过程由表层的过滤截留、土壤团粒结构的吸附贮存、微生物的氧化分解与同化吸收、藻类共生、大气复氧、作物吸收等几部分组成。对于生活污水,在灌溉前只需经过沉淀处理,其水质即可满足要求。

污水的灌溉是有条件的,在具有浅层地下水的砂质土壤地区是不允许灌溉污水的。此外,灌溉负荷必须合理,尽可能按低负荷灌溉,灌渠必须有防渗漏措施等。

4.高速公路污水处理

在高速公路服务区、停车区，如果完全套用常规污水处理工艺流程，势必增加高速公路建设费用与占地，因此合理选择污水处理工程，是设计污水处理系统的关键。在选定高速公路污水处理系统流程时，应注意污水水质、处理场地及环境条件是否适应所选定的处理工艺流程，污泥处理及污水的排放条件如何，是否适应高速公路的环境要求(如噪声、气味、美观生态等)，投资条件及所能允许的程度。

高速公路污水处理应注意如下几个问题：根据实际情况确定流程时必须掌握污水的水量、水质，因为建筑物排水污染物主要为有机物，所以绝大部门处理流程是以生物处理为主。因能源短缺和资金不足，选择小型和高效的处理技术和设备较为适宜。环境要求的提高和管理水平的限制，处理设备组装化、密闭性及管理自动化应予重视。

(五)电气设施

服务区设施中设置的电气设施包括停车场、广场、园地等的道路照明，免费休息室、公共厕所等建筑物的内部照明；用电设备及附属建筑物的动力和设备；向这些电力设备进行电源供给的受配电设备；将每个设备相互连接起来的电力负荷进行电源供给的受配电设备；以及每个设备相互连接起来的电力用管道等。

1.考虑的因素

为了充分利用上述设备，必须在规划阶段对场地条件、设备设置基本方针，进行充分的研究。此时，在对电力用管道、受配电设备等的路线、位置、所需面积以及同其他设备的关系考虑之后，最好做出大概的决定。在确定服务区设施的平面计划时，要进行负荷容量的试算，同供电局进行商议，确认引进位置和有无障碍等。

2.设备布置

在土建设计阶段，应考虑下述事项：电力用管道路线、条数、管径等，特别是横穿道路的管道及桥涵、高架部位埋设的管道；照明设备位置的确定。另外，在土建设计及实施阶段应特别注意以下几个方面：

(1)电力管道。由于供电设施分散，必然要在整个区域内埋设管道。为了不致引起路面、供排水等在设计和施工上发生障碍，在初步设计阶段必须对概略配电计划和与此相应的路线、条数等进行充分的研究、考虑后，再进行设计。当需要在桥梁等构造物处埋设时,或者是附架在构造物上时,应充分掌握其路线、条数等。休息设施是上下线相对的情况时,设施管道条数是很多的,所以要从经济性和保养方面进行方案比较研究。

(2)照明设备的位置。休息设施内的照明设备是以其设置的位置决定其功能的,所以在设计阶段就要考虑能设置在最理想的位置上。特别是在照明设备布置计划上,当有不得不设置在挖方部分、高架、桥梁区间、园地内的情况时,在设计阶段必须要考虑这些问题,并预先做出决定。

(3)受配电地点的拟定。受配电设备的设置场所距供电公司的配电线的引进地点要近,并考虑尽可能在各设施负荷重心点附近,这些在设计阶段要进行选择。

(六)焚烧及垃圾处理设施

焚烧炉的位置设置应不使其焚烧时的烟妨碍主线上车辆的行驶及餐厅、加油站、修理所的营业而进行布置。

(七)锅炉房的设计

锅炉房宜布置在接近热负荷较多用房的位置,并适当考虑烟囱与主导风向的关系。但不得将其和公共浴室合建在一幢建筑内。

第四节　国内外高速公路服务区发展概况

一、国外高速公路服务区发展概况

(一)英国高速公路服务区

近年来,英国服务业发展迅速。全英 6 000 万人口中有 2 000 万人从事服务业。服务业的迅速崛起,大量吸纳了就业人口。英国高速公路旁的服务区便是服务业的一个缩影。

伦敦以北 50 英里(50×1.609 34km)的牛津服务区位于英国 40 号高速公路旁,老远就能清晰地看到服务区的蓝色标牌。进入服务区,停车场便出现在眼前。停车场标志清晰,小汽车、货车、客车、残疾人用车,各入其位井然有序。巨大的停车场可容纳 500 辆汽车,全部实行免费停车。停车场一边是汽车旅馆,一边是加油站和小商店,停车场对面是现代化钢架结构的穹顶服务大厅，大厅后面则是发往英国各地的长途汽车站，整个服务区布局合理。

服务大厅四周，水渠蜿蜒，树影婆娑，许多路人在露天酒吧休息和晒太阳。儿童“游乐场”里有滑梯、秋千等，孩子们玩得十分高兴。大厅门口停着“汽车救援协会”的微型直升机。服务大厅内的设计几乎考虑到了消费者的各种需要，商店出售花卉、礼品、地图、雨具、报纸、杂志、糖果、音乐磁带、休闲衣服等。服务区的商品大多是为过往路人着想，如商店出售的一种很酸的糖果，驾驶员开车疲劳时吃上一颗就很提神。

此外，服务大厅还设有游艺室、外币兑换室、自动照相室、信息服务中心以及公用电话等。在热闹的快餐区，有“红母鸡”餐厅、自助餐区、肯德基和英式汉堡。在大厅就餐的客人非常多。当孩子与全家人就餐时，服务员不时来到孩子身边，用微型气管将彩色气球吹起来，把气球做成各种动物形状，免费送给孩子。餐桌上备有彩色蜡笔、卡通图画和绘画纸张，等待用餐的孩子可以先在桌上绘画练笔。应该说，想得最周到的是公共卫生间。卫生间分为男、女、儿童和残疾人四种，不仅宽敞、明亮、干净，还提供冷热水。牛津服务区的餐饮、旅馆、加油站都是全英连锁经营，由英国大公司投资。服务区为高速公路上过往宾客提供了一个理想的休息和消费场所。完善的服务区是现代高速公路体系成熟的重要标志，也是英国服务业的一个缩影。

(二)美国高速公路服务区

美国是一个轮子上的国家，不同种类的高速公路像大动脉一样，连接起美国大大小小的经济、政治、文化、社区、购物等各种中心。美国人每年在高速公路上的行驶里程总计达4万亿公里，其中91%以上是私人汽车。众多的白领驾驶员为高速公路服务业提供了巨大的商机。

典型的美国高速公路服务区都比较简单，一般有加油站，很大的停车场、小型汽车维修站、洗车房、洗手间，供驾驶员满足人车的基本休息、保养需要，同时设立小型超市，客人们可以在里面买到咖啡、口香糖、面包、可乐等食品和饮料，如果想调剂一下精神，还可以买到报纸、杂志和当地的小纪念品。在较大的服务区则可以看到麦当劳的快餐店。

驾车行驶在美国的高速公路上，等你渴了、累了、想加油了，往往会很方便地找到服务区。这是因为美国高速公路通常是免费向公众开放的，有很多的进出口。同时公路所有权五花八门，有联邦政府的，有州、市所有的，也有私人企业所有的，这就决定服务区的设置废存可以根据交通流量变化和驾驶员的需求情况灵活安排,从而更好地满足了人车的各种需求。行驶在一些处于著名风景区的路段可能 2~3km 就会看到一个服务区,以备人们停车观光的需要。而一些偏僻地区的路段则 100km 可能才会碰到一个服务区。在服务区之间还设有若干个休息区,提供的商业服务项目则很少。由于是根据市场需求而定,服务区的生意一般都很好。

美国在高速公路方面的投资效益非常可观,每在高速公路上投放 1 美元,就可创造 2.6 美元的利润收益。同时,服务区的发展也增加了很多就业岗位。据统计,在高速公路每投资 10 亿美元,每年就可创造 42 000 个工作机会。目前在国家高速公路系统内工作的人员共有 150 万人左右。

美国人使用高速公路的频率越来越高,这给高速公路旁的汽车维修业带来了不菲利润。在过去的 10 年间,尽管美国的人口增长只有 9% 左右,但美国人在高速公路上的行驶里程却增加了 30%。30 年来美国高速公路的里程数只增加了 5%,然而高速公路的使用率却增加了 137%。美国仍有大量的高速公路年久失修,而失修的高速公路给美国人带来的额外修车费每年就高达 230 亿美元。

(三)德国高速公路服务区

德国高速公路的服务设施一般是与高速公路网同时进行规划设计的,并同时建成实施,然后租给私人经营。在全国高速公路上共有 161 处服务站,平均 52km 一处,内有加油站、停车场、咖啡馆、浴室等服务设施;有 280 处加油站,平均 30km 一处,加油站可自动加油,停车场免费停车。为了吸引旅客,有的服务区设计新颖,赏心悦目。如不来梅附近的一个服务区飞架在高速公路上空,远看像造型别致的钢索斜拉桥,在服务区可尽情地浏览公路内外的景色,还能享受热情周到的服务和精美食品,这个服务区早晚顾客盈门,每年可向国家上缴近百万元的营业税金。

德国公路交通事故死亡率很低,每万辆汽车公路交通事故的死亡人数平均仅为 1.6 人,名列世界第五位。除去高速公路整体设施水平高,汽车性能好等因素外,德国高速公路的休息站,在降低交通事故和减少人员伤亡方面也发挥着重要作用。

德国高速公路休息站的最大特点:一是密度大,即休息站之间的距离短。德国 1.1 万公里长的高速公路上,总计有 750 个休息站,平均每 14.7km 长的道路段上就有一座休息站;二是每个休息站设计和建筑得各具特色,内部装修和布局各有特点,另外休息站建筑内部装饰修建得可以说达到了"富丽堂皇”的水平，休息室、餐厅和洗涮间等都装修典雅，画有各种各样的图案，使人感觉到好像置身于童话世界之中，到处可见美丽图画和优雅景致。

德国高速公路休息站最主要功能之一，是为汽车的安全行驶服务，其中最具有代表性的设施，是为长途货运卡车驾驶员们所准备的睡眠寝室和淋浴室。德国高速公路大多数休息站在进门处贴有告示：“如有客人需用睡眠寝室或淋浴室者，请直接到办公室或餐厅去索取”。睡眠寝室和淋浴室是免费提供使用的，只要使用人带有货运卡车驾驶执照，并确认其是驾驶货运卡车而来的，休息站便会向他提供房间和淋浴室的钥匙。

德国高速公路休息站于1994年开始全部移交民营企业TG经营管理，TG在每个休息站都设有电话机、传真机和5至6台电脑，供过往的人们免费上网或通信联络使用。

另外法国和日本的高速公路服务区也有特点，日本高速公路服务区的设施最为完善，每个管理所管辖的区段均设有一个以上的服务区。服务区设有餐厅、商店、车辆维修站、加油站及供水、通信设施等，还有一定规模的停车场。服务区还根据当地的自然环境和具体条件，建设成为该地区的一个景点，供来往人员休息，日本对高速公路沿线服务设施的规划、形式、规模、设计原则，都有明确、统一的规定。

法国在1976年后把文化生活带进了高速公路网，利用沿线的服务设施开展各种文化娱乐活动，以吸引人们停车休息，减轻疲劳，减少事故，丰富人们的精神生活。法国共有20多个高速公路服务区，服务设备实行商业化管理，服务区内有加油站、付费厕所、餐厅、食品自选商场等配套设施。服务设施之间的连接路线也非常科学，当顾客上完洗手间后，只能按规定路线行走，经过自选商场和餐厅才能回到原地，目的是刺激消费。法国的高速公路实行收费制度，每次收60法郎。

二、我国高速公路服务区发展概况

(一)发展概况

我国大陆高速公路起步比较晚，初期完成的几条高速公路，如沪嘉、广佛、莘松、西临等，因里程短、分散，沿线设施侧重于交通安全、通信和监控等，对人和车辆的服务暂不考虑。近年来，随着高速公路里程的不断增长，高速公路网的初步形成，对高速公路沿线服务设施的需要成为高速公路规划、建设和运营中很重要的问题。但现阶段我国还没有统一的、明确的服务区设计标准和规范,只能参照欧美和日本的资料进行设计。在服务区的设计、建设方面存在许多亟待改善的地方,如:许多间距仍大于 40km,设计单调、缺乏全面规划等。

随着高速公路运营的不断深入和人民群众物质文化需要水平的提高,服务区的规划和建设管理已引起了国家和各省有关部门的重视,许多专家学者也开始对此进行研究,如服务区在规划、布局和建设方面日益适合我国国情,取得显著进步。

沈大高速公路建成较早,里程较长,全长 375km,沿线有 6 个服务区和 6 个停车区,津保、石港、宁沪、京沈、福厦、济青等高速公路均充分考虑了服务区建设,创造了较好的沿线服务环境。京沈高速公路辽宁段全长 361km,其中共设八个服务区,平均间距 47km,设施比较齐全的服务区平均间距 110km,兴城服务区位于 94km 处,为全线规模最大、设施最全的服务区。该服务区地处兴城市西南 10km 左右的杨安乡,距沈阳 267km,距万家 89km,地势平坦,总占地 230 亩。按照《日本高速公路设计要领》的分类方法,该服务区的布局形式属于分离型中的主线上空型(跨线桥型)。将所有提供服务的设施如休息、购物、住宿、餐饮、会议、娱乐等集中在一起,在五层设有跨线餐厅,兼有通道的功能。跨线部分轴线净距 72m,拱顶距路面 12.8m,拱脚距路面 7.2m。这种形式的布局在全国是首例,这么大的跨距在世界范围内也是少见的。室内有集中空调,室外有大面积的彩砖广场及完整的景观绿地,室内外环境都是比较好的。具体分布是以服务区的综合楼为中心,将场区划分为两大区域,分别为人员和车辆服务。由于将主要服务功能集中在一起,可以节约占地,减少各种管线传递过程中的能量损耗,便于经营管理。兴城服务区这种跨桥式的布置方式在国内的高速公路服务区建设中是少有的,因此给人的视觉感受也很独特,这种跨线桥式的服务区在平坦的地区所起的作用就如同路标。为往来的车辆和人员展示着兴城服务区的独特魅力和京沈高速公路辽宁省段所独有的标志。

(二)发展趋势

我国高速公路开始仅在少数几个省、市建成通车,但随着公路建设的发展,今后全国的各省、市,将会路路相连,以至连片成网。因此高速公路的服务区也会在这种形势下,数量增多,内容充实,目前可从几个方面看到其发展趋势。

1.餐饮商贸

在餐饮方面,不仅顿餐、快餐和围桌合餐等种类,而且还会有当地风味菜饭,名优小吃,甚至对那些信奉伊斯兰教的客人可供应清真佳肴和清真食品。在商贸方面,不仅有日用百货,而且还备有高档衣物,当地拳头食品、饰物,以及面向妇女、儿童的用品和文化书刊。其他方面,还会开展银行和邮政业务。

2.硬环境建设

在硬环境方面,除有一般绿化园地外,逐渐会有更多的庭院式的建筑和休息处所。有条件的地方还可开发海滨浴场、狩猎场、摄影点等多种经营业务;在文娱方面设有卡拉OK厅,举行歌舞、音乐会,并备有轻快乐器等。

3.交通功能

在较长的高速公路上,还宜设有长途公共汽车停靠站,除主线起终点外,有的还在高速公路两侧服务区边缘,互通立交处设置。汽车站的间距一般在乘客多的地方间距可短些,还应注意要与市区公共汽车总站相联系,以方便乘客换乘。设在主干线两侧的公共汽车停靠站,要用外缘分隔带与主线分开,公共汽车由加减速车道进出站台和高速公路,而设在互通式立交处的公共汽车的停靠站,应靠近支线,以方便乘客换乘。对于设在服务区的停靠站,一般在其边缘设置,目的也是方便乘客出入。

4.生态保护

京沪高速公路新沂高流服务区被命名为“绿色服务区”。绿色服务区,是指运用环保健康和安全理念,倡导绿色消费,保护生态、合理使用资源的高速公路服务区。江苏省环保厅以京沪高速公路江苏段为基础,在全国首次开展创建绿色服务区试点。高流服务区在打造绿色服务区过程中,为过往驾乘人员提供舒适、安全、健康的服务,强化环境保护和资源合理利用,树立了高速公路服务区的崭新形象。

深圳特区首部《机动车清洗网点发展规划》规定,今后深圳设置在露天停车场、加油站、公交首末站的环保洗车屋,在外观形态、样式以及色彩等方面都要进行统一设计和规定。在发挥洗车场正常功能的同时,《规划》还对环保洗车屋降低噪声及污水处理等方面提出要求,强调不同场所的洗车场对环境的要求也不同,对设在地下停车场和地上车库的洗车场,在室内湿度、噪声以及气味方面附加了更严格的控制要求。高速公路服务区要逐步安装污水循环处理设备,推广中水洗车。图 2-4-8 为环保洗车房效果图。

(三)绿色服务区

通过建立服务区环境管理体系标准和创建绿色服务区的做法,采取预防和减缓措施,减低营运期服务区对环境的影响程度和影响范围,使高速公路服务区对周围环境的不良影响控制到最低水平或控制在环境自身承载力的范围内。从而提高高速公路运营管理企业的管理水平,树立良好的企业形象,提高企业的竞争能力。

图 2-4-8 环保洗车房效果图

1.绿色服务区的涵义

绿色服务区,是体现 GB/T 24001—1996 的要求,运用环保、健康、安全的理念,积极倡导绿色消费,保护生态和合理使用资源的高速公路服务区。其核心是为过往驾乘人员提供舒适、安全、有利于人体健康要求的绿色服务,并且在服务、经营的过程中加强对环境的保护和资源的合理利用。

创建绿色服务区,必将对改善服务区服务功能,倡导文明服务,提高全民健康意识产生积极而又深远的影响。绿色服务区创建标准中对节约用水、能源管理、环境保护、垃圾处理、餐饮超市等方面都有明确规定。

(1)在节约用水方面。地下取水,须具有水资源管理部门的批准手续;有每年取水计划,实际用量不得超过批准计划;建立用水计量系统,每月用水量至少登记一次,并对用水状况进行记录、分析;新的改扩建工程,要积极引入新型节水设备,采取多种节水措施,加强水资源的回收利用;杜绝水龙头滴漏、跑冒现象;定期对饮用水水质进行化验,保证符合国家饮用水标准。

(2)在能源管理方面。有耗能设备台账,有电、煤气等主要能源的消耗定额和控制责任制;供配电系统变压器负载率不低于 30%,功率因数大于 0.9,每年进行一次电平衡监测;能源计量系统健全,逐步实行各部门能源分开计量;有能源统计工作制度,每月有能耗比较、分析报告;积极采用节能新技术,有条件的服务区应使用可再生的能源(太阳能等)。

(3)在环境保护方面。服务区的污水排放达到有关标准;不使用含磷洗涤用品,有降低洗涤剂用量的措施;新购置冰箱、空调等积极选用环保型产品;室内绿化与环境协调,无装饰装修污染,室内空气质量符合有关标准;室外可绿化地的绿化覆盖率达到 80%以上;有降低服务区用纸量和其他消耗品用量的措施。

(4)在垃圾管理方面。垃圾全部实行袋装化;服务区通过垃圾分类、减少垃圾数量等方式进行控制和管理;服务区垃圾分类收集,以便回收利用,员工能将垃圾按细化的标准分类;对驾乘人员做好垃圾分类处理的宣传;对废电池等危险废弃物有专用存放点。

(5)在绿色餐饮方面。餐厅内通风良好,无异味;保证出售检疫合格的肉类食品,严格蔬菜、果品等原材料的进货渠道,确保食用安全;积极采用绿色食品、有机食品和无公害蔬菜;不出售国家禁止出售的野生保护动物;不使用一次性发泡塑料餐具,积极减少使用一次性木制筷子、一次性毛巾;厨房使用燃气、燃油灶具,不使用煤炭燃料;严格菜肴制作程序,按健康要求进行菜肴搭配、烹饪;从业人员要达到健康标准。

2.创建绿色服务区的意义

高速公路服务区通过建立环境管理标准体系和创建绿色服务区,开展环境保护工作有着非常重要的意义。

(1)有助于控制污染和预防污染。做好环境保护工作,把清洁生产的思想融合到日常管理工作中,进行源头控制,把生产过程各个环节的污染减少到最低点。

(2)有助于节能降耗,降低成本。这主要表现在节约用水、电、纸张,节省化学品、辅材、设备,提高废物再利用率,从而大大降低成本。

(3)有助于提高企业管理水平。环境管理标准体系是一套科学、系统的管理标准,通过实施这一标准,对自身环境状况有一个详细的了解,针对筛选出的重要环境因素,建立文件体系加以控制,在策划、实施、控制、评审、日常工作的整个过程中,将不断提高对自身环境的管理水平,还可以借鉴到其他管理活动中,从而提高企业的整体管理水平。

(4)取得绿色通行证。取得绿色通行证,扩大企业的生存和发展空间。目前国际市场上出现的"绿色壁垒",多是对供应商提出的关于产品或生产过程的环保要求,从高速公路企业来说,虽然目前没有这些压力,但是从满足绿色消费要求,创建绿色服务区,为服务对象提供优质服务,提高企业的声誉和形象,站在环境管理的主动位置上来讲,这是必须的。

3.创建绿色服务区的具体内容

为了提高全员环境保护意识,全面推进服务区的环境管理工作,创建一个文明、卫生、健康的良好环境,服务大众,服务社会,高速公路企业应以创建绿色服务区为目标,以"环保、健康、安全"为核心,结合 IS014001 环境管理体系标准，紧紧围绕“绿”字做文章，较好地树立高速公路服务区文明窗口的新形象。具体日常工作如下。

(1)落实组织基础，坚持创建“四到位”。创建是核心，组织措施是保证。为了确保创建工作的顺利开展，高速公路企业成立活动领导小组。服务区也应成立由主任负责的创建领导班子，同时注重从抓基础入手，具体工作做到“四到位”，确保各项措施得到具体落实。

组织领导到位。服务区要成立以服务区主任为组长、各部门领导为成员的创建领导小组，并根据各自实际情况，详细制订工作计划，成员之间分工细致，目标明确，将各项指标分解到个人，落实到具体实处，确保创建工作有组织、有目标、有检查、有成效。

创建制度到位。服务区按照创建绿色服务区的标准，建立健全规章制度，并纳入员工个人月度百分制考核。通过制订一系列奖惩制度，有效地促进和推动创建活动的顺利开展。

教育培训到位。根据创建绿色服务区的实际需要，通过学习培训，提高大家“创建绿色服务区”相关业务知识和实际操作能力。服务区制订并落实详细的员工学习教育计划，增强员工的创建意识。要利用班组会、月度工作总结会等集中时间，及时给员工宣传环保知识和高速公路企业创建方针、措施，通过形式多样的学习培训活动，真正使全员投入到“创绿”活动中去。

检查督促到位。为了确保创建活动正常开展，服务区要按照创建绿色服务区的标准。每日坚持班组长自查、值班领导巡查和服务区领导不定时抽查的“三级督查”制度。每日对创建情况进行明察暗访，发现问题及时整改，追查责任人。通过采取一系列的监督检查和持续改进的制度，确保“创绿”活动不断完善、改进和提高。

(2)加快创建进程，坚持创建“四保证”。为了达到预期的计划和实现预期的目的，服务区在加快“创绿”进程上，坚持创建的“四保证”。

保证环境卫生整洁化。服务区严格执行高速公路企业环保方针，实行卫生保洁“化整为零、条块结合、集中监督、经费包干”的管理办法，让顾客所到之处都感觉到整洁卫生和家的氛围。服务区应结合各自的实际情况，制订《环保管理制度》、《环保检查制度》，编制防疫、防食物中毒、防爆胎等多种安全预案。

保证优美环境规范化。创建绿色服务区是一个系统工程，需要全员参与和全社会的支持。服务区要统一设计、制作宣传标语、横幅、标牌、宣传栏、告示牌等，大张旗鼓地进行环保意识、环保知识、绿色消费理念等方面的宣传。积极倡导“环保、健康、安全”的消费理念，推进服务区环境管理工作，大力宣传，加强环境保护，遵守环保法律法规，落实污染预防措施，树立能源降耗观念，服务区要从环境影响的主要类型，识别环境因素的方法等方面对员工进行培训，提高员工环保意识，使其能主动地参与到创建工作中来。另外服务区还要广泛征询过往司乘人员对服务区环境管理工作的意见，并根据其意见进行改进，形成一个人人参与“创绿”的良好氛围。

保证经营销售质量化。在落实创建各项措施的基础上，服务区还要注重抓严格管理，强化责任意识，对各块的责任人进一步落实责任制。与商场、超市责任人签订责任书，严禁出售“三无”产品、“黄非”出版物、过期变质食品饮料，积极地组织一些绿色食品、绿色土特产品在服务区内销售。服务区要实行领导督查，对各块的负责人分工负责的区域，领导定期或不定期地进行检查，发现问题及时整改。同时商场部应经常研究分析顾客的消费心理，适时调整商品种类，增加商品数量，与顾客实行“零距离”服务。服务过程中，实行“四主动”促销法，即主动介绍绿色商品特色、主动宣传品牌、主动迎合顾客购买意愿、主动送货(多件商品)上车，较好地引导顾客“绿色消费”，为扩大经营收入积累丰富的工作经验。

保证硬件建设规范化。服务区在全力做好文明服务工作的同时，加大对绿色创建工作的建设力度，定期对服务区的水、电、汽、油、污等方面的环境工作进行检测，对一些不符合规定标准逐一整改到位。确保各种设备、设施始终处于良好运行状态，确保安全生产无事故和无环境污染等责任事故。

(3)狠抓常规管理，确保现场“四做到”。服务区应把狠抓常规管理与现场效果相结合，注重在水源、能源、环保、垃圾等现场管理下功夫，工作做到“四做到”。

做到节约用水。服务区与地方环保局建立良好的合作关系，定期检查测量水质，确保水源卫生干净。同时服务区制订用水计划，开展节约用水活动，教育员工节约每一滴水，做到用水无滴、漏、跑、冒现象。

做到污水排放标准化。首先是污水排放标准化，按照地方环保部门的有关规定，严格执行污水排放规定，确保污水处理符合规定要求。其次是洗涤用品坚持无磷化，严格执行“一清、二洗、三冲、四消毒”制度，保证餐具安全卫生。

做到垃圾规范化管理。实行垃圾分类管理，全面实行垃圾袋装化。按可回收、一般回收和危险品等分类收集，集中存放，生活垃圾由专门车辆定时运送。

做到绿色消费。餐饮要确保广大旅客每日都能吃到新鲜菜肴;商场超市坚决杜绝出售过期变质食品饮料,积极开展各种利民、便民活动。服务区要建立质量管理保障体系和环境管理保障体系,运用 IS014001 环境标准,反复不断地进行创建活动,形成良好的创建循环。通过创建绿色服务区活动,为顾客提供较好的购物就餐环境,创造较高的社会效益。

三、中外高速公路服务区比较

比较中外高速公路服务区,目前我国高速公路服务区主要存在以下问题:

(一)部分高速公路服务区建设滞后

广东西部沿海高速公路新会至阳江段虽规划中的有服务区,但开通一年多了,最近才开始推土,准备建服务区,也就是说这路段 149km,至今仍无一个服务区。京珠南高速公路开通近一年,也只有曲江和鱼湾两个服务区可使用,而且隔 70～100km 才一个服务区。高速公路服务区在规划布局、功能配套、服务标准和规范管理等方面的滞后,显然与交通建设不相适应,已成为现代大物流的一个瓶颈。

广东部分高速公路项目只完成征地和“三通一平”,其余通过招商引资完成。当高速公路前期交通量不大的情况下,招商引资就会出现困难。在压缩高速公路整体造价的压力下,部分路段的服务区甚至没有建设概算。以上种种原因造成部分服务区没有与高速公路通车同步建成,或建设规模过小的现象存在。

(二)服务区功能方面布局不合理

各条高速公路之间在设置服务区功能方面布局不合理。如从广深、机荷、惠盐至深汕高速公路,其间不乏星级服务区,但就是“忘记”建加油站和汽修厂,驾驶员要加油、修车,则要走 182km 到深汕高速的后门服务区才有。

(三)高速公路服务区服务质量参差不齐

英国高速公路服务区停车场井然有序;服务大厅内部设计几乎考虑到了消费者的各种需求;公共卫生间分为男、女、儿童和残疾人 4 种,不仅宽敞、明亮、干净,还提供冷热水;商店出售花卉、礼品、地图、雨具、报纸、杂志、糖果、音乐磁带、休闲衣服等;在热闹的快餐区,设有儿童“游乐场”,保持较好的服务质量。

国内高速公路服务区服务质量参差不齐。山东的济青高速公路沿线服务区的公厕全部达到了城市一类公厕标准,各服务区内厕所、超市、快餐厅实现了统一建筑格调、统一外观色彩、统一标识名称。在国内的高速公路服务区,有能享受机荷高速公路的星级服务区和深汕高速公路功能最齐全的惠来商旅服务中心的优质服务,也有高速公路服务区脏乱差的情况。

(四)服务区的功能不足

国外高速公路服务区功能很多,停车场很大,一般可容纳数百辆汽车,全部实行免费停车。有的服务区还设有长途汽车站。服务大厅内的设计几乎考虑到了消费者的各种需要,还设有游艺室、外币兑换室、自动照相室、信息服务中心以及公用电话亭等。想得最周到的是公共卫生间,分为男、女、儿童和残疾人四种,还提供冷热水。国内一些服务区的功能仍未能满足驾驶员和人们出行需求。如京珠北高速公路的一些服务区没有休息室或旅馆,有旅馆的房价也贵得惊人:每小时要收50元。许多驾驶员负担不起,只好在停车场歇脚、在车底下睡觉、在露天擦身洗澡。

案例　沪宁高速公路上的风景线——阳澄湖服务区

1.工程概况与区位条件

沪宁高速公路江苏段沿线共设置了6个服务区,向过往车辆和司乘人员提供餐饮、住宿、休息、加油、购物、车辆维修等服务。依托于高速公路的服务区是这条经济大动脉上的"输液站。"其中苏州段阳澄湖服务区是沪宁高速公路最引人注目的一个服务区,这不仅是因为它规模最大,更是在于它有着良好的区位条件和得天独厚的自然及人文景观。

服务区位于阳澄湖畔,距苏州市区17km,距上海也仅65km,区位优势明显。它北倚阳澄湖,山水秀美,构成了一种江南水乡的生活场景,丰富的自然和人文景观给阳澄湖服务区增加了独特的魅力。

沪宁高速公路在服务区南侧穿过,上海方向来的车流进北侧匝道入服务区,南京方向来的车流经立交桥进入服务区。使服务区位于高速公路的一侧,设施相对集中,便于经营和管理,服务区占地约34.4万m^2,在沪宁高速公路上所有服务区中规模为最大。一期工程总建筑面积9 676m^2,主要建筑及设施有服务区综合楼、加油站、停车场、公厕、修理站和其他的辅助配套设施。所有设施均按星级宾馆标准建造,为过往车辆提供安全、快速、便捷、舒适、优质的服务。

在快速交通的环境下，规划设计如何满足功能要求，如何体现服务区的特色和标志性，阳澄湖服务区的规划和建筑设计，给我们提供了一些启示。

2.规划结构

整个阳澄湖服务区由4个岛区组成,从使用功能出发,结合自然地形、地貌,把用地规划成5个功能区,功能各异、分工明确。各区之间有道路桥梁相接,既方便了联系,又存在着一定的独立性,避免了相互干扰。区内道路系统简捷流畅,又不乏情趣,各种指示牌、标志牌醒目美观,更进一步指明了各区的功能方位。阳澄湖服务区5个功能区为:

(1)阳澄湖存车区

位于用地南侧,直接面向高速公路,主要由东西两个集中式的停车场组成,存车区还设有公厕和供人员休息散步的广场,广场上设有喷泉和雕塑。存车区的作用是为进入服务区的车辆提供停车场地,为司乘人员提供一处放松、休息的场所,存车区和高速公路之间有大片宽阔的绿化隔离带,既屏障了高速公路上的噪音,又美化了存车区的环境。

(2)中岛区

包括服务区综合楼(内设:餐厅、休息大厅、商店、办公、会议、客房及娱乐用房等)、湖滨娱乐中心(设茶室、蟹厅、水廊、水榭)、湖滨沙滩游泳区。中岛区是阳澄湖服务区的核心功能区,服务设施主要集中在该区,它为旅客提供了室内休息、用餐、购物、娱乐的场所,在中岛区服务功能得到了深化和完善,广大司乘人员在此可得到全方位的热情服务。

(3)西岛区

为沪宁高速公路阳澄湖培训中心,是为高速公路培训专业管理人员和服务人员的基地,兼有会议、休养和旅游的功能。培训中心由主楼、会议厅、餐厅和几幢别墅式的旅馆组成,整体布局为苏州园林式的格局。

(4)东岛区

规划为阳澄湖服务区的一个附属配套旅游设施基地,设有儿童乐园、垂钓中心等游乐项目,充分发掘阳澄湖服务区的旅游资源,对土地进行综合功能开发,深化服务区的功能内涵。

(5)阳澄湖湖面区

服务区用地包括200m宽的湖面,在此水域内设置游船码头,开发水上游乐项目,配合东岛区的旅游设施,形成较为完整的阳澄湖服务区旅游基地。

3.服务区空间景观的组织

国外对高速公路服务区的使用调查表明,司乘人员到服务区的主要意图是休息和游览。因此他们的存车区、服务区多建在公路沿线风景秀丽的地段,且在地段内合理地安排建筑、绿化、停车场地,以形成良好的空间景观层次。只有这样才能吸引司乘人员到服务区来休息观光,减轻旅途的疲劳,增强旅行的印象。因此,服务区景观的组织是非常重要的,在阳澄湖服务区的规划和建筑设计当中,通过对现场反复踏勘,围绕交通服务功能的满足和体现服务区的特色进行景观设计,采取了以下的一些手法,形成了较好的景观特色。

(1)明确了两条景观线

围绕这两条轴线布置各种设施,组织各种空间,使各部分有机地结合成一个整体。在南北主要景观轴线上依次设置广场喷泉、小石桥、综合楼主入口、湖中厅等景观焦点,使从高速公路和立交桥方向看来有一定的景深层次感,主体突出,主次分明。主要建筑和设施集中在中岛区,沿东西景观轴临河临湖布局,在空旷的场地上有一定的体量感,舒展、开朗地面向高速公路和湖面,似一幅展开的画卷呈现在旅客的面前。高耸的尖塔楼,内设楼梯和水箱,有功能的需求,同时也满足了从高速公路上远视服务区的景观标志性要求,现在它已成为服务区的一种符号和象征,起到了很好的宣传和标志性作用。

(2)近水得水

充分利用场地内的水资源,水景观,疏浚河道,局部扩大水面,岸边种植绿化树木,设座凳、小品,形成良好的室外休息的空间。为了保证从存车区眺望阳澄湖的视线畅通,在综合楼设计了一个跨度16m的架空过街楼,它象一扇开启的窗口,使旅客在存车区即可欣赏阳澄湖的景色,景观视线因此保持了连续性。

(3)夜间景观独具特色

阳澄湖服务区主要建筑和设施上都使用了泛光照明,在存车区广场上还设有灯光喷泉和四个高杆广场照明灯,当夜幕降临,灯火倒映于湖中,在方圆几公里的范围内格外引人注目。

4.服务区综合楼建筑设计

综合楼是阳澄湖服务区一期工程中最重要,也是规模最大的建筑,总建筑面积为6 500m^2,包括休息大厅、商务中心、自选超市、餐厅、旅馆及行政管理、展示厅和会议厅等部分组成。建筑布局尽可能贴近湖面,空间组合采用庭院式的自理手法,既有利于采光通风又增加了空间的层次感和流动感,整体、紧凑型的平面布局方法缩短了综合楼各部分之间的距离,方便了联系,满足了快节奏的功能要求。

休息大厅是综合楼最主要的使用空间,大厅与主入口之间设有前厅,两厅之间用一个 $4m^2$ 的竹园相隔。小竹园似一道立体的屏风既做为前厅的对景,又界定了两厅的空间范围,透过这幕摇曳的"竹帘",大厅里的活动若隐若现,吸引着旅客走进休息厅。休息大厅是一个 $20m \times 20m$,高度 18m 贯通两层的共享空间,大坡屋顶上开有天窗,明媚的阳光洒进中庭,室内充满了一片生机和活力,让人感到无比的温馨。周边设有大片落地玻璃窗,阳澄湖美景尽收眼底。大厅内设有酒吧、茶座,在此休息品茗、读报、交谈十分惬意,从大厅还可直接走到位于湖岸边的休息平台上,凭栏远眺,水天一色,又是另一番景致。入口、前厅、小竹园、休息大厅和室外平台组成了一个完整的序列空间。各部分的尺度比例不同,空间的收放穿插,给人以不同的心理感受,收到了引人入胜的效果。

大厅的室内设计也是别具一格,不锈钢制的栏杆,带有线脚的花岗岩铺地,整洁气派,透出一股时代的气息,咖啡色木质装修的拦扳、柱子又给人以传统的回归,显示得朴实,新切,周边拦扳上蔓生着绿色的"藤萝",使整个大厅沐浴在春天的色调中。顶棚的设计最具表现力,片片三角形的构件悬吊在屋顶梁架下,构件之间又露出采光天窗,在蓝天白云的衬托下似片片船帆,给人以丰富的遐想。

客房和办公部分依附于休息大厅的一侧,围绕着一开敞式内庭院布置,隔而不断,联系十分方便。办公室和管理用房集中布置在庭院的南部,直接面向存车区,便于观察广场上的人流、车流活动情况,及时进行调度和指挥。办公室部分有单独的出入口和楼梯,避免了人流的混杂,保证了办公用房的相对独立性。客房部分位于庭院的南部,临湖布局,所有房间均朝向湖面,有着最好的视觉景观。共设有 20 间标准客房,均带有壁柜和独立的卫生间。为便于旅客欣赏阳澄湖的景色,每间客房还设有弧形的大阳台,站在阳台上,举目四望,阳澄湖景色如画,赏心悦目。客房部分还设有服务总台、健身房和洗衣房,为住宿客人提供全面的服务。

为了便于旅客购物和旅途中的商务洽谈,在综合楼设有自选超市和商务中心,自选超市与市区的华润超市联锁经营,统一进货,统一价格,既保证了商品的质量,又有价格上的优势,使旅客如在市区家中购物一样,放心称心。商务中心设有电话间、传真复印间和电脑打字间,目前商务中心已开通了全部服务项目,方便了旅客的通信联系。综合楼的二层和三层还分别设有陈列室、会议室和休息廊。宽敞的休息廊,是供人休息、观光的好地方。陈列室以大量的图片和实物展示了高速公路的风采和建设过程。

综合楼的另一重要组成部分是餐厅,餐厅在二层,与休息大厅相通。餐厅包括快餐厅、雅座、包厢和宴会厅四部分,以满足不同的消费要求。餐厅24h供应美味可口的食品。服务区建成到今,已吸引了大批旅客来此休息就餐,阳澄湖鱼、虾、蟹闻名遐迩,服务区餐厅更是因此而闻名于沪宁线上。

建筑设计在满足服务功能的前提下,要想形成自己的特色和个性,就应注重形体的塑造和建筑文化内涵的表现,使特定场所中的建筑依据自身的逻辑秩序展开。在综合楼的建筑形象创作中,苏州水乡建筑的传统处理手法给设计者提供了灵感。

综观水乡建筑的布局形态,像苏州民居、传统商业街等,呈现出一种整体美。其特点概括如下:

(1)建筑采用临河临街的传统布局方式,并贴近湖面,表达水乡建筑亲水的特性。

(2)立面采用传统坡层顶的构图手法,并进行了坡屋顶的组合、穿插,把坡屋顶建筑的硬山墙面也纳入到立面表现的构图当中去。坡屋面参差错落、起伏跌宕,富有水乡建筑的屋面韵味。

(3)各种小广场空间有机组合,与桥梁、埠头、街河及建筑临街界面一起丰富了建筑室外环境,行走其间,仿佛置身于水乡的古街巷之中。

(4)立面窗框的划分,及墙面装饰上采用菱形图案,白色墙面,蓝灰色装饰线脚、云墙等都是水乡建筑中常见的符号和色彩。

(5)建筑以两层为主,局部设有三层,取得了较好的尺度感。架空过街楼的处理使立面显示得通透而有生气,又可借阳澄湖之景,这是吸取了苏州园林中造景的手法。

综合楼的造型设计,体现了较强的地方特色,它是既对传统的继承和回归,又不是生搬硬抄,而是吸取其中的设计思想精华,结合现代的使用功能要求因地制宜进行创作。譬如,考虑到阳澄湖服务区有旅游开发的功能需求,因此综合楼的坡屋顶并没有使用灰瓦而采用了红色的西班牙瓦,以烘托观光、度假、休闲的气氛,色彩的变换反而使整座建筑更具朝气和时代特征。

5. 服务区配套交通设施

除了在建筑和规划上的特色外,阳澄湖服务区在其他的配套交通设施方面也有自己的个性。

(1)为了方便旅客用厕，存车区在醒目位置上设有两个面积达 350m^2 的公厕，可同时供 300 人使用，公厕内还设有残疾人专用小间和空调系统，优质周到的服务可见一斑。

(2)停车场和广场的地面硬质铺地，均经过了精心的场地规划设计，红、黄、绿三种色彩的广场砖组合成规则有序的肌理图案，在重点部位点缀花池、喷泉和雕塑小品，整个广场呈现出一种极具韵律感的大地艺术景观的效果。不锈钢制成的抽象雕塑，像两只扬起的风帆，寓意深刻。

(3)服务区还设有两个加油站，每个面积为 360m^2，配有进口加油机和四种油品，设计贮油量 200m^3，年加油能力 15 000t。可同时给 10 辆汽车加油，加油站用房的造型也颇具特色，把传统的坡屋顶抽象化符号化，局部采用了构架做装饰，整体风格既有时代感又富传统韵味，与服务区的整体建筑风貌十分协调。

(4)服务区内河多桥也就多，总体规划上共有 6 座小桥，桥的比例、尺度与环境很协调。小石桥是水乡文化的一种符号和载体，人们走在石桥上，欣赏着雕刻精美的栏杆花饰，聆听着桥下潺潺的流水声，就仿佛置身于水乡的生活场景当中。

(5)阳澄湖服务区设计有汽车修理厂和清洗厂，配备一流的技术设备，为过往车辆提供汽车维修和清洁服务，避免了车辆运行中因故障而发生交通事故的可能性，保证了汽车的安全行驶。

随着高速公路建设的蓬勃发展，服务区的规划、建筑设计和管理越来越引起人们的重视。我们认为服务区建设的关键，要把握服务交通的功能和形成自己的特色。服务区的特色主要体现在以下 5 个方面：自然景观特色；空间形态特色；建筑风貌特色；硬件设施特色；服务管理特色。缺乏特色，仅有功能的服务区是单调乏味、无法引起人们兴趣的，特色的体现是以服务交通功能的满足为前提的，功能和特色是服务区规划和设计的核心。

沪宁高速公路江苏段投入使用以来，阳澄湖服务区已接待了大批来客，阳澄湖服务区的建设取得了较好的社会、经济、文化效益，达到了服务交通，形成特色的规划和设计目标，并为今后旅游业的发展奠定了基础，阳澄湖服务区将成为黄金通道上的又一道风景线。

小　结

本章主要阐述了高速公路服务区概述，包括高速公路服务区的性质、高速公路服务区的特点、服务区设置的原则、高速公路服务区设置的必要性及高速公路服务区的功能；高速公路服务区管理的原则和作用；高速公路服务区设施，包括高速公路服务区的构成、为车辆服务的设施、为旅客服务的设施及其他服务设施；国内外高速公路服务区发展概况，包括国外高速公路服务区发展概况、我国高速公路服务区发展概况及中外高速公路服务区比较。

思考题

1. 高速公路服务区的定义以及服务区设置的原则。
2. 高速公路服务区的主要功能。
3. 高速公路服务区的主要形式。
4. 高速公路服务区的构成。
5. 简述为车辆服务和旅客服务的设施。
6. 绿色服务区的概念。
7. 简述我国高速公路服务区存在的问题。

第五章

高速公路服务区经营管理

学习目标

通过本章学习，了解高速公路服务区经营管理的原则，熟悉高速公路服务区管理体制，重点掌握高速公路服务区管理的基本内容。

第一节　高速公路服务区经营管理的原则

为加强服务区的管理工作，提高服务质量，使服务区的经营管理纳入规范化、制度化的轨道，并取得良好的社会效益和经济效益，应加强服务区的经营管理。服务区为通行高速公路的司乘人员提供食宿、加油、购物、修车的综合服务场所，24 小时全天候为用路人服务。服务区管理的指导思想是通过优质服务创造良好的社会效益，以良好的社会效益带动经济效益，最终实现社会效益和经济效益的共同提高。

服务区的经营宗旨是：

(1)全天候 24 小时服务。由于高速公路是全封闭的公路，车辆不能随意上下，因此服务区必须坚持 24 小时全天候服务，以方便来往的车辆和司乘人员。

(2)以服务为主。服务区的服务对象是来往的车辆和旅客，应坚持服务为主，考虑到服务业的行业特性和高速公路的公益性，服务区不能纯粹为盈利的目的，因此其毛利是微薄的，应该加强经营管理，薄利多销中求得好的效益。

(3)工作认真，态度热情。服务区的工作人员要多为别人着想，把方便让给旅客,创造一个舒适的环境,做到服务周到,在服务项目上要拓宽一些新的服务内容,在态度上要热情礼貌待客,在饮食餐厅注意卫生防疫,保证用餐者健康。

(4)多种经营,开拓进取。服务区应在主管部门领导下运作,并设法利用当地资源和交通环境,创办新的服务内容如广告、苗圃、仓库等。有的可用租赁制出租,也可采用合作经营方式等。

(5)服务人员应多雇用当地有住处的人员。服务区的服务人员应多雇用当地有住处的临时工,减少编制固定人员,以减少房建及住宿费用的开支。服务区应注意统筹规划,如初期资金不足可以采取分期修建,分期实施的方式进行,最终达到原设计要求,有的高速公路还先建服务区,可供建设时作为指挥部或监理用房,甚至部分房屋可供作招待所、接待站。

高速公路服务区经营管理的原则如下。

一、以服务为本的原则

服务区是在全封闭高速公路内供司乘人员旅途生活而设置的,因此,必须坚持以服务为本的原则。

高速公路在规划建设时,一般按照每 50 ~ 60km 设立一个服务区的标准进行建设,并坚持建筑风格与所在地自然经济、文化环境相协调。同时,根据群众出行所需,完善服务区餐饮、加油、住宿、休息、购物、车辆维修等服务功能。应按照星级管理的标准和要求,对餐厅、休息大厅、停车场和厕所等公共场所实行卫生保洁。大力推动绿色服务区或生态服务区建设。例如江苏省,几年来累计在 22 个服务区栽种各类树木 6.7 万株,铺设草坪 76.8 万 m^2,同时还修建了大量的果林、苗圃、花园、鱼池等美化工程。生态环境的改善,引来了仙鹤等珍稀野生动物,为乘客提供了清新自然、整洁怡人的绿色休闲环境。充分体现了以服务为本。

广东省交通厅正在研究高速公路服务区服务质量的管理办法和服务区建设等级的标准。其思路是实行高速公路服务区的业主负责制,高速公路业主负责搞好服务区的服务质量。同时,省厅还拟规定高速公路服务区的等级,每一类等级的服务区都要求具有相应的功能。如一些服务区作为客运的上下客点,一些服务区一定要有加油和休息的场所等。为了让高速公路服务区更好地为旅游经济服务,在高速公路服务区要有当地旅游点的介绍和附近公路的交通图,对于省际高速公路出入口的服务区,要设有广东旅游的介绍,使之成为广东的“导游”。一方面体现经营意识,另一方面充分体现了以服务为本的原则。

二、成本效益原则

为了提高服务水平，应建立一支专业化的管理队伍，所以，服务区必须坚持自主经营和独立核算。

充分保障过往车辆加油、修理和乘客住宿的同时，各高速公路服务区应依托所在地方的高速公路资源，以搞活经济、满足群众更高层次的需要为宗旨，在服务区办特色市场。如沪宁高速公路阳澄湖服务区引进了长江野生大闸蟹苗，利用阳澄湖天然优质湖水，培育出新的优良品种，将服务区办成了以“阳澄湖螃蟹”为龙头的著名水产品市场；沪宁高速公路梅村服务区的“太湖湖鲜馆”、窦庄服务区的皮鞋市场、仙人山服务区的恒顺醋专柜、宁通(南京至南通)公路仪征服务区的“淮扬菜馆”、京沪高速公路川星服务区的“盱眙龙虾”都享有盛名，成为苏、沪、鲁、豫、皖、浙一带群众节假日外出观光旅游的好去处，为服务区带来了可观的经济效益。

三、统一规划、合理布局的原则

在建设和管理上，为了实现服务于高速公路的目标和提高管理水平，对于资金的投入和使用，对于物资的调配，对于物价、卫生、服务等方面的标准和要求，都应实行统一规划和管理。

高速公路项目开通时，要基本同步建成服务区。对实在有困难的项目，要求一定要在通车时配套停车、洗手间等基本功能，以后再根据交通流量和需求增加其他功能。比如刚开通的开阳高速服务区，就设置了两个服务区和一个停车区，保证了每隔 40～50km 就有一处休息的地方。

对于服务区的建设资金，需要多渠道筹集，并可采取股份制和合作等方式解决。目前，高速公路服务区在用地指标和建设资金方面也存在一些困难。首先，国家有关部门的指标为高速公路服务区的间隔为 50km，用地为 60～80 亩；停车区间隔为 25km，用地为 15～18 亩。这个指标以广东实践情况来说，不能完全适应高速公路使用者的需求。比如山区高速公路的货车多、超载车多、爬坡路段多，货车走较短的路程，就要停下来加水、加油、降温，但按原有的标准用地就会出现难题。其次，服务区在建设资金方面分两大块：一块是设计时就列入项目的概算中，包括征地费用、“三通一平”等费用；另一块是通过招商引资方式筹集，如加油站、餐饮、外卖等设施大都以这种方式引资。若招商引资方面出现滞后，就会拖服务区的建设后腿。因此，服务区的统一规划、合理布局应落实到实处。

四、发展原则

人们的需求层次在不断地提高,人类的物质文明和精神文明在不断地发展,服务区的设施、管理、服务等方面也应随着时代的发展而进步。

服务区应按照发展原则,制订发展目标,以不断适应广大司乘人员的物质和精神文明进步的需求。为此,服务区应确定短期、中期和长期的发展目标。由于服务区的工作重点在于服务,其次才是效益,因此,在人、财、物等各方面需要直接得到高速公路管理部门的扶持,特别是在服务区投入运营的前几年,在固定资产投入、流动资金的使用、人员的配备和职工培训等诸多方面予以资助,并考虑服务区的长远发展。

服务区的发展目标应该是一个体系,它既应该包括经济指标,也应该包括服务指标。在经济指标中包括利润、固定资产的增加值以及公益金的积累与使用等指标;在服务指标中包括服务质量、卫生质量、设施的完好情况、技术水平、服务项目等指标。二者综合成一体,构成一个完整的目标体系,但对于各项要求,要高低适中,循序渐进,制订出发展步骤。

高速公路是经济发展的产物,是一个国家现代化水平的重要标志之一。服务区是高速公路的附属设施,在高速公路中占有重要位置。高速公路服务区的设置为司乘人员带来了便利,同时服务区人们的生活活动对周围的环境会造成直接或间接的影响。随着高速公路运营量的增加,服务区内的服务顾客数也大大增加,这就把本来并不突出的服务区附近的环境问题凸显出来。如:噪声问题,服务区内车辆进出的噪声不分昼夜的影响着服务区内休息的顾客和周边环境;空气污染,服务区内的车辆大量停止、启动,使废气排放量增大,对服务区内和周边的空气有非常严重的影响;水污染问题,服务区内生活污水、加油站冲洗后的含油的污水,都严重的影响着服务区周边地下水资源。对高速公路服务区的环境保护是落实科学发展观的重要体现。

第二节　高速公路服务区管理的基本内容

一、服务区财务管理

财务管理的内容包括资金管理、资产管理、成本与费用管理、负债管理、收入与利润管理，维护所有者的权益等。总公司财务部负责制订内部财务管理的指标体系，如所属公司上缴利润指标、资产保值增值指标、奖惩措施等。

(一)财务管理体制

(1)经营开发公司为总公司下属的二级法人单位，二级会计管理单位，独立核算；一般服务区为经营开发公司下属的非独立法人单位，三级会计管理单位，独立核算。经营开发公司及服务区的资产、财务、计划管理工作须服从总公司的领导，接受其审查监督。被审计或检查的单位应认真配合。经营开发公司对服务区财务管理和会计核算工作负责，进行业务指导和监督考核。

(2)经营开发公司设财务部，负责公司的计划管理，财务核算和管理，内部审计工作，制订并实施财务管理相关制度；参与公司有关的经济决策，负责公司的成本核算和控制，资金的管理、运作；承办公司税务，内部审计及日常的会计核算工作，核定经费开支标准，办理业务核算；组织财务管理，负责对服务区的财务工作指导、检查、考核、监督；及时编制、汇总上报财务报表及各种内部管理报表；正确反映经营实际情况和财务成果、经营绩效；年终将年内形成的税后利润及时上缴；负责会计资料归档和保管工作。

(3)服务区设会计室，负责服务区的日常会计核算工作，如实反映经济事项，准确记账、报账；按经济核算原则，定期检查分析服务区的财务成本、利润计划的执行情况，进行成本费用的预测、计划、控制、核算；挖掘增收节支的潜力，考核资金使用效果，配合营销等部门，降低成本，提高经济效益，努力完成和超额完成利润计划，并按时解交；及时编制上报财务报表；负责会计资料归档和保管工作。

(4)公司各级财务机构及会计人员要认真贯彻国家财政、财务制度，加强会计核算，对本单位的经济活动实行监督。各级领导要加强对财务工作的领导，配备合格的财务人员，保持财会队伍的相对稳定。

(二)资金管理

1.资金管理原则

资金既要保证正常经营业务需要，又要节约使用，以较少的资金占用，取得较大的经济效益；资金实行计划安排，统筹调度；遵守有关银行存款、现金管理规定，确保企业资金的安全；加强结算资金管理，加速资金周转；定期考核资金使用效果。

2.现金的管理

(1)根据服务区业务经营情况的特点,由当地存款银行核不定期库存现金额。当天营业收入,当天存入银行。除按规定范围和在特殊情况下支出以外,不得在业务收入的现金中坐支。

(2)现金支付的范围:发放职工工资、补贴;购买服务区必需的物品和鲜活商品;转账起点下的零星开支。

(3)收付现金后必须在发票、账付款单据或原始凭证上加盖有日期的"现金收讫"或"现金付讫"字样戳记。出纳员每天编制收支日结算表,核对库存现金后,将原始凭证连同结算表交会计。

(4)严禁以白条抵充库存,坐支现金,严禁挪用现金。发现库存现金多余或短缺,应立即进行记录,及时列账并查明原因,明确责任,按照审批权限核批处理。

3.银行存款管理

(1)支出审核。银行支出的项目,需按程序审批,出纳方可付款,未办好手续的,一律不得支付。

(2)支票签发。一般在取得发票后进行,不得发出全空白支票。但为了应急,允许采购人员有部分少量半空白支票,但必须填定年、月、支票限额等。

(3)出纳员每天编制收支日结表,连同本日收付的凭证交会计。

(4)出纳员每月与银行核对存款余额。发现记账错误,要及时更正;发现银行差错,要及时通知银行更正;发现未达账,要加强管理,认真查找原因,及时处理。

(5)服务区在银行开立的账户,不准外单位或个人借用。

(6)出纳员对各种空白转账支票和现金支票,应妥善保管并设备查簿,登记支票的收入、发出、领用、注销等情况。

4.存货的管理

(1)保持合理库存。根据近年各类物品、原材料的使用情况,制订最高、最低存量定额,保持合理库存,减少资金占用。

(2)仓库管理人员要将库存销小存大的情况随时报告,寻找对策,及时处理积压物资,使之既减少仓容,又减少资金占用。

(3)按仓库管理制度保管存货,保证各类物品安全完好。坚持盘点制度,做到账物相符。

(4)商品、物资出仓,必须先办妥手续,凭出仓单、领料单,经有关领导审批,才给予发货,严格控制费用成本的开支。

(三)服务区的成本与费用管理

服务区成本与费用的管理范围,不但包括餐饮、商店、修理、加油站等经营部门,还涉及到办公室、财务部等管理部门。因此,成本与费用的高低综合反映企业管理水平。

1.经营成本的考核

服务区对经营成本的考核,要严格按"率"掌握,应将经营成本与营业收入参照确定。各项成本随着营业收入增加,成本绝对额增加,但成本率一般不应提高。对于费用部分一般实行以"额"控制,以费用计划的绝对额作为计划定额掌握,一般不得超过定额。

2.成本和费用的计算

服务区一律采用权责发生制,计算本期成本和费用,凡属于本期的成本与费用,不管何时付出,都作为本期成本与费用。费用跨期摊提的原则是哪个月受益,就在哪个月摊提,不应任意多计、少计或不计,防止利用待摊费用和预提费用人为地调节各月的成本费用。

3.不能列入的成本和费用项目

不能列入成本和费用的有服务区为购置和建造固定资产、无形资产和其他资产的支出;对外投资支出、分配给投资者的利润,以及支付优先股股利和普通股股利;被没收的财物、支付的滞纳金、罚款、赔偿金、各种赞助、捐赠支出;应在公积金、公益金中开支的支出;国家法律、法规以外的各种付费;国家规定不得列入成本、费用的其他支出。

4.违反规定的行为

将请客送礼、招待亲友的吃、拿、占支出,摊入成本费用的;擅自提高工资、奖金、补助、补贴、福利开支标准,扩大开支范围的;经营管理不善,造成大量存货积压、毁损、丢失等以致造成成本升高的;有弄虚作假,成本严重不实,随意摊提成本费用,挤占国家收入等现象的;均将视为违反《企业成本管理条例》规定的行为,对其有关责任者将予以必要的行政、经济处罚。

5.管理责任制

实行全面成本、费用管理,建立成本、费用管理责任制。服务区从经理到一般员工,都要参加成本、费用的管理。服务区在经理领导下,根据部门设置,建立成本费用管理体制,明确经营部门、管理部门在成本、费用管理方面的权责关系,正确制订和修订商品原材料采购成本定额,存货的储备定额，商品、原材料质量定额，劳动定额，管理费用定额，燃料、低值易耗品、工具消耗定额，固定资产利用率、完好率定额，为成本与费用管理奠定良好基础。

管理费用除固定费用（如折旧）外，主要为企业经理人员控制、负责。经理人员要精打细算，严格控制招待费支出。服务区应定期编制费用计划，严格按各项计划指标掌握开支。对与经营无关的支出浪费，总公司有权制止。对超计划的合理支出，经总公司核准，可调整本年度总公司下达的利润指标。各服务区应正确处理降低成本与商品质量的关系，服务区商店、加油站不得为降低商品、油料采购成本而购置伪劣商品，损害消费者利益。

（四）利润管理

利润是企业在一定时期经营活动所取得的主要财务成果，它关系到企业的发展和职工收入，是评价企业经营状况的重要指标，是企业经营管理的主要内容。

1.利润指标

利润指标的预测，对企业经济决策具有重要意义。总公司要在分析服务区过去和现在经营状况及所处经济环境、地理位置、客流量基础上，运用一定科学方法，对影响利润的各种因素进行分析，测算出服务区未来的利润水平，于年初编制和下达服务区年度利润计划，并在未来的经济工作中组织实施。一般情况下盈利的服务区本年的利润指标不能低于前一年利润指标，亏损服务区的减亏指标不能低于前一年减亏数。指标的递增率和超额分成比例，要依据客流量递增的比率和服务区更新改造任务确定。在经营责任期间，如有高管局（产业集团）、总公司投资的新项目投产，或为服务区提供新的盈利条件，要调增新项目所在服务区的利润指标。

2.实行层层经济目标责任制

总公司应完成高速公路主管部门下达的年度利润指标，服务区必须完成总公司下达的年度利润（减亏）计划。未完成年度利润指标的服务区，抵扣服务区经理的风险抵押金，撤销经理职务，职工不得发放奖金。服务区合理的计划外成本费用支出，报请总公司批准，可以调整利润计划。总公司应加强对服务区利润形成的审计，检查利润构成，以确认形成利润的真实性、合法性。

经营性亏损的服务区，应以迅速扭转亏损作为管理的目标，通过对亏损形成过程的分析，采取有利的措施，减少损失浪费，尽快扭亏增盈。亏损公司发生的年度亏损,可以用下一年税前利润弥补,下一年不足弥补的,可以在5年内延续弥补,5年内不足弥补的,用税后利润弥补。

3.利润分配的原则

利润这一财务成果,最终应在国家所有者和企业之间进行分配,体现所有者和经营者之间的经济关系,服务区年度实现的利润,必须遵循新会计制度规定的分配顺序,该提取的提取,该交纳的交纳。

年度末服务区必须将税后利润全额上缴总公司。如有个别服务区由于公积金不足,发展再生产有困难,可向总公司提出申请,总公司根据服务区实际情况统筹安排。服务区没有完成利润计划,不得用流动资金向总公司上缴利润,当年没有利润的服务区不得进行各项分配。购建职工住宅在企业公益金中列支,不得在成本费用中列支。税后利润分配比例、公积金提出金额、应付利润数额,由总公司统一规定。

二、服务区设备和物资管理

资产的管理要按照“归口管理、分级负责”的办法,服务区应对现有的资产按类别建立“资产登记表”反映各类资产的使用、保管和增减变动及结存情况。资产的登记需要指派专人负责,资产入、出库要办理有关手续,服务区应定期和不定期对资产盘点清查,并在年终进行一次全面盘点清查。在资产清查过程中,如发现有盘盈、盘亏的,应查明原因,填制固定资产盘盈、盘亏报表,并拿出书面报告,经公司批准后方可处理。对因管理不善造成毁损的固定资产,据其情节轻重追究当事人责任,必要时追究其法律责任。

(一)固定资产的档案登记

(1)服务区全部固定资产,包括主楼、附属楼、员工宿舍、其他园林建筑、汽车、机械设备等,账务管理和计提折旧由财务部门负责,实物管理则按哪个部门使用,就由哪个部门管理的原则进行。

(2)服务区的固定资产必须建立固定资产档案,登记固定资产名称、产地、规格、数量、单价、总值金额、购建金额、使用年限、放置地点及责任人等。

(3)固定资产档案记录要进行系统排列、编号、抄写案卷题目和案卷封面,确定保管期限。

(4)服务区应指定专人负责固定资产管理工作,每年年终必须对固定资产进行一次盘点,做到实物和账表记录相符,核算资料正确。对固定资产遗失部门,要查明原因,明确责任,做出适当处理。

(5)每年对固定资产档案的数量、保管等情况进行一次检查,发现问题及时采取补救措施,确保档案的安全。

(二)资产管理的内容及分类

资产管理指固定资产、流动资产管理按公司财务有关管理规定执行。固定资产是指使用期限超过一年的和其他与生产经营有关的设备、器具、工具等。凡属于生产经营主要设备的物品,单位价值在2 000元以上的,并且使用年限超过两年的应作为固定资产。

1.固定资产管理的内容

通信设备:包括数据传输设备、业务电话系统、紧急电话系统、电缆、光缆外线路线系统等。

安全设施:包括标志、标线、护栏、护网、灯杆、灯具、配电控制柜等。

机械设备:包括清扫车、洒水车等。

车辆:包括公务车、生活用车等。

房屋及建筑物:包括服务区的各种房屋,建筑物等。

其他:包括复印机,打印机,计算机,摄像机,录音设备等。

2.资产分类

按经济用途可分为:生产经营用固定资产和非生产经营用固定资产。生产经营用固定资产是指直接服务于企业生产、经营过程的各种固定资产。如生产经营用的房屋、建筑物、机械设备、运输设备、工具、器具和管理用具等。非生产经营用固定资产是指不直接服务于生产经营过程的各种固定资产。如职工宿舍、食堂、浴室等使用的房屋设备和其他固定资产等。按使用情况分:使用中固定资产、未使用固定资产和不需用固定资产。使用中固定资产是指正在使用中的经营性和非经营性固定资产。未使用的固定资产是指已完工或已购建的尚未交付使用的新增固定资产以及因进行改建、扩建等暂停使用的固定资产。不需用的固定资产是指多余或不适用,需要调配处理的各种固定资产。

(三)资产的报损

1.途中损耗

途中损耗是指资产在购进和其他因素而造成的损耗责任,属供货单位因包装不符合规定而造成破损或数量不足而产生的损耗,应由运输部门作出鉴定意见,由服务区有关部门向供货单位追索损失。在供货单位未偿付损失金额前，所损耗数量、金额。列入“待处理损失”科目，收到供货单位赔偿款项后，冲销该科目的余额。

2.自然损失

自然损失是指资产在运输途中所发生的非人为造成的损耗，在验收确定后申请报损，单项金额在100元以下，由有关部门经理加具意见，会同财务审批；单项金额在100元以上，由有关部门报财务加具意见呈主任审批。

3.人为损耗

人为损耗是指资产在运输、使用过程中，由于不负责造成破损或丢失所产生的损失，应查明原因，根据当时的情况，由经办人担负经济责任或担负部分经济责任。应由有关部门经理审查，会同财务审批。经济损失在100元以上的，还应报主任审阅批示。

4.资产报废

资产在使用一定时期后，因磨损而失去使用价值时，经批准可办理报废，但必须说明原因，属人为残损，按情节分别由部门经理决定当事人该赔偿部分，其余部分填写报损单，由部门经理加具意见，报财务审查，报主任审批作报废处理。自然残损的报废，原值在100元以下的，由部门经理审批；原值在100元以上的，由使用部门报财务审查，呈主任审批。

(四)资产的维护及修理

(1)服务区要做好对资产的维护管理，确保资产的完好无损。

(2)资产的维护分为：小修、中修、大修三种，小修(日常维修)2 000元以下的由服务区负责，超过2 000元的报公司批复后实施。中修，大修根据年度计划编报预算报公司批复后实施。

(3)服务区要做好对资产维护、修理的台账管理工作。

(五)设备管理

1.设备、房屋管理的组织领导及重要性

服务区的设备种类和数量较多，且分散在各个部门，按其种类可分为：建筑物、给排水设备、供用电设备、修理设备、家具设备、通信设备、计算机设备、消防设备、安全设施、道路设备、车辆等。

服务区的设备、房屋是国有固定资产。它有效地使用、维护、修缮，可以降低损耗、折旧，延长其使用寿命，在充分发挥其效能的基础上，最大限度地创造经济效益，促进公司资产的增值。

建立合理的组织机构是高效率地开展服务区房屋、设备管理的组织保证。建立房屋、设备管理组织机构必须遵循服务区主任领导下的管理员负责制原则，房屋、设备管理员的职能范围包括房屋、设备的维修、成本控制、环保、节能、安全、改造和更新的经济评价及组织实施。

管理员对服务区所有设备、房屋按运行管理和维修分设的模式进行管理，其职能为运行管理、日常维修、计划检修，具体任务由服务区水电班承担。水电工作人员按各自分工落实任务，明确责任，提高设备房屋日常运行效率和完好率，抓好维修工作计划的落实。

2.设备房屋管理制度

服务区每个岗位，都有各自的设备、房屋管理职责范围，明确各自的岗位职责，建立设备、房屋管理岗位责任制，有利于增强员工的责任感和集体荣誉感，能充分调动员工的主观能动性，促进服务区设备房屋管理步入规范化、科学化的良性发展轨道，最大限度地发挥设备、房屋的效能，尽可能多地产生经济效益和社会效益。服务区设备、房屋管理各级岗位职责：

(1)管理员职责：贯彻执行服务区主任指示要求，负责服务区设备的全权管辖和调配，工程的组织实施，人员的管理；努力以最经济的设备寿命周期取得最佳的设备综合效能，提出设备、房屋更新改造方案和预算报告，请购物资等年度计划，提交上级审批；审定各班组工作计划，检查执行情况；组织制订各岗位规范和操作规程，并经常督促检查；抓好服务区的节能管理，开展节能技术革新和技术改造，努力降低能耗、物耗，节省费用；做好服务区设备使用人员的设备技术知识培训教育；建立设备管理的信息档案，收集整理有关工程和设备管理的信息。

(2)水电班长岗位职责：在管理员的领导下，主管配电房、照明、动力、弱电等所有电气设备以及设备机械维修、房屋修缮的全面工作，确保设备、房屋经常处于优良的技术状态下安全运行；每天巡查设备和工程现场；制订并贯彻用电等设备运行方案和安全操作规程，监督和检查其他部门安全、合理使用设备，定期组织人员维护；编制或审定各类电气设备、机械设备以及房产附属设施的检修计划和预防性试验报管理员，并组织实施监督执行。在设备发生故障时及时组织技术力量抢修；制订防止设备事故的措施和规章，并监督检查，及时制止违章、违规操作设备，参加电气设备事故和人身安全事故的处理和报告工作；负责设备技术资料的收集整理，完善技术资料，掌握技术发展动态，提出更新改造实施意见；负责编制设备管理培训计划，收集有关学习材料，组织专业人员和服务员等相关工作人员培训；编制配件采购计划，对采购的零配件进行集中管理，严格执行领用申报单制度；对较大项目的房屋维修工程，负责编制可行性分析报告，编制实施方案，并参与施工现场的工程监理；做好节能、环保等工作，最大限度地提高设备的有效使用率；做好考勤考核工作，填好设备维修等台账和每人的工作量，落实奖罚制度。

(3)水电工岗位职责：负责配电房、厨房、加油站、修理厂、泵房等设备的安全运行管理工作；严格执行安全操作规程，检查各种设备的零部件完好情况，发现异常及时维修，认真填写值班记录和工作日报表；每日巡查灯具、柜台等易损品，发现损坏立即领料更换；按照技术文件要求，正确使用维修工具、机具或专用设备进行修理作业；负责各种房屋设施的巡查、维护、保养，填制巡查表，向班长提出实施修缮工程的要求；指导各种设备的具体操作人员，对设备进行日常维护保养。

(4)财务人员岗位职责：贯彻执行上级主管部门对服务区发展基金、大修理基金等专项基金的管理和使用，贯彻执行各项政策法规，严格把关、督促合理使用；建立设备账卡，参与设备的盘点，保持账卡与实物相符，并与水电班的设备账卡相一致；参与服务区设备、房屋改造项目的可行性研究和实施计划的审议；拟定服务区内部各种设备维修费和能耗分配指标，定期考核、检查、统计和分析。

(5)其他人员岗位职责：认真执行上级主管部门和服务区有关设备管理的各项规章制度，积极配合水电班做好服务区设备房屋的维修保养和设备定期普查等工作；积极参加设备房屋全员管理活动，按章操作，做好设备的日常维护，管好、用好、保养好所属工作职责范围内的设备、房屋；节约能源，降低能耗；加强业务知识的学习，努力做到懂设备性能结构，懂操作使用，懂排除一般常见故障，懂安全防范措施。

3.设备的使用维护

服务区的设备使用管理，由专职管理员负责，具体使用由各经营承租单位和有关部门明确专人负责。使用人员应认真学习操作规程，按章操作，杜绝安全责任事故。

设备的维护，由使用部门保养、设备管理部门维修保养、设备销售商维修保养三个部分组成。

使用部门要根据设备管理部门提供的设备维护保养标准，制订工作守则和操作规程，要求每个操作人员持证上岗，并直接对使用设备进行检查和维护保养，随时注意设备的运转情况，发现异常及时处理，认真做好运行记录。

设备管理部门要根据各类设备的保养要求和实际使用情况、设备现状，制订出各类设备的定期检查、维护保养时间和内容，做好设备的小修保养工作。

设备出现较大故障，服务区自身技术力量无法满足维修要求，或专用设备出现故障，由设备管理部门通知经销商或专业维修单位上门维修，并建立维护保养卡。

在设备维修工作中，要抓好自修备件的管理，严格执行领料申报单制度，备件保养人员要定期检查，做好备件的防腐防锈工作，并加强对领用备件使用用途的监督管理。

(六)仓库管理

1.分仓核算

服务区按业务需要设立食品仓、百货仓，实行分部管理，分仓核算。

2.科学管仓

设专职人员，各司其职。各分配仓库负责人一名。建立、健全制度，执行有关规定，严格操作规程，严密各种手续，实行科学管仓，提高仓库管理水平。

(1)经收货部验收后，物品才可进仓，仓库管理员要认真核对物品品名、规格、数量、单价、金额，填制一式四联的进仓单。一联自存，一联交仓库记账员记账，一联由供应商作月结依据，一联送财务部结算货款和作入账的依据。

(2)发货出仓。根据预算计划，各部门凭“领料单”领用物品，经部门领导或主管签名，指定专人领用。非指定人员领货，仓库管理员有权拒绝发货。物品发货出仓时，由仓库管理员发出发货单(一式三联)，一联自存并据以记账，一联交领货人，一联定期汇集送财务部门。

(3)每种物品都需进行登记进、领、存数量，做到账物相符。

(4)合理堆放。合理安排仓位，要分类堆放，轻重物品不能混堆，挥发性物品不能同吸潮物品混堆。要坚持物品“先进先出”的原则，避免物品存放时间过长而出现变质霉坏现象。

(5)合理库存。要根据服务区核定的库存资金，实行定额管理，各类商品、物资的库存量，既要适合业务的需要，又要防止存量过多造成积压，占用过多的资金，做到库存合理、结构合理。

(6)退货与索赔。对量缺、质差等不合规格要求的物品,应拒绝收货,按有关规定,分不同情况采取补货、退换索赔等方法处理。

(7)记账及时。物品购进或发出,必须按照财务制度填制进仓单、领用单,及时登记入账。做到不错不漏,计算准确,账目清楚,完全符合记账规则的要求,保证账物相符。每月根据账面数编制月份进、耗(销)、存报表,于次月2日前连同出仓领用单送财务部门。

(8)定期盘点。月、季、年度盘点制度。盘点时必须认真细致点数、过秤,严禁虚报乱估,保证数目准确。发现物品出现短缺、溢余或变质情况,要认真查找原因,并及时向部门领导报告,按规定办理物品短缺、溢余或报损手续,并及时调整账目。

(9)做好"三防"工作。严格执行安全防范措施,坚持"无关人员不准进仓"的规定,下班要关好门窗,确保安全,万无一失。

(10)采用月结方式。原则上进货采用月结方式,对货到未付款的物品也要进仓入账,纳入财务监督,保证账物相符。

三、服务区人力资源管理

1.人力资源管理部经理调查问卷

在高速公路人力资源管理与开发研究中,我们对人力资源部经理进行调查问卷时,提出了以下一些问题:

(1)你所在公司人力资源管理实践中,是否进行岗位分析?

(2)员工对岗位分析是否有抵触情绪?

(3)如有抵触情绪,你认为是什么原因?(可多选)

影响薪酬、认为会减员、工作责任会增加、害怕考核等。

(4)公司人员招聘的主要渠道。(可多选)

院校、人才市场、网上招聘、地方招聘、企业内部招聘、内部职工推荐、中介机构。

(5)以下列举了人员招聘的十个资格条件,结合高速公路企业实际,你认为最重要的是那几项。

性别、学历、专业、年龄、外语程度、电脑水平、工作经验、个性、沟通能力、团队精神。

(6)你对本企业中层管理者的整体评价。

领导能力、决策能力、沟通能力、创新能力、业务知识、业绩。

(7)你对本企业一般管理者的整体评价。

工作质量、工作效率、团队精神、领导能力、沟通能力、积极性。

(8)你对本企业人力资源管理与开发的总体评价。

用人做到了人尽其才、员工录用有计划性、企业的人才储备、各种制度健全、考核科学有效、薪酬合理、员工的培训情况、对员工的评价公正。

(9)新员工职前是否进行培训。

(10)公司有没有培训与发展计划。

(11)你对员工培训项目的了解程度。

了解培训计划、了解培训计划及实施方案、了解培训计划及实施方案及具体培训内容。

(12)在培训过程中,管理层的参与程度。

(13)在过去两年,培训与发展项目的支出占高速公路运营收入的比例。逐年增加、基本保持不变、逐年减少。

(14)培训成本的承担。

公司、公司与个人按比例分摊、个人承担。

(15)公司有没有外派培训。

(16)本公司年薪的变化情况。

逐年增加、固定不变、减少。

(17)在招聘员工的过程中,你是如何看待有个人期待薪酬的?

不考虑录用、评估后再确定、优先考虑录用。

(18)绩效考核对薪酬的影响。

(19)以下有一些因素,这些因素会对你的工作产生激励,根据激励的效果,选择影响最大的几个因素。

成就感、认可度、工作吸引力、人际关系、企业发展、报酬、领导工作作风、工作条件。

2. 职工调查问卷

对高速公路运营企业职工我们也设计了以下调查问卷。

(1)个人基本情况。

所属部门、职务、工作内容、教育水平、本职业经历时间、经历过几种岗位、年薪等。

(2)当前工作是否适合你?

(3)你是通过何种渠道进入公司的?

院校、人才市场、网上招聘、地方招聘、企业内部招聘、内部职工推荐、中介机构。

(4)你认为薪酬是否合理?

(5)根据你的岗位,对以下内容的清楚程度进行选择。

工作内容、工作责任、工作目的、工作标准、工作流程、工作规范。

(6)你了解以上内容是通过以下何种渠道?

工作说明书、培训、自学、其他渠道。

(7)你认为你的部门当中工作分配是否合理?

合理、基本合理、不合理。

(8)你是否参加过企业的培训?

(9)你希望接受什么样的培训?

企业内部本职业培训、内部职业发展培训、外派培训。

(10)员工是否进行自评。

(11)以下有一些因素会影响你工作的满意度,按照影响程度请排序。

有较多的锻炼成长机会、工作环境和氛围好、有较大的成长空间、个人兴趣、薪资待遇好、领导重视。

(12)以下有一些因素,这些因素会对你的工作产生激励,根据激励的效果,选择影响最大的几个因素。

成就感、认可度、工作吸引力、人际关系、企业发展、报酬、领导工作作风、工作条件。

(13)关于对公司的满意度,我们设计了一些因素,请根据你的真实想法进行选择。(可分为满意,较满意,不太满意,不满意)

公司在行业中的竞争力、公司在顾客中的形象、公司在社会上的知名度、公司发展前景、工作场所舒适、同事之间关系融洽、与主管(上级)的关系良好、你的努力得到及时肯定、公司提供适当的教育训练、未来能得到较好的工作机会、工资收入居同行之先。

(14)如果你对岗位分析有抵触,你认为是什么原因。(可多选)

影响薪酬、认为会减员、工作责任会增加、害怕考核。

3.顾客调查问卷

对顾客我们按照满意程度,主要设计了以下一些问题作为调查问卷。

(1)文明服务方面:①高速公路员工的精神状态;②高速公路员工的仪容仪表;③高速公路员工的工作态度;④高速公路员工的行为规范;⑤高速公路员工的职业道德;⑥高速公路员工的纪律性。

(2)业务技能方面:①高速公路员工的工作能力;②高速公路员工的工作效率;③高速公路员工的工作技巧;④高速公路员工的创新能力。

4.通过调查确定管理现状和内容

通过以上调查问卷的内容可以反映高速公路人力资源管理的主要现状及内容。

(1)高速公路人力资源管理的主要内容:①岗位(职位)分析,包括岗位描述、任职说明;②人员招聘;③培训管理;④绩效管理;⑤薪酬管理;⑥员工满意度。

(2)对人力资源管理的评价,包括内部评价和外部评价,外部主要可通过顾客满意度对高速公路服务区员工的职业素养、业务技能和服务态度等方面评价。主要从以下3方面进行评价:

①仪容仪表。指对高速公路服务区员工的仪容仪表,如员工能否按照公司的规定着装,行为举止是否规范、大方、得体,形象上能否符合岗位的要求等进行评价。该指标能反映被评价企业员工的精神风貌和职业素养。高速公路服务区管理一般采用半军事化管理,其员工须经常保持衣着整齐清洁。男员工须发应常修剪,发脚长度不能盖及耳部与衣领为宜;女员工之发型与仪容宜保持淡雅,饰物则限于手表、戒指等。有统一工作服装的部门员工必须穿着统一的服装上岗。员工在工作期间应做到精神饱满。

②文明服务。指对高速公路服务区与顾客接触的服务员工在服务过程中是否做到文明、礼貌等进行评价。如举止文雅、说话和气、态度热情、礼貌待人,坚持使用规范的文明用语等。该指标是反映服务人员的文化素质和职业道德素质状况的一个标志。服务人员在工作过程中,要坚持文明服务,规范服务,应把全部精力放在为司乘人员和车主的服务上。在工作期间,不聊天,不看书报,不做私事,不和顾客吵架。要坚决杜绝类似出言不逊,待人不恭,开口骂人,甚至动手打人等不愉快、不文明行为。

③业务技能。指对高速公路服务区员工业务娴熟程度的评价。高速公路服务区服务员工业务技能水平、娴熟程度直接影响其服务质量。该指标反映出员工的综合业务能力。因此服务人员熟练掌握各项操作规程、运作程序和业务技巧,服务工作做到又快又准;服务人员要熟悉与业务有关的法规和制度,执行相关政策,遵守纪律,执行标准;服务人员熟练掌握做好业务工作应知应会的内容和工作实例,出色完成任务。

5.服务区人力资源管理理念

(1)以人为本进行管理。在人、财、物诸因素中,人是首要因素,人应该成为企业管理的出发点和归宿点。

对内,尊重员工,关心员工,千方百计调动员工的内在积极性、创造性。

虽然信息、财务、人力资源、安全、服务、技术等工作非常重要,但要靠人去驾驭、靠人去创造。所以,人应该成为关注的中心,工作的重点。树立起一切为了职工、一切依靠职工、全心全意为职工服务的宗旨。只有充分激发员工的主人翁精神,才能齐心协力渡过难关,企业才能得到更大的发展。企业与员工之间不仅仅是雇佣与被雇佣的劳动和金钱关系,而且也是共同的创造者。所以要充分考虑员工的多层次需要,尽量创造员工自尊和自我实现需要的得到满意的良好环境。促使员工创造出远远超越他们报酬的价值。在知识经济时代需要创新,而创新的主体是人,人才的竞争将成为未来竞争焦点,所以实行以人为本的管理其意义极为深远。

对外,要以用户(驾乘人员)为中心,关心用户,时时处处为用户着想,树立"顾客就是上帝,顾客就是衣食父母"的观点和企业宗旨。企业全体员工要真正认识到,顾客是企业生存的前提,了解顾客的需求,满足顾客的愿望是企业永远追求的目标。

(2)下功夫培育企业员工的共同价值观。人的行为无不受观念和感情的驱使,只有员工群体协调一致的努力,企业才会赢得成功。协调一致的群体行为依赖于共同信守的价值观的培育。

(3)企业制度与共同价值观协调一致。企业的内部管理制度,对员工来讲是外加的行为规范,它与内在的行为和道德规范——群体价值观是否一致,是衡量一个企业是否真正确立和文化管理的观念。存在决定意识,不同的制度强化了不同的价值观。平均主义的分配制度强化"平庸"和"懒汉"的价值观。按劳报酬的分配制度强化了"进取"和"劳动"的价值观,真是泾渭分明。

6.服务区人力资源管理实践

当今的经济日益呈现出全球一体化的发展趋势,跨国公司把企业做大做强,眼光盯在全球各个角落,力求将全世界的资源为我所用,达到最佳配置,从而以一定的投入实现产出最大化,创造日益雄厚的财富。那么谁在配管这些全世界的劳动力、自然资源、资金呢?在这些人、财、物资源中,哪个因素起决定性作用呢?显然,人是第一位的,首先是组织资源最佳配置的人力资本,其次是作为生产力第一因素的具有一定劳动技能的人。由此可见,在激励的市场竞争中,谁拥有人力资本和人力资源,谁就能占住市场,求得生存与发展。

人力资源管理是将影响员工的行为、态度以及绩效的各种政策、管理实践以及制度。人力资源管理实践包括:人力资源规划、招聘员工、挑选新员工、培训员工如何完成他们的工作以及开发员工为将来做好准备,向员工提供报酬,对员工的工作业绩进行评价以及创造一种积极的工作环境和人际关系。

(1)确定人力资源的需求质量和数量。服务区建成,或经营项目一经批下来,公司便能确定需要多少个岗位,从而决定需要多少不同岗位的员工。

(2)确定所需不同工种人员的来源。一部分来自企业内部,通过内部竞争上岗产生;另一部分来自社会,需通过广告或业内关系发出招聘信息。

(3)招聘培训及使用程序(指对外部)

媒体广告→招聘洽谈会→笔试→面试→体检→审核→理论培训→技能操作培训→综合考试→实习→验收→上岗→末位待岗淘汰制→二次分配工作。

在这个过程中要注意以下几个环节:招聘的工作人员素质;招聘对象的条件和标准;培训的内容;实习的要求;上岗后的工作标准和业绩管理;末位淘汰人员转岗竞争,激励员工努力工作,要规范化和标准化;对不称职的员工务必要再教育。

高速公路服务区是是窗口服务行业,服务质量优劣,代表高速公路整体形象,质量决定了公司的生存与发展。而员工的素质是服务质量的决定性因素,所以在人力资源管理上要创新,兼顾各方面利益,审时度势,切不可感情用事,也不能盲目管理,要有战略,有目标,有计划,有策略,从而推动公司良性发展,实现企业和个人的最大价值。

在人力资源管理实践中,还要加强对员工的管理和培训。

(1)员工的管理

将激励和竞争机制引入对员工的管理。管理人员实行管理技能等级制,员工实行服务技能等级制,制订相应的等级标准和各岗位的工资待遇标准。

管理人员实行管理技能等级制。管理人员在上岗前要进行初级考评,考评内容为领导艺术、企业管理、必备的财务知识和专业技能等,考评合格者方可上岗。同时,依据考评情况确定管理技能等级,级别依次为三级、二级、一级。对考评通过、走上工作岗位的人员,要进行追踪考核,发现责任心不强,管理松弛,不能创造性的发挥聪明才智,业绩平平者,予以下调一个等级。

员工实行服务技能等级。新员工要持岗前培训合格证上岗。根据岗位服务技能划分,评定三级、二级、一级三个等级,每隔一定的时间进行一次考评。对一级员工每年择优按一定比例转为全民合同制工人,以保持员工队伍的稳定和补充管理队伍的不足。员工的等级考评只是服务质量保证的起点,而员工的在岗考核则是保证服务质量的有力手段。对出现的服务质量问题,尤其是影响企业声誉的,要视情节轻重进行处罚,给予下调一个等级或下岗强化培训。

(2)员工的培训

员工培训的目的是培养和训练一支具有现代企业管理知识和领导科学知识,有强烈的责任感和事业心,业务素质高的员工队伍。培训的内容包括政治思想教育、职业道德教育,餐厅、旅店、修理厂、商场、加油站的服务规范,服务心理学、服务美学等。培训的方式分为岗前培训、在岗培训、下岗培训,组织员工到同行业参观学习,请专家讲课,选送骨干员工代培,部门主任辅导等方式。

四、服务区的安全生产管理

建立健全各项安全保卫责任制度、岗位责任制度。成立以服务区经理为组长的安全领导小组,安全保卫工作责任落实到人,逐级签订安全责任状。形成安全组织网络下,一级管一级,具体落实到人。加强对全体职工的安全意识教育,防患于未然,并对保安人员进行必要的岗位知识、技能培训。各种安全设备、设施,按照消防、安全部门的要求备齐备足,保证完好可用。加强对旅店的安全保卫工作,防止各种违法犯罪的发生。加油站、修理厂等重点防火部位,消防设施要完备,应设明显禁火标志,加油站有进站须知。全区每个监控点应绘制平面图,在每个监控点要贴上标识,各种设备的操作要严格按操作规程进行。

(一)组织体系

(1)服务区必须成立安全工作委员会或安全工作小组,人员到位,责任明确。

(2)服务区必须设兼职安全员。

(3)服务区必须建立健全各类人员安全生产岗位责任制,完善各类安全操作规程,安全工作管理制度,重大安全事故的应变措施(预案)。

(4)服务区从上到下要建立安全管理网络,纵向到底横向也到底,不留安全管理死角,做到事事有人管,层层有人负责。

(5)安全管理机构要经常举办活动,贯彻上级有关安全工作指示精神,开展各类安全竞赛活动,安全知识培训,强化安全意识,杜绝安全事故。

(二)安全生产规则

(1)各级经营管理人员,在经营过程中,必须坚持"管生产必须管安全"的双管原则,严格执行安全生产责任制。

(2)服务区必须建立安全管理组织体系,形成安全管理网络。

(3)服务区各类人员上岗、转岗必须经过安全培训,特殊岗位必须持有国家劳动部门颁发的上岗许可证。

(4)当班人员必须遵守劳动纪律,按时上下班,上下班做好交接班工作,认真填写交接班记录。

(5)遇特殊天气,服务区应及时将有关情况上报公司。

(6)严格执行事故上报的有关规定,按程序逐级上报,不得拖延时间。

(7)服务区要做好突发事件的处理预案,尤其是防火、防盗抢、危险品的泄露等重大险情的预案,并有计划地组织演练。

(三)供水供电设施安全管理

坚持周而复始的设备维修保养制度,严格按三干净:设备干净、机房干净、工作场地干净;四不漏:不漏电、不漏油、不漏气、不漏水;五良好:使用性能良好、密封良好、润滑良好、紧固良好、调整良好的标准检查维护,确保服务区 24 小时不间断供水供电。

(1)加强政治业务知识学习,熟练掌握职责范围内的各类设备的内部结构及工作原理,严格遵守安全操作规程,能快速准确地操作设备。

(2)值班人要经常巡视高低压柜,变压器、空调机等设备运行情况,做到四勤:勤看、勤听、勤闻、勤问。如发现问题,应及时上报主管,同时采取有效、安全的措施,迅速排除故障,确保供电供气。

(3)做好发电机组的日常保养工作,使机组始终保持在热备状态,确保通信机房电源的可靠性,以及正常的经营生产。

(4)做好水泵、消防、给水、卫生洁具等各项设备设施的日常保养工作,消灭"跑、冒、滴、漏",确保供水系统的安全、可靠、清洁生产。

(5)积极做好供水供电系统的事故隐患的排查和整改工作,定期对事故预案进行演练,补充预案,确保突发事件发生时能有效处置。

(6)定期做好漏电保护器的校验工作、保护接地的检查工作,线路设备绝缘的检测工作,确保供水供电的安全生产。

(7)根据不同季节、不同气候,合理调整广场照明、室内照明、空调机的开启数,尽可能地节约用电,降低消耗。

(8)做好各种台账记录,确保各类数据的真实性、准确性。

(四)消防设施的安全管理

(1)定点。对消防设施必须按其性能和配置做到定点、固定位置、绘制平面示意图,并且要求防撞、防碰、易取,保证无障碍停放和堆放,不得任意拆卸和挪作他用。

(2)定人。对消防设施的维护保养,应专人负责并做好相应的台账。

(3)定目标。对消防设施必须进行每天检查、定期保养、更换、保持清洁干净,确保消防设施的效力和完好达100%。

(4)定责任。设立专职安全员对消防设施的维护和检查,对检查结果要做好记录,发现隐患及时上报。

五、服务区文化的创建

高速公路里程长,其服务区的员工来自不同的地区,其文化背景也各不相同,服务区从事的岗位一般都是窗口行业,如何为驾乘人员提供优质的服务,对公司始终忠诚,与公司同舟共济,往往管理制度是无法做到的,而企业文化能做到这一点。企业文化是企业全体员工在长期的创业和发展过程中培育形成并共同遵守的最高目标、价值标准、基本信念和行为规范。

(一)企业文化的结构

企业文化的结构分为三个阶段,即精神层、物质层和制度层。精神层主要是指企业的领导和员工共同信守的基本信念、价值标准、职业道德及精神风貌。精神层是企业文化的核心和灵魂,是形成物质层和制度层的基础和原因。企业文化精神层包括6个方面内容:

(1)企业最高目标。企业发展战略目标是企业全体员工凝聚力的焦点,是企业共同价值观的集中表现,它反映了企业领导者和员工的追求层次和理想抱负,是企业文化建设的出发点和归宿点。

(2)企业哲学。企业哲学是在企业长期的生产经营活动中自觉形成的,并为全体员工所认可和接受,具有相对稳定性,它的形成是由企业所处的社会制度及周围环境等客观因素所决定的,同时也受企业家思想方法、政策水平、科学素质、实践经验、工作作风以及性格等主观因素的影响。企业哲学是处理企业日常经营管理过程中发生的一切问题的基本指导思想和依据。

(3)企业精神。它是企业有意识提倡、培养员工群体的优良精神风貌，是对企业现有的观念意识、传统习惯、行为方式中的积极因素进行总结、提炼和倡导的结果，是全体员工有意识地实践所体现出来的。因此，企业文化是企业精神的源泉，企业精神是企业文化发展到一定阶段的产物。

(4)企业风气。企业风气是约定俗成的行为规范，是企业文化在员工的思想作风、传统习惯、工作方式、生活方式方面的综合反映。

(5)企业道德。指调节职工之间、职工与企业之间、企业与制度之间三方面关系的行为准则和规范。道德与制度都是行为准则和规范，但制度具有强制性，而道德却是非强制性的。一般来讲，制度解决是否合法的问题，道德解决是否合理的问题。

(6)企业宗旨。这是指企业存在的价值及其作为经济单位对社会的承诺。对内，企业要保证自身的生存和发展，使员工得到基本的生活保障并不断改善他们的生活福利待遇，帮助员工实现人生价值；对外，企业要提供优质的服务，满足消费者的需要，从而为社会的物质文化和精神文化的进步做出贡献。服务区倡导“环境留人、事业留人、情感留人、机制留人”，广泛吸引各种人才，促进公司长期发展，是企业宗旨的体现。

制度层规定了企业员工在共同的生产经营活动中应当遵守的行为准则，主要包括以下三个方面。

(1)一般制度。指企业指导日常工作的工作制度和管理制度以及各种责任制度。这些制度对员工的行为起着约束的作用，保证企业分工协作，井然有条，高效地运转。例如计划制度、生产管理制度、服务管理制度、技术管理制度以及设备管理制度、人力资源管理制度、物质供应管理制度、财务管理制度、生活福利管理制度、奖励惩罚制度、岗位责任制度等等。

(2)特殊制度。能够反映一个企业的管理特点和文化特色的非程序化制度，如目标管理责任制度、末位淘汰制度、年度达标升级制度、全员培训制度、年度最佳员工评选制度等等。

(3)企业风格。这是指企业长期相沿、约定俗成的典礼、仪式、行为习惯、节日活动等。如企业文化艺术节、体育比赛等等。

物质层是企业文化的表层部分，它是企业创造的物质文化，是形成企业文化精神层和制度层的基本。从物质层中往往能够折射出企业的经营思想、管理哲学、工作作风和审美意识。它主要包括下述几个方面：

(1)企业名称、标志。

(2)企业的场容场貌、绿化美化、污染治理等。

(3)产品的特色、式样、外观和包装。

(4)技术工艺设备特性。

(5)厂徽、厂旗、厂歌、厂服、厂花。

(6)企业的文化体育生活设施。

(7)企业造型和纪念性建设。

(8)企业纪念品。

(9)企业的文化传播网络,包括企业自办的报纸、刊物、有线广播、闭路电视、计算机网络、宣传栏、广告牌、信息公开栏等等。

综上所述,企业文化的三个层次是紧密联系的,物质层是企业文化的外在表现和载体,也是制度层和精神层的物质基础;制度层则约束和规范着物质层及精神层的建设,没有严格的规章制度,企业文化建设便无从谈起,精神层是形成物质层和制度层的思想基础,也是企业文化的核心和灵魂。

(二)企业文化的作用

1.凝聚力

即用共同的价值观和共同的信念使企业上下团结一致,众志成城。企业要在市场竞争中谋求发展,不仅需要物质力量,同样也需要精神力量。良好的企业文化,扮演的角色就是强大的精神力量。它能将一盘散沙与卵石凝聚成坚固的混凝土。通过培育企业文化,树立价值理念和企业精神,使员工树立个人奋斗目标,创造业绩,充分体现自我价值,从而激发了员工的工作积极性和拼搏奉献的精神。

2.激励力

即激励员工向困难挑战,向自身挑战。优秀的企业文化一旦形成,并向良性发展,在企业内部就会形成一个良好的工作氛围,企业文化的激励作用就能达到物质激励所不能达到的作用,使企业的全体员工产生责任感、荣誉感和进取心,激励员工与企业同呼吸、共命运。如京沪高速在员工中灌输“京沪人”的意识,企业有意识地培养一些有利于企业发展的健康的企业文化,这样会使企业充满活力。

3.约束力

指形成文件的或约定俗成的规章制度对每一个员工的思想、行为起很有力的约束作用。

4.导向力

即企业把员工导向一个预定的目标。企业文化的导向作用使企业不再是因相互利用的需要而聚集起来的群体,而是由一群有着共同的价值观、精神状态、理想追求的员工凝聚起来的组织。

5.融合力

指对员工进行潜移默化的引导,使其自然而然地融合于团体之中。员工的共同价值观念一旦形成,产生强制性的规范作用,但这种强制性一般员工是感觉不到的,因为他们总是极其自然地与文化要求的行为和思想模式保持一致。但是,这种强制对于新员工来说,好象一只无形的手拉着他朝着既定的目标前进,逐渐融合到这个文化中去,这就是融合作用。

6.辐射力

即企业文化不但对企业本身产生巨大影响,而且也对社会产生巨大影响。日本人注重企业文化,注重职工所共同的价值理念,注重强化职工对企业的向心力和忠诚度,注重企业中的人际关系,这是日本企业管理的核心特色,这种企业文化使日本经济腾飞。

(三)企业文化适应性

在高速公路经营评价指标中,有一项是企业文化适应性,主要是指对高速公路营运管理企业的企业文化和经营理念是否支持企业适应外部经营环境和实现高速公路的社会和经济效益。

高速公路营运管理企业的企业文化对本企业不断地适应市场竞争,充分发挥高速公路的社会和经济效益有着重要的影响。企业在服务承诺、管理决策和生产活动中,是否体现顾客满意的经营理念和宗旨。企业文化的类型(强力型文化、策略型、适应型等)是否支持该企业的管理和运作,企业的物质文化,企业形象标志、设施设备、文化生活和活动、办公环境等是否与本身提倡的企业文化和谐,企业的管理制度和规章是否体现了企业文化,企业员工的精神面貌和言语行为的假设是否与企业文化一致。这些均对企业的运营服务质量有直接的影响。评价企业文化适应性有以下要点:

(1)是否有明确的顾客服务标准和承诺。

(2)企业文化的类型与该企业的管理和运作相配套。

(3)观察企业的物质文化,企业形象标志、文化生活和活动、办公环境等。

(4)评价企业的规章制度是否与企业文化相一致。

(5)观察企业员工的精神面貌,查看企业开展的精神文明活动。

(6)企业的业务流程是否以服务顾客为目标而设计。

(7)有无具体可行的质量控制手段和措施。

第三节　高速公路服务区管理体制

一、高速公路服务区管理体制、内容、模式

(一)服务区管理体制

我国高速公路建设投融资体制改革取得了巨大的成绩,多层次、多渠道、多形式的投融资体制为高速公路大发展筹集了大量的资金。在今后相当长一段时间，我国的大多数高速公路要走收费经营有偿使用的道路，而服务区的管理是高速公路管理的一个组成部分，与高速公路管理体制问题一样，建立科学合理的服务区管理体制是很关键的问题。要建立高效的管理体制，首先应做到政企、事企分开，产权明晰，权责分明。其次，这种体制必须服从全路的整体管理目标，以整个高速公路网的高效、安全运营为出发点。最后，这种体制还能够随着高速公路的发展和各种社会经济因素的变化做适应性改革和调整。根据宏观上管理、微观上搞活的指导思想，高速公路行政主管机关或管理机构应统一负责对辖区内高速公路网的服务区规划、设计、建设，负责对其产权监督、检查，并协调高速公路各有关经营主体的关系。服务区经营企业具体负责生产经营服务活动的运转，负责国有资产保值增值，提高服务水平和效益，并接受高速公路管理机构的监督指导。

高速公路实业总公司具有法人资格,对高速公路沿线服务区实行统一领导,分级管理,各服务区实行自主经营,独立核算,自负盈亏。总公司确定各服务区实行目标经营管理责任制,服务区依照总公司制订的各项指标,全面开展经营管理活动。

1.高速公路实业总公司经理的职责

自觉执行党和国家有关的方针、政策、法规、法令;在高速公路主管部门的领导下,对总公司实行经营管理;组织和考核各服务区经理、副经理的工作并决定任免;组织测算各服务区的经营管理指标;建立和健全企业各项规章制度,并监督执行,负责对国有资产的保值和增值;完成上级部门下达的

利润指标。副总经理是在总经理领导下开展工作,创造性地完成总经理交给的各项工作任务。

2.高速公路实业总公司各部门职责

办公室负责总公司的行政事务及文秘工作;管理部是对服务区综合管理的重要职能部门之一,负有对各项工作的检查、指导和监督等职责,为领导制订方针、政策和重大决策当好参谋;财务部负责财务管理工作,包括财务审计、指标测算、财务管理办法的制订和监督执行等;人事劳资部负责制订员工的管理方案、培训计划和岗位技能工资的确定;保卫部负责制订逐级安全保卫责任制,并监督执行。

(二)服务区的机构设置

服务区设经理一名,副经理一名,同时设办公室、财务部、保卫部等职能部门和餐厅部、旅店部、商场部、修理厂、加油站等经营部门。服务区经理的职责是在总公司领导下,独立开展经营活动,建立逐级目标责任制,完成总公司下达的经济指标和质量指标;考核任免本服务区的各部门主任;检查监督各项制度的执行落实情况;负责对国有资产的保值并增值。副经理的职责是在经理领导下开展工作,完成领导交给的工作任务。

服务区的负责人员应该具备独立工作的能力,并具有比较全面的经营管理知识,掌握有关的各项法律、法规和政策,对服务区的发展要勇于开拓和探索。

一般服务区应设以下几个部门:财务部、后勤部和业务部。业务部包括餐厅、旅店、商店、修理厂和加油站等的管理工作;后勤部负责后勤保障和停车场区与公共厕所等公共项目的管理工作;财务部负责整个服务区的财务管理工作。各部门的管理人员必须能够掌握较为系统的专业知识,以保证各部门的服务水平。

服务区的普通工作人员一般以合同工为宜,其特点是易于管理,保证服务队伍的年轻化,服务区工作人员都要经过培训后上岗。

(三)服务区的管理内容

服务区的管理内容主要包括:服务区设施的优化布置,合理使用,经常性维护与修缮;保证全部设施正常发挥作用,不断提高其完好率、利用率,获得最佳效益;建立健全各类设施管理制度与责任制度,确保服务水平、服务质量不断提高。

1. 创建文明服务区

服务区投入运营后，在起步阶段服务区就应该融入创建文明服务区活动中，把提高服务质量、以客户为中心作为服务区的服务宗旨，在较短的时间内完善服务区服务项目，形成集餐饮、购物、住宿、娱乐休息、汽车修理、加油一条龙的服务模式。在服务区的商品引进上注重名牌效应，充分体现服务区及周边地区的名优特色商品。

2. 强化内部管理

服务区应该着重强化内部管理，建立一整套管理制度和岗位责任制，严格按 ISO9002 质量体系运营，向社会公开做出质量、卫生承诺，设置意见箱、公布监督电话，随时接受投诉。服务区员工应接受相关培训，提高职工的综合素质。

3. 提供免费便民设施

服务区应该建立广播系统、设立小药箱、雨伞、遮阳板、水桶等免费便民设施，为过往司乘人员提供服务，取得良好的社会效益和经济效益。

(四)服务区的管理模式

高速公路服务区模式多数是实行企业自主经营、独立核算、自负盈亏、自我发展、自我完善的企业化管理模式。

随着时代的发展，特别是在市场经济形式下，高速公路以及服务区的投资形式将多种多样。而随着投资形式的变化，服务区的管理体制和模式也将会发生许多变化，有股份制、合资以及连锁店的经营形式，但无论如何，服务区的服务宗旨必须坚持。因此，对于各种企业化模式在指标测算、承包(或租赁)期限等各方面均应极力避免短期行为，杜绝一味追求经济效益的现象。

高速公路服务区运营，只有走企业化经营方向才会有强大的生命力。一方面，高速公路管理机构要进行行政管理和宏观调控，坚持统筹规划，合理布局，避免盲目建设。各服务区服务的内容、方式、收费标准，应由全路管理部门统一领导、规划，防止各行其是、偏离服务宗旨，保证高速公路安全、高速、畅通；另一方面，服务区经营企业应为一个独立的经济法人实体，实行自主经营，独立核算，自负盈亏，自我约束，自我发展。服务区企业，应坚持与高速公路经营、管理相配套的宗旨，坚持服务质量第一，文明经营，并不断完善服务设施和服务内容，美化服务环境。服务区的经营方式决定了其管理模式的选择，服务区的经营方式有以下几种。

1.公司化

由高速公路管理部门成立以经营管理服务区为重点工作的高速公路服务区开发经营公司。公司对服务区实行系统化、专业化管理,对服务区在经济上实行收取管理费和折旧费的方式管理,在行政上对服务区的人、财、物予以控制,并对服务质量管理予以约束。

高速公路服务区开发经营公司负责对全线服务区一切经营活动的管理。按照统一领导、统一计划、统一经营、统一核算和责、权、利相结合的原则,下设若干分公司。服务区的扩建、完善也交由开发经营公司负责,这样有利于服务区的滚动发展。

2.实行特许经营

由于特许经营是高速公路的运营发展方向。可以把高速公路服务区设施,交给或优先交给特许公司经营和开发。特许公司根据规划和业务量的增长可进一步扩建、改善服务区布局和规模,并对服务区的建设、维修及以后扩建的投入负责,由行政机关监督管理。这样,可以激发经营者投资热情,增强特许经营企业的经营积极性、主动性,便于高速公路整体化运营,并在特许经营期满后与高速公路一并收归国有。

3.实行租赁经营制

将统一规划建设的服务区设施租赁给各个经营者,由经营者自主经营。公路管理机构按租赁合同约定,对经营者进行监督、指导,并收取租金归还建设投入的资金。

4.实行联合投资建设,公司制订经营办法

联合投资建设是在保证服务区资产不流失和服务质量不断提高的前提下,经营一定年限获取一定利益后,收归国有或继续经营,按比例分成。

5.服务区经营权拍卖

以往高速公路服务区大部分都是由高速公路实业总公司来自行经营,而今为了改变经营机制,进一步充分发挥服务区现有设备的经济效益和社会效益,提高服务区的管理水平,可以采用拍卖的形式。如2003年,我国河北省首例以拍卖的形式出让高速公路服务区经营权的拍卖会在张家口市拍卖行内举行,随着拍卖的锤声先后两次响起,该市联合石化公司以每年252万元的高价买下了宣大高速公路化稍营、阳原服务区3年的经营权。

6.一体化经营管理

大力推进高速公路服务区一体化经营管理战略,是改变过去服务区管理各自为政的好办法。广东省高速公路服务区投资主体多,各条高速公路都是单独规划建设和经营服务区，效益好的服务区大家抢着经营管理，效益差的就无人管理，因此按一路一业主的建设管理模式来经营服务区，不利于提高对路网整体资源的综合利用。

事实上，以上只是粗略说明，服务区的经营方式由于高速公路的建设、经营、管理体制的差别会有很大差异。随着高速公路网的形成及高速公路经营、管理体制趋于完善，加上经济发展等因素，服务区的经营内容、经营方式将会有一个不断探索、发展完善的过程。

二、高速公路服务区管理体制的改革与发展

我国高速公路建设已进入快速发展时期，目前通车里程已跃居世界第二位。与不断增长的里程相比，我国对高速公路的管理却相对滞后。国家仍没有专门的高速公路管理体制和法规，部门扯皮、职能交叉、政企不分等问题，给理应高速运行的高速公路埋下不安全隐患，造成高速公路的低效运行。

(一)高速公路服务区经营管理体制的分类

我国高速公路管理体制的形成与高速公路的发展阶段密切相关。20世纪80年代前期，国家对扩大公路建设资金来源采取了一些重要措施，如同意提高养路费征收标准，开征车辆购置附加费，允许用集资或贷款方式建设高速公路，并用收取通行费的收入偿还建设资金。这些政策为我国发展高速公路开辟了道路。从我国大陆第一条高速公路——上海沪嘉高速公路1988年10月建成通车至20世纪90年代初期，我国陆续建成了广佛、沈大、京津塘、广深等一批高速公路。这一时期的高速公路管理体制主要是针对局部段落的管理来设置机构，一路一局(处)、或一路一公司等，服务区经营管理也沿用了高速公路的管理模式。

管理体制是指相互联系、相互制约的各组织机构之间的格局、配置和管理权限与责任划分的制度。高速公路服务区经营管理体制是指适应其经营特点，符合其管理内容、便利其服务对象的高速公路服务区的机构设置及其权限与职责划分的制度。也即，高速公路服务区经营管理体制是指高速公路服务区经营的组织制度，包括机构设置、工作职能和运行方式。高速公路服务区经营管理体制是高速公路现代化管理的一项内容，它关系到高速公路服务区的建设、经营的各个方面。建立一套适合国情的高速公路服务区经营管理体制，可以加快高速公路建设的进程，节约资金，发挥高速先进的

功能,提高高速公路运营的社会经济效益。同时有利于高速公路服务区经营效益。针对高速公路服务区经营特点,建立管理规范、运作高效的管理体制,制订完善、灵活的经营机制是发挥高速公路服务区经营效益的有效措施。

按管理权限一般可分为集中管理型和分散管理型两类。

1.集中管理型

成立高速公路经营发展公司对沿线服务区实行统一管理,这是目前比较认同的做法。这有利于加强高速公路服务区经营的统筹管理和领导,有利于充分发挥高速公路经营的投资效益和运营效益。

2.分散管理型

按不同高速公路服务区分别成立专门的经营管理机构,就是通常所说的“一区一公司”。这种体制在目前状态下管理比较顺畅,也较符合传统。它能够较好地适应多种资本运营方式的管理,例如采用 BOT 方式、股份制、转让经营权等的运营管理。这种方式的缺点是不利于统一行业标准及行业规范,不利于高速公路服务区的统一调控,对连锁式经营、规模化经营不利。

按高速公路服务区运营性质划分为事业管理型、企业管理型和事业单位企业化管理型。

1.事业管理型

采用自收自支形式,实行收支两条线管理,经营收入全额上交上级主管部门,运营管理经费根据年度计划由上级主管部门审批划拨。这种体制具有较强的计划性和行政管理性,较易于体现高速公路运营管理的政府职能,体现服务区的社会职能,但行政干预范围较大,独立行使自主权限较小,服务区运营效率低,缺乏活力。特别是当前,面对高速公路经营管理逐步走向市场的新形势,这种方式已不再适应今后发展的方向。

2.企业经营型

完全采用企业公司运作方法,在经济上实行独立核算、自负盈亏,虽受上级部门领导,但本身是较完善的经济实体。这种体制在人事、财务、经营等各方面有较强的独立自主权,较易于通过自主经营实现自我发展。如广东、四川、江苏等省的高速公路股份有限公司下属的服务区一般采用企业经营型。

3.事业单位企业化管理型

在机构设置及经费使用上,基本沿用事业管理型模式,在财务核算上借助于公司核算方法的某些优势,并根据核算方式的侧重不同,形成准事业型或准企业型的管理。这种体制综合了上述两种体制的优点,便于行使政府职能,利于搞活经营管理。在一定的时期内,对高速公路服务区经营管理起到了积极作用。但这种体制在用人、权责、管理机制等方面无法真正按照现代企业制度独立运作,易造成大量冗员、资金浪费等现象。

按管理内容范围划分分为建管一体型和专门管理型。

1.建管一体型

从筹资贷款、设计施工直至经营管理均进行全权负责。

该型式的优点为:具有较好的统筹兼顾性:作为企业法人因为兼顾建设和经营的重任,所以很多方便服务区经营的设施和方案在设计规划和施工期间就已经给予较充分的考虑,较好地解决了设计、施工和经营在设施上的脱节问题,有利于管理的一致性和持续性。

有利于降低工程造价:由于这种体制决定了建设和经营管理是同一个法人,因此,无论在设计方案上,还是在施工管理上,业主都会把造价控制作为一个工作重点,在建设期通过建设管理降低工程成本,减少后期运营管理的还贷压力。

有利于提高工程质量:由于工程质量的优劣对运营管理后期养护费用支出有很大影响,同时,质量的好坏直接影响经营效益和社会效益,作为法人来说在建设期会把质量控制作为头等大事来抓,有利于提高整体工程质量。

有利于提高经营者的经营意识和服务水平:从设计施工到运营管理,管理者对服务区的每一个角落都很熟悉,经营者对服务区有着强烈的责任感,有利于对运营期的运作管理。

有利于由建设转向运营管理的衔接:由建设转入运营,无论从人员上还是从现有设施上,本体制的衔接性都是最好的,建设期的原班人马通过重新分工,马上可以进入角色,尽管会出现没有经验和技术生疏的现象,但管理的主动性和强烈的责任感和对现有服务区状况的熟悉程度是其他管理体制无法比拟的。

有利于搞好维护管理:在建设期中,工程由于赶工期或方案等原因而存在的缺陷和隐患管理者心中有数,因此在运营管理中,会把这些部位作为重点监测和修复完善的对象。

同时,这种体制存在的问题有:

容易存在重建轻管的观念,转入运营管理后从政策上、制度上、资金和人力投入的力度都不够,对运营管理中存在的问题,引不起足够重视,或者长期得不到解决，在一定程度上制约了管理效益的发挥。

管理人员的业务能力不能及时到位。由于这种体制下管理人员还是建设管理的原班人马，对建设管理经验丰富，对运营管理相对较陌生，而且，在转到运营管理上后，往往建设期的工作还在继续，因此无论从经验上还是从精力上都处于不足状态。而短期的培训不能从根本上解决这一问题，在刚刚转入运营管理时难免要经过较长的磨合期。这种体制一般兼容于集中管理型或企业自主经营型体制，可形成极富活力的运营管理模式。

2.专门管理型

在高速公路服务区建成后专门负责经营管理工作。这种体制有利于高速公路服务区经营的专业化管理，较利于集中精力研究各项管理业务，提高管理水平。但此种体制在建设转入管理后需要一个较长的调整适应期，且管理的好坏在一定程度上依赖于建设施工质量，管理的衔接性、主动性较差。转让经营权一般属于这种管理类型。随着服务区经营的不断发展，这种体制有不断发展的空间，关键在于有效的监督和管理。

(二)现行高速公路服务区经营管理体制的约束

建设高速公路不容易，要管理好高速公路更不容易。服务区经营管理是高速公路管理的重要内容。高速公路服务区经营管理体制受高速公路经营管理体制的约束和影响。我国广大群众受传统观念的影响，对高速公路全封闭、全立交、分隔行驶、控制出入、汽车专用、缴费通行、严格管理等许多与普通公路截然不同的使用和管理办法还缺乏必要的理解，国家也缺乏完善的可遵循的法规可依。高速公路社会效用的发挥仍存在几方面因素的制约：

1.法律法规的制约

法律规定有空白。我国目前的法律没有对高速公路管理中出现的新事物、新情况做出规定。比如《公路法》是我国公路管理的基本法律，其中服务区的管理，通信、监控系统的建立与维护等高速公路特有的、新生的管理内容的规定处于完全空白状态。

法律适用性差。现有高速公路管理模式是在普通公路基础上发展起来的，但从高速公路的发展过程、自身特征及管理内容和方式上，使人不难看出，高速公路已实现了质的飞跃，成为了具有独具特色的新兴行业。我国目前有关公路的法规，大多是在普通公路条件下制定的，并没有把普通公路与高速公路分开，很多条款与高速公路管理的实际情况有差距，与高速公路的特点不相适应，给日常的管理带来不便。

法规不统一。目前我国无全国性的高速公路法规，各省市都自行制定自已的办法，规定上多有差别。由于高速公路的封闭性和高速性，在日常管理中，经常会因行车、经营、收费、交通事故、道路及设备损坏、施工维护等引起民事、刑事、经济的纠纷案件，但是各地在处理这类案件时无专门的法律可依，只能参照有关的法律进行判决，导致同一性质的案件，处理结果大相径庭，不能依法维护当事双方的合法权益。

2.管理体制的制约

规划与协调不好。在内部管理上，由于高速公路采用多家建设的形式，这对调动各方面积极性具有较大优势，但多家建设沿用“谁建设、谁管理”的模式，因此在路网规划、公路衔接、收费站和监控系统设置、工程建设人员调动等方面，交通主管部门协调难度加大，此模式易造成资金、设备、人才的浪费。出现多条高速公路或者一条高速公路的不同路段分别由多个管理者共同管理的局面，使路网间衔接难度加大，高速公路全程网络的优势受到抑制。

管理体制不顺畅。高速公路建设的投资主体多元化带来了管理模式的多元化。目前我国高速公路的管理体制五花八门，多种形式并存，与高速公路的发展和市场经济的建立不相适应。主要问题有：建设和运营管理相脱节，“重建设，轻管理“的倾向普遍存在。高速公路的建设和管理是一个有机的完整的系统，我国高速公路的建设和管理相脱节的现象较为严重，主要是对高速公路运营管理的设施方案缺少考虑，不能与建设规划协调进行，造成运营不适应而进行改建。同时，由于运营管理滞后、投入不足，有些路即将通车才开始研究管理问题，使管理机构设置、人员配备、机构配备及管理制度不能及时到位，增加了运营管理的调整时间，造成了先进的管理设备与管理体制的不协调、相关的政策不协调等诸多问题。

管理职能不清，政出多门。高速公路的运营管理是一个完整的系统工程，但在我国目前的高速公路管理中，公路的修建、养护、路政等，由交通部门负责；维护交通秩序、保障交通安全畅通等，由公安部门负责。由于两个部门的职责目标不同，在许多问题上出现了分歧和矛盾，比如交通部门强调要发挥高速公路快捷和大通过能力的作用，在不超过设计能力的情况下，上路车辆愈多，社会效益和经济效益也就愈好；而公安部门则强调事故次数、人员伤亡指标及对违章车辆的处罚。

全国高速公路管理模式多样，没有一个适合高速公路管理的行政管理体制。要保证高速公路的高速、安全、畅通,必须有“集中、统一、高效、特管”的管理体制,应有一个依法组建的对高速公路实行全方位管理的权威职能部门。而目前国内的管理体制却将高速公路管理的有机整体职责,割裂成几个部门来管理,因此不可避免地出现政出多门,职责交叉,互相推诿扯皮,行政不顺,效率低下的情况。

缺乏现代企业管理机制。我国目前高速公路服务区经营管理机构的性质主要有事业型、企业型和事业单位企业化管理这三种,大多是在计划经济向市场经济转轨的过程中建立的,或多或少地带有事业单位的烙印,没有完全按照现代企业制度运作。这种体制在社会主义市场经济不断发展的情况下,束缚了高速公路服务区以自主法人身份进入市场竞争,影响了运营效益的提高。我国现行的管理还没有充分体现和发挥高速公路应有的特点和效益,整体运行效能有待提高。

(三)建立现代高速公路服务区经营管理体制

在建立现代高速公路服务区经营管理体制过程中,应有以下一些思路:

1.加强政府宏观调控与规划

政府在宏观层次上发挥作用,即政府运用经济、法律和必要的行政手段,对高速公路的发展规划、建设计划、投资、运营以及法规、产业政策进行指导、协调、监督和服务。高速公路作为重要的基础设施,对社会、经济的发展具有长远影响,因此,政府必须对其进行总体规划,对其发展速度、规模、布局实行宏观调控,并运用政府职能为高速公路的建设、运营创造条件,使高速公路管理协调、灵活、高效,促进高速公路的发展。无疑高速公路服务区经营也受到调控与规划的影响。

高速公路管理体制上加强政府宏观调控与规划,是我国公路交通实践多年行之有效的管理经验,也是国外公路管理的共同做法。通过加强政府宏观调控与规划实现行业管理职能的统一,管理法律、法规、规章的统一,管理经济、技术标准的统一和运行总体目标的统一。

2.实行专业化运营管理

高速公路企业有相应的高速公路经营管理机构,它负责具体的专业化管理,主要是为经营企业提供良好的经营氛围。设立专门的高速公路管理机构,可以集中人力、物力,对高速公路经营进行专业化管理。在服务区经营中,设立专门的管理机构,有利于集中一定的管理资源,形成聚合优势,迅速提高高速公路服务区经营管理水平。

3.国有资产企业化经营

高速公路建设以政府投资为主,多种投资渠道、形式参与建设;高速公路具有很大的社会、政治、经济影响,所以相当部分是国家投资。如何提高这一部分的收益,有两种形式:一是在高速公路建设管理过程中,采取控股方式对各地高速公路投资进行管理,确保国有资产的所有权和收益权;二是经营权转让。不管采用何种形式投资修建的高速公路,企业只是在政府规定的经营期限内进行收费经营,国家具有高速公路国有资产的最终所有权,经营期满将无偿交还交通部门管理。国有资产企业化经营可以有效实现这部分资金的合理投资回报。

4.政企分开

高速公路发展实行企业化经营,尤其在高速公路服务区经营管理中,应坚持政企分开,企业实行自主经营,可以实行建设、经营一体化,也可以采用建设、经营相分离模式。高速公路经营企业,按照交通主管部门或有关部门审批的经营期限、经营范围、收费标准、服务质量开展高速公路经营活动,接受专业管理机构的行政管理与监督。企业在经营范围内自主经营,照章纳税,自担风险,自求发展。

高速公路职能内容中,属于行政管理职能的主要是:依据投资来源及方式确定高速公路管理组织形式;研究制订高速公路管理的发展规划、政策、法规和经济、技术标准、规范,审批高速公路收费标准、收费期限、站点设置;审批高速公路收费权转让和确保高速公路国有资产运营安全,保护高速公路路产路权完好完整;维护高速公路交通秩序,管理交通安全;监督、考评高速公路养护、服务质量和国有高速公路经营企业经营绩效等。这些职能应由交通行政主管部门或由其决定的公路管理机构行使。高速公路可由企业经营的活动主要是:高速公路收费经营、高速公路维护保养及大中修工程,高速公路加油、修理、餐饮经营,规定区域广告经营、土地开发利用等,以上应由企业依法自主经营。

案例　天福服务区

连接厦汕的漳诏高速公路天福服务区是中国第一家由台商经营的高速公路服务区。该服务区具有浓厚的文化色彩。天福服务区占地 1 280 亩,首期投资 6 000 万元,分为服务区、石雕园、观光茶园三大部分。目前,包括餐厅、商场、茶庄、加油站、汽车修理厂、停车场的服务区以及种植两岸茶叶代表性品种、新优品种的观光茶园已建成,以“唐山过台湾”为主题的石雕公园正在建设中。

李瑞河先生于1961年在台南开设第一家天仁茗茶店以来，至今已超过四十年。1993年初他回大陆开拓茶事业，在祖籍漳浦创建天福茶庄，发展的顺利超过了想象，直营茶叶连锁店达310家。现今，他在海峡两岸拥有两个集团公司，一是天仁集团，一是天福集团。

在服务区的显要位置，矗立着一座高大的石雕。一位端庄秀丽的青年妇女怀抱孩儿，倚在门柱旁眺望远方。雕像下的基座上刻着“盼归”两个大字。当天，李先生与全国第一健康老人、114岁的漳浦寿星蔡松苍为雕像揭幕。李先生说，这“盼归”有两层含意：一是代表妻儿盼望驾驶员、旅客平安归来；二是雕像面向台湾海峡，盼望宝岛早日回到祖国母亲的怀抱。这雕像与背后山上100组“唐山过台湾”雕像群相呼应，体现海峡两岸同根同源、同文同种、一脉相承的关系，表达了期盼祖国早日和平统一的强烈心声！

这个集旅游服务、观光休闲为一体的景区，包含有高速公路服务区、石雕园、观光茶园三大部分，总投资人民币1亿元。

石雕园规模巨大，气势恢弘。石雕园分为一、二、三、四区及闽台民俗馆、丹岩景区，以及问天石（重达50t的风动石）、宋帝殿、天女潭等天然与人文景观。以天福集团总裁李瑞河的身世和创业历程为蓝本，以石雕语言为载体，采用圆雕、浮雕、刻线雕、仿真雕塑等多种手法，表达两岸同根同源一脉相承的史实。

石雕园内山间道路有：海峡路、唐山路、故园路、归乡路、华夏路、葛洪路、茶园路、问天路。每条路旁都有独特的景点，美不胜收，令人浮想联翩。在最为平坦的唐山路旁，屹立着一块约长3m、宽2m的天然大石头。石头上铭刻着李瑞河先生题写的“根系唐山”四个大字，表达了他浓浓的唐山情结。

在厦汕高速公路上，来往的车辆离天福服务区5km路开外的地方，乘客远远就能看到石雕园标志性的石雕——拓荒。这尊石雕屹立在一座山头上，表现的是一位拓荒者的形象。拓荒者30多岁，男性，高18m，重600t多。18层，由390多块漳浦花岗岩雕塑拼装组成。底座是20m直径的圆台。拓荒者腰间挂着镰刀，双手奋力挥起洋镐，从头顶上向下砸去。石雕的人头高2m，镐头长5m，镐柄长7m。雕像气势雄伟，表现了开拓奋斗的坚定意志和克服困难的大无畏英雄气概。

天福石雕园、服务区、观光茶园声名远播，南来北往的汽车纷纷拐进来停息，有的加油，有的吃饭，有的旅游购物。园区内有250名员工。与石雕园相配套，建有中心服务区，天福茗茶店面达2 000多m^2，餐厅可供上千人同时就餐。以及宽广的小车、大巴停车场、货车服务场，还有修车厂、澡堂、洗衣房、休息室等。这是全国第一家由台商投资经营的高速公路服务区，是把服务区与旅游景点相结合的全国最大、最有特色的高速公路服务区，是世界上最大的石雕公园之一。服务区的目标是做到待人最文明、园区最安全、内容最丰富、环境最优美、旅客最满意。服务区的口号是："茶香景美天福情"，把客人当亲人，提供最好的服务。

小　结

本章主要阐述了高速公路服务区经营管理的原则，包括以服务为本的原则、成本效益原则、统一规划合理布局的原则和发展原则；高速公路服务区管理的基本内容，包括服务区财务管理、服务区设备和物资管理、服务区人力资源管理、服务区的安全生产管理和服务区文化的创建；高速公路服务区管理体制，包括高速公路服务区管理体制、内容和高速公路服务区管理体制的改革与发展。

思考题

1.高速公路服务区经营管理原则。

2.服务区财务管理的内容。

3.高速公路服务区资产报废分类。

4.服务区人力资源管理理念。

5.简述服务区安全生产管理。

6.简述服务区企业文化的适应性。

7.简述建立高速公路服务区经营管理体系。

第六章

高速公路服务区经营活动的管理

学习目标

通过本章学习，了解高速公路服务区经营活动的管理，熟悉和掌握高速公路服务区餐饮和百货经营业务的管理，加油和汽车维修业务的管理及新项目开发业务的管理。

第一节　餐饮和百货经营业务的管理

一、餐饮经营业务的管理

服务区旅店一般为中级档次，顾客短暂住宿者多。这在客观上制约了服务质量的提高，易造成服务好坏无所谓的心理，这也给旅店的管理带来难度，因此，应把提高服务质量放在首位。配备浴池对于高速公路的旅店来说具有特殊重要的意义。因为司乘人员旅途疲乏，急需洗浴缓解劳累，如果能够配套进行按摩等方面服务则会更好。为了解除司乘人员精神上的疲劳，还可增加一些娱乐性、健身性的设施。

服务区的餐厅应该具备满足各种层次需求的能力，应以中、低档为主。餐厅在设计、室内布置以及服务等各方面都要考虑具备满足各种要求的能力。服务区的餐厅应体现快速特色，对于那些急于赶路的司乘人员来说，提供物美价廉、简单快捷的食品，将会受到普遍的欢迎。但这并不意味着顾客的需求降低了，人们在服务区就餐仍有对卫生、价格、质量、服务态度等方面的要求。因此，管理者的任务就是不断改进工作，满足顾客要求。由于各种原因，每个人的需求层次，均有所差别，因此服务区的餐厅应该具备满足各种层次需求的能力。餐厅是服务区各部门中最为敏感的部门，它直接代表了整个服务区的管理水平。当然，应是以中、低档为主。餐厅在设计、室内布置以及服务等各方面都要考虑具备满足各种要求的能力。

服务区地处不同地区，各地的风味小吃可使顾客不出路即能品尝到该地区的特殊风味，这可以吸引更多的顾客就餐，并提高顾客的满意程度。

以下结合京沪高速公路有限公司的具体做法简述高速公路服务区餐饮经营业务的管理。

（一）工作程序

1.物资采购及进出库的操作规定

(1)物资采购。原辅料、备货等，均实行计划采购为主，应急采购为辅。具体规定如下：餐饮部门必须根据上期实际消耗预计客源，按月（或半月）提出原、辅料用量计划，送交采购部门；对鲜、活货、蔬菜类，由厨师长在每天下午2:00前提出下一天用量及品种送采购员，并留有余地，备足2天的库存，保证当天的供应，（即由厨师长开具下一天的采购单）采购员必须保证所购物资当天上午8:30左右到位；采购必须遵循择优比价，先国营、后集体、再个体的原则，对大批量长期使用的物资，预先签订合同，实行定员采购，保证质量、货源。

(2)物资进出库。仓库保管员在收到采购的物资时，应严格按照采购单和发票上注明的品种数量、单价，进行计量，验收入库，开具入库单并把财务联交财务部门，如发现规格质量问题，应坚决退换；每天交货的冷冻食品，鲜、活货、蔬菜类由保管员验收，厨师长把住质量关，并把质量好坏的信息及时反馈给采购员，由厨师长直接签字领用（如不符合要求，坚决退换），由保管员开收料单并每天结算。晚餐临时需要添菜，由中班厨工验收，直接签字领用与下一天收料单一起结算；厨房间需领用的物品由厨师长开具领料单，餐饮部负责人签字，由保管员负责计量发放，餐厅所需的其他物品，（如酒、饮料、烟等）由服务员开具领料单，餐饮部负责人签字，保管员计量发放；保管员负责做好每天进出库物资的记录，按月盘存；餐巾纸、一次性卫生筷、洗洁精，根据实际用量，按月由餐饮部负责人开具领料单（每次领用作记录，月终汇总至财务部门）。

2.快餐服务程序及标准

(1)服务要求。在开餐前半小时，将快餐所需的餐具、饭菜、筷子等准备好，将保温箱的温度调节好，确保供应热菜、热饭、热汤；在开餐前，要了解当天供应的品种，按供应品种摆放好标牌；在开餐前，值台员应准时到岗，将椅子、台面全部擦净；在开餐前5min，各岗位人员注意站立姿势，不靠在餐柜或酒水柜上，上班时间不允许到厨房间聊天；上岗后，服务员必须按规定着装，工作时间统佩工号牌，并佩戴在工作服左胸前，不得改变工号和佩戴位置；女员工要淡妆，不染指甲，发过肩者必须用发卡把头发卷上去。

(2)迎接客人。客人进餐厅后，服务员要面带微笑、礼貌问候客人，要讲普通话，语调亲切，适时运用“早上好、中午好、晚上好、请稍等、别客气”等礼貌用语，遇到客人询问要耐心清楚的回答。

(3)客人用餐过程中的服务。服务员要随时观察营业情况，餐柜内的饭、菜肴卖到三分之二时，要及时通知厨房工作人员添加，以充分保证供应；服务员要把遗留在菜柜上的汤、油渍等污迹擦干净；营业时应及时将地面上的筷套、牙签、餐巾纸等杂物清扫干净，保证地面干净、整洁；清洁台面时，要征询客人，等客人允许后，方可撤收，要做到轻拿轻放，不能影响周围客人用餐。

(4)征询客人意见。在不打扰客人用餐的前提下，收台人员可在收台时，询问一下对本餐厅的服务和菜肴质量是否满意，如客人表示满意，应真诚感谢客人，如客人提出意见和建议，应认真记录并真诚感谢客人并将所存在的问题及时向上级反映，做到信息反馈及时正确。

(5)结束工作。客人离餐厅后，服务员要检查有无宾客遗留物品；要迅速把餐具收掉，把台面用洗洁净擦干净，地要迅速打扫干净；后台洗碗人员要将餐具全部清洗干净，消毒，餐具摆放整齐，不锈钢台、水池洗干净，无锈斑、无油污，移交给下午值班人员。

(二)餐饮制度

1.厨房值班交接班制度

(1)据工作需要，厨师长有权安排各岗位人员值班。

(2)接班人员必须提前抵达工作岗位，保证准点接班。

(3)交班人员必须与接班人员详细交代交接事宜，并填写交接日志，方可离岗。

(4)接班人员应认真核对交接班日志，确认并落实交班内容。

(5)值班人员应认真核对完成交代工作，工作时间不得擅离工作岗位。

(6)值班人员应保证值班期间包间用膳及其他客人需要食品按规格及时供应。

(7)值班人员要妥善处理、保藏剩余食品及原料,做好清洁卫生工作。

(8)值班人员下班要填写交接班日志,及时关闭水电气阀,锁好柜、门,交还钥匙,在规定的时间离岗。

(9)厨师长检查值班交接班工作,发现问题当值人员有责任解释清楚,并及时改进。

2. 餐饮部卫生职责

(1)负责组织贯彻国家颁布的《食品卫生法》及有关卫生法律、法规。

(2)负责组织定期的卫生检查和不定期的卫生抽查、检查、督促各卫生区域责任人的工作,对违反卫生制度的人和事予以及时处理。

(3)负责本部门员工卫生培训工作,进行卫生法制宣传、教育,以增强员工的法制观念。

(4)及时完成服务区爱卫会交办的各项工作,负责接待上级有关卫生检查部门的检查,并予以落实。

(5)每月对本部门卫生工作状况予以考核、评估,不断提高卫生管理水平。

3. 餐饮部卫生责任人职责

(1)以身作则,带领辖下员工严格执行国家颁布的卫生法律、法规及公司制订的各项卫生管理制度。

(2)每天检查所辖卫生地段的卫生状况,做好卫生台账,为每月部门卫生考核、评估提供依据。

(3)每月两次组织所属员工进行卫生业务培训教育。

(4)检查、督促兼职卫生员的工作,及时处理或上报有关卫生工作问题。

(5)及时完成上级卫生管理人员交办的各项工作。

4. 餐饮操作卫生制度

自觉贯彻执行《食品卫生法》精神,做到:炉灶间卫生;切配卫生;洗碗筷及消毒间卫生;冰箱、冰库卫生;食品库卫生;蒸煮间卫生;烧烤间卫生;粗加工场卫生;冷菜间卫生。

5. 环境卫生制度

(1)每天拖地2次,保持工作台面整洁,结束后墩头竖放通风。

(2)每周擦墙面、瓷砖2次。

(3)每半月掸灰1次,每月清洗风扇叶1次。

6. 体检制度

(1)根据食品卫生法规定:厨房工作人员每年体检1次,合格后方能上岗,一经发现不合格人员,立即调离。

(2)厨房餐厅实习生,必须在上岗前进行体检,待合格后方能上岗,体检不合格者,不许上岗实习。

(3)来厨房餐厅培训的外来人员,联系培训事宜时,必须带好体检合格证明,否则不予接待。

7.食品卫生制度

(1)采购员不采购、保管员不验收、厨师不用,腐败变质原料。

(2)妥善保管各种食品原料,快要到期的罐头食品,要及早通知厨师长。

(3)原料、半成品摆放有序,容器生熟分开,严防交叉污染,严禁将食品与非食品混放。

(4)餐具消毒严格执行一刮、二洗、三清、四消毒、五保洁,蒸汽消毒时间不少于15min,药物消毒使用漂精片,严格按照一粒药片、二斤水、消毒按3min,4h换水的程序进行操作。

(三)餐饮纪律

1.餐厅纪律

(1)上班准时到岗,按规定左胸佩戴工号,统一服饰、发式、唇色。

(2)上班前不饮酒,不吃异味食品,上班不准办私事、聚众聊天、看书、看报纸杂志,不准擅离工作岗位,不准串岗,因故离开时,应打招呼,有人接管工作。

(3)上班时间不准洗衣服,不准翻宾客物品、严禁私吃、私拿公共财物。

(4)开餐时,站立姿势端正,不准在宾客面前吃东西、打哈欠、打喷嚏、挠头皮、挖耳鼻、脱鞋子,严禁议论嘲笑宾客或与宾客开玩笑。

(5)不请宾客捎、买、带物品,不得向宾客索要小费和馈赠,宾客赠予时要婉言谢绝。

(6)对宾客要求退换的食品,服务员要主动表示歉意并帮助解决,不得与宾客争吵,遇有误会,婉言解释。

2.厨房纪律

(1)必须按时上班,履行签到手续;进入厨房必须按规定着装,佩戴工号牌,保持仪表、仪容整洁,洗手上岗工作。

(2)服从上级领导,认真按规定要求完成各项任务。

(3)工作时间内,不得擅自离岗、串岗、看书、睡觉等,不准干与工作无关的事。

(4)不准在厨房区域内追逐、嬉闹、吸烟,不得做有碍厨房工作和厨房卫生的事。

(5)不得坐在案板上及其他工作台上,不得随便吃拿食物,不得擅自将厨房食品、物品交与其他人。

(6)自觉维护保养厨房设备及用具,不得将设备带病操作,或将专用设备改作他用,损坏公物按规定赔偿。

(7)自觉养成卫生习惯,随时保持工作岗位及卫生包干区域的卫生整洁。

(8)厨房系食品生产重地,未经厨师长批准,不得擅自带人进入。

3.员工纪律

(1)员工上班进入餐厅,必须按规定着装,佩戴工号牌,保持仪表,仪容整洁。

(2)服从领导,严格按标准程序对客进行服务。

(3)工作时间内,不得擅离工作岗位,不得看书、看报,做与工作无关的事项。

(4)不得在餐厅内吸烟、吃东西、梳头、追逐嬉闹等。

(5)不得坐在客用椅上。

(6)自觉维护餐厅设备及服务用品,不得私拿、私用餐厅服务用品,损坏公物需按规定赔偿。

(7)自觉养成卫生习惯,随时保持餐厅及本服务区的清洁卫生。

(8)服务过程中自觉使用礼貌用语。

二、百货经营业务的管理

(一)岗位责任制

1.商场部经理责任

(1)主管商场全面工作,认真贯彻落实服务区主任指示,对主任负责。

(2)听取零售、采购业务、批发生意、仓库工作汇报,掌握每日营业进度,制订商场经营目标和发展方向,制订切实可行的措施。监督落实计划的实施,保证服务区下达的年度经济指标的完成。

(3)督导商场的布局,使其做到陈设合理、新颖,符合服务区的格调,商品结构合理,品种适销对路,柜台陈列摆设具有艺术性和吸引力。

(4)召开商场经营分析会,经常了解市场信息,熟悉和掌握市场行情,努力开拓新的贸易渠道，大力拓展批发贸易项目，扩大经营项目，增加营业收入。

(5)主持部门例会，总结分析现阶段工作情况，对薄弱环节及时整改，并对下阶段工作作出安排。

(6)加强财务管理，合理使用资金，减少货物积压，检查物价执行情况和资金调拨情况。

(7)加强零售、业务批发、仓库之间的沟通，保证商品“仓有场有”。

(8)严格制度管理，搞好商场的规范化、系统化、标准化、制度化、科学化管理。

(9)遵照“宾客至上、服务第一”的宗旨，使员工做到文明礼貌服务，团结和深入群众，加强员工思想教育，奖励员工士气。

(10)督导落实商场“四防”工作的各项措施，确保商场安全。

2.商场部主管责任

(1)具体组织、实施商品部销售、服务、管理工作，努力完成商场下达的各项营业指标。

(2)检查当班员工仪容仪表、柜台纪律、卫生、服务质量、服务态度、工作作风、商品销售情况以及各柜交班情况，发现问题及时处理。

(3)掌握消费者购买动态和各柜销售情况，经常向采购部提供商品畅滞销和需求信息，以便组织适销对路的商品；对营业指标未能完成的柜台组织分析会，分析原因，找出薄弱环节以便整改，努力提高经济效益。

(4)严格财会制度，定期检查柜台物价，不定期抽查柜台盘点账目，加强对商品出货、保管、质量等情况的管理，保证柜台做到“仓有场有”，为顾客提供优质商品；防止商品失窃、变坏，发现商品有霉烂、变质情况，应及时向经理、业务员、仓管员反映处理。

(5)根据商场人力利用情况，按照商场排班规定，合理安排每月柜台班次、公休、补休。

(6)经常了解员工思想状态、个人发展、工作态度和表现，协助商场经理做好员工的思想教育工作，并对员工工作表现作出正确评价。

(7)月底要做好下月工作计划，次月 5 日总结上月工作。

3.商场部柜长责任

(1)传达上级工作要求，抓好柜台经营管理，努力完成上级交给的各项任务。

(2)坚持和完善交接班制度，并负责设置商品交接班点数簿，严格执行财会制度和各项操作流程。

(3)做好商品进、销、存记账,物价管理,月度商品盘点工作。

(4)收集市场的客源结构、商品销售结构信息,掌握柜台进、销、存情况,做好柜台的要货计划,勤出货、出齐货,保证做到商品销售“仓有场有”。

(5)柜长是柜组消防治安责任人,做好柜台防范工作,防止盗窃和火灾事故,发现火种及时处理或报告有关部门。

(6)教育员工自觉爱护服务区财物,对人为造成的商品、物品、财产损失,应及时追查,并报部门处理。

4.商场部采购员责任

(1)上班打卡后,即返经理室签到,然后回业务办公室,清理好办公台上的用品,做好卫生轮值工作,注意自身的仪表、仪容。

(2)主动向商场部经理汇报工作,反馈市场信息。

(3)接待来访业务单位,要热情、有礼,讲话注意分寸,保守企业秘密,签订合同一定要取得经理同意。

(4)经常到柜台和仓库了解商品销售情况,以销定购,积极组织适销对路的货源,防止盲目进货,尽量避免积压商品,提高资金周转率。

(5)协助经理积极介绍商品,开展商品的调拨工作,如有积压商品,要主动多找门路推销,尽量避免损耗霉变,减少商品损失。

(6)多到其他商场了解商品行情及经营方法,每天外出联系业务要做好记录,回来须整理好当天的来往单据,及时把购货的数量、单价及市场上的零售价提供给物价。

5.商场部保管员责任

(1)到岗位后首先巡查自己保管的商品是否账、货、卡三相符,发现问题要立即报告经理,并采取有效措施及时处理。

(2)搞好仓内卫生,商品堆放要整齐,左右成行,点面成线。

(3)严于职守,严格执行“仓库管理条例”,做到礼貌服务,热情待客。

(4)熟悉所主管商品的名称、规格、质量、数量,记好商品明细账,办理商品进出仓手续,要做到准确无误,账货相符,柜台所需商品及时出仓,做到仓有场有,使商品及时周转,提高资金利用率。

(5)仓管员对自己的商品要经常巡查,以便及时发现问题,对存放时间长的滞销商品要及时向采购反映,以便能及时作出处理;有责任提供商品销售信息,以利适销对路,减少积压商品。

(6)注意天气情况,掌握仓库内湿干温度,及时做好通风,吸湿、降温工作。

(7)做好安全防范工作,杜绝盗窃和火灾事件。

6. 商场部营业员责任

(1)按规定时间到柜台,并马上按地段分工搞好卫生(包括橱窗、柜台、玻璃镜、货架、仓库、商品、门框等),补充和陈列好商品;做好交接班工作,搞好交接并补充商品。

(2)接待客人时要微笑服务,做到"主动、热情、耐心、周到"。

应主动介绍商品的特点、性能、用途、产地、价格等情况,对顾客提出的各种问题要耐心解答,做到"百问不烦、百拿不厌。"

在顾客多的情况下做到"接一、应二、联系三",必须真正树立"宾客至上、服务第一"的思想,主动为顾客当购买商品的参谋。

出售的商品包装要牢固,美观大方。

在收款过程中,要认真细致,做到唱收唱付,并把销售的商品名称、金额按要求分类登记在"销售日报表"上,同时将金额输入收银机。

每晚交款时填写"营业收入日报表",连同款项、"销售日报表"和收银机记录一起交财务。

(3)忠诚老实,自觉维护好服务区声誉,服从柜长的管理,不得任意调班、调休,不准带任何食物进柜台吃和打私人电话。

(4)保持优质服务,站立服务姿势要端正,不准双手插衣、裤袋或双手叉腰带等,送客要礼貌地说:"多谢光临,欢迎下次再来。"

(5)严格执行财会制度,早班员工在开门营业前,要有两人在岗,方可开钱箱,并共同复点钱箱里所存的货款是否相符。

(6)柜台上下两班交接时,要认真进行商品、货款的交接手续,晚上在停止营业前,仔细检查柜台,检查电源是否切断,把门锁好,门匙统一交给经理室保管员后方可以离开。

(7)当仓管员送货给柜台时,当班服务员对出仓单上所列的商品名称、规格价格和数量认真清点,核对清楚才签名收货;对主管及采购部安排在本柜销售的商品,应积极推销,无权拒绝;对一些滞销商品,既要提出处理意见,又要积极设法推销。

(8)必须爱护服务区财产,爱惜柜台所领用的一切物品;固定财产如有破坏、散失,必须追究责任及至赔偿;对出售的商品要保护好,经常检查,做好防潮、防蛀工作,如因人为造成的商品损失,应及时上报处理。

(9)做好安全防范工作,杜绝盗窃和火灾事故。

7.统计、物价员责任

(1)认真核对柜组上交的销售日报表,做好每日的“统计日报表”力争准确无误,争取时间尽快将日报表送交部门经理、财务部和主任室。

(2)热情、有礼接待来访业务单位的客人,耐心介绍商品,忙中不乱,认真细致做好每一宗生意,注意保守企业秘密。

(3)及时做好进货及销售记账工作,经常与仓库联系,核准库存情况;到柜台了解情况,分析商品的销路,出货的情况,随时将有关情况提供给主管参考,月末准时做好统计月报表。

(4)对新进的商品要做好价格登记,要熟悉调拨和零售价格以及掌握每样商品的包装规格,调拨商品要请示经理。

(二)服务区商品管理细则

1.商品的采购

(1)计划编制。由商品部根据销售需要,订出各类商品的月度计划,经分管领导核实交主任室审批。

(2)定价。属于商品部正常库存的货物采购,采购员须将3家以上报价报管理员审定后,方可采购。

(3)采购。采购员应严格遵照采购供应工作方针“严格管理,廉洁奉公,保质、保量、保供应”,执行上级的采购指令,不超计划进货或购进伪劣商品。

(4)验收。采购员按单落实采购计划后,须将供货客户,供货时间,品种、数量、单价等情况通知仓库保管员,以便仓库验收。验收手续按仓库管理细则办理,仓库应及时将验收采购情况反馈采购员,以便及时处理,保证供应。

(5)提货。原则上要求货主送货上门,需到市内或车站、码头提货的,填报用车申请单由管理员批准,后勤保障部派车提取。

(6)退、换货。仓库保管员根据仓库验收细则严格验收进仓商品,如发现规格、质量、数量等问题,应拒绝收货。如需退换货的,由保管员填写“商品到货验收报告”,写明退换货原因,经商品部经理或管理员签名同意后,交采购员办理退换货手续。

2.商品的管理

(1)商品到货后必须首先与仓库保管员联系,由保管员依据采购订单分送所需部门;不允许采购员或供应厂、商直接交给所需部门;不符合采购订单内容的项目,部门有权拒收。

(2)各部门在收货时,对购入的商品质量、规格、样式进行严格把关,有权对假冒伪劣商品提出退货要求。

(3)商品摆放时,应轻拿轻放,摆放时力求美观、整齐,所列商品必须明码标价,按照不同的价格登记商品销售数量,注明品名、编号、单价和总金额。

(4)如部门通知商品调价,须填写商品调价单,并交给部门负责人签字认可。

3.商品保管规定

(1)商品应按大类分放,即分为食品、烟、酒类、工艺美术品、针织类、服装类、日用百货类、家电用品类。

(2)按"先进先出,每季度翻堆"的规定,合理使用仓库,重载商品与轻抛商品不得混乱堆放。

(3)仓库对进仓存储的商品必须按固定堆位存储,并编列堆位号,在每个堆位存放商品的货位上设立"进、出、存货卡",凡出入仓商品,应于当天在货卡上登记,并结出存货数。

(4)仓存商品必须做到"三对口",及存仓商品与货卡数量相符,货卡存量与商品账余额相符,每月终结时,仓管员应根据商品账记录数字做出进、销、调、存表送财务核实并结账。

(5)仓管员对保管商品,应经常检查,对滞存时间长商品,要主动催请售货场出仓摆卖或向采购部反映滞存情况;库存商品发现霉变、破损或超保管期时,应及时提出处理意见并"商品残损处理报告"送采购部处理。

4.商品进出仓规定

(1)仓库管理人员对进出仓商品必须根据"商品进仓验收单"所列内容,逐一核对商品规格、数量、质量、然后签发验收单,并送有关部门。

(2)仓库管理人员对不符合"商品进仓验收单"内容的商品,必须拒绝进仓,并向采购部报告。

(3)凡我商场从外单位提回的货物,一律凭"商品调运单"办理进仓手续。

(4)商品进仓必须先办妥进仓手续,凭商场部的出仓或采购部"商品内部调拨单"所列内容发货,严禁先出货,后补手续的错误做法,严禁白条发货。

(5)仓库发货必须在仓库办公室发货处发货,不得在仓库内发货,商品在发货处由提货方点收后的短缺,概由提货方自负,仓库不负补偿责任。

(三)营业员规章制度

(1)上岗工作前,要穿好工作制服和佩戴好工号牌。

(2)上班不迟到、不早退、不无故请假,没有特殊情况不能随时调班或工休。需要调班或工休者须事前请示主管以上批准。不擅离工作岗位,因故离开时要做好离岗登记后,方能离开岗位。

(3)要热情待客、礼貌服务,主动介绍商品,做到精神饱满,面带微笑,有问必答。无顾客时要整理商品,保持商品整洁美观。

(4)对顾客提出的批评或建议,要虚心接受,不与顾客顶撞、争吵。

(5)站立姿势要端正,不准在柜台聊天、嬉笑、打闹。

(6)不准在柜台内会客、办私事,当班时间不准购买自己经营的商品。

(7)不准在柜台或仓库内吸烟、吃东西、看书、看报、睡觉、闲坐。

(8)全柜人员要团结一致,齐心协力把各项工作做好。

(9)自觉搞好店内、外的环境卫生和商品卫生。

(10)不准把私人的书包、挂包、钱款带进柜台和仓库。

(11)不得私套外币,不准收客人的小费及故意多收客人的钱。

(12)对公物、商品,不乱拿、乱用;散包食品,不准乱吃。

(13)交接班时做到:交接清楚、货款相符、签名负责。

(14)不准提前更衣下班或提早关门停止售货。

(15)下班时,切断电源,锁好保险柜和门窗,做好防火防盗工作。

第二节　加油和汽车维修业务的管理

一、加油经营业务的管理

服务区的加油站是高速公路上的顾客需求量最大、最关键的部门,也是效益最高的部门。沈大高速公路服务区曾做过计算,加油站的营业收入比其他几个部门营业收入的总和还要高,有的甚至可达两倍以上,足见加油站在服务区的重要地位。

由于服务区加油站多处偏僻地区,来往客流复杂,安全管理就成为加油站管理中的头等大事。首先,加油站应按规定配备充足的消防器材,并制订出严格的安全管理制度和处罚办法。它不仅要求内部服务人员在操作过程中严格按规程办事,而且要求外来人员严格遵守安全制度。对由于麻痹大意造成安全隐患或事故者,要严厉处罚。在钱和票证管理上要严格遵守财务管理的有关规定。

(一)加油站生产作业程序

1. 油料接卸程序

油料接卸可以说是加油站的一项重大作业,也是比较容易发生事故的作业环节,因此,必须要求操作人员严格认真遵守作业程序,杜绝违章作业。

油料接卸程序:油罐车到站后,引导车辆停在准确的卸泊位置;油罐车停稳后,静止片刻,接上静电线;登车验收,测量空高(满车可观察标记);核算员根据驾驶员提供的油品品名、数量进行进罐前的尺测量(包括水高),准确计量油罐空容量,确保进油后留有一定的安全高度;抄好对应加油机的泵码数(上泵数);在油料品名、数量确认无误后,开始接卸油皮龙,驾驶员负责接卸罐车出口端接头,核算员负责接油罐入口端;油龙接后再复查一遍油罐编号与油料品名是否相符;接卸过程中必须有人在现场监护,发现问题立即停止卸油;卸油结束后,核算员登车验收,是否卸净;核算员对进油罐进行后尺测量(包括水高);抄好对应加油机的泵码数(下泵数),减去上泵数,计算出卸油期间的发油数;根据前后尺测量数据及卸油时的发出数正确填写好进油记录。

2. 加油作业程序

加油工严格遵守加油操作程序,按章作业是优质服务的前提和安全生产的保障。因此,制订合理规范的加油操作程序是非常必要和重要的,是加油站规范化管理的重要内容和步骤。

(1)准备:加油工着装整齐,站在加油机一侧,随时进入作业状态,保证加油车就位后及时加油。

(2)引导:加油车辆进站,判断加油种类,确认油箱的位置,引导驾驶员停到加油位置,同时检查发动机是否熄火,车上有无人员吸烟。

(3)加油:问清加油品种及数量唱诵一遍,看准加油机枪号取下加油枪,使加油机计数器回零,请客户确认后,开始加油,加油终了,核对品种、数量、金额。

(4)收款:请客户确认加油品种、数量、金额后,接受客户付款。

(5)送客:告知客户油已加好,并说声谢谢,欢迎再次光临。

3. 现金、油券管理

营业款应及时放入保险箱内,对保险箱要采取安全防范措施,加上密码;营业款不得带回家,或挪作他用,交班后要如数上交核算员处;加油所收油券要及时加盖付讫章,剪下副券;加油站不得出售回笼油券,不准以油券串换现金。

(二)加油站现场规范管理

高速公路加油站是高速公路对外服务的窗口,是宣传公司整体形象的镜子。在加油站现场管理中具体规范要求如下:

1. 站容站貌管理规范

(1)加油站营业办公室内窗明几净,桌面整洁,无灰尘,不得摆放与营业无关的其他杂物,屋顶、墙角无吊灰、积尘。

(2)加油站职工的交通工具,必须停放在专设的指定位置,不得随意乱停乱放。

(3)油站的生活间、卫生间,应保持卫生、清洁,物品放置有序。

(4)油站保持视觉形象,照明灯具、标志灯具及霓虹灯要完好,发现故障及时修理。

(5)油站营业室内的醒目处,悬挂有效的营业执照和化学危险品经营许可证及营业、消防等有关规章制度。

2. 油站现场作业规范管理

(1)油站进油规范管理。加油站现场作业主要是进、销、存。而进油是油站重大作业,从安全角度上它是首要工作,所以接卸人员要思想集中,严防违规操作杜绝责任事故发生。

(2)现场服务操作规范。油站在销售中提倡优质服务,树立良好的企业氛围,使用文明用语,计量准确,质量合格,明码标价。

(3)现场操作流程规范。加油人员提前做好岗前准备工作及自查工作;上岗人员必须认真负责,与交接人员同时抄写加油数码累计数,准确计量油罐存油量,并交接作业中存在的问题和处理总结,双方核对无差错后,签名,上岗作业销售。

(4)夜班现场管理规范。夜班上岗人员既是经营者又是值班者,在搞好经营创效益的基础上,必须思想集中,提高警惕。在岗人员应对加油站所有财产负有保管责任。

(三)加油站规章制度

1. 加油站交接班管理制度

(1)准时交接班,接班人员应提前 10 ~ 15min 到位,当班人员在交班前

5min 停止加油进行当班结账。下班人员未到，当班人员不得停止营业。

(2)交接班必须认真负责，检查核对加油机字码累计数，清点交接整装油品和其他商品，交接双方加油员签字确认。

(3)领导对下一班有指示和要求，交班人员要及时传达清楚，不得有误。

(4)检查设备完好状况，填写设备交接记录，以及站内安全情况。

(5)班长负责交接当班经营、管理、服务工作中其他情况，并在交接班记录上签字。

(6)卫生交接，上一班卫生不清洁，下一班人员可拒绝接班，由此造成的责任，由上一班人员负责，并按有关规章制度处罚。

2.加油站值班制度

(1)当班者即是经营者又是值班者，必须提高警惕，在搞好经营创收情况下，应对加油站所有财产负责保管好。

(2)坚守岗位不得擅离职守，在加油车辆不多时，当班负责人应对站内进行巡查。

(3)无关人员不得进入站内，对可疑人员要进行盘查，一边盘问，一边做好应付准备。

(4)当班者上岗后，不得做与工作无关的事情，随时注意站内外一切异常动态。

(5)当班者遇到自己解决不了的问题，除向站领导汇报，还可以向公司值班人员汇报。

(6)如当班者遇到抢劫或其他破坏分子，应速打 110 报警，并向站领导以及服务区汇报。

(7)节假日：站长、核算员必须要实行带班制，排列值班表，节日前 3 天应该送交公司。

(8)对玩忽职守造成重大事故，要追究站长、当班人责任。

3.加油站安全管理制度

(1)站长为加油站安全第一责任人，要加强对全站人员的安全教育，经常组织学习安全、消防知识，增强安全意识，树立“安全第一”的思想，每个员工要熟知三防预案，并能及时处理突发事件。

(2)建立群众性的义务消防组织，每个职工都是义务消防人员，制订消防方案，认真抓好训练，达到人人懂得消防器材性能，并会操作进行扑救。

(3)加强明火管理，加油站动火或临时用电，必须严格执行动火和临时用电审批制度，动火和临时用电时，认真做好监护工作。

(4)认真做好各种设备和静电装置的维护保养工作,使之处于良好状态。

(5)认真做好保卫工作,夜间值班的人员必须在位尽责,白班交班时应将当天的营业款解交银行,夜班的营业款,必须进保险箱,做好防抢、防盗工作。

(6)在生产经营过程中,严格执行操作规程,认真执行《接卸油操作规程》。

(7)认真做好检查工作,站长除抓好日常检查外,每周要进行一次全面检查,每班作业必须有兼职安全员负责督促,检查加油站现场安全管理,实行日检查,周记录制度。

(8)对违章发生事故的要按照"三不放过"的原则进行严肃处理,即事故原因分析不透不放过;事故责任者和群众没有受到教育不放过;没有防范措施不放过。

4.加油站设备管理制度

(1)加油站站长兼职设备管理人员,应认真执行设备维修管理制度,做到科学管理、正确使用、维护及时、按需维修。同时编制设备检修计划,做好运行和检修记录,建立完整的设备技术档案。同时,认真落实加油站设备管理"四定"制度。

(2)油罐管理:每个油罐都应有标明所装油品的明显标志,严防混油,埋地油罐操作井应经常清理,做到无积油、无积水、无杂物。

(3)油罐附件管理:进出油管、量油口,入孔盖无渗漏,各部件螺栓齐全,连接牢固,阀门保持启闭灵活,无渗漏现象;呼吸阀、通气管、阻火器、液位计等设备定期检查保养,使之完好有效。

(4)管线管理:定期观察油品埋地管线的防腐层,如有损坏应及时维修,敷设管线的管沟应保持沙子填实,管沟进入建筑物、构筑物、加油机底部必须密封,无渗漏。

(5)加油机附件管理:严禁用水校验加油机以防机件锈蚀:易磨损的机械部件应保持表面清洁无灰尘,无污垢,并定期加注润滑油。定期检查加油机各部位及零件的技术状况,确保正常运行。在维修、更新加油枪及胶管时应采用自封式油枪和专用胶管,且启闭灵活密封良好。

(6)中控机管理:中控机由加油站专人管理、操作,严禁他人使用、拆卸、改动,外来光盘不得在中控机上使用。

设备管理"四定"是指:

(1)定点:加油站配制使用的电器、中控机、加油机、油罐、消防等设备,不得任意拆卸和挪动,做到定点固定使用。

(2)定人:站内使用的各种设备、器材的维护保养工作,应根据不同的工作岗位落实专人负责。

(3)定目标:对使用的设备、器材要在规定时间内进行检查、维护、保养,及时掌握设备在运行使用时的状况。

(4)定责任:站长对设备、器材的维护保养情况要每周进行检查并做好检查记录,发现隐患及时上报。

(四)加油站综合考评细则

为提高加油站规范化服务水平,积极开展加油站达标创星活动,树立良好的企业形象,确立"顾客第一,信誉第一,服务第一"的经营思想,按照《加油站管理规范》的要求,结合高速公路实际情况,从服务规范、站容站貌、经营管理、财务管理、安全管理、数质量管理、接卸与储存、设备管理等方面制订加油站综合考评细则。以下是京沪高速公路有限公司加油站综合考评细则。

1.服务规范(40分)

序号	管理工作标准	考 评 细 则	标准分
1—1	上岗员工按统一着装,佩戴胸徽,仪表端庄	1.上岗员工未按规定统一着装的,每人次扣3分;未按规定佩带胸徽的,每人次扣2分; 2.工装有明显污渍的,每人次扣2分;有破损的,每人次扣2分; 3.上岗员工仪表不端庄的,每人次扣2分	40
1—2	员工在岗服务规范	1.员工在岗位为顾客服务时,未使用文明用语的,每人次扣5分;使用忌语的,每人次扣2分; 2.在岗员工未做到"车到人到"的,每次扣5分;车辆在泵岛边等候时间超过1分钟未打招呼的,每车扣3分; 3.在岗员工不主动引导车辆进站的,每车次扣3分;不主动为加油车辆开油箱盖的,每车次扣5分; 4.在岗员工对顾客提出的合理要求未及时答复的,每人次扣3分,提出异议不予理睬,每人次扣5分	
1—3	员工严格执行工作纪律	1.在岗员工发生违反服务质量标准的行为被顾客投诉,且经查属实的,每起扣10分; 2.在岗员工服务态度生硬,并发生与顾客吵架打架现象的,每起扣20分; 3.员工在岗服务时,从事与工作无关的事情,每人次扣2分	

续上表

序号	管理工作标准	考 评 细 则	标准分
1—4	主要便民服务项目、监督管理措施落实	1.便民服务项目未按规定设立的,每缺1项扣10分; 2.未公布主管公司监督电话,未设立顾客意见簿(箱)的,每缺一项扣10分; 3.未聘请社会特约服务质量监督员,未制订《服务质量意见征询表》、未征求社会消费者对加油站服务质量的意见,每缺一项扣5分	40

2.站容站貌(160分)

序号	管理工作标准	考 评 细 则	标准分
2—1	加油站视觉形象符合规定	1.罩棚沿口视觉形象的徽标图案,字体色彩不符合《江苏京沪高速公路有限公司加油站形象识别手册》标准要求的,每处扣2分; 2.罩棚沿口不清洁,图案、字体、色彩有褪色,发生破损现象的,每处扣2分; 3.罩棚立柱、顶棚,站内围墙,营业房内外墙壁有破损、不清洁、涂料剥落现象的,每处扣2分; 4.未经主管公司批准,擅自设立宣传广告牌、横幅,每处扣10分; 5.擅自树立公司之外同业竞争单位的商品广告牌的,每处扣20分	30
2—2	加油站指示牌、标识、标牌及灯光设施符合规定	1.未按规范树立加油站指示牌的,扣10分; 2.加油站指示牌不清洁、有破损的,每处扣3分; 3.加油站指示牌内照明灯或站内照明灯不亮的,每盏扣1分; 4.服务承诺、油品标牌、价格牌、进出口的标识、安全警示标识、厕所标识等,每缺一项扣3分,破损或不清洁的,每项扣1分	30
2—3	工作场所物品置放有序,商品陈列整洁、美观	1.工作场所物品置放杂乱的,每处扣10分; 2.营业房及附属房等设施的门窗有破损的,每处扣2分;不清洁的,每处扣1分; 3.营业执照、经营许可证、消防许可证未置挂在固定场所的,每缺一项扣2分;置挂零乱、不整齐的,扣2分; 4.陈列商品堆放散乱或有灰尘的,扣5分; 5.站内附属工作生活用房不整洁的,扣5分	30

续上表

序号	管理工作标准	考 评 细 则	标准分
2—4	环境卫生,绿化规范	1.未建立卫生包干责任制的,扣2分,包干区不卫生的,扣5分; 2.场地不清洁,有杂物、有明显油污或坑洼的扣5分; 3.加油机外壳有明显锈蚀、油污积尘的每台扣2分;顶上随意放杂物的,每台扣2分; 4.加油岛、油罐人口、卸油口有破损或明显油污的,每处扣2分; 5.发电机房内物品摆放杂乱的,扣5分;地面有明显油污的,扣3分; 6.绿化区有垃圾或杂草丛生的,扣5分	40
2—5	站内厕所免费对外开放,且清洁卫生	1.厕所未设置大、小便池、洗手池、排气扇、照明灯等设施的,每项扣5分;有故障不能使用的,每项扣4分; 2.厕所内设施不整洁的,扣5分; 3.厕所内有异味的,扣10分	30

3.经营管理(120分)

序号	管理工作标准	考 评 细 则	标准分
3—1	严格按照渠道调进油料,确保油品质量合格	1.未从公司规定的渠道调入油料,每笔扣40分; 2.发现将非标准品、劣质油料与标准品掺配销售或将低标号油品充当高标号油品销售,每次扣20分	40
3—2	经营油品适应当地市场需求	1.未按当地市场需求配齐品种的,扣5分; 2.未按时营业的,扣5分;人为造成脱销的,每次扣10分; 3.未销售润滑油(脂)的,扣5分; 4.未按规定供应加入清洁剂的汽油、柴油,扣10分; 5.清洁汽油、柴油添加剂的品牌不符合公司规定的,扣10分	30
3—3	严格执行价格政策,明码标价	1.当日经销的油品价格未及时在价格牌上公布的,每次扣5分; 2.未按规定油价出售油品的,发现一次扣15分	15
3—4	严格遵守经营纪律,经营行为规范	1.开票员不按规定开具发票的,每次扣5分; 2.油票回笼或未按规定及时剪角作废,扣5分; 3.员工用油票、支票及加油凭证套取现金或将溢余票款据为己有的,每人次扣10分; 4.在加油机出现乱码时仍继续加油的,或加油前不回零的,每次扣5分; 5.员工将溢余油品擅自出售、私分货款的,每次扣35分; 6.员工随意泄露本企业商业秘密的,扣5分; 7.加油站未与定点客户签订定点购销协议而擅自赊销的,扣10分;加油员擅自赊销的,扣5分	35

4. 财务管理(120分)

序号	管理工作标准	考评细则	标准分
4—1	加强内部核算，建立健全经济责任制	1. 未达到公司下达的销售量、费用、利润等经济指标的，扣10分； 2. 未实行加油量与职工奖惩挂钩的，扣10分；未定期进行考核的，扣5分； 3. 未完成年度考核指标的，每项扣5分； 4. 加油站未进行“模拟核算”的，扣20分	30
4—2	各种账册报表齐全，登记准确，及时规范	1. 未按上级规定设置账表的，扣5分； 2. 账账不符合的，每处扣2分； 3. 登记台账与原始凭证不符的，每笔扣2分； 4. 登记不及时，有差错、涂改的，每笔扣1分； 5. 原始凭证未按期分类装订的，每种扣2分	25
4—3	按时上报统计和财务报表	1. 未按时上报“5日报”和“加油站经营情况季(年)报表”的，每次扣5分； 2. 统计报表、财务报表数字不真实的，每笔扣2分	15
4—4	妥善保管票证，及时回笼现金，按时清理债务	1. 当班油款未及时存入银行(或上交公司)的，每次扣5分； 2. 夜间营业款未及时存放保险柜的，每次扣5分； 3. 加油券、发票等票证遗失的，每次扣15分； 4. 债务清理超过半年的，每户扣4分	35
4—5	按规定及时做好联营账的收益分配，确保投资者的利益	1. 未按规定及时做好联营加油站投资收益分配的，扣10分； 2. 未坚持对联营加油站进行年终经济效益审计的，扣5分	15

5. 安全管理(120分)

序号	管理工作标准	考评细则	标准分
5—1	安全检查正常，隐患整改措施落实，对无力整改的隐患有专题报告和防患措施	1. 每周未进行安全检查的，扣2分；检查无实际内容的，扣1分； 2. 隐患未按期改的，每处扣3分；隐患整改不彻底的，每处扣1分； 3. 对无力整改的隐患，无报告、无防范措施的，扣5分； 4. 每班未设带有标志的安全员，扣5分	15
5—2	加油站安全组织健全，责任明确，活动正常	1. 组织不健全的，扣8分，人员不落实的，扣2分，职责不明确的，扣2分； 2. 岗位日查不落实的，扣2分，记录不实弄虚作假的，扣2分； 3. 安全活动每月少于1次的，扣2分	15

续上表

序号	管理工作标准	考评细则	标准分
5—3	车辆按规定进站加油,工作现场无违章作业	1.机动车不熄火加油的,每次扣5分; 2.爆炸危险区域内有车辆进行检修作业的,每次扣3分; 3.顾客在站内吸烟、使用手机未及时制止的,每次扣2分; 4.直接向塑料桶内加注汽油或柴油的,每次扣10分; 5.加油时发生冒油、滴油现象未及时处理的,每次扣2分; 6.卸油不按规定连接导静电接地线的,每次扣10分; 7.员工在站内吸烟、使用手机的,每人次扣5分; 8.站内发现烟蒂的,每个扣2分	30
5—4	按规定进行安全教育,强化员工安全意识	1.重大节日,季节变更时未进行安全教育的,每次扣2分; 2.新上岗职工未进行安全教育的,扣1分; 3.员工不会使用站内消防器材的扣10分	15
5—5	安全防范措施落实	1.未按规定设置安全警示牌的,每处扣3分,安全警示标志牌模糊不清的,每块扣2分: 2.要害部位的防范措施不符合要求的,每处扣3分; 3.报警、防范器材未配置或性能不良的,每处(件)扣2分; 4.站内临时动火,临时用电不符合安全规定的每次扣30分; 5.未制订消防灭火和治安防范预案的.每案扣5分	30
5—6	按规定配置消防器材,并实施"四定"管理	1.消防器材配置数量不符合规定的,每少一件扣2分; 2.消防器材摆布不合理、取用不便的,每处扣2分; 3.消防器材未实施"四定"管理的,每项扣1分; 4.消防器材严重锈蚀、皮管老化、通嘴堵塞的,每件扣1分; 5.消防器材移作他用的,每次扣1分	15

6.数量质量管理(120分)

序号	管理工作标准	考评细则	标准分
6—1	配备专(兼)职计量员,持证上岗	1.无专(兼)职计量员的,扣5分;无证上岗的,扣3分; 2.计量员现场操作不规范的,扣5分	10

续上表

序号	管理工作标准	考评细则	标准分
6—2	正确使用法定计量单位,计量器具配置合理并建立档案	1. 发现商品标签、报表、账册等处使用非法计量单位的,每处扣1分; 2. 未配置量油尺、量水尺、温度计、密度计等计量器具的,每少一件扣1分;未配置计量桶的,扣5分; 3. 未建立计量器具档案的,扣1分	10
6—3	计量器具用期受检率100%,计量器具抽验合格率100%	1. 加油机超过检定周期的,每台扣5分; 2. 计量器具、加油机维保不善的,每台扣1分; 3. 随意拆动加油机铅封、改动电脑参数的,每台扣10分; 4. 计量器未经检定或超检定周期的,每件扣2分	10
6—4	按规定对储存油料进行月盘点,损耗按月核销	1. 未按规定对储存油料进行月度盘点的,少一次扣5分; 2. 未按月核销损益的,少一次扣5分; 3. 超幅盈亏无原因分析的,每次扣15分	20
6—5	及时消除有关水杂	1. 未按规定清洗油罐的,每罐扣4分; 2. 油罐未按规定测量水位的,每次扣2分;罐底水位超过5cm未及时排水的,扣4分	10
6—6	按规定对进罐油进行计量验收,严格交接班制度	1. 储油罐没有容积表的,每罐扣5分; 2. 进罐油品未按规定进行计量验收的,每次扣2分; 3. 未按规定填写油罐测量进货验收记录的,扣1分; 4. 未建立交接班记录制度的,扣5分	10
6—7	按规定校泵确保对顾客加油数量准确	1. 未按规定及时校泵并作记录的,每次扣2分;校泵记录虚假的,每次扣5分; 2. 加油机计量精度超过额定误差、未报验并继续使用的,发现一次扣2分; 3. 用户反映加油数量有问题、未及时核查处理的,每次扣5分; 4. 克扣顾客加油数量的,发现一次扣10分	20
6—8	确保销售油料质量合格	1. 卸油员未登上罐车观察(颜色、气味等)质量检查的,每次扣1分; 2. 凡发现售出油料带水的,每次扣5分; 3. 用户反映油品质量有问题且未及时处理的,每次扣5分; 4. 凡储油罐没有标明油品品名标牌的,每缺一处扣2分	30

7.接卸与储存(80分)

序号	管理工作标准	考评细则	标准分
7—1	卸油采用密闭式	1.未设置密闭式卸油装置的,每个扣5分; 2.未密闭式卸油的,每次扣5分	10
7—2	严格执行操作规程	1.送油罐车进站后,未连接静电地线、备好消防器材的,每次扣5分; 2.送油罐车进站后,未将罐车静置10min,也未进行计量的,每次扣5分; 3.驾驶员和卸油员未同时核对、确认油品品种的,每次扣5分; 4.驾驶员和卸油员未同时签字确认油品核单中实收数量的,每次扣5分; 5.卸油过程中,现场无卸油员、驾驶员监视的,每车次扣10分	40
7—3	建立健全散装、整装油品保管制度、定期盘点,做到账实相符	1.散装油品未分罐设立商品保管账的,每一罐扣5分; 2.散装油品未按月进行盘点的,扣5分;账实不符又无原因分析的,扣5分; 3.整装油品未分堆堆放的,扣3分;标示不清的,扣2分; 4.整装油品未分品种建保管账的,扣5分;账实不符又无原因分析的,扣5分	30

8.设备管理(80分)

序号	管理工作标准	考评细则	标准分
8—1	配备专(兼)职设备管理人员建立健全设备台账、技术档案	1.未配备专(兼)职设备管理人员的,扣5分; 2.未按规定建立设备台账和技术档案的,各扣5分	20
8—2	油罐及附件符合完好标准	1.油罐及附件不完好的,每处扣1分; 2.通气管未安装阻火帽的,每只扣5分;通气管直径、高度不符合规定的,每根扣5分;通气管、阻火帽不能正常发挥作用的,每根扣5分	20
8—3	加油机及附件技术状态良好	1.加油机无检修台账的,每台扣3分,检修记录内容不完整的,每次扣1分; 2.加油启闭不灵活且有渗漏现象的,每处扣2分	20
8—4	电气设备符合完好标推	1.爆炸危险区域设备选型不符合防爆要求的,每处扣1分; 2.静电接地装置未按规定测试的,每处扣5分,超标准后未及时改的,扣3分; 3.发电机组无专(兼)职人员操作及保养的,扣5分; 4.站内电气设备及生活用电安装不符合规范要求的,每处扣3分	20

二、汽车维修业务的管理

服务区的汽车维修初期以中、小修为主,因而修配厂应具备中、小修常见车型的修理技术力量及设备,并备有较常见的易损部件。修配厂的服务应急客户之所急,热情服务,并保证维修质量,不得购置假冒、伪劣产品,严格按规定收费,并消除垄断经营思想。

(一)营业管理

汽车修理项目隶属于服务区日常经营管理范围。在经营方式上,原则上以自营为主;尚未具备自营条件的服务区,可采取委托经营和租赁承包经营等形式,究竟采取何种经营形式取决于服务区的经营模式。

委托经营和租赁承包经营的汽修厂,承包方要服从管理处和服务区的统一领导,参加服务区的经营管理委员会,遵守并服从管委会制订的管理章程,承担合同规定的全部义务。汽车修理项目的经营指标和租赁标的,须根据各服务区实际情况,在确保服务功能、公司投入回报(资产增值)和经营者效益的前提下,由各管理处经营管理部门严格测算核定,报公司审核批准后实施。

服务区汽车修理厂应严格按照省汽车维修行业颁布的工时定额和收费标准、批准的费目、费率合理收取修理费用。各修理点应规范开具票据,建立好修理台账,做好营业记录和经营核算工作。同时各修理厂应切实加强配件、材料购销管理,建立相应采购、入库验收、保管和领用出库手续制度,建立材料配件账目,每月进行一次清账清点,做到手续完备,记录清晰无误,账物相符。各修理厂要严格按照行业主管部门批准的经营范围从事经营活动,不得超范围经营,服从行业主管部门的管理和监督。

(二)服务质量管理

(1)服务区汽车修理项目是高速公路文明服务的窗口,必须树立“服务第一,客户至上”的观念,要有热情、周到的服务态度,严格的服务规范,良好的服务质量和信誉,文明礼貌的服务用语,合理的收费价格和整洁明快的环境面貌。

(2)各修理厂应通过正规渠道提供优质正宗的汽车配件,严禁出售假冒、伪劣配件。

(3)各修理厂应向过往车辆提供24小时全天候服务;修理人员上岗时应穿着统一制服,接待客户应热情和礼貌;严格遵守各市汽车维修行业管理处对车辆修理质量的具体要求和规定;每次修理完毕交付用户时均由用户在服务台账上签字验收或签署用户意见,主动接受社会监督。

(4)各修理厂在汽车修理服务中要注意维护高速公路服务区的形象,如发生用户争吵、用户投诉等劣质服务情况,应由服务区负责查实,并按服务区有关管理章程处理,报省公司备案。

(三)生产管理

1.工时定额管理

汽修部必须组织实施劳动定额。汽修部内部所制订的修理工时定额要根据本汽修部的设备条件及工人的技术熟练程度来拟定。要定期进行定额的修改工作,力求使定额水平先进合理。要采取各种措施改善劳动组织,不断提高职工技术水平。要做好定额完成情况的统计、检查和分析工作。对工时消耗的原始记录定期汇总,及时了解汽修部的工时利用情况和定额完成情况。

2.各级岗位责任制

(1)汽修部经理岗位责任制:认真贯彻党和国家的方针、政策,遵守行业管理部门的有关法规,端正经营作风,优质修车、优质服务;组织全修理部的生产活动,对汽修部的生产行政工作实行统一领导和指挥,主持部门会议,研究解决生产中的重大问题;负责制订各项管理制度,检查和督促有关人员对制度的实施,做好各个环节之间的协调工作;组织贯彻质量管理,加强质量检验工作,开展全面质量管理,在质量与生产发生矛盾时要支持质检人员的工作;抓好职工的培训和教育工作,不断提高职工队伍的政治素质和文化技术素质;不断改善职工生活、劳动条件,保证安全生产。

(2)生产调度员岗位责任制:负责接待修车业务,与用户签订修车合同,办理车辆交接手续;安排生产任务,签派工单;协调车间、工种的衔接工作,掌握生产进度;召集厂部生产会议,抓好生产组织的实施,提出解决问题的措施和建议;严格控制生产周期,修车中有待料问题及时通知供应部门,负责联系修理中的外协加工;负责贯彻工时定额管理,努力降低生产消耗,不断提高劳动生产率。

(3)总检验员岗位责任制:严格执行国标、部标和汽修部标准,把好质量检验关;在车辆修理过程中实行自检、互检和专职检验的三级检验制度;做好车辆出厂检验,填写汽车修后检视路度表,汽车修竣检验表,修竣的车辆符合质量标准后方准出厂,并需有总检验员签章的出厂合格证;检验员必须坚持原则,严格执行国家关于产品质量的方针政策;认真填写质量检验原始记录,收集和整理好有关的数据,为改进修车质量提供可靠依据;参加修车质量分析会议,对质量整改提出处理意见及改进措施。

(4)过程检验员岗位责任制:积极贯彻执行上级颁发的有关技术质量检验制度和各项技术检验标准;在车辆修理过程中按技术标准认真做好零部件的分类检验,将零部件分为可用、可修和报废三类;按车辆维修工艺规程规定的必检项目和过程检验单规定的项目,严格检验,认真记录,对安全部件更要严格把关;按产品质量的技术标准及有关工艺技术要求,做好汽车配件的修复件的入库检验工作;积极采用新的检测手段,不断提高检验技术水平;管好、用好本岗位检验用量器具、仪表、仪器和检测设备;及时填写各项技术检验表格,积极反映有关质量和工艺方面的薄弱环节及存在问题。

(5)采购员岗位责任制:根据下达的生产任务,制订年度配件订货计划;及时了解仓库的库存情况,急需配件优先采购;在采购工作中不假公济私,不收受回扣,采购配件要掌握“质优、价廉”的原则,提货时认真检查不发生货损货差现象。

(6)仓库保管员岗位责任制:做好配件的验收入库手续,一定要把好数量、质量不合格的材料执行“四不收”制度;物资保管要求摆放科学、数量准确、质量不变、消灭差错。做好防锈、防尘、防潮工作;严格执行材料领发制度,做好有色金属交接回收工作,未用完的材料办理退库手续;及时掌握仓库物资变动情况,避免短缺丢失和超储积压,保持账、卡、物相符,定期进行清仓盘点工作;向有关部门反映各种配件材料的使用质量情况,为采购人员择优采购做好信息反馈工作。

(7)技术人员岗位责任制:贯彻执行有关的技术标准并制订汽修部的技术标准,编制工艺文件;积极采用新技术、新工艺、新材料,不断改善汽修部技术装备;做好对车辆和机具设备的技术档案、技术资料和技术文件的管理,为生产提供一切技术条件;为汽修部搞好生产工人的技术培训工作;开展全面质量管理活动,严格控制修车质量;收集外购配件质量情况,做好配件抽样送检工作。

(8)财务会计岗位责任制:监督汽修部生产经营活动,提高汽修部经济效益;筹集和提供资金,保证生产经营的需要,节约开支,降低成本,加速资金周转;遵守国家政策法令和财经纪律,保护国家财产;遵守行规、做好票证管理,按规定填开发票,严格执行收费标准;不得为其他单位、个人代开发票;按时负责行业管理部门交纳管理费。

(9)统计员岗位责任制:统计工作必须建立健全各项原始记录(如工时定额统计,燃、材料消耗情况、出勤率、设备完好率、修车返修率等)及其他所需数字填报工作制度;统计员要对数据的全面性、完整性、真实性、及时性负责;按期上报和公布实绩,对每月统计的数据认真分析,为汽修部的经营决策提供依据;统计人员必须从理论、政策、技术等方面不断提高自己的文化和业务素质,以适应各种情况的需要;定期向行业管理部门上报规定的统计报表,做到准确及时。

(10)计量员岗位责任制:贯彻执行国家颁发的计量法规、法令等;制订汽修部各项计量管理标准、管理制度及发展计划;负责配备并管理各类计量器具,保证量值传递的可靠和准确,负责汽修部的有关计量工作;做好量具的发放、调配、保管、报废审定工作;严格遵守计量操作规程,对在用量具实行抽查制度,做好计量器具日常维护保养工作;制订计量器具的周期检定表,严格执行量具送检规定;做好计量器具技术档案的保管工作,并制订借阅制度。

(四)技术管理

1.修车标准及工艺管理

(1)汽修部必须执行汽车维修国家标准、交通部部颁标准及汽车维修相关的地方标准。

(2)汽修部须制订适合本单位生产条件的修理工艺与检验方法,并为此配备工装及检测仪具。

(3)在确定工艺过程后,须编写工艺文件(工艺流程、工艺卡片),进口汽车可参考原厂标准制订出可行的修理工艺及技术标准,为提高修车质量提供可靠保证。

2.修车技术档案管理

(1)凡承接所修竣的车辆必须建立技术档案,做到"一车一档"。

(2)车辆技术档案所包括的内容:修车合同、派工记录、处理项目、主要零配件的更换情况、各总成件的过程检验记录、出厂竣工检验记录、试车记录、车辆修竣后的结账工时清单和材料清单。

(3)在用户提车时应提供有关的技术资料和修理技术数据。

(4)在承修车辆发生事故,需要技术鉴定和仲裁时,负责提供有关的技术文件和技术档案资料。

(5)修理厂保存的技术档案资料,保存期为5年,超过保存期限可定期销毁,销毁时主管部门要审核并共同参与。

(五)湖北京珠高速公路汽车维修服务管理办法(试行)

1. 总则

(1)为建立湖北京珠高速公路服务区、停车区(以下简称服务区)内汽车维修服务诚信机制,营造服务区良好的汽车维修服务市场经济秩序,切实维护汽车维修业主及司乘客户的正当权益,提高湖北京珠高速公路综合效益,树立湖北京珠品牌形象,现根据交通部《汽车维修行业管理暂行办法》、《汽车维修质量管理办法》及其他汽修服务相关规定,结合湖北京珠高速公路实际,制订本办法。

(2)本办法适用于服务区汽车维修经营单位或个人与汽车托修人之间的维修经营活动。

(3)服务区汽车维修服务的行为规范总体目标是:树立湖北京珠服务形象,做到守法经营、接受监督;诚信为本、公平竞争;尊重客户、热忱服务;规范操作、保证质量;自我管理、文明经营;保护环境、自我发展。

2. 资质管理

(1)凡在服务区从事汽车维修服务的单位或个人必须具备三类以上汽车维修资质。

(2)从事汽车维修的专业技术人员、质量检验人员必须经过专业培训,取得相应的资格证书,必须按照资格证书许可范围内从事汽车维修活动。

(3)从事汽车维修服务的单位或个人,对汽车的维修必须按照汽修资质证书规定的许可范围进行经营活动,超出资质许可证书规定范围从事的汽修经营活动所引发的事故或纠纷、投诉,其责任和后果由当事维修单位和个人承担,同时,京珠公司将视情况,予以经济处罚(1 000 元~2 000 元)直至终止经营合同。

3. 经营管理

(1)服务区维修厂维修人员必须身穿统一、整洁的工作服,佩戴工作胸牌,文明用语、礼貌待人;耐心听取客户诉求,实事求是与客户沟通,尊重客户的知情权;做到文明礼貌。

(2)服务公开,健全用户投诉制度。服务区维修厂应不断增强工作透明度,公开有关证照、资质证书、主要的维修项目、质量保证承诺、服务程序;公开投诉电话,设置意见簿、投诉箱,对客户的意见、投诉要认真答复,主动接受社会监督。

(3)服务区维修厂和业主,必须服从服务区管理办公室的统一管理,必须在服务区管理办公室的指导下,建立健全岗位责任制度和岗位责任追究制度,建立内部奖惩机制,确保落实到位。服务区管理办公室必须落实人员对维修厂家、业主统一管理,定岗定责。

(4)明码标价,做到收费合理、管理规范。服务区汽车维修厂应统一和公开价格明细表,价格应在国家规定范围内以市场价格为准,严禁随意喊价、加价;同时,应编制维修工时定额表、工时费用明细表;所有维修配件、材料要有进出台账记录,进货票据要妥善保存;维修收费应合法、合理,符合维修行业的整体水平;维修费用结算后,将工时、材料明细单交客户,维修收费要使用合法的收费凭证。

(5)诚信为本,确保质量。服务区维修厂承修车辆,承、托修双方必须要签订托修单,(对于维修费用预计在2 000元以上的,工时定额和收费标准上未作规定的,双方认为应当订立的维修项目,应签订合同)明确维修项目、费用、时间、质量保证期和双方责任等项目;要保证兑现对客户的承诺,为客户排忧解难;维修人员要严格执行维修质量三级检验制度,保存检验数据;对维修配件、材料的质量负责,不得使用假冒伪劣配件、材料。

(6)健全环境保护机制,增强环保意识。服务区维修厂必须严格按照公司下发的《门前三包责任制》的要求,做到维修区域内环境的清洁有序,做到厂房明亮、通风,各类物资定置存放,堆放整齐,废旧物资应及时清理。

(7)生产现场规范、有序,科学管理。

①维修间整洁,零件、器材分类存放;设备、工具配备合理、齐全,性能良好,实行定置管理。

②制度齐全,并统一格式上墙张贴,明显处设立岗位安全操作规程,在特殊区域、特殊工位、特殊设备要于醒目处张贴禁止事项。

③修理过程中实行"三不落地"(工具不落地、配件不落地、油污不落地),保持工作场地的清洁。

④维修过程的每道工序都要检验,并在过程检验单上记录,合格才可放行。

⑤必须追加维修项目时,须由技术负责人确认,并征得客户同意后,方能增加费用开始维修,并同时要追加托修单或在原托修单上补项。

⑥在维修过程中,需要更换配件而维修托修单又未约定时,须由技术负责人确认,并征得客户同意后,方可更换。

⑦更换配件时,应以旧件换取库房的新件,同时旧件应交库房保存,维

修工不得私自保存，维修工位不得存放修车辆配件以外的其他配件。

⑧维修过程中拆下待装的配件和领用待装的配件要妥善保管，防止配件串换或丢失，其中，拆下待装的配件必须采用防油污染的措施。

(8)服务区汽修厂必须具备与其相应资质匹配的设施、设备，设备技术状况必须完好，满足维修需要。

(9)定期培训制度。服务区维修厂应制订职工培训计划，不断提高从业员工业务素质和工作技能，所有上岗人员必须取得汽车维修相关从业资格证书后，方能上岗从业。

(10)质量诚信保证金制度。服务区汽车维修厂应向所在地管理办公室交纳2 000元的质量保证金，对出现维修质量问题及其他客户投诉事件，经查证属实，每次扣罚1 000元，如出现扣罚完的情况，公司将终止与经营单位的合同，勒令其退场。

(11)对于有自主维修能力的个别车辆(指车主自行维修或在质保期内车辆生产厂家的维修)，必须在服务区汽修指定区域内进行维修。维修期间，服务区汽修厂应有人配合其维修工作，并适当收取停车费用，停车费用不得高于车辆维修标的的5%。

(12)杜绝除车主自行维修或在质保期内车辆生产厂家维修形式以外的任何单位或个人在服务区从事汽车修理业务。

4.其他

(1)服务区汽车维修厂可根据本办法制定具体的汽车维修管理制度，并报管理所、经营开发部备案后公开。

(2)京珠公司对于汽车修理业务将定期进行考核，并实行奖惩制度，对于考核得分在95分以上，并连续三次在考核中名列前茅的汽修单位，公司将在年终一次性奖励2 000元。对于考核得分在90分以下，管理水平低下，且三次以上评分为最后的汽修单位，公司除了扣罚质量诚信保证金以外，将终止与汽修单位的合同，勒令其退场。

(3)本办法由湖北京珠高速公路经营有限公司经营开发部负责解释。

(4)本办法自2003年10月1日起试行。

(六)《高速公路服务区汽车修理部管理规定》初步方案

1.适用范围

(1)管理规定明确了高速公路服务区汽车修理部经营应具备的设施、设备、人员、质量管理、环保、安全等方面的基本要求。

(2)管理规定适用于在高速公路服务区两旁设立的从事汽车修理业务的经营者。

(3)高速公路服务区汽车修理部的经营范围为汽车小修、车辆急修。

2.设施

(1)一条线路上的所有汽车修理部的厂房场地、建筑结构、各种标志应基本统一,选址时应考虑适合车型及车辆快捷维修的需要,方便用户。

(2)汽车修理部必须满足安全、消防、环保的要求,与油库保持25m以上距离。

(3)修理作业要求在室内进行(除大型客、货车外)。

(4)修理部内建议布置汽车小修、轮胎修理两个主作业间,面积不少于$80m^2$,并另设业务工作室、修理工值班室或宿舍、简易配件库。

3.设备

(1)一台双柱举升机。

(2)一条长度大于8m的车用地沟(建在室外)。

(3)台钻。

(4)电焊和气(钎)焊设备。

(5)千斤顶。

(6)轮胎气压表。

(7)气缸压力表。

(8)台虎钳及工作台。

(9)砂轮机。

(10)润滑油加注器。

(11)充电机。

(12)骑马攀螺母拆装机。

(13)轮胎螺母拆装机。

(14)轮胎拆装机。

(15)轮胎动平衡机。

(16)内胎修补工具及工作台。

(17)空气压缩机。

(18)废油回收装置。

(19)小修必需的手工工具和检验仪器。

4.人员

(1)直接从事高速公路汽车维修作业的维修工不少于5人,并取得维修行业的上岗证书。

(2)有中级以上技术等级证书的维修工不少于2人。

(3)维修工应一专多能,具有机电结合,能掌握轮胎修理、焊接、钣金等技能的复合型人员。

5.管理

(1)建立完整的价格结算制度,建立统一的价格结算台账,使用统一的结算凭证。

(2)建立完整的质量管理制度,建立统一的维修台账,有统一的维修单据,备有必要的维修技术资料。

(3)设有废品、废油回收装置及废水沉淀处理设施。

(4)配备有安全消防设施。

(5)实行24小时值班,有条件的地方应配备救援维修工程车。

(6)对外公示内容包括:修理部联系(投诉)电话、维修结算价格表、服务承诺条款和维修许可证(技术合格证)。

(7)应上墙的管理制度包括:岗位职责、值班制度、安全操作规程和设备管理制度。

6.外部标志

(1)修理部正面上方位置悬挂统一的标志牌和灯箱。

(2)修理部内外装修色调要基本一致,车间内地面涂一色漆(或地砖),内墙面为白色瓷砖(或白色涂漆)。

(3)从业人员着统一标志的工作服。

7.流动资金

流动资金不少于3万元。

第三节　新项目开发业务的管理

一、新项目开发

当今市场,竞争日趋激烈,而竞争的焦点之一就是产品。企业能否在市场上站稳脚跟,关键是企业是否拥有适销对路的产品。这不仅意味着企业的兴衰,而且还包括了企业新的发展机会。因此,企业必须意识到:新产品开发工作是企业经营活动的主要部分之一。只有开发新产品,才能满足当前和潜在的顾客需求,保证企业获得合理的利润。

(一)新产品开发的重要性

企业的产品是企业的“命根子”。随着企业对市场依赖程度的加深,像过去那样的开展企业活动已不足以应付市场竞争局面。为了在优胜劣汰的市场环境下求得生存,企业必须将新产品开发作为一项重要战略来考虑。企业不断开发新产品,提供新的产品和服务,其重要性具体表现在以下几个方面:

1.新产品开发是企业成长的重要保证

新技术革命使企业经营方针起了很大的变化。产品日新月异,产品的生命周期将越来越短。如果企业不开发新产品,没有适销对路的产品向市场推出,这就无法长期生存下去,更谈不上成长。目前许多高速公路企业纷纷将新产品开发作为新的经济增长点。

2.新产品开发是企业不断满足消费者需求的重要手段

随着人民生活水平的不断提高,人们的消费需求和消费习惯在不断变化,需要越来越多样化,对产品的要求也越来越高,这为企业提供了越来越多的市场机会。企业要把握、利用好这些机会,就必须不断开发新产品来使之适应市场,打开市场销路,从而满足消费者的需求。

3.新产品开发是企业提高竞争能力的重要因素

在当今竞争激烈的市场上,企业一方面要满足消费者或用户的购买欲望和需要,同时还得关注竞争者的行为,对竞争做出反应。国内外许多成功企业的经验表明,只有不断地开发新产品,通过新产品的开发来提高企业的竞争能力,才能使企业立于不败之地。

4.新产品开发是增强企业活力的重要条件

搞活企业,增强企业活力受到许多因素的制约,但在某种意义上讲,新产品开发是增强企业活力的先决条件。

5.开发新产品是企业合理利用资源,提高企业经济效益的重要途径

由于新产品的特点所决定,新产品必须在技术上先进,使用性能上优越于老产品。换句话说,新产品要有比老产品更好的经济效益。发展新产品,可以充分利用企业的现有资源、设备、资金、技术等,通过降低单位产品的成本而获利。

因此,在激烈的市场竞争中,一个企业如果不积极发展新产品,就不能在竞争中取得优势。新产品的开发,对企业的生存和发展有着不可估量的战略意义。

(二)新产品开发的原则

新产品的研究和开发,是企业经营决策的重大问题。不断开发新产品是企业生存与发展的关键。为了使新产品尽可能成功和迅速发展,在进行新产品开发时,必须采取慎重的态度。新产品开发应遵循以下原则:

1.满足社会需要

产品是企业市场营销活动的物质基础。企业生产经营产品,是为了满足社会的需要,并在这一过程中实现利润。然而,消费者和用户的需求是不断变化的。因此,企业开发新产品必须根据国民经济发展的要求,适应社会经济生活发展的趋势,准确测定市场需要,研究发展适销对路的新产品,才能在市场竞争中居于有利地位。

2.符合国家的技术经济政策和法令

如在选择新产品的材质时,应充分利用资源丰富的原材料;对产品的设计制造应利用现在技术装备和劳动力等。同时还要遵守有关政策法令,如环境保护、专利、商标、广告法等法规。

3.充分考虑企业自身实力

开发新产品涉及人力、物力、财力,必须量力而行。企业应具备生产技术、生产设备、原材料资源等方面的条件,并能形成一定规模的生产能力,能够组织批量生产。开发新产品的选择要与企业中长期发展目标相一致。

4.开发新产品必须考虑能给企业带来经济效益

因此,要精确核算成本,严格经济核算,合理制订价格。即充分利用企业原有生产能力,综合利用原材料,以降低成本。同时,为产品进入市场制定合适的价格,使其易为消费者接受,这样才能扩大销路,取得较好的经济效益。

(三)新产品开发的方式

新产品的开发途径很多,高速公路经营产品开发方式主要有以下两种:

1.独立开发方式

一般而言,独立开发方式是指企业利用已有的理论和新的技术研究成果,自已独立进行开发性研究,研究出新的产品并投放到市场。这种方式一般只适用于有条件的大中型企业。

2.协作与引进相结合的方式

这种方式基本上有两种类型:一是高速公路经营企业与其他企业协作,将两者的优势相结合,联合开发新产品。这种形式目前在高速公路经营开发中得到了广泛重视和运用。另一种类型是引进某些先进技术,在消化的基础上,充分利用高速公路企业现有的条件,对其加以改进、完善,从而加快了新产品的开发过程。同时,也使企业锻炼了自己的开发队伍,提高了企业的产品开发能力。

(四)可行性分析

当经过新产品开发方案筛选过后,可初步确定该项产品(服务)是否开发,接下来所要做的一项工作主要是可行性分析。所谓新产品的可行性分析是指对经过筛选后初步选定的开发方案从技术、经济等方面进行全面的研究、分析,最终选择一个最佳的开发方案作为实施方案。新产品的可行性分析是新产品开发过程中一个十分重要的环节。新产品的可行性分析主要从以下三方面进行,即技术可行性分析、经营可行性分析和其他因素的综合分析。

1.技术可行性分析

技术可行性主要是分析新产品构思方案对各项技术性指标的可能实现程度。其内容主要包括新产品的技术先进性分析、产品的功能实现分析、操作性和可靠性分析等。通过技术性分析,可初步对新产品的实现程度从技术角度进行考察,进一步保证其开发过程的技术可行程度。

2.经营可行性分析

当得到满意的技术可行保障后,就必须对新产品的经营可行性作全面的分析,即要估计和预测市场潜力、市场占有率、未来销售量、成本、投资报酬、可能的销售价格、利润等,且随着有关产品、市场信息的进一步获得,有必要对以上指标进行适时修正。

3.其他因素的综合分析

一项新产品的开发方案是否可行,不仅取决于以上两方面的影响,而且受到了多方面因素的制约和影响。例如,该产品开发是否符合国家的有关政策和法令、原材料的来源是否有可靠的保证、与企业的总体战备目标是否相吻合、劳动力资源配置如何,有无环境污染或是否有足够的污染处理能力等。对这些因素进行系统、综合地分析是可行性分析阶段不可缺少的。因为它们和技术可行性分析、经营可行性分析一样,是企业作出新产品开发决策的重要依据。

二、新项目开发管理制度

新项目开发管理制度事实上就是品牌开发管理制度,高速公路作为连接我国政治中心和经济中心的主干线,自开通营运以来,在国民经济中的作用日益显现。以路名命名的系列品牌生产的商品被大量投放市场,其品牌的企业价值逐渐凸现,由此而形成的无形资产存在广阔的增值空间。为维护企业利益,保证企业品牌形象的统一性和完整性,保持培育企业品牌过程的连续性和有效性,必须规范品牌的设计、使用和管理。

(一)品牌设计

品牌设计应置于公司主体战略框架指导下进行,符合品牌管理的全局利益。在品牌设计时,应使用整体设计概念,同步进行新品开发设计,标识识别设计和包装设计,以保证设计的完整与统一,缩短产品开发时间,及时将产品投放市场,延长产品的市场周期,提高产品的设计时效。品牌设计的构思来自准确的市场预测,详实的市场调研,这是品牌设计的首要条件。设计中的艺术构成因素必须与产品特性一致,符合商业设计的构成要件。品牌设计的市场调研,设计文稿和设计效果图应履行审批手续。

(二)新项目开发

新项目开发应坚持市场导向的原则,建立在市场调研的基础上,新项目开发人员必须熟悉市场环境,认真分析市场,有针对性的进行新品开发,以特定的消费群体为设计对象,避免盲目开发,做到有的放矢,确保产品的开发符合市场需求和企业的整体战略,提供新的利润增长点。所有方案的背景资料必须准确全面,产品质量符合相应的质量标准。

(三)品牌标识设计

品牌标识设计要融入独特性、差异性和唯一性的设计理念,力求便于识别,易于区分,印象深刻、简洁,这是成功设计的共同特点。标识经设计投入使用后,要保证有足够时段的连续性和统一性,避免多种品牌标识同时使用引起的识别混乱,以确保品牌标识使用有效。

(四)包装设计

包装设计是产品与消费者沟通的重要途径,成功的包装设计,应具备传达产品属性,满足消费情感,体现企业文化,标示品牌个性,便于运输和消费,保障产品质量的功能。精心的包装设计能够实现产品与消费者的亲密沟通,是实现产品价值的条件之一。现代的市场竞争已赋予产品的包装设计更多的含义。

(五)企业品牌的使用

企业品牌的使用,事关企业的整体形象。规范品牌的使用,不仅是实现品牌远景的需要,同时也是企业维权的需要。特别是在不具备生产条件,主要以定牌生产形式进行市场运作的企业,如何使用和管理自有品牌,对促进企业无形资产的形成和增值尤为重要。

江苏京沪高速的"京沪"系列产品投放市场后,其登记注册的产品名称、商标、文字、标记、符号、图案等标识已具有一定的商业价值,随着企业经营的发展,企业品牌的商业价值将会不断提高。为了维护企业权益,对印制和使用"京沪"系列品牌标识的有关个人、团体,企业实行授权。以防企业品牌被挪用,仿冒和伪造,或用于其他商业目的。所有投放市场的"京沪"系列产品必须使用统一的品牌标识,以保证品牌形象的连续性、有效性,避免品牌识别的混乱。广告发布的"京沪"品牌标识,应与"京沪"品牌标识构成元素一致,以利于发挥广告宣传对品牌的市场推介作用。以"京沪"品牌标识定牌生产的产品,在产品包装上应使用统一的"京沪"品牌标识,并经授权后方可使用。为维护企业声誉和品牌形象,以合作方式,使用"京沪"品牌标识生产销售产品的企业,应提供相应的资质证明,经授权后方可使用"京沪"品牌标识,从事经营的企业应支付一定的品牌使用费。

(六)品牌管理组织保障

品牌管理是现代企业管理核心内容。市场竞争集中体现为品牌的竞争。企业间的差距实际反映的是品牌实力和品牌管理能力的差距。为实现公司"以路为本,多元发展,资本运作,外向开拓,服务社会"的主体战略,推进经营发展公司经营管理的市场化进程,不断提高企业形象,培育企业无形资产,企业品牌的管理应有组织上的保障。品牌管理应具有科学性和权威性,公司管理层和经营层与特聘的设计专家组成的决策机构,负责企业品牌远景和品牌战略的制订的策划,并对品牌管理给予指导。

(七)品牌管理的日常工作

品牌管理的日常工作,由相应的管理与研究小组负责进行品牌的设计与推广,品牌的跟踪与调整,品牌的销售与服务,品牌的延伸与开发,对品牌具体的运作,对品牌建立、维护和巩固进行全程监督,以实现品牌远景为目的,确立竞争优势。

(八)品牌档案

品牌档案的管理是品牌管理的内容之一,有关的设计资料,市场调查和预测报告,市场策划,广告策划方案,销售分析数据,市场信息反馈集成等是企业品牌的重要资料,对品牌的开发与调整有重要的参考价值。应建立相应的管理制度,分类集中统一管理,以便于调阅和保存。

案例　实行精细化管理的宁通宣堡服务区

宁通宣堡服务区在积极落实"规范化管理"要求的过程中,本着为驾乘人员提供最优质的服务这一宗旨,制订新措施、采取了科学的管理办法,在实际工作中取得了一定的成效。

1.努力创造一流环境,确保工作稳定开展

环境卫生是服务区的第一形象。根据这一要求,宣堡服务区对卫生工作进行了规范管理,要求做到:每天早晨将全场满扫一遍,达到地面无明显砂石、泥土、纸屑等,不留任何卫生死角;及时清理草坪内的各种垃圾、杂物、烟头;在卫生保持阶段,及时清扫从车内扔出的各种垃圾。在"厕所保洁"方面针对洗手间每天上万人次的客流量引起的卫生保洁难度大、工作时间长等情况,将现有厕所保洁人员分时段合理安排,责任到人,定岗定位,确保做到窗户玻璃明亮、墙面地面镜面整洁、便池通畅,并最大限度地保持空气自然流通,达到室内基本无异味。

在内务管理上,积极借鉴收费站准军事化管理的先进经验,并结合自身实际,对员工宿舍的内务卫生,要求做到"三表"上墙:即宿舍管理制度表上墙、值日表上墙、内务考核表上墙;三个"一致":即被子叠放朝向一致、鞋子摆放一致、口杯摆放一致,力争达到整齐划一、整洁有序。

2.合理制定管理制度,实行规范化管理

坚持完善各项规章制度,严格按合同管理,层层落实责任制,不断完善考核制度,在实行"规范化管理"活动过程中,服务区对各项规章制度重新进行了修订,进一步细化了考核标准和考核方法,实行累计扣分法。这一举措的出台,大大促动了各单位工作人员,从而彻底改变了各承包单位有问题无责任,到年底还能继续拿到考核奖的现象。同时还试行以服务区统一制订的考核表,对各单位实行统一考核,进行规范管理。

在反“三乱”的工作中,服务区对保安工作实行规范管理,联合派出所和高速大队,多次召集保安人员进行政治学习,不断提高保安人员的思想政治素质和业务素质,同时根据保安工作的特点,制订了一系列保安员劳动纪律和保安员岗位职责,坚决杜绝乱扣证乱罚款行为。

3.开展业务技能培训

针对各承包单位员工流动性较大,人员素质参差不齐的状况,在由服务区把好从业人员面试关的前提下,服务区联合承包单位对员工的业务技能通过多种形式进行培训、考核,使员工在最短时间内达到服务区规定的标准和要求。

服务区围绕“优质服务”开展了岗位比武等活动,组织各单位、各部门之间开展了“创建工作看行动,优质服务在宣堡”等系列竞赛活动;各承包单位之间比服务态度、比业务技能,全区上下形成了一股比、学、赶、帮、超的良好竞赛氛围。

4.提供周到完善的便民服务,接受广大驾乘人员监督

心系群众,关心旅客作为服务区的服务宗旨,在众多便民服务项目出台之后,服务区又在各经营部门设立了便民服务专柜,在规范统一便民服务内容的基础上,鼓励各单位根据自身条件增加便民服务项目,扩大便民服务的内涵。特别是在公用电话方面,服务区引进竞争机制,将电信与联通公司的公话共同引入,比服务、比价格、比通话质量,让广大驾乘人员获得最大的实惠和方便。此外,通过在各营业场所设立的意见簿、优质服务评议表和服务区聘请的行风监督员,及时、广泛收集(征求)社会反馈意见,从而促进了自身工作和服务质量的进一步提高。

5.大力开展创建活动,努力提高整体水平

精神文明建设是服务区工作的重点之一,它直接影响着服务区对外的整体形象。服务区在现有基础上继续以“服务人民,奉献社会”为指导思想,积极带领全体员工树立宁通高速公路上良好的交通窗口形象,今年在已创建成为厅级文明单位的基础上继续开展创建工作。服务区的创建目标是:创建市(厅)级青年文明号、创建市(厅)级巾帼示范岗。

按照创建工作要求,服务区调整了创建工作领导小组,让服务区各经营

部门都投身到创建活动中来。及时召开由各部门负责人和职工参加的创建活动动员大会,在全区范围内长期性地悬挂了十六条以创建工作为内容的宣传横幅,在营业场所外放置了六块宣传牌,对过往驾驶员进行最直接的宣传,营造了浓郁的创建氛围。平时则经常性地开展创建活动,收集创建资料,不断地补充完善各类创建台账,使创建活动有条不紊地开展。

6.坚持"安全第一"、警钟长鸣

安全是做好其他各项工作的前提,服务区在各项经营活动中始终贯彻"安全第一"的思想,建立健全了以服务区负责人为组长,各承包单位及部门负责人为安全员的安全组织网络,制订了安全工作预案,全面落实安全管理工作责任制,从主管到分管,一级管一级,具体落实到人;定期检查财务室、加油站及各单位金库等重点场所;定期检查各种灭火器材是否完好有效;定期召开各承包单位和保安人员的安全工作会议,传达上级机关安全会议精神及要求;不定期地对各承包单位进行抽查;积极组织员工集中进行消防演练和安全知识的学习,并进行相关抽查和安全知识考试。不断地强化员工的安全意识,让大家头脑中时时绷紧"安全第一"这根弦,从而确保了安全方面未出任何责任性事故。

在"规范化管理年"活动中,服务区各项工作有步骤、有计划地全面展开,在全体员工的共同努力下,取得了一定的成绩。在今后的工作中,服务区将继续以"三个代表"重要思想为指导,以"规范化管理年"活动为契机,强化岗位练兵,提升服务形象,以驾乘人员的满意为宗旨,立足本职岗位,高标准、严要求,团结拼搏、负重奋进,以优异的成绩向高管中心及管理处交上一份优秀的答卷。

7.几项管理规定

(1)服务区停车须知

①缓慢驶入服务区,将车辆停放在停车线内。

②不堵塞行车通道,不在拐弯口停留。

③不向场地扔垃圾杂物,不得将水泼在场地上,不向场地任何地方倒油,自觉及时清理洒漏的油渍,爱护环境卫生。

④注意场地上走动的驾乘人员、工作人员,确保他人安全。

⑤注意保管好自己的贵重物品,关好车辆门窗。

⑥有困难请找服务区。

⑦举止文明,爱护公物。

⑧公布服务、投诉热线。

(2)餐饮管理规定

①人员调动(进与出)及时向服务区汇报备案,每月16日前向服务区提供一份变动后的人员情况统计表。

②每名新进的员工由本部门负责人进行岗前学习,在了解服务区的各项规章制度、安全工作要求及相关业务要求后予以上岗实习操作。每月固定时间组织新员工开展集体培训,对老员工进行业务技能考核,要求时间均为一天。

③制订针对各部门的详细考核细则,根据服务区管理制度对各部门进行优质文明服务、卫生管理、商品及饭菜质量管理、宿舍内务管理、安全及学习情况等方面的考核,确定每周考核次数,并要求部门负责人按照服务区下发的统一表式对员工进行考核。同时服务区规定部门负责人在岗时间为:上午8:00~11:00,下午15:00~18:00。

④后场菜肴定量实时制作,不允许出现制作好的菜肴长时间堆放现象。后场应确保饭菜的质量,所剩成品疏菜不得在第二天继续出售,当天所剩米饭除第二天早晨用作加工稀饭所需用量外,其余不得出售;下班前将未售完的菜全部处理完毕,同时前场所剩菜肴不得返回后场;购置冰箱两台,当天所剩荤菜必须全部储存进冰箱(冬季除外),同时必须做好防鼠防蝇虫工作,待售的菜肴必须放入纱罩内,确保菜肴卫生。

⑤加强员工安全教育培训,各部门每月必须进行一次安全学习,部门负责人应做好相应学习记录和学习人员出勤记录。单位电工每天对本单位各部门电、气设施、消防器材、车辆等进行全面安全检查及整改,并认真做好相关记录。

(3)卫生管理规定

①各单位明确卫生管理责任人,对本单位卫生、内务总负责。

②明确细分划定的卫生责任包干区,落实到部门、班组、个人。

③所有包干区实行定时打扫和指定专人维护性打扫方法,经营单位、部门在营业时间内,始终保持场地、环境、责任区卫生良好。

④严格按照卫生达标要求,认真做好卫生保洁、内务整理工作。

⑤严格执行餐饮(食堂)卫生管理规定,拟定相应的食品、饮食卫生管理措施。

⑥各单位建立卫生、内务考核制度,确保卫生工作达标。

(4)宣堡服务区修理厂安全管理意见

①每天必须有管理人员值班,且在值班时不得离开服务区。

②修理车辆时严格执行操作规程,杜绝"三违"现象发生。

③上路急修车辆不得中途调头,维修操作时按规定停放车辆,并摆放安全警示标志,穿着反光背心,严格执行安全操作规程。

④加强易燃、易爆物品管理,轮胎充气不得超标准。

⑤安全用电,不得私拉乱接,及时更换损坏或存在安全问题的各种电器设施,确保生产及人身安全。

⑥加强本单位车辆的安全管理,一车一台账,做到有检查,有记录。

⑦每天检查1次消防灭火器材,不符合安全规定的应立即更换。每周五对本单位安全工作进行一次彻底检查,并填报检查表格交服务区。

⑧严禁翻越高速公路,有事走院墙边门。

⑨负责人每天督促员工安全生产,检查安全情况,发现问题立即整改。

⑩每月定期召开一次安全工作会议。

(5)宣堡服务区治安管理考核意见

为确保服务区治安、停车管理工作达标,由宁通高速公路管理处与宁通高速公路泰州交巡警大队及其委托单位宣堡派出所拟定以下考核意见:

①警务人员、保安人员必须在岗在位(东区保安每班1人、西区保安每班2人),按时上下班,违反本条每人次扣1分。

②服务区内有闲杂、导购、游动叫卖人员,每人次扣1分。

③月度累计扣分按照每分50元扣除当月经费;累计扣分达30分以上时,扣除当月经费30%。

④遇有重大情况,未及时处理,扣5分/次。

⑤保安人员的处罚扣款按每分10元扣留。

⑥管理处按照服务区考核结果按季发放经费。

⑦不服从服务区管理、不适合在服务区工作的保安人员在服务区提出更换后一周内必须更换。

⑧本意见与《关于宣堡服务区增强警力和治安管理力量加强现场管理的协议》同时生效,并由服务区负责实施。

小　结

本章主要阐述了高速公路服务区餐饮经营业务的管理,包括工作程序、餐饮制度、餐饮纪律;百货经营业务的管理,包括岗位责任制、服务区商品管理细则、营业员规章制度;加油经营业务的管理,包括加油站生产作业程序、加油站现场规范管理、加油站规章制度、加油站综合考评细则；汽车维修业务的管理，包括营业管理、服务质量管理、生产管理、技术管理；新项目开发业务的管理，包括新产品开发的重要性、新产品开发的原则、新产品开发的方式、可行性分析和新项目开发管理制度。

思考题

1.服务区餐饮制度一般有哪些？
2.服务区百货经营业务的岗位责任制度有哪些？
3.服务区加油作业程序有哪些？
4.简述加油站"四定"设备管理。
5.服务区维修业务管理的主要内容有哪些？
6.新项目开发应当坚持那些原则？
7.新项目开发管理的主要内容有哪些？

参 考 文 献

1 《陕西省公路经营中的政企关系问题研究》课题组:陕西省公路经营中的政企关系问题研究,陕西省交通厅科技项目,2004 年 3 月通过陕西省交通厅组织的课题鉴定

2 席单、梅新育、李正友、姚自力.远离企业:矫正政府职能.武汉:武汉大学出版社,1999

3 《公路收费经营管理政策研究》课题组:公路收费经营管理政策研究,交通部科技项目,2004 年 5 月通过交通部科教司组织的课题鉴定

4 邓淑莲.中国基础设施的公共政策.上海:上海财经大学出版社,2003

5 王云泉.高速公路经营企业运作中存在的问题及对策.山东经济,2003 年第 3 期

6 周国光等.公路行业财务管理学.北京:人民交通出版社,2001

7 周国光.我国高速公路投融资之路越走越宽.中国交通报 2003 年 11 月 4 日 B4 版

8 刘步存.高速公路企业经营管理.北京:人民交通出版社,1999

9 郗恩崇.公路交通规费经济学.北京:人民交通出版社,2003

10 邓淑莲.中国基础设施的公共政策.上海:上海财经大学出版社,2003

11 贾元华、董平如.高速公路建设与管理.北京:北方交通大学出版社,2002

12 高速公路企业管理规范丛书:高速公路企业服务区管理.北京:人民交通出版社,2003

13 中华人民共和国行业标准.公路环境保护设计规范.北京:人民交通出版社,1999

14 高速公路丛书编委会.高速公路运营管理.北京:人民交通出版社,2000

15 高速公路丛书编委会.高速公路环境保护与绿化.北京:人民交通出版社,2001

16 高速公路丛书编委会.高速公路交通工程及沿线设施.北京:人民交通出版社,1999

17 高速公路丛书编委会.高速公路规划与设计.北京:人民交通出版社,1999

18 陈日中.高速公路企业经营管理实务全书.呼和浩特:内蒙古文化出版社,2001

19 沪宁高速公路指挥部.沪宁高速公路建设论文集.北京:人民交通出版社,1996